新版
世界各国史
4

中央ユーラシア史

小松久男 編

山川出版社

キョル・テギン碑突厥文面　キョル・テギンの死の翌年につくられた。4面のうち1面は玄宗がキョル・テギンを称えた文章(漢文)であるが、ほかの3面は突厥文字で、突厥の興亡史と唐から独立して団結すべきことを説く。

ケンタウロスと戦士　上下連続した毛織の綴錦《つづれにしき》ズボン断片。コータン東部ロプ県の山普拉1号墓出土だが、槍をもつ青い目の精悍な戦士像も中央アジア西部の色彩が濃い。1〜3世紀。

イスマーイール・サーマーニー廟　サーマーン朝をマー・ワラー・アンナフルに確立し、草原地帯にも進出したイスマーイールは、文化活動の保護者でもあり、イスラーム世界では一貫して名君とされている。優美な壁面装飾をもつその廟は中央アジアを代表する建造物である。

マフムード・アル・カーシュガリーの『テュルク諸語集成』のなかで描かれた世界地図　中央アジアのバラサグンがほぼ中心にあり、円周上部の「ジャーバルカー」なる地名は日本と推定されている。

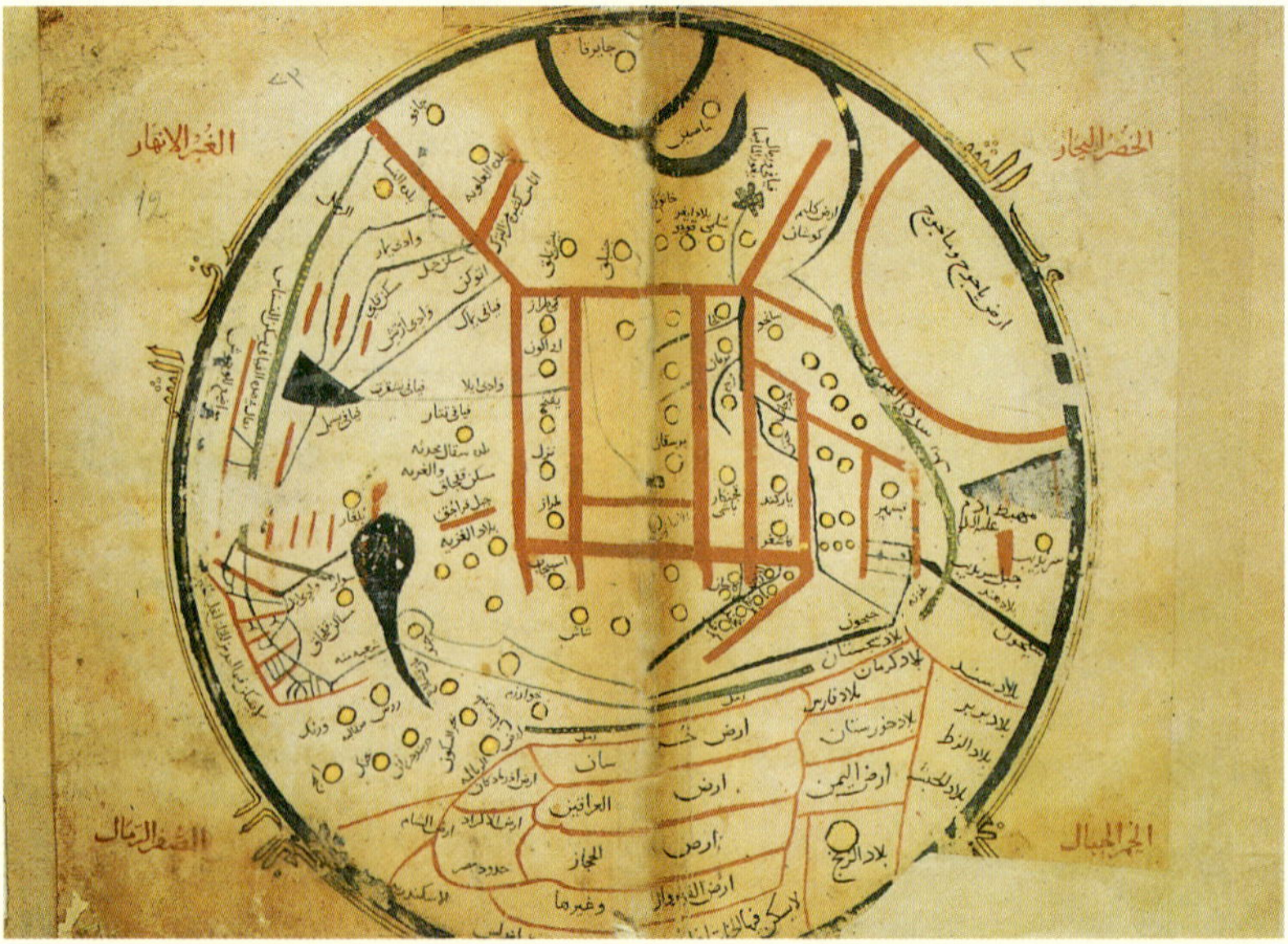

スルタン・フサインの宮廷で催された酒宴　ティムール帝国の王侯・貴族が杯をワインで満たし、音楽や詩の朗読を楽しんでいる様子がいきいきと描かれている。ビフザード作のミニアチュール。1488年ころ。

ラサのポタラ宮　ソンツェンガムポ王が宮殿を営んだマルポリの丘にたつ。ダライラマ5世により1645年に着工され、主要な部分は1696年に完成した。

馬乳酒の祭　20世紀初頭、モンゴル高原へも時代の波は容赦なく押しよせていたが、いぜんとして伝統的な遊牧生活が営まれていた。モンゴルの画家シャラブが描いたと伝えられる、馬乳酒の祭を題材とした絵画の一部。

ティムールの廟　ソ連邦の解体とともに中央アジア史の大きな見直しが始まっている。かつて「人民の抑圧者」とされたティムールも、今やウズベク人の民族的な英雄となっている。

まえがき

本書は、モンゴル、チベット、東西トルキスタンを中心とする中央ユーラシアの通史である。その特徴をあげれば、まず第一に中央ユーラシアという広大な地域を扱っていることだろう。しかも、その疆域はしばしば周辺の世界に拡大し、世界史の展開に大きな影響を与えた。スキタイ、匈奴、フン、モンゴル帝国など、古来中央ユーラシアの大草原を舞台に興亡を繰り返した遊牧国家が、狭い意味での草原世界をこえて東アジアや西アジア、スラヴ・東欧世界にまで勢力を拡大したことはよく知られている。

第二の特徴は、現代の国や地域の新しさである。現代中央ユーラシアにみられるモンゴル国やソ連から独立した中央アジア諸国は、いずれも二十世紀に成立した若い国々であり、ソ連邦の解体によって名実ともに独立をとげてからまだ一〇年にも満たない。また、内モンゴル、新疆、チベットなどは中華人民共和国内の自治区であって、国家ではない。こうした意味で、本書は世界各国史というコンセプトにはもっともなじまない巻といえるかもしれない。しかし、これはもちろん中央ユーラシア史の価値を減じるものではなく、むしろその特徴というべきだろう。

また、世界各国史旧版との違いを述べれば、まず旧版では『中央アジア史』と『北アジア史』の二巻で扱われていた内容を、ほぼ本書一巻におさめたことである。そのため叙述は全体として簡明を心がけた。さらに決定的な違いは、このあいだにソ連邦という巨大なユーラシア国家が解体し、中央ユーラシア地域が大変動をとげたことである。この現代史の転換とともに、各地で歴史の見直しや未公開史料の活用が始まっている。日本の中央ユーラシア史研究もまた新時代を迎えており、本書はこのような新しい研究成果を踏まえて書かれている。

本書のもう一つの特徴は、その構成にある。まず第一章と第二章では、中央ユーラシア史のいわば基層をなす草原遊牧民とオアシス定住民の世界の古代史をおさえ、第三章では中央ユーラシアの西部で進行したイスラーム化とテュルク化のプロセスを述べた。第四章では中央ユーラシアに統合をもたらしたモンゴル帝国とティムール帝国の時代を描き、第五章では西部のテュルク・イスラーム世界とは別に中央ユーラシアの東部で独自の展開をとげたチベット仏教世界の展開を提示している。第六章では中央ユーラシアが東西の大国、清朝とロシアに組み込まれ、その周縁と化していくプロセスを扱い、第七章「革命と民族」では二つの帝国における革命と民族運動の展開、その後の民族問題を中心に叙述した。そして、最後の第八章「現代の選択」では一九八〇年代なかば以降、とりわけソ連邦の解体にともなう変容と現状を扱っている。現代ユーラシアの変動を考慮して、従来よりも近・現代史に大きなスペースをさいた。このような構成によって、変化にとんだ中央ユーラシア史の理解が少しでも容易になれば幸いである。

地名や人名の表記については、今回テュルク(トルコあるいはトルコ系)、クルグズ(キルギス)など、原音に近い表記を試みたが、トルキスタン、ブハラなどの慣用はこれに従った。また、中央ユーラシア史を通して広く用いられた君主の称号、古代の「カガン」に由来するハン、カン、ハーンなどは、時代と地域、言語の別によってさまざまに発音されたと考えられるが、本書では、チンギス以前についてはハン、モンゴル帝国期はカアン、それ以降はハーンという表記で統一した。また、ロシア関係の事項については、一九一八年一月までは旧暦に従い、二月および十月革命などと表記した。

先にも述べたように、近年の日本において中央ユーラシア史研究は著しい進展をとげており、専門への分化もまた顕著である。その一方で、全体への目配りや見通しも必要であることはいうまでもない。本書がこのような意味でいささかでも貢献することができれば、編者としてこれにまさる喜びはない。また、本書では中央ユーラシア史の構造と展開を明示するために、各章の執筆者には時として本来の専門領域をこえる記述をお願いすることになった。執筆者の方々のご協力に感謝したい。

最後に、巻末の詳細な系図は赤坂恒明氏の労作であり、年表の作成にあたっては、河原弥生、木村暁、野田仁各氏の協力をえた。ここに記して感謝したい。

二〇〇〇年十月

小　松　久　男

目次

中央ユーラシア史

序章　中央ユーラシア世界

中央ユーラシアの境域

「中央ユーラシア」という用語は、一九六〇年代にハンガリー系のアルタイ学者デニス・サイナーが使用して以来、日本の学界でも広く用いられるようになった。それは従来使われていた内陸アジアや中央アジアという用語がさしていた領域をこえて、ユーラシア大陸の中央部分、ウラル・アルタイ系の諸言語を話す人々が居住してきたすべての領域を含んでいる。彼自身が指摘するように、これは地理的な実態というよりは文化的な概念である。簡潔にいえば、中央ユーラシアとは西は東ヨーロッパから東は東北アジアまで、北は北氷洋から南はカフカース山脈、ヒンドゥークシュ山脈、パミール高原、クンルン山脈、そして華北で南に流れを変える黄河の線にいたるまでの、じつに広大な地理的空間をさしている。

本書もこの「中央ユーラシア」という用語を使っている。悠久の歴史をとおしてその境域を伸縮させながら、東西ならびに南の世界に多大の影響を与えたこの地域の歴史的な意義を想起すると、「内陸アジア」の閉ざされたイメージはこれになじまず、また近年になって「中央アジア」は、ソ連邦から独立した中央アジア諸国をさすようになっているからである。

しかし、本書のいう「中央ユーラシア」は、サイナーの概念に忠実に従っているわけではない。本シリーズの構成と現代までの通史という性格を考慮して、本書で用いる「中央ユーラシア」の境域は、およそ西ではヴォルガ＝ウラル地方、東では大興安嶺、すなわちモンゴル高原まで、北では南シベリアの森林地帯とし、一方南では西部のイスラーム文化圏と対をなすチベット仏教世界の重要性を考えて、チベット高原を含め、西南ではイラン東北部とアフガニスタン北部までとしている。「中央ユーラシア」とは、現代から歴史をみるうえで有効と考えられた地域・文化的な概念なのである。

歴史を振り返ってみると、中央ユーラシアという広域の地域名称はもとよりのこと、このなかに含まれる個々の地域名称は他者によって与えられることが多かった。二十世紀にはいるまで、土地の人々が広域的な地域名称を使用した例はむしろ少ない。「トルキスタン」という有名な地域名称にしても、はじめ十九世紀の中央アジアにおける英露の角逐のなかで使用が広まり、さらに中央アジアのテュルク化（トルコ化）の結果としてトルキスタン（テュルク人の土地）が成立したという重要な歴史的事実を確証した歴史家たちの叙述によって定着した側面が強い。

一例として、一八八〇年の夏、日本人としてはじめてロシア領トルキスタンを観察した外交官、西徳二郎の『中亜細亜紀事』から、「中アジヤ」（中央アジア）の疆域にかんする部分を引用してみよう（第一編巻之一、一〜二頁。引用にあたっては旧字と一部の表記を改めた。〔　〕内は引用者）。

凡ソ汎《ひろ》ク中アジヤ（エフロッパ人ノ、セントラリ、アジヤヨリ来ル）ト称スルトキハ、東西両トルキスタン（土爾給斯坦）及コラサン（楚拉散）地方之ノ謂《いい》ナリ（漢人ノ所謂西域）東トルキスタン、トハ清国新疆ノ一部天山南路ニシテ一ニ之ヲ、カシガリヤ、トモ云フ(古ノ于闐、莎車、疏勒等ノ土地)西トルキスタン、トハ天山或ハ葱嶺《そうれい》以西現今ロシヤ領地及キワ(ヒヴァ)、ブカラ等ノ諸国ニ属セシ土地ナリ(古ノ大宛《だいえん》、康居《こうきょ》、月氏《げっし》)コラサン、トハ其西南ペルシヤ及アフガニスタン、ニ分属セシ一部ノ地方ヲ謂フ(或ハ古ノ安息《あんそく》、條支《じょうし》)又約シテ称スルトキハ唯トルキ(テュルク)種族ノ人民ニ属セシ土地ヲ指ス　此編多クハ之ニ倣フ

西トルキスタン、ハ東ハ天山ヲ以テ界トシ　南ハ、ヒンドクシ山　西ハ、カスピー海　北ハ、ウラル、トボル、イルテシ、ノ諸河水ヲ以テ限リ　其中間大約八万二千方里ト算ヘル広漠ノ土地ナリ　古来或ハ大ブカラ、トモ云ヒ(東トルキスタン、ヲ小ブカラトモ云フ)諸国人民ノ称スル所前後各々同シカラス

この解説のなかには、中アジヤ、東西トルキスタン、西域、新疆、カシガリヤ(カシュガリア)、大小ブカラ(ブハラ)など、多くの地域名称が登場するが、これらはほとんど他者による命名であり、しかも諸国民によって意味するところは同一ではなかったのである。このうち土地の人々が歴史をとおして使いつづけた例は、コラサンことホラーサーンのみである。しかし、固有の明確な地域名称はなくとも、中央ユーラシアのなかにさまざまの歴史・文化的な地域をみいだすことは可能であり、それは現代の国境線を相対化して考えるためにも意義深い作業である。

中央ユーラシアの自然環境

中央ユーラシアの自然景観は、高い山脈と高原、広大な草原と砂漠、そして緑豊かなオアシス地域によ

って構成されている。まず、高い山脈と高原の中心をなすのは万年雪をいただいたパミール高原であり、ここからは西南のアフガニスタンに向かってヒンドゥークシュ山脈が、そして東に向かっては北から順に天山山脈、クンルン山脈、ヒマラヤ山脈が張り出している。さらに天山山脈の北には豊かな草原を擁するジュンガル盆地を挟んでアルタイ山脈が重層し、モンゴル高原の中北部にはハンガイ山脈がはしっている。

これらの山脈は、中央ユーラシアの自然環境を決定する重要な役割をはたしている。これらの山塊は、アジア・モンスーンのしめった気流をさえぎって、この地域に乾燥をもたらすとともに、雲や雪を呼ぶことによって、初夏の草原や盆地を緑一色にそめる雨をふらせ、その雪解け水は川や伏流となって低地のオアシスを潤してきたからである。この峻嶺の山々がなければ、中央ユーラシアの遊牧民やオアシス定住民が生存することは不可能であった。

つぎに、その流域に豊かな森林と沃野をつくってカスピ海に注ぐヴォルガ川の東西には、広大なキプチャク草原(南ロシアとカザフ草原)が広がり、ここからジュンガル盆地をへてモンゴル高原にかけては、遊牧に適した草原が連なっている。歴史をとおしてさまざまな遊牧集団が東から西に向かっての移動をおこない、また突厥やウイグルなど多くの遊牧国家が興亡を繰り返したのは、まさにこの草原地域であった。

そして、パミール高原を中心とする巨大な山塊の山麓やそこから流れ出た河川の流域にはオアシスの形成に適した条件が生まれた。なかでも、西トルキスタンのアム川、シル川、ザラフシャン川などの大河川は、その流域にフェルガナ河谷をはじめ、タシュケント、サマルカンド、ブハラ、ホラズムなどの大オアシスを育んできたことで知られている。しかし、オアシスは自然の恵みだけで成立したわけではない。そ

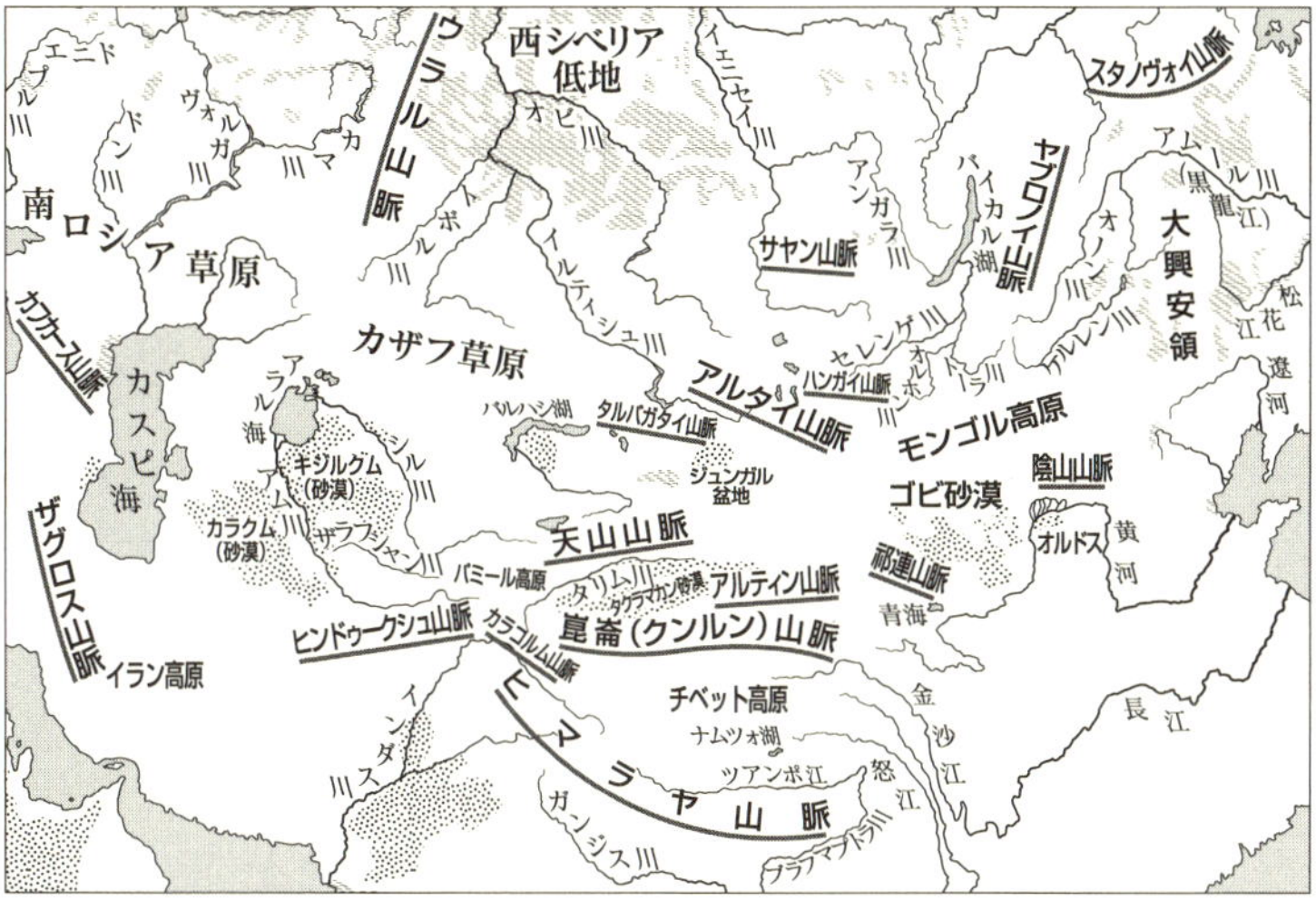

中央ユーラシアの地勢

フェルガナ河谷の景観(ウズベキスタンのアンディジャン州ミングテペ地区)　古代の都城址のなかに広がる緑の果樹園。

れにはもちろん、毛細血管のように農地をはしる水路や山麓の水源から竪穴を連ねて地下水路を導くカレーズのような灌漑システムの建設と維持が必要であった。

内陸の中央ユーラシアにあって、カスピ海やアラル海、バルハシ湖、バイカル湖などは、ランドマークとしても重要な役割をはたしてきた。とりわけアム川とシル川が最終的に流れ込むアラル海は、その巨大な水量によって周辺地域の乾燥化や気温の上昇を防いできた。しかし、ソ連時代の綿花増産と耕地拡大の政策によってアム川とシル川の水が過度に消費された結果、アラル海はいまや消滅の危機にさらされており、それは中央アジアの生態系と周辺住民の生活を確実に破壊しつつある(四四〇ページ参照)。中央ユーラシアの自然環境はけっして不変のものではないのである。アラル海の危機は、そのもっとも顕著な一例にすぎない。

中央ユーラシアの言語

中央ユーラシアでは、歴史をとおしてじつに多くの言語が使用されてきた。そのなかにはすでに死滅した言語も少なくないが、多様な言語の伝統は現在まで受け継がれている。現在使われている主要な言語を整理すると、それはほぼつぎのようになる。( )内は、その言語がおもに使われている地域をさしている。

1アルタイ系諸語

(1)テュルク諸語

(a)ブルガル語群

チュヴァシ語（ロシア連邦チュヴァシ共和国）

(b)南部語群

トルクメン語（トルクメニスタンおよびイランとアフガニスタンの北部）

(c)西部語群

クリミア・タタール語（もとはクリミア半島であったが、一九四四年におこなわれたクリミア・タタール人の強制移住により、現在は中央アジアの諸都市に散開）

タタール語（ロシア連邦タタールスタン共和国および中央アジアの諸都市）

バシュコルト語（ロシア連邦バシュコルトスタン共和国）

カラカルパク語（ウズベキスタン内のカラカルパクスタン共和国）

カザフ語（カザフスタンと新疆ウイグル自治区の一部）

クルグズ（キルギス）語（クルグズスタンおよびタジキスタンと新疆ウイグル自治区の一部）

(d)東部語群

ウズベク語（ウズベキスタンとアフガニスタン北部および周辺地域）

ウイグル語（新疆ウイグル自治区）

(e)北部語群

アルタイ語（ロシア連邦西シベリアの南部）

ショル語（ロシア連邦西シベリアの南部）

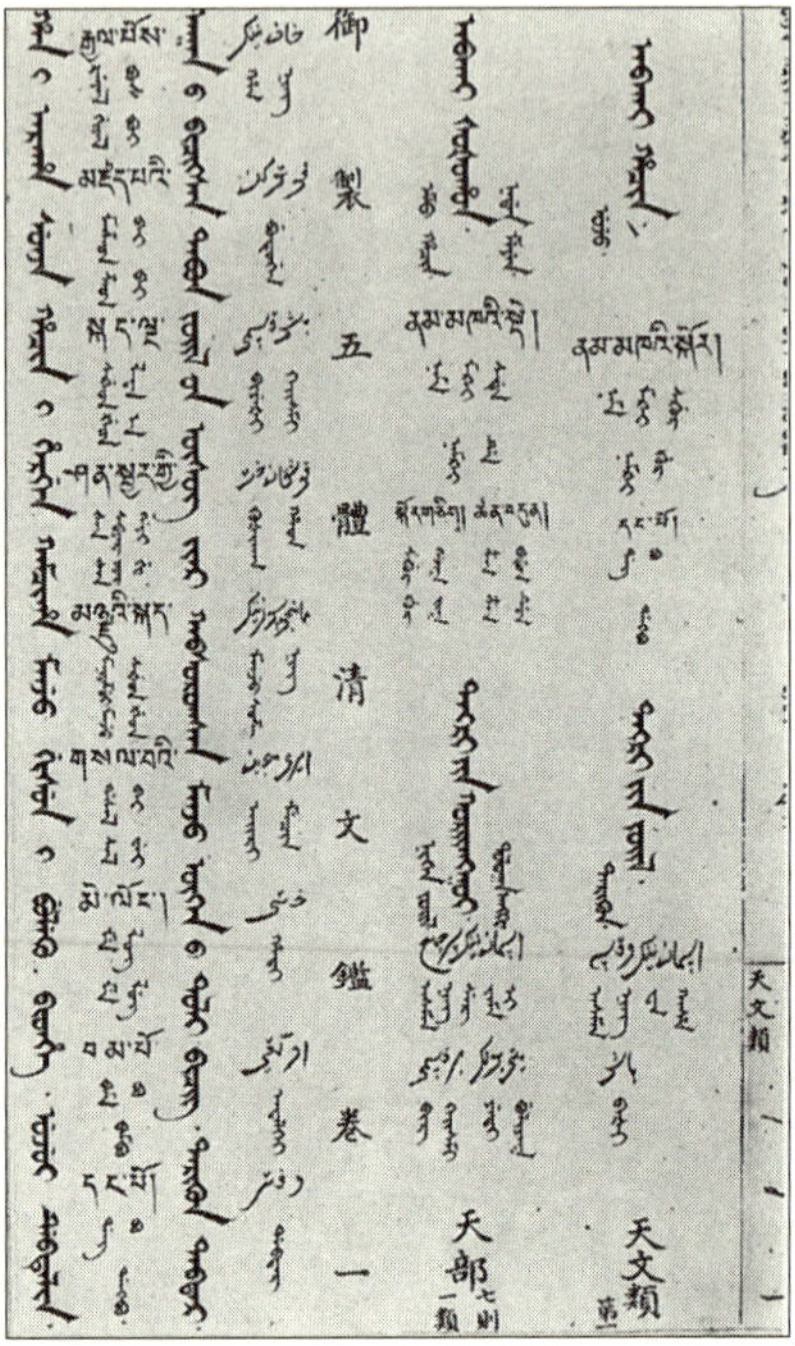

五體清文鑑　清朝の乾隆帝の命で作成された満洲語，チベット語，モンゴル語，テュルク語，漢語の対照辞典。清朝下中央アジアの多言語世界を象徴している。

トゥヴァ語（ロシア連邦トゥヴァ共和国）

(2)モンゴル諸語

(a)東モンゴル語（モンゴルと内モンゴル自治区、ロシア連邦ブリヤート共和国）

(b)西モンゴル語（モンゴル西部と新疆ウイグル自治区の一部、ロシア連邦カルムィク共和国）

2シナ＝チベット諸語

チベット＝ビルマ語派のチベット語（チベット自治区と周辺の中国西南各省）

3インド＝ヨーロッパ諸語

イラン語派西部グループのタジク語(タジキスタンとアフガニスタン北部および周辺地域)
イラン語派東部グループのパミール諸語(タジキスタン東部)

以上のほか、十九世紀以降多くのロシア人や漢族が入植した中央ユーラシアでは、ロシア語や中国語も広く用いられていることを付け加えておかなければならない。また、中央ユーラシア土着の民族の出身であっても、その民族の言語を知らず、あるいは使わない人々も少なくはない。カザフスタンの都市部のカザフ人や内モンゴル自治区のやはり都市部のモンゴル人のあいだにこの傾向は目立っている。彼らはロシア語や中国語を自らの言語として使用しているのである。

しかし、歴史を振り返るならば、使用する言語の取り替えは、文字の変更や言語間の相互浸透などとともに中央ユーラシアではたえまなく続いてきたプロセスであった。そのもっともよい例は、第三章の第2節で取り上げられるテュルク化の現象だろう。かつてはイラン系の言語を使用していたであろう中央アジアの定住民の多くが、十世紀をすぎるとしだいにテュルク語を受け入れはじめ、テュルク化のプロセスは二十世紀にいたるまで確実に進展したのである。もちろんブハラやサマルカンドのように、歴史的なテュルク化にもかかわらず、ペルシア語の伝統が保持され、結果としてテュルク語とペルシア語の二言語使用がおこなわれる場合も少なくなかった。

テュルク語もまた、その普及の過程でイラン系言語とりわけペルシア語の影響を強く受けることになった。ティムール朝期に完成をみたテュルク語の文章語、チャガタイ語は、ペルシア語のおびただしい単語や語法を吸収して成立したものであり、現代のウズベク標準語は、ペルシア語の影響を受けて、テュルク諸語の基本的な特徴である母音調和の規則すら喪失しているのである。中央ユーラシアの言語もまたたえざる変化のうちにあったといえるだろう。

中央ユーラシアの眺望

本書のなかで扱われるおもな国や地域をあげると、それは、まずモンゴル、中華人民共和国のなかの内モンゴル自治区、チベット自治区、新疆ウイグル自治区、一九九一年にソ連邦から独立したカザフスタン、クルグズスタン(キルギスタン)、ウズベキスタン、タジキスタン、トルクメニスタンなどの中央アジア諸国、そしてロシア連邦に所属するブリヤート、トゥヴァ、バシュコルトスタン、タタールスタンなどの共和国ということになる。現代の中央ユーラシアにはじつに多くの国境や境界線がはしり、この広大な地域をいくつにも分割しているのである。

しかし、このような現代の国境線も、これを歴史的にみるときわめて新しいものであることがわかる。たしかに清朝とロシアという近代の二大国は中央ユーラシアを二分したが、その分割線はまだ大枠にすぎなかった。中央アジア諸国を例にとれば、これらの国々の原型は、ソヴィエト政権が中央アジアにおける「民族・共和国境界画定」をおこなった一九二四年に成立した。中国国内に現在の自治区が成立するのは、これよりもっとあとのことである。中央ユーラシアの歴史を理解するには、まず第一に現在の国境線をひとまず取りはずしてみることが必要だろう。

じっさい、中央ユーラシアの歴史は、限られた地域で完結する歴史の集積ではなかった。それは、ユーラシアの東西と南北とを結ぶ広大な空間で繰り広げられた政治権力の興亡、さまざまな民族の移動や形成、多彩な宗教・文化の伝播と融合、そして遠距離交易による多様な物資の流通などが示すとおり、まさに境界をこえる動きが重層、複合するなかで織り上げられた歴史にほかならないのである。中央ユーラシアを統合することができたのは、ただ一つモンゴル帝国であったが、この帝国の成功は中央ユーラシア世界が備えていた動的な特性を有効にいかしたところにあったともいえよう。

これと同時に中央ユーラシア世界は、歴史をとおして周辺世界と対立と交流の関係を結んできた。とりわけ、古代のスキタイや匈奴をはじめとする中央ユーラシアの遊牧民は、その卓越した軍事力によって、東アジアや西アジア、スラヴ世界に勢力を拡大し、これらの世界の歴史においてしばしば決定的な役割を演じた。モンゴル帝国の時代、中央ユーラシアはその境域を周辺に向かって最大限に拡大した。

一方、東アジアの漢や唐、あるいは西アジアのウマイヤ朝やアッバース朝などの周辺勢力が、たとえ一時的にせよ中央ユーラシアのオアシス地域を支配することもまれではなかった。さらに、近代にはいって清朝とロシアが膨張を始めるとともに、中央ユーラシアの境域は、その主導権とともに後退することをよぎなくされた。いずれにせよ、中央ユーラシアの境域はたえず伸縮を繰り返してきたのであり、これもまたこの世界の動的な特性の一つといえるだろう。

ティムール帝国やジュンガルの滅亡のあと、中央ユーラシアの歴史はその輝きを失ったかのようにみえるかもしれない。中央ユーラシアのなかの政治的な分裂は深まり、やがて清朝とロシアという二大国の支配下に組み込まれてしまうからである。しかし、チベット仏教とイスラームという東西二つの文化圏は、その強固な伝統をなお保持していた。そして二十世紀にはいると、二つの帝国における革命を契機として、中央ユーラシアの各地に民族運動の胎動が始まるのである。これらはしばしば悲劇的な結末をむかえたが、それは中央ユーラシアのおかれてきた厳しい条件を明示するものにほかならない。

二十世紀の末、ソ連邦の解体とともに中央ユーラシアには名実ともに独立をとげた一連の国々があらわれた。この独立が中央ユーラシア史上、画期的な意義をもつことは疑いがない。それと同時に、現代の中央ユーラシアには、民主化と人権、開発と環境、民族問題、ソ連邦解体後の安全保障、経済システムの転換、世俗主義とイスラームなどの重要かつ困難な課題が山積していることも事実である。これらの問題の多くは、中央ユーラシア固有の問題というよりは、むしろ現代世界が共有する問題といえる。現代の中央ユーラシアを考えるためには、改めてグローバルな視点に立つことが必要となるだろう。

第一章　草原世界の展開

ユーラシアの草原地帯は、東は大興安嶺から西はハンガリー平原にいたるまで約八〇〇〇キロにもおよぶ広大な空間を占めている。この空間は東部（モンゴル高原とアルタイ、南シベリア）、中部（天山とカザフスタン）、西部（カスピ海、黒海北岸とドナウ川中下流域）に分けることができよう。このうち、とくに西部と中部では今や遊牧民はほとんどいなくなってしまったが、かつてその主人公は騎馬遊牧民であった。ただし実際には彼らの領域のなかにも定住民が多く生活しており、草原世界は遊牧民を主軸としつつも定住民の大きな関与とともに展開していったといっても過言ではない。本章では騎馬遊牧民の誕生から遊牧国家の発生、そしてそれらの遊牧国家がしだいに「定住文明化」し始めるまでを概説する。

1　騎馬遊牧民の誕生

動物の家畜化

遊牧とは季節に応じて家畜とともに放牧地を移動する牧畜の一種である。民族学者や動物学者の一部に

ユーラシアの主要な遺跡

は遊牧こそが牧畜のなかでもっとも古い形態であるとする説があるが、考古学的証拠から判断するかぎり、動物の最初の家畜化(羊と山羊)は前八六〇〇～前八〇〇〇年ころ、その少し前に野生麦の栽培化をはたしていた定住民によっておこなわれた。場所は、西アジアの地中海に近い地域、今日のトルコ(アナトリア)東南部、いわゆる肥沃な三日月地帯の一部であった。羊・山羊とほぼ同じころ、トルコ東南部に接する北シリアで、牛と豚の家畜化も進行したらしい。

動物を家畜化した目的は、なによりもまず食肉を確保することであった。乳と毛の利用は家畜化のあとすぐに始まったとする説と、かなり遅かったとする説とが対立しているが、前者が有力となりつつある。牛の場合はその力を耕作・運搬に利用することもできるが、それはさらに二〇〇〇～三〇〇〇年たってからのことであった。

牛などの牧畜と麦の栽培をともなう複合経済は西アジアから東南ヨーロッパへ伝わり、さらに前五〇〇〇～前四〇〇〇年ころには黒海北岸からウラル山脈あたりにまで広まった。こうして草原地帯西部にまで進出した農牧民が野生の馬に出会い、馬の家畜化に成功したとする説がある。ウクライナ中部のデレイフカ遺跡(集落址と墓地からなる）は放射性炭素同位元素による測定で前四〇〇〇～前三五〇〇年ころのものと考えられるが、そこで犠牲《いけにえ》に捧げられたと思われる雄馬が発見された。その馬の第一小臼歯は斜めにすり減っていたが、これは銜《はみ》をかませられたときにしばしばみられる現象と判断された。銜そのものは発見されなかったが、後世の銜留め具（銜の両端に装着される）に類似した鹿角製品も出土した。これらのことから、西アジアで車輪が発明される前三五〇〇年ころより前に、早くも草原地帯では騎乗が始まっていたとする説が提唱された。

しかしその後この馬の骨が再度複数の研究所で年代測定され、前八～前三世紀という結果が出たため、集落が存在したころよりもはるかにのちにこの馬が埋葬されたことが判明した。また鹿角製品を銜留め具とは認めない研究者もいる。一方この遺跡では前記の雄馬のほかにきわめて多くの馬の骨が出土しているが、それらは食用にされた馬の骨であった。それらの馬は食用に飼われていたとする説が有力であるが、これとても確実ではない。前三〇〇〇年を挟む数百年のあいだに形成された北カザフスタンのボタイ集落址では三五万点もの馬の骨が発見されているが、その馬についても野生説と家畜説が対立している。このように馬の家畜化の起源とその利用法の問題については十分に解明されているとはいいがたい。かりに前四〇〇〇～前三五〇〇年ころ馬が家畜化されていたとしてもそれは食用であって、騎乗されていたことを証明する積極的な証拠はない。

前三〇〇〇～前二二〇〇年（最新の測定法による）ころ、ウラル山脈より西側のカスピ海、黒海北方には考古学上でヤームナヤ（竪穴墓）文化と呼ばれる文化が広まった。この時代に草原地帯の気候は徐々に乾燥化して草原がふえ、農耕よりも牧畜に適した環境が生まれつつあったが、まだ農耕と牧畜の複合経済が主流であり、土塁や周溝の防御施設をもつ集落が営まれた。

この時代には西アジアから車が伝わり、移動性の高い効率的な牧畜をおこなう条件が整えられていった。ウクライナ中南部のストロジェヴァヤ・モギーラ二号墓では、丸太を輪切りにした車輪が二個発見された。墓坑の西南部には車体の一部があり、これらより下の長方形の竪穴に人骨が発見された。またウクライナ南西部のヴィノグラドフカ村六号墳四号墓からは衛留め具と思われる木製品が二点発見されている。

それよりやや遅れて、ウラルより東側のシベリアにも農耕牧畜文化が広まり始めた。それはアファナシエヴォ文化の名で知られ、ヤームナヤ文化の影響のもとに発生したとする説が有力である。イェニセイ川上流域のこの文化の遺跡では明らかに銜留め具と認められる鹿角製品が発見されている。車も伝わったようである。

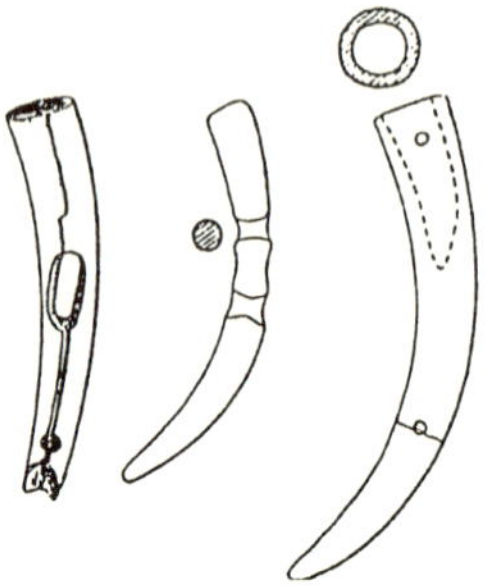

鹿角製銜留め具　前三千年紀中ごろ，南シベリア，アファナシエヴォ文化の遺跡出土。

ヤームナヤ文化とアファナシエヴォ文化は銅石器時代に属するが、銅はやわらかいために鋭利な道具や武器をつくることには向いていない。金属製品が本格的に道具や武器として使われるようになるのは、青銅器時代にはいってからのことであった。

青銅器時代の文化

前二六〇〇年ころからヴォルガ川下流域、黒海北岸にはヤームナヤ文化と時間的に少し重なって、カタコンブナヤ（地《ち》下《か》横《おう》穴《けつ》墓《ぼ》）文化と呼ばれる文化が起こった（前二〇〇〇〜前一九〇〇年ころまで）。その葬法は、竪穴底部の側壁に一段低く横穴をあけ、そこに遺体を埋葬するものである。この文化では板を二〜三枚つなぎあわせた車輪が登場し、四輪車や幌付きの二輪車を模した土製品も発見されているが、牽引していた動物の痕跡は発見されていない。

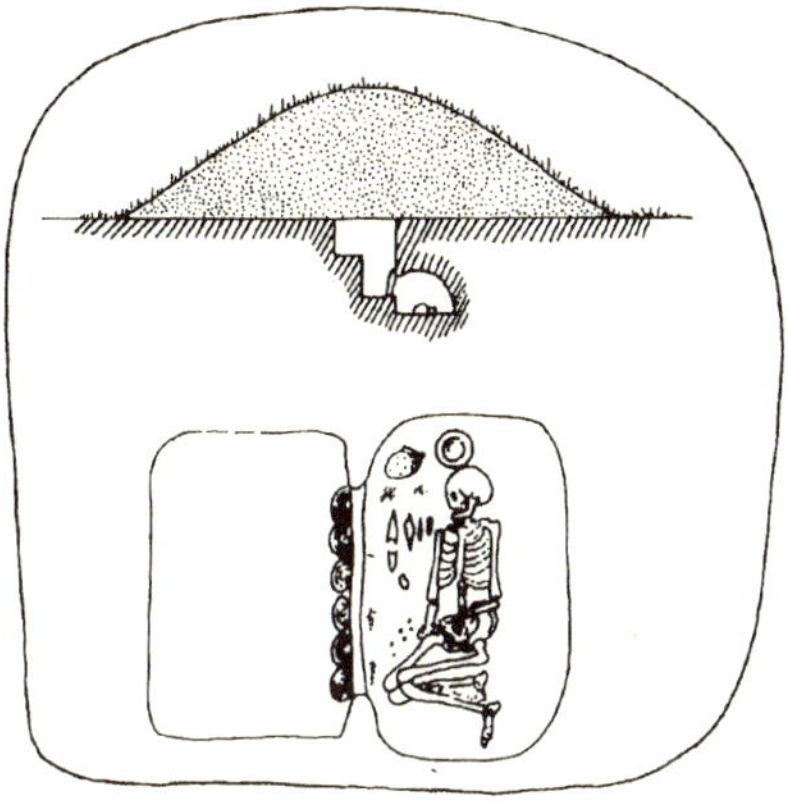
カタコンブナヤ文化の遺跡

カタコンブナヤ文化の影響のもとに、前二〇〇〇年ころヴォルガ川下流域にはまた別の葬法で特徴づけられる文化があらわれた。それがスルブナヤ（木槨墓）文化で、黒海北岸全域に広まった。一方かなり類似した文化がウラルから東方の南シベリアや中央アジアに広まった。これはアンドロノヴォ文化（アンドロノヴォは南シベリアの遺跡名）と呼ばれ、初期スルブナヤ文化とのあいだに関係があったことがうかがわれるが、その起源にかんしてはまだ不明といわざるをえない。両文化では、二枚の鋳型を使って銅と錫の合金、すなわち銅よりもかたい青銅の製品がつくられるようになった。また、この時期には板式の車輪のほかに、スポークを装着した車輪が発明された。板式の車輪は重いためそれを引くには

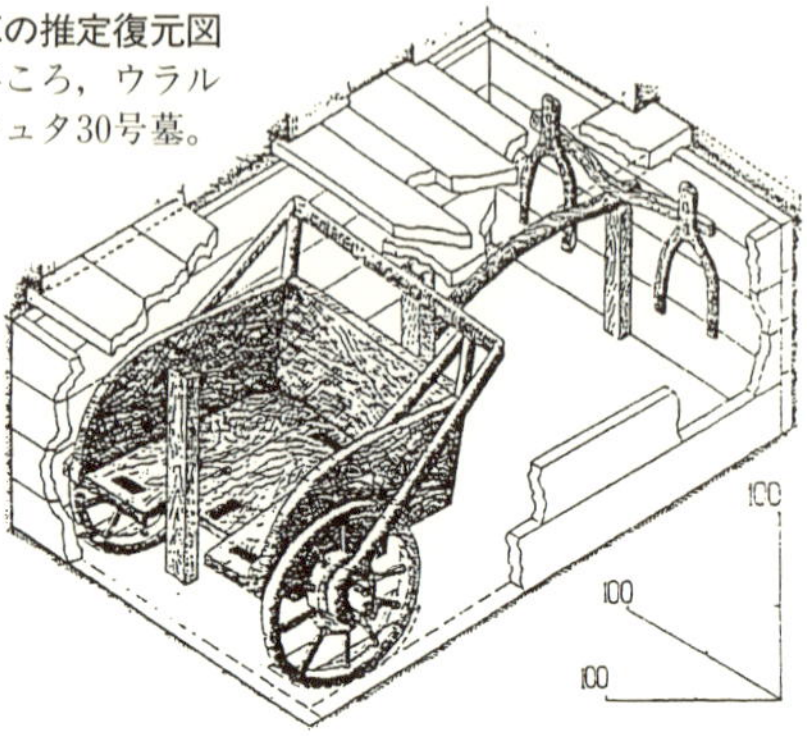

副葬された二輪車の推定復元図
前2000〜前1700年ころ，ウラル東南部，シンタシュタ30号墓。

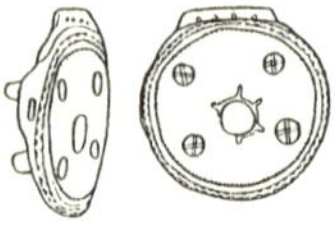

骨製円盤型銜留め具
前二千年紀前半，中央ロシア，スタロユリエヴォ出土。

牛が適しているが、スポーク式の軽い車輪であれば馬も引くことができ、スピードもでる。牛の引く四輪車は運搬用と考えられるが、馬の引く二輪軽車両は戦車として使われたようだ。

ウラル地方とカザフスタンでは前二〇〇〇〜前一七〇〇年ころと思われるそのような軽車両がいくつか発見されている。それらは車輪の直径が約一メートルで、軌間は一・二〜一・三メートル、スポークの数は一〇本前後である。銜留め具は円盤型で内側に突起がつき、しばしばミュケナイ風の渦巻き文様で装飾されている。このような銜留め具は東ヨーロッパからミュケナイ(ギリシア)、西アジアにまで分布している。

北方の草原地帯よりもギリシアや西アジアのほうが文化的に進んでいたと考えられがちだが、馬の引く軽車両と渦巻き文様の銜留め具にかんしては草原地帯から南方に伝わったとする説が有力である。そしてこれらの伝播とインド・ヨーロッパ語族の拡散とを結びつけて解釈する説もあるが、まだ十分に証明されたとはいいがたい。

このころから草原地帯の気候はさらに乾燥化に向かい、車両の発達もあって、しだいに移動性の高い牧畜に有利な条件が生まれつつあったが、いぜんとして定住集落が営まれ、農牧複合経済がおこなわれていた。おもな家畜は牛、羊、山羊であるが、そのほかにスルブナヤ文化には豚、アンドロノヴォ文化にはフタコブラクダがいる。つまり後者の文化のほうがより移動性が高かったということができよう。

前二〇〇〇年ころ、草原地帯の東端にもアンドロノヴォ文化のものとよく似た青銅製品をともなう文化が出現する。それは夏家店下層文化と呼ばれ(内モンゴル東部の遺跡名にちなむ)、両文化に共通するものとしては一端がラッパ状に開いてもう一端が尖った湾曲した耳飾りや、内反《うちぞ》りのナイフなどをあげることができる。とくに内反りナイフはもっと南の中国の商代の遺跡からも出土している。草原地帯と中国のどちらが古いかについては論争があるが、南シベリアからモンゴル高原経由で中国へはいったとする説が有力である。またカザフスタンから中国西北部をとおって中原へと達する道も考えられる。さらに家畜化された馬や戦車、鏡などもこの時代に中国に伝わった可能性が高い。

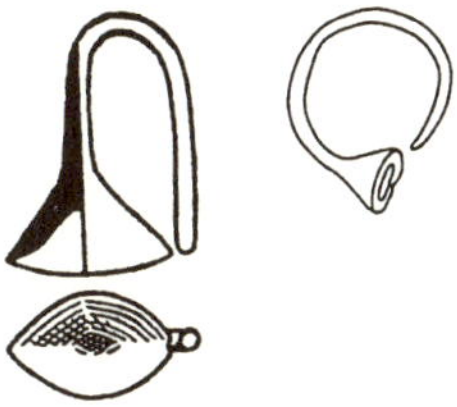

ラッパ形耳飾り　前二千年紀前半，中央カザフスタン，サングウルII出土(右)，中国河北省唐山小官荘出土(左)。

この時代まで草原地帯のさまざまな文化要素は西から東へと伝わっていったようであるが、前十四～前十三世紀ころから風向きが変わってくる。草原地帯の西部や中部では相変わらずスルブナヤ文化とアンドロノヴォ文化が続いていたが、東部の南シベリアやモンゴル高原では山羊や鹿、馬などをモチーフにした青銅器の文化があらわれる。これはカラスク文化と呼ばれ、前代以上に中国の商代後期・西周時代の文化との関係が深くなる。まがった柄の先端に動物の頭が表現され、小さい鍔《つば》が両側

鹿石　前10～前９世紀，モンゴル西北部，オラーン・オーシグⅠ遺跡。地上高240cm。

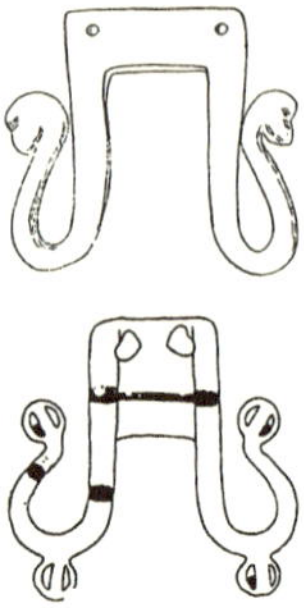

π字形青銅製品　前10～前９世紀，ブリヤート，タプハル出土(上)，内モンゴル，小黒石溝8061号墓出土(下)。

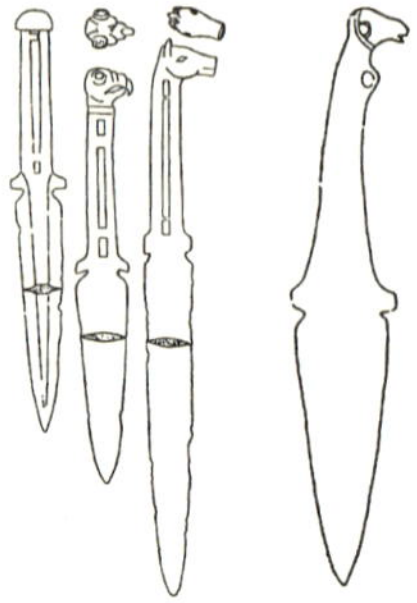

羊頭柄付短剣(右)　前13～前11世紀，東シベリア，チタ州出土。
傘形・動物頭形柄付短剣(左３点)　前10～前９世紀，北京市昌平県白浮出土。

に突き出たタイプの短剣がどちらの地域にもあらわれる。また用途不明のπ字形の青銅製品も両地域に共通する。

カラスク文化期のユニークな遺物に、鹿の図像を浅く彫り込んだ鹿石がある。鹿石の年代については、鹿のほかにカラスク型の短剣やπ字形製品が彫り込まれているため、カラスク文化期とする説が有力であるが、初期スキタイ時代の動物文様が一緒にきざまれていることもあるので、カラスク文化の後期から前期スキタイ時代にかけてとするのが妥当であろう。鹿石にはそのほかに耳飾りや首飾り、弓矢、盾、帯、斧など、人が身につけるものが表現されているため、人間をあらわしたものとみなすことができるが、鹿石がなんのために立てられたかについてはまだわからない。

また鹿石は円形あるいは方形の石囲いをともなう積石塚の近くに複数で立っていることが多い。この積石塚については祭祀遺跡とする説もあるが、発掘調査によれば埋葬遺跡であることは明らかである。積石塚は高さが最大で五メートルをこえ、石囲いの外側の付属施設も含めると直径あるいは一辺が二〇〇メートルをこえるような大規模なものもあり、このころからある程度大きな権力をもつ有力者の存在が推測される。

カラスク文化の起源については、アンドロノヴォ文化からの発展とする説と中国北方草原地帯からの伝播あるいは強い影響によるとする説が対立しているが、後者のほうがやや優勢である。スルブナヤとアンドロノヴォの類似については従来から多くの指摘がなされているが、近年ではさらに両文化の後期とカラスクとの関係も深かったことが注目されている。とくにカラスク型の短剣がスルブナヤの遺跡で発見されていることは興味深い。このような類似は、それらの文化の担い手がいずれもイラン系民族であったからだとする説もあるが、それよりも草原という環境にふさわしい文化が生まれつつあり、それらのあいだに交流があったからとみなすべきであろう。いずれにしても前一〇〇〇年ころに草原地帯全域にわたって文化的一体性が生まれつつあったことは認めてもよいであろう。

先スキタイ時代

前十〜前九世紀ころになると草原の乾燥化はさらに進み、草原地帯の農牧民は二極分化していったようだ。すなわち南方では水の確保できるオアシスなどで純粋の定住農耕民となり、北方では移動しながら牧畜を営む専業の遊牧民が登場した。

遊牧民が生まれた背景には、二つの条件が考えられる。まずひとつは騎乗が一般に普及するようになったことである。三つの孔があいた棒状の銜留め具が普及し、これが騎乗する際に便利であった。もうひとつは木の骨組みをもつ簡単な構造の家が出現したことである。これがのちの遊牧民のテントの原型になった可能性がある。

草原地帯の西部では前七世紀に騎馬遊牧民スキタイが登場するが、その直前に騎馬遊牧民的文化がすでにあらわれていた。その時代(前九～前八世紀)を先スキタイ時代と呼ぶことが多い。この時代には黒海北岸を中心とするチェルノゴロフカ型文化と北カフカスを中心とするノヴォチェルカッスク型文化の二つが区別されている。年代的には前者が後者にやや先行するようであるが、共存していた時期もあったと思われる。

両文化にそれほど大きな差はないが、鏃《やじり》と轡《くつわ》には違いが認められる。チェルノゴロフカの鏃は茎《なかご》が中空で短く、茎に続く中央線上にきざみ目の文様がほどこされているものや、茎の下部にとげ状の返りがついているものもある。ノヴォチェルカッスクの鏃も袋穂《ふくろほ》式であるが茎が長い点に特徴があり、青銅製のほかに鉄製もある。しかしどちらも両翼鏃であり、かたちも菱形あるいは葉形であることに変わりはない。

轡のうち馬の口のなかにおさまる銜はチェルノゴロフカでは両端の環が半円形で、銜留め具は少しまがった棒状で三つの孔があき、両端がキノコの傘状になっているものもある。ノヴォチェルカッスクの銜は両端が八の字形の二つの環となって外側の環に円盤形の補助環がつき、銜留め具は棒状で三つの環がついて一端は釘の頭状、もう一端は靴べら状に湾曲している。しかし両文化の銜と銜留め具が混在している遺跡もあり、両文化をはっきりと区別することができるかどうか問題がある。

両文化の起源と担い手については、さまざまな説がだされている。かつてはチェルノゴロフカ型文化の

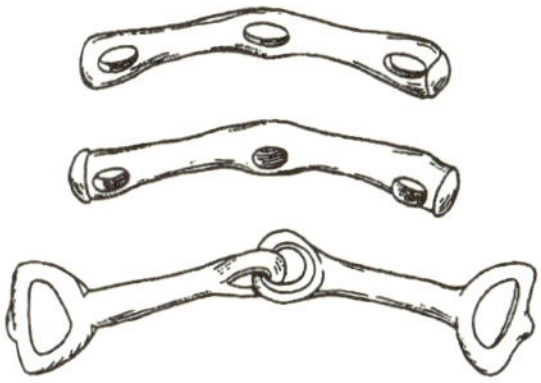

チェルノゴロフカ型青銅製銜留め具(上,中)**と銜**(下)　前9～前8世紀,黒海北岸,カミシェヴァハ出土。

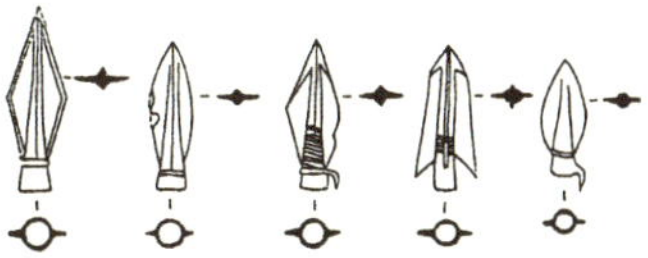

チェルノゴロフカ型青銅鏃　前9～前8世紀，黒海北岸，マーラヤ・ツィンバルカ古墳出土。

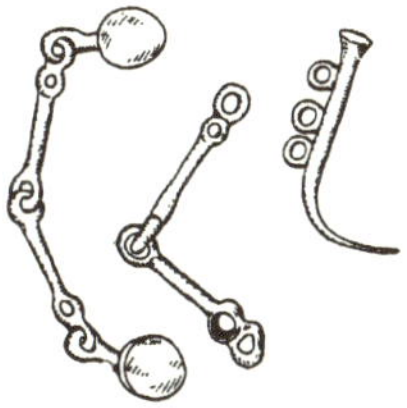

ノヴォチェルカッスク型青銅銜(左，中)**と銜留め具**(右)　前9～前8世紀，黒海北岸，ノヴォチェルカッスク出土。

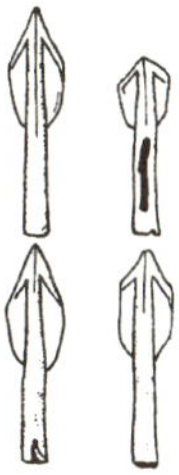

ノヴォチェルカッスク型青銅鏃　前9～前8世紀，黒海北岸，オブルィフスキー古墳出土。

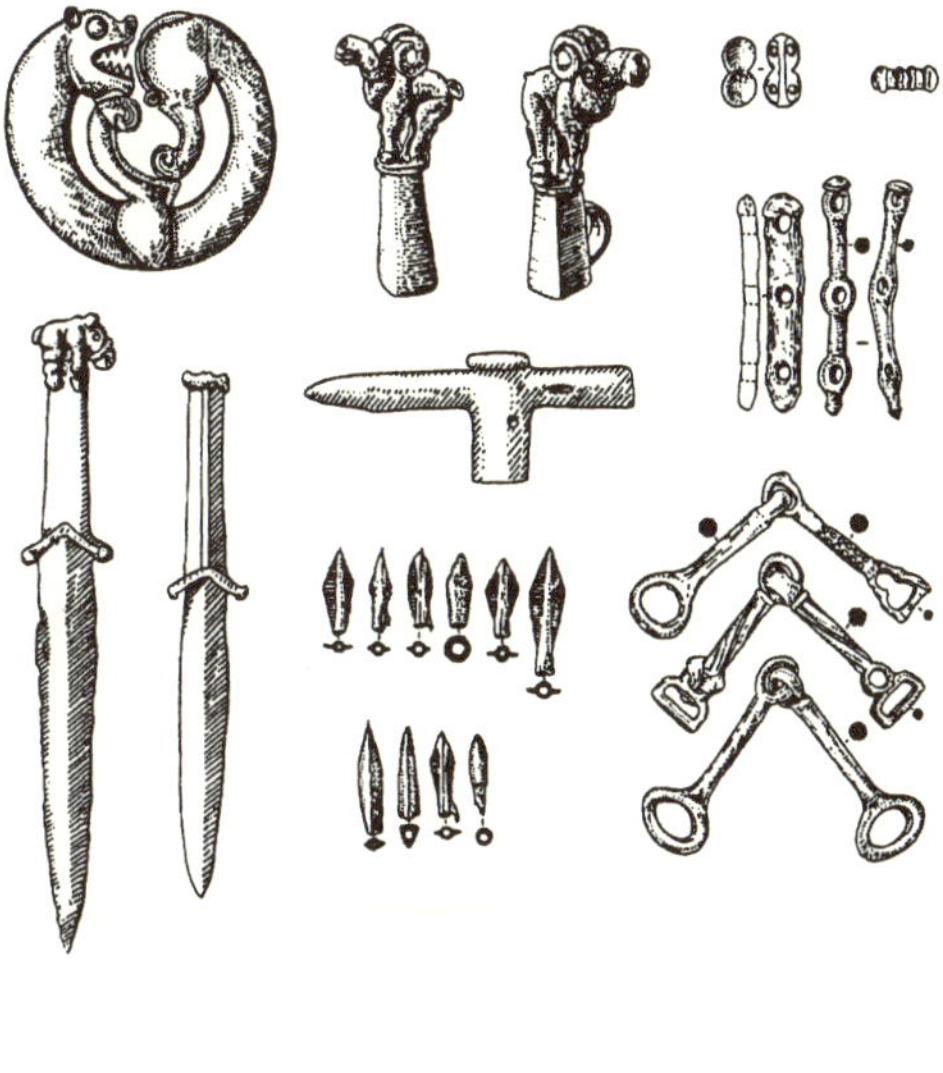

アルジャン1号墳出土の青銅製品　前9～前8世紀。**豹形飾板**(上左)，**山羊形竿頭飾**(上中)，**装身具**(上右)，**短剣**(下左)，**斧**(中)，**鏃**(中下)，**銜留め具**(右中)，**銜**(右下)

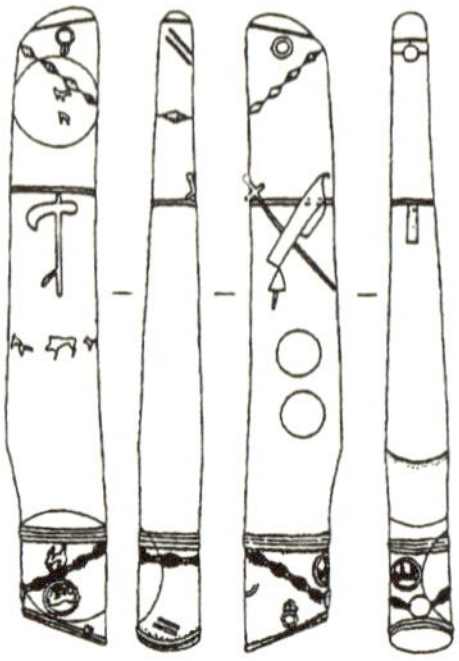

西方の「鹿石」 前9～前8世紀，西北カフカス，ズボフスキー村出土。

青銅鍑 前8世紀，北カフカス，ベシュタウ山麓発見。

起源をスルブナヤ文化に求める説が有力であったが、近年は南シベリアのトゥヴァで発見されたアルジャン一号墳出土の馬具や鏃との類似が注目され、草原地帯全域での文化的発展の一環としてとらえる見方が提案されている。一方、ノヴォチェルカッスク型文化の遺物はとくに北カフカスの遺跡で初期スキタイ文化の動物文様をもつ遺物と一緒に出土することもあり、両者が密接な関係をもっていたことがうかがわれる。

この点を重視する研究者はノヴォチェルカッスクを初期スキタイ文化の最初の段階とみなし、チェルノゴロフカはスキタイ出現以前から黒海北岸にいてスキタイによって駆逐されたキンメリオイ(キンメリア人)の残した文化とする。しかしその逆の説を唱える研究者や、どちらもスキタイあるいはキンメリオイに属するとする説もある。スキタイもキンメリオイも名前は違うものの、文化的にはかなり近い関係にある騎馬遊牧民だったのであろう。

先スキタイ時代に草原地帯の東部と西部の結びつきを示すそのほかの例として、鹿石と鍑《ふく》があげられる。鹿石は前述のようにカラスク時代とその少しあとの草原地帯東部に顕著な遺物であるが、これに類似した石柱が数は少ないが(一五点)、ウラルから黒海沿岸にかけての先スキタイ時代の遺跡で発見されている。

それに彫り込まれた剣はカラスク型であり、東方からの直接的または間接的な影響が認められる。

鍑はなんらかの儀式に使われた青銅製鋳造の釜で、スキタイ時代以降草原地帯の各地でみられることになるが、その初源はおそらく西周時代後期(前九〜前八世紀)の中国北方にあると思われる。それと類似した鍑が北カフカスの遺跡でノヴォチェルカッスク型の銜、銜留め具などとともに出土しており、これも東方から伝わったものと思われる。このように先スキタイ時代には草原地帯の東西間の交流がますます盛んとなり、ほぼ同じような型式の馬具や武器といった実用品が全域に普及し、また鹿石を立てたり、鍑を使ったりするような儀礼も広く受け入れられていった。すなわち物質文化だけでなく精神文化の面でも、ユーラシア草原地帯がひとつのまとまりをもち始めていたことがわかる。この一体性は、つぎのスキタイ時代になるとさらに顕著となる。

2　スキタイ・シベリア文化圏

スキタイの起源

スキタイの起源について、ヘロドトスは三つの説を紹介している。そのうち二つは神々の登場する神話伝説であり、共通点が多いが、とくに外来の男神と在来の女神とを祖先とする点に注目すると、外からきたスキタイが在来の地元民を支配するようになったことを象徴化しているようにも思われる。もうひとつの説では、スキタイは別の遊牧民マッサゲタイに攻められて東方から移動し、ヴォルガ川を渡って黒海北

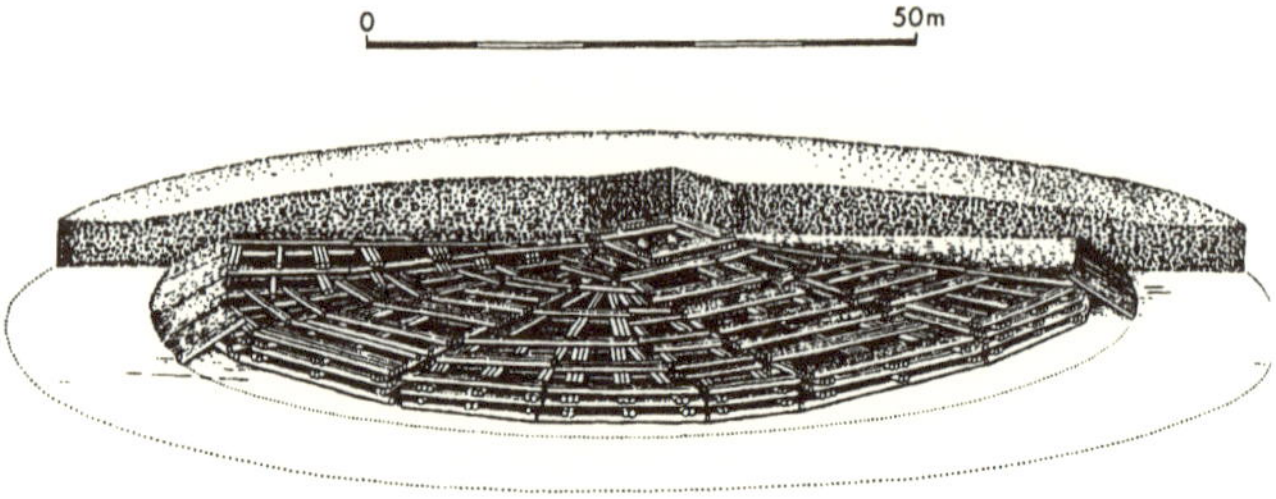

南シベリア，アルジャン1号墳推定復元図　前9～前8世紀。

岸にあらわれ、もともとそこにいた遊牧民キンメリオイを駆逐してそこを占拠したという。

ヘロドトス自身も第三の説がもっとも信用がおけると語っているとおり、その後もサルマタイやフン、アヴァル、テュルク、モンゴルなど、あまたの遊牧民が東方から移動してきたことを考慮すれば、この説がもっともありそうに思われる。しかしスキタイの研究がもっとも盛んであった旧ソ連の学界では大規模な民族移動は認めず、南ロシアの青銅器時代の民族がそのまま発展してスキタイになったとする土着説が主流であった。ただし旧ソ連でもウクライナの考古学者テレノシュキンのようにスキタイ東方起源説を唱える研究者もいた。この少数派に有利な証拠を提供したのが、南シベリアのトゥヴァにあるアルジャン一号墳である。

アルジャン一号墳は、直径は一二〇メートルと大きいが、高さは四メートルほどしかないフラットな積石塚である。石の下には丸太を組んでつくられた墓室が七〇以上もあった。かなり古い時期に盗掘され、大きな金銀製品は発見されなかったが、きわめて重要な遺物が多数出土した。先スキタイ時代のチェルノゴロフカ型の馬具と鏃が出土したことは前節で述べたが、ほかに初期スキタイ美術に典型的な体をまるめた豹形獣の青銅製飾板や、山羊形竿頭飾とともに、やはり初期スキタイに属する爪先立った鹿と猪があらわされた鹿石の断片が積石のひとつとして発見された。

この古墳を発掘したグリャズノフはその年代を前九〜前八世紀において、スキタイ系文化の遺跡のなかではもっとも古いところに位置づけ、黒海北岸のスキタイ文化の起源は南シベリアにあると考えた。この説は大きな反響を巻き起こし、前七世紀にさげるべきだとする反論もだされた。しかし馬具と鏃のほかにもアルジャンと黒海北岸の先スキタイ時代とを結びつける遺物があり、また中間のカザフスタンやウラルでも類似した馬具や鏃が出土して、スキタイ文化東方起源説を有利にしつつある。二〇〇七年に発表された年代測定結果でも、前九世紀末〜前八世紀前半とされている。

スキタイの西アジア侵入

黒海北岸にあらわれたスキタイと、追い出されたキンメリオイのその後の行動をたどってみよう。ヘロドトスによれば、キンメリオイは黒海の西側か東側をまわってアナトリアにはいり、その北部と西部を一時占拠した。彼らを追ってつぎにスキタイが南下したが、道をあやまってイラン西部に侵入し、その後二八年間にわたって西アジア全域を荒し回ったという。

しかし彼らの西アジア侵入の理由は、たんに追った追われたという単純なものではないようだ。キンメリオイはそれ以前にもイオニア(エーゲ海東岸)に略奪を目的として侵入している。また前七世紀末にメディアがアッシリアの首都ニネヴェを包囲したときには、プロトテュエスの子でマデュエスというスキタイ王の率いる大軍があらわれ、メディア軍を撃破した。このスキタイはアッシリアの援軍とみるべきであろう。ところがその後スキタイはメディア側についたようで、メディア王の宴会に招かれている。これとは別にスキタイの本国で謀反を起こしてメディア国内に逃れてきたスキタイの一隊は、メディアで軍事訓練をほどこしていたが、メディア王といさかいを起こし、その敵であるリュディア側に寝返った。

このようにキンメリオイはスキタイと関係なくアナトリアにはいったことがあり、スキタイもキンメリオイと関係なくいろいろな勢力と手を結んだり離れたりしている。どうも両者はおたがいに関係なく西アジアに侵入したように思われる。この推測は、アッシリアやウラルトゥの楔形文字粘土板文書によって裏づけられる。粘土板文書には「ギミッラーヤ Gimirraia」とか「イシュクザーヤ Ishkuzaia」と呼ばれる北方からの侵入者がしばしば登場する。前者はキンメリオイ Kimmerioi と子音が一致し(GとKとは有声と無声の関係)、後者も同様にスキタイ Skythai と子音が一致することから、それぞれ同一視することができると多くの研究者によって認められている。

粘土板文書によると、最初に登場するのはギミッラーヤ＝キンメリオイである。前八世紀中ごろから前七世紀中ごろにかけて西アジアではアッシリア帝国が最強を誇ったが、そのアッシリアにとって、北方のウラルトゥ王国はあなどりがたい存在であった。何度も遠征をおこなったが、必ずしも十分な成功をおさめたとはいいがたかった。そこへウラルトゥ国内に放っていたスパイから注目すべき情報がもたらされた。キンメリオイがウラルトゥを襲撃し、諸城を落としたというのである。その報に接するとアッシリアのサルゴン二世(在位前七二一〜前七〇五)は前七一四年に弱体化したウラルトゥに攻め込み、大勝利を博した。

ところがその後キンメリオイはウラルトゥと手を結んだようで、それに対抗するためにアッシリアはあらたな勢力と同盟関係にはいることになった。その相手こそスキタイであった。スキタイの名がはじめて西アジアに登場するのは前六七〇年代のことである。そのころスキタイはイシュパカーという王に率いられ、マンナイの同盟者としてアッシリアと戦ったが、イシュパカーが死ぬと、その後継者と思われるバルタトゥアという王はアッシリアのエサルハッドン(在位前六八〇〜前六六九)にたいしてその娘との結婚を申し出た。エサルハッドンはそれを受け入れ、両者はあらたな関係にはいったのである。バルタトゥアは子音がすべてヘロドトスの言及するプロトテュエスと一致するため、両者は同一人物と考えられる。

前七世紀の中ごろキンメリオイは西方に移動してアナトリア中西部にはいり、フリュギアやリュディアを襲撃したらしい。イシュクザーヤの名は前六七〇年代以後みられなくなり、ギミッラーヤの名も前六四〇年ごろを最後に西アジアの文書史料から消えてしまう。ヘロドトスによればスキタイは前六世紀初めまで西アジアにいたことになるが、文書史料のほうを重視する観点に立てば、それより数十年前に北方の草原地帯に戻っていったことになり、まだこの問題は決着がついていない。

いずれにしても彼らが西アジアに侵入した前八世紀末〜前七世紀は、老大国アッシリアのほかに新興国家が各地に発生した激動の時代であった。彼らはその時々に手を結ぶ相手をかえて、いわば傭兵として西アジアの各勢力から富を吸い上げていたようである。

彼らが侵入した痕跡は、考古学資料にもみることができる。イラン西北部のジヴィエで出土したスキタイ風動物文様が多くほどこされた遺宝は侵入してきたスキタイの王の墓の副葬品とされ、アナトリア中北

金製腰帯飾り　前7世紀，西北イラン，ジヴィエ出土。

部のイミルレルで出土した青銅製のとげ付き両翼鏃と鐙形銜《あぶみがたはみ》、鉄製アキナケス剣もスキタイのものとされている。しかしキンメリオイに確実に結びつけられる考古学的な出土品は西アジアにはほとんどなく、そのため彼らが存在した場所と年代をめぐって学界で大きな論争「キンメリオイ問題」が巻き起こっている。

スキタイ文化の特徴

ところでジヴィエやイミルレルの出土品をみると、スキタイが西アジアに侵入した最初の段階からすでに彼ら独自の文化をもっていたことに気づく。スキタイ文化を特徴づける要素としてしばしば取り上げられるのが馬具（鐙形銜と三孔・二孔銜留め具）、武器（ハート形の鍔に特徴があるアキナケス剣ととげ付き三翼・両翼鏃）、そしてスキタイ風動物文様である。これを一般にスキタイの三要素という。これらがそろって最初の段階で西アジアにあらわれたということは、彼らスキタイ系騎馬遊牧民が、まだ北方の草原地帯にいたころに、すでにそれらを完成させていたということになる。

かつてはこれら三要素のうちとくに動物文様などは、彼らが西アジアに侵入したときにアッシリアなどから受け入れたとする説が有力であったが、最近ではスキタイ民族そのものの東方起源説とも関連して、三要素など彼らの文化上の特徴の多くがユーラシア草原地帯の東部に起源をもち、そこから急速に西部に広まったとする説が有力となってきている。二〇〇一年に発掘されたトゥバのアルジャン二号墳は盗掘をまぬがれたため、多数の黄金製品が出土した。年代は前七世紀後半と測定されているが、動物文様に西アジアの影響はない。

スキタイの動物文様というと、獣どうしがたたかったり猛獣が草食獣を襲ったりする、いわゆる動物闘争文が有名だが、それが顕著になるのは後期のスキタイ美術であり、ギリシアや西アジアの美術からの影響が強い。前期（前八／七〜前六世紀）のスキタイ美術の動物表現には、つぎのような特徴がある。それは、(1)猛獣の体をまるめる、(2)猛獣の足先をまるくする、(3)鹿や山羊などの草食獣の足を前後から折りたたむ、(4)鹿と猪の四肢を垂直に伸ばし爪先立つ、(5)草食獣の首をうしろにまげる、(6)前半身と後半身を一八〇度ひねる、(7)動物の肩からグリフィン（ないし鳥）の頭をだす、(8)動物（グリフィンが多い）の頭をいくつもならべて縁どる、(9)一頭の動物のなかに複数の動物を小さく入れ込む、などである。このうち(6)はカザフスタンから東方にのみみられるが、そのほかの特徴は中国北部から黒海北岸にいたるまでの草原地帯のほぼ全域でみられる。これらの特徴の一部はすでに先スキタイ時代にあらわれ、その多くはスキタイ時代の後期にいたるまで存続した。

これらの特徴が組み合わさっている場合も多い。西北カフカスのウルスキー・アウル二号墳から出土した青銅製竿頭飾《かんとうしょく》を例にすると、上部と側面にグリフィンないし鳥の頭が配され

アキナケス型鉄剣（上）前６〜前５世紀，中国河北省懐来県北辛堡出土。

アキナケス型青銅短剣（下）　前６〜前５世紀，ウラル西南部，ソロフカ出土。

青銅製竿頭飾　前６世紀中ごろ，西北カフカス，ウルスキー・アウル２号墳出土。

(前記の⑻)、中央の山羊は首をうしろにまげ⑸、足を折りたたみ⑶、肩から小さく鳥の頭がでている⑺。目玉の表現はスキタイ美術には例外的だが、西アジアの例から類推すれば、災厄をもたらす邪悪な視線をにらみ返すためのものであろう。三要素のほかにもスキタイ系文化に共通する特徴は多い。共通する遺物、遺跡としては、鍑、鈕《ちゅう》のついた鏡、竿頭飾、大型円墳などがあげられる。鍑はスキタイ時代直前にすでに草原地帯に出現していたが、スキタイ時代になると草原全域に広く普及する。ただし地域により独自の特徴もあらわれ、たとえば三脚の鍑は天山北麓にのみみられる。

鈕《つまみ》のついた鏡も先スキタイ時代に出現していた可能性があるが、前期スキタイ時代にとくに普及した。同じように背面の中央に鈕をもち、そのまわりに動物文様がほどこされ、縁が直立した鏡は、天山南麓の和静県察吾呼溝やロシア領アルタイのマイエミール、ウラル地方のズエフスキーなどで知られている。西北カフカスのケレルメス四号墳出土の鏡は鈕が欠けとれて基部だけが残っている。ただしまわりの文様にはスキタイ風の動物文様のほかにグリフィンや有翼女神などギリシアや小アジアのモチーフもみられ、さまざまな文化の要素が混在している。

竿頭飾は下部が竿を挿し込めるような筒になっていて上部に動物あるいは動物の頭部が装飾としてついたもので、動物の部分が鈴になっていたり、鐸《たく》がついていたりするものもある。その用途については、車

青銅鏡　前８～前７世紀，南シベリア，マイエミール出土。

金(銀含有)**貼鏡**　前７世紀末，西北カフカス，ケレルメス４号墳出土。

馬具の装飾、儀礼用具などの説があるが、墓にいれられた竿頭飾には死者を守る意味がこめられていたものもあったであろう。

草原地帯では円墳はいつの時代にもつくられたが、スキタイ時代にはとくに大型の円墳がつくられた。前期には地上かごく浅い墓壙《ぼこう》に木造の小屋のようなものをつくり、それを石で覆うか、あるいはさらにその上を土と石で覆って高くしたものが多い。カザフスタン南部のベスシャトゥル古墳群で最大の墳丘は現状で高さ一七メートル、直径一〇四メートルに達し（少し南のアス・サガ古墳群で最大は高さ二一メートル、直径一四九メートル）、北カフカスには墳丘が変形されているため直径はわからないが高さが一五メートル以上あるウルスキー・アウル二号墳がある。

スキタイ時代の中期（前五世紀）から後期（前四世紀）になると地下深くに墓室がつくられるようになるが、草原地帯の西部と東部では構造が異なる。西部の黒海北岸ではまず深い竪穴をほり、穴の底から水平に横穴をほってそこを墓室にした。この時期の大型円墳を高さによって分類し、最大規模のもの（高さ一四～二一メートル）を王墓、それにつぐ規模のもの（八～一一メートル）を貴族墓とする研究もある。

カザフスタン南部，ベスシャトゥル大古墳 前7～前6世紀。

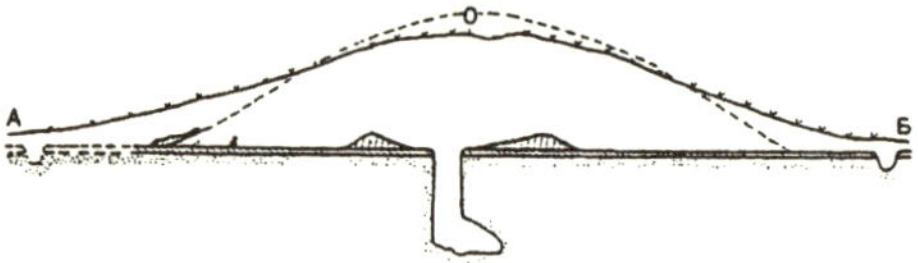

黒海北岸，トルスタヤ・モギーラ断面図 前4世紀。

一方、東部のアルタイでは深い大きな竪穴の底に前期と同じような木造の小屋をつくった。その代表例であるパジリク古墳群では、墓室が凍結していたために木製品や織物、フェルト、ミイラ化した遺体がよく残っていた。その出土品にはアケメネス朝ペルシアとの交流の深さを示すモチーフが多数みられるが、おそらく黒海北岸から伝わったと思われるギリシア風グリフィンのモチーフや、中国からもたらされた絹織物と青銅鏡もある。このことから、スキタイ時代中・後期には草原地帯を通じて東西の文化交流が活発になっていたことがわかる。

以上のように、スキタイ時代には草原地帯の東から西まで若干の地方差はあるものの、かなり共通性の高い文化が広まっていた。しかし、このことはスキタイという単一の民族が広大な地域を支配していたということを意味しているわけではない。スキタイはあくまでも北カフカスから黒海北岸にかけて分布していた民族の名で、言語的にはイラン系であったと思われる。それより東方のカザフスタンからアルタイあたりまでイラン系が広まっていたらしいが、さらに東のモンゴル高原から中国北部にかけてはテュルク系ないしモンゴル系が主流であったらしい。このように言語や民族は異なっても、草原という同じよう

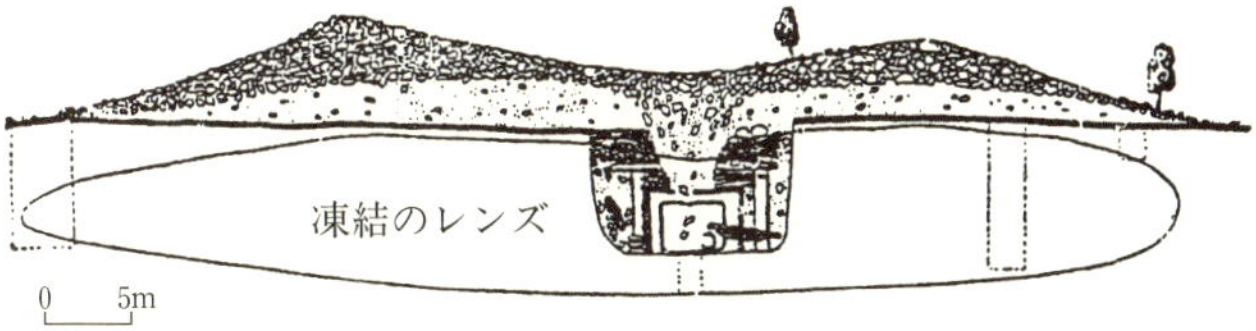

南シベリア，パジリク５号墳断面図　前４世紀。

絹織物刺繍　前４世紀，南シベリア，パジリク５号墳出土。

馬の胸繋装飾用織物　前４世紀，南シベリア，パジリク５号墳出土。ライオンが行進するモチーフはアケメネス朝のスーサやペルセポリスによくみられる。

革製切り抜き鞍装飾　前４世紀，南シベリア，パジリク５号墳出土。左の鷲グリフィンは後頭部から背中にかけての背びれ状装飾がギリシアのグリフィンと一致し，右の獅子グリフィンは頭上のまがった角とまくれかえった翼がペルシアのグリフィンと一致する。

な環境のなかで移動性の高い騎馬遊牧民として類似した文化をもつようになったのであろう。

3 サルマタイと匈奴の時代

サルマタイ文化の特徴

黒海北岸に後期スキタイ文化が栄えていた前四世紀ころ、カスピ海北方の草原ではあらたな遊牧民の勢力が勃興しつつあった。それがサルマタイである。そこにはそれ以前サウロマタイという遊牧民がいたことがヘロドトスの『歴史』などから知られているが、それにカザフスタン方面から別の集団が加わってサルマタイが成立したらしい。サルマタイもスキタイ同様、言語的にはイラン系であったと思われる。

ヘロドトスによれば、サウロマタイは伝説上の女戦士集団アマゾンとスキタイの一部の青年とを祖先とし、アマゾンの伝統を引いて「どの娘も敵を一人打ちとるまでは嫁にゆかぬ」という。この記述を裏づけるように、サウロマタイ文化とそれに続く前期サルマタイ文化（プロホロフカ文化ともいう、前四〜前二世紀）に属する女性の墓では武器と馬具がしばしば副葬されているが、男性の墓とは異なって槍や剣は少なく、弓矢が主体である。サルマタイはウラル南部から急速に勢力を西方に拡大した。前二世紀にはドニェプル川流域からスキタイを駆逐し、一部のスキタイはクリミア半島南部とドナウ河口付近に押し込められた。考古学上では前二世紀末から後二世紀初めまでが中期サルマタイ文化（またはスースルィ文化）と名づけられ、ドン川下流域に主要な遺跡が分布している。

サルマタイは前四世紀にはウラル南部で大型墳墓をつくったがその後は王侯クラスでも大型墳墓はつくらなかった。ドン河口のアゾフ市郊外にあるダーチ一号墳は耕作されていたせいもあって高さは九〇センチしかなく、墓室は盗掘されていたが、墓壙西側の小さな隠し穴から豪華に飾られた短剣や腕輪、馬具装飾など多数の金製品が発見された。この短剣の鞘にみられるようにトルコ石やザクロ石のような青や赤の石で象嵌《ぞうがん》したいわゆる多色象嵌は、サルマタイ美術の特徴である。これとよく似た多色象嵌の短剣の鞘がアフガニスタン北部のティリャ・テペから出土しており、サルマタイ美術の広がりを示している。

　中期の墓からは、ローマや中国からの輸入品あるいはその模造品(とくに鏡)が発見されるようになる。文様の点でも中国の龍がみられるようになるが、これらの中国的要素は草原地帯東部の匈奴や中央アジア北部のその他の遊牧民を介して伝えられたのであろう。またスキタイの軽装騎兵とは異なって、サルマタイの騎馬戦士は槍を構えた重装騎兵であったが、これは同時代の西アジアのパルティアと共通している。このようにサルマタイは当時の大国である中国やパルティア、ローマとも交流をもっていたのである。

金製短剣と鞘　後1世紀後半，南ロシア，アゾフ市，ダーチ1号墳出土。

　ローマ側の史料によれば、後一世紀後半から二世紀にかけてサルマタイの東方にあらたにアランという名の騎馬遊牧民が登場する。これは『魏志』東夷伝所収の『魏略』西戎伝や『後漢書』西域伝に

銀壺の線刻文様　後１世紀後半，ヴォルガ川下流，コシカ１号墓出土。槍を構えたサルマタイの騎馬戦士を表現している。

みられる「阿蘭」に相当する。アランがサルマタイの一部であったのかそれともカザフスタン方面から西進してきた別の騎馬遊牧民集団であったのかについてはさまざまな説があるが、言語的にはやはりイラン系であったと考えられている。

また文化的にもある程度の継続性を認めて、アランが北カフカスから黒海北岸にかけての草原で支配的であった二～四世紀の文化を後期サルマタイ文化と呼ぶ。埋葬施設の種類は前期・中期と同じで、マウンドも同様に低いかまったくない。副葬品にも大きな差はないが、馬の足の骨だけが発見される例がこの地域でははじめてあらわれる。アランはその後フン族の侵入などの荒波にもまれながらも一部はカフカス山中に残存し、現在のオセット人の祖先となった。

匈奴の勃興と隆盛

スキタイと同時代の前八～前四世紀ころ、東部のモンゴル高原から中国北部にかけての草原地帯にもスキタイと同じような武器、馬具、動物文様をもつ文化が栄えていた。それらを残した人々を中国の史書にみられる山戎とか狄などと結びつける説がいろいろだされているが、確証に乏しい。いずれにしてもその時期にはまだ草原地帯東部には、大小さまざまな部族が割拠していたらしい。

中国が急速に統一に向かいつつあった前三世紀後半、それに呼応するかのように北方の草原にも統一の機運が生まれる。モンゴル高原の東から西にかけて鼎立していた東胡《とうこ》、匈奴《きょうど》、月氏《げっし》の三大勢力のなかから、匈奴がほかの二者を倒し、その他の中小勢力をもあわせて空前の大政治権力を打ち立てたのである。

その立役者を中国の史書は冒頓単于《ぼくとつぜんう》と記している。冒頓は太子であったが廃嫡されそうになったことをきっかけとして逆に父親を殺し、単于の位に就いた(在位前二〇九〜前一七四)。政変直後でまだ冒頓の権力が安定していないとみた東胡は、さまざまな要求を押しつけてきた。冒頓ははじめのうちそれらの要求を受け入れていたが、東胡が匈奴をあなどって油断しているとみるや、ただちに兵を発して急襲し、またたくまに東胡を撃破してしまった。

その余勢をかって冒頓は四方に遠征をおこない、モンゴル高原の遊牧諸部族を統一した。ついで中国に侵入した冒頓は、建国直後の漢の高祖(劉邦)が自ら率いる軍を分断し、高祖を包囲した。高祖はかろうじて逃げ帰ることはできたものの、毎年多額の絹製品、酒、米などを匈奴に貢納するという一方的な和平条約を結ばざるをえなかった。その後冒頓の征服活動は西方に向かい、月氏を追って中央アジアにまで支配権をおよぼし、シルクロードのオアシス・ルートをも手中におさめた。また烏桓《うがん》などの従属下の他部族からは「皮布税」などと呼ばれる獣皮の貢物を徴収していた。

冒頓という名は、モンゴル語のバガトゥル(バートル＝勇士)を写したものと思われる。匈奴の君主の称号である単于は、『漢書』によれば撐犁孤塗《とうりこと》単于の略称であり、撐犁は「天」、孤塗は「子」、単于は「広大なさま」をさすという。撐犁が古代テュルク語・モンゴル語で「天」を意味するテングリであろうということは広く認められているが、護雅夫《もりまさお》はさらに孤塗を古テュルク語で「霊威」を意味するクトとみなし、あわせて「天の霊威を受けた天の子」と解釈した。北アジアの遊牧・狩猟民は天の神を最高神とするシャーマニズムを信奉しているが、匈奴の君主は自らを「天の子」と称することによってその政治的支配を一般遊牧民の精神面においても権威づけようとしたのであろう。

匈奴において一番重要な祭儀は、中国の史書で龍城《ろうじょう》・龍城などと呼ばれる聖所でおこなわれた。江上波夫によれば、これは、北アジアの民族学資料にみられるような、木や枝を高く積み上げた一種の祭壇であるという。北アジアの遊牧・狩猟民は、ここに集まって神を呼びむかえる祭儀をおこなう。匈奴は、春と夏の年二回(のちに正月も加わる)、龍城に集まり、犠牲を捧げて繁栄を祈り、競馬や相撲をおこなって吉凶を占った。それと同時にこの祭りでは、諸部族を集めた会議が開かれて国家的問題が討議され、また課税の基礎となる人口と家畜の頭数が数えられた。おそらく新しい単于もこの会議で選ばれたのであろうが、冒頓単于の治世には単于の権力が強くなり、族長会議は形式的なものに変質していたと思われる。

単于は、攣鞮《らんてい》という名の特定の家系からのみ選出された。一方、単于の后妃も特定の家系に限られていたが、こちらは呼衍《こえん》、蘭、須卜《すぼく》(のちに丘林《きゅうりん》が加わる)という複数の姻戚氏族があった。また、漢の皇室から公主(皇帝の娘)を后妃としてむかえることもあったが、有名な王昭君のように皇帝の実の娘ではなく、劉氏一族の娘や宮廷に仕える女性が皇帝の養女として公主に仕立て上げられた。

単于の下にはさまざまな名称の王がおり、それぞれ左右(東西)に分れて領地をもっていた。それらはみな攣鞮氏族の出身者によって占められていたが、そのほかに匈奴に服属した他部族もそれぞれ独自の王を戴いたまま、単于の下にはいっていた。個々の王は数千人から一万人規模の遊牧民＝騎兵をもっていたが、みな一様に「万騎」と呼ばれた。その下には「小王」をはじめ「千長、百長、什長(千人長、百人長、十人長)」がおり、統治機構がそのまま軍事組織にもなっていた。また単于の補佐役として、姻戚氏族出身者がなる骨都侯という大臣がいたが、護雅夫はこの骨都も孤塗と同様に「クト」を漢字であらわしたものであり、「単于の霊威を分け与えられた諸侯」を意味すると解釈している。

匈奴の衰退と分裂

漢は高祖以来匈奴にたいして消極策をとってきたが、気鋭の武帝が即位すると(前一四一年)、充実した国力を背景に積極策に転換する。まず前一三九年に、西方の大月氏のもとに張騫《ちょうけん》を派遣し、匈奴を挟撃しようとしたが、この策は実らなかった。前一三三年には、密貿易をえさに単于の率いる匈奴の大軍をおびきよせ、待伏せをして一網打尽にしようとはかったが、寸前に発覚して水泡に帰した。

このように計略が失敗に終わったあと、武帝はついに正攻法に踏み切った。前一二九年に四人の将軍を派遣した遠征は敗北に終わったが、その翌年には将軍衛青の率いる三万騎の軍勢が打って出て、数千人を斬首捕虜にするという大勝利を博した。これ以後しばらくは一進一退が続くものの、流れは漢に傾いた。漢軍は前一二一年に河西地方を奪取し、その翌々年の遠征によってゴビの南から匈奴の根拠地を一掃した。河西をえた漢は、その西に続く西域＝中央アジアのオアシス地帯にも食指を伸ばし、前一〇四、前一〇二年の二度にわたる遠征で、パミールをこえた西側の大宛《だいえん》(フェルガナ)にまで漢の威勢がおよぶことになった。その後いったんは後退したこともあったが、前六〇年に匈奴の西部辺境の王、日逐王が漢に服属するにいたって、タリム盆地のオアシス諸国は完全に漢の支配下にはいった。

匈奴は西域に僮僕都尉と呼ばれる官を派遣して、オアシス諸国から産物や人間を徴発していた。その収入源を奪われたことは、よい牧草地があった河西の喪失とともに、匈奴を衰退に導いた。さらにそれまで匈奴に服属していた丁零《ていれい》(丁令、丁霊)、烏桓(烏丸)、鮮卑《せんぴ》が離反したことが、匈奴の衰勢に拍車をかけた。

まさにそのときにあたって、匈奴では単于の位をめぐって内紛が発生し、ついに呼韓邪《こかんや》単于とその兄郅《しっ》支《し》単于との争いとなった。結局、呼韓邪の率いる東匈奴は前五一年に漢に臣属してその援助を受けることになった。一方、郅支の率いる西匈奴は西に移動して天山北麓に本拠をおき、烏孫や丁零などをしばしば破ったが、前三六年には漢軍に敗れ、郅支も殺されて西匈奴は瓦解した。

漢は呼韓邪に特別の厚遇を与え、位は諸侯王のうえで、天子に拝謁するときにも臣と称するが名をいう必要はなく、さらに多額の金品を下賜して、しばし両者は平和を楽しんだ。ところが漢にかわって新(後八~二三年)を建てた王莽は異民族にたいして極端な中華思想をもって臨み、匈奴にたいしても強圧的な態度をとったため、両者の関係は悪化した。

王莽の治世の末年、中国が混乱状態に陥ると匈奴は勢力を盛り返し、往時の威勢を取り戻したがそれも束の間、天候異変や疫病で弱ったところを東隣の烏桓に攻められ、さらにお家騒動が起こり、ふたたび分裂した(四八年)。後漢に臣属した南匈奴は徐々に中国社会のなかに取り込まれていく。一方、モンゴル高原に残った北匈奴は、東から鮮卑・烏桓、北から丁零、南から南匈奴・後漢の攻撃を受けて西方に移動し、二世紀中ごろに天山北方にいたことを示す記事を最後に、中国の史書からはその姿を消してしまう。

匈奴の社会

遊牧民匈奴の風俗習慣は、定住社会に住む者の目にはきわめて奇異に映った。『史記』匈奴伝には、漢の使者と匈奴の高官、中行説《ちゅうこうえつ》（中行が姓）とのあいだで繰り広げられた興味深い問答が記録されている。漢の使者が「匈奴は老人をいやしむ」といって非難すると、説は「匈奴では戦いが重要なので戦えない老弱な者は後回しにし、まず壮健な者に栄養のあるおいしいものを食べさせる。そうして戦いに勝つことによって、老人もその子もともに生活を守ることができるのだ」と反論した。

つぎに使者が「匈奴は父と子が同じテントに寝、父が死ぬとその継母を妻とし、兄弟が死ぬとその妻を娶《めと》って妻とする。位階に応じた冠や帯の服飾もなく、宮廷の礼儀の制度もない」というと、説はほぼつぎのように答えた。「匈奴は家畜とともに生活し、時に従って移動する〔だからテント生活が便利〕。法規は簡素で実行しやすく、君臣のあいだも簡易で、一国の政治は一人の人間の身体のようである。父子兄弟が死ぬとその妻を娶るのは、家系が失われるのをきらうからだ。中国では表面だけかざって実際には親族が殺し合いをしている。匈奴には、そのような虚飾の礼儀や服飾はいらない」。

この発言には、中国社会の現状をうれえる司馬遷自身の思いもこめられているように感じられるが、それはともかく、ここには騎馬遊牧民社会の論理が定住農耕社会のそれとははっきりと異なることが明快に述べられている。

ところでこの中行説は、じつは漢の出身で、漢の文帝が宗室の娘を単于のもとに嫁入りさせるときに、そのおもり役として匈奴にきた宦官であった。遊牧社会といっても遊牧民一辺倒ではなく、そのなかにはかなり多数の定住社会出身者がおり、じつは彼らが遊牧社会のなかで大きな役割をはたしていたのである。

ユーラシアの草原地帯はたしかに遊牧に適した土地ではあった。しかし遊牧という粗放な牧畜形式は生産性が低く、気象条件にも左右されやすいため、安定した生産力を維持発展させていくことは不可能に近い。そこで、遊牧国家はこの不安定な経済的基盤をより強固なものにするために、遊牧プラスアルファ、すなわち遊牧以外の農耕、交易、手工業、略奪などの経済行為に力を注がなければならない。ところが農耕や交易、手工業を活発におこなうためには、集落とか交易拠点といった、定住社会にみられるような施設が必要となる。つまり、遊牧国家が国家として発展していくためには、遊牧とは相反する定住化を推し進めていかなければならないという、皮肉な結論が導き出されるのである。

遊牧国家のなかで定住的生産活動に従事したのは、中国などの定住農耕社会の出身者であった。匈奴はしばしば中国北辺に侵入し、略奪を働いていた。略奪というと金銀財宝がめあてであったかのように思われがちだが、実際には匈奴が略奪の対象としたものは人間と家畜だけであった。たとえば冒頓単于末年の前一八一年には今日の甘粛省蘭州南方に侵入して二千余人を略奪し、続く老上単于時代の前一六六年ころには毎年のように人間と家畜を多数略奪し、代郡(今日の河北省西北部と山西省東北部)では一万人以上が殺されたり略奪されたりしたという。もちろんこのような数字をそのまま信用することには問題があるが、いずれにしても匈奴はその勃興期から南北分裂期にいたるまで、前記の呼韓邪単于とそれに続く一時期を除き、間断なく人間と家畜の略奪を繰り返していた。そのほかに、戦争捕虜や漢からの政治的亡命者、困苦による逃亡者などもいた。

このような人々のなかには売買の対象として西域に輸出されたとする説もあるが、それだけでなく匈奴の支配下で定住民として生活していた人々も多かった。彼らが形成していたと思われる集落の遺跡が、モンゴル高原でこれまでに約二〇カ所発見されている。そのほとんどは高原の北部に集中している。北部のほうが南部のゴビ地帯よりは降水量が多くて農耕に適し、長城から遠くて逃亡が困難だからであろう。このように定住民を集団で強制移住させる政策は、中国では徙民《しみん》と呼ばれ、その後の鮮卑、柔然、突厥などの遊牧国家、五胡十六国時代の北族系王朝や北魏、さらには遼など、遊牧民出身の王朝によくみられる。

上記の約二〇カ所のうち、大規模な発掘調査がおこなわれたブリヤートのイヴォルガ遺跡をみてみよう。この遺跡はセレンゲ川の旧河床左岸にあり、北・西・南の三方は四重の土塁で囲まれ、東は河床の低い崖に面している。住居址のほとんどは半地下式の方形竪穴住居で、東北隅に板石造りのかまどがあり、そこから壁沿いに暖房用の煙道(板石造り)がはしっていた。遺跡のほぼ中央に位置する方形の基壇の上には、竪穴ではなく掘っ立て柱の構造の住居址が発見された。これは規模も大きいため、集落の首長の住居と考えられる。同じ基壇上には、鉄の精錬をおこなった炉址も発見された。

出土品はきわめて多岐にわたるが、とくに注目すべきことは、ほとんどの土器が漢代中国の灰陶とそっくりであること、鋤、鎌などの鉄製農具も中国のものにきわめて類似していること、そして漢字のきざまれた砥石が三点発見されたことである。出土した動物骨はほとんどが家畜のもので、犬(二七・〇%)、羊

(二一・六%)、牛(一七・五%)、豚(一四・八%)、馬(一三・五%)の順で多かった。草原遊牧地帯では豚の飼育はきわめて珍しい。豚の比率が比較的高いことは、その住民が定住社会出身、とりわけ中国出身であったことを物語っているといえよう。

旧ソ連の学界では、この集落址の住民を定住化した匈奴とみなす説が有力であった。しかし前記のように中国的性格が色濃いことを考慮すれば、その住民は漢人とみなすべきであろう。ただし出土品のなかに動物文様をほどこした装飾品や銅鍑のような遊牧民に固有なものがあることも事実であり、またこのすぐ近くに同時期の遊牧民の墓地も発見されていることからみて、ここに匈奴ないし匈奴系の遊牧民が住んでいたことは疑いない。おそらく両者のあいだには役割分担があったのであろう。つまり漢人は農耕・手工業生産に従事し、匈奴人兵士がそれを監視していたのであろう。またこの地域には、しばしば抵抗を示す丁零が住んでいたので、防御施設を備えたこの集落は丁零にたいする軍事拠点という意味ももっていたであろう。このような集落の性格をあらわす興味深い遺物が、イヴォルガよりやや南方のドゥリョヌィ集落址から出土している。それは一辺約二センチメートルの青銅製印章で、印面には頭をうしろにひねった山羊のような動物がきざまれている。これはおそらく単于がこの集落の長に与えたものであろう。しかしこれらの規模は集落程度であって、都市はまだ生まれなかった。

匈奴をどのような体制の国家とみるかについては、(1)統治・行政機構が整っていない未熟な首長制国家、(2)国家形成途中の段階、(3)支配氏族群とその下にいくつかの部族を従属・連合させた部族連合国家、(4)それと同時に他民族を支配するという意味で帝国、(5)マルクス、エンゲルスの発展段階説に依拠して奴隷制国家、(6)遊牧民特有の発達した権力形態であり異民族も支配したのだから軍事的民主制「帝国」など、さまざまな説がだされている。

大量に定住民を略取してきて遠く領域の北方に集落をつくらせ、生産活動に従事させると同時にその集落を北方の軍事的拠点とするという発想は、個々の部族レヴェルで生まれるものではなく、そこに明らかに国家としての意思が感じられる。中国のような複雑な行政機構は存在しないが、匈奴の単于は、さまざ

竪穴住居推定復元　前２～後１世紀，ブリヤート，イヴォルガ集落址。

漢字のきざまれた砥石　前２～後１世紀，ブリヤート，イヴォルガ集落址。

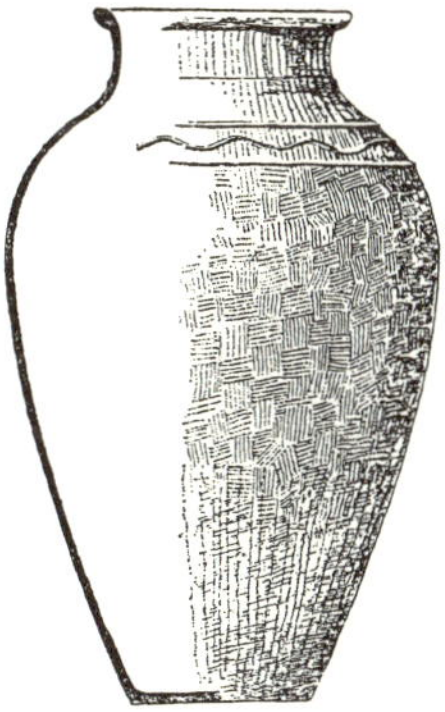

灰陶　前２～後１世紀，ブリヤート，イヴォルガ集落址。高さ109cm。

青銅製印章　前２～後１世紀，ブリヤート，ドゥリョヌィ集落址。

まな出身の顧問団と部族長会議の判断を尊重しつつ、軍事・行政権と聖権とをあわせもつ存在として理解すべきであろう。遊牧国家を中国やヨーロッパのような定住地帯の尺度ではかって国家形成以前とか途中とか判断することは困難であり、匈奴のような統治形態こそが騎馬遊牧民にとっての「国家」なのだといわざるをえない。その意味で(3)、(4)、(6)の説がもっとも説得的であろう。

匈奴の文化

匈奴の最盛期の王侯の墓はまだ発見されていないが、紀元前後の東匈奴が前漢と和平状態にあったころ、ないしはそのあとに匈奴が一時的に勢力を盛り返したころと思われる王墓が、モンゴル高原北部のノヨン・オール(ノイン・ウラ)やブリヤート南部のイリモヴァヤ・パチなどで発見されている。

ノヨン・オール遺跡はモンゴル国の首都オラーンバートル(ウラーンバートル)から北へ直線距離で約八〇キロの山林中にあり、約七〇基の古墳が点在している。そのうち比較的大きいのは一二基で、墳丘は盛り土であるが、表面に石が敷かれている。これはスキタイ時代の古墳にもみられ、日本の古墳の葺石《ふきいし》と似ている。墳丘のかたちは正方形に近く、一辺の長さは一五〜二五メートル前後で高さ二メートル以下のものが多いが、最大は一辺三五メートルで高さ三・五メートルに達する。墳丘が小さいわりには、墓室はかなり深いところにあり(深さ八〜一〇メートル)、南側から斜めにくだる墓道がついている。墓道を覆って細長い盛り土があり、外見上は長方形の張り出しがついているようにみえる。

ノヨン・オールからさらに二〇〇キロほど北上し、国境をこえてすぐの山林中にイリモヴァヤ・パチ遺

ブリヤート，イリモヴァヤ・パヂ大古墳，墳丘直下の石の仕切り
前２～後１世紀。

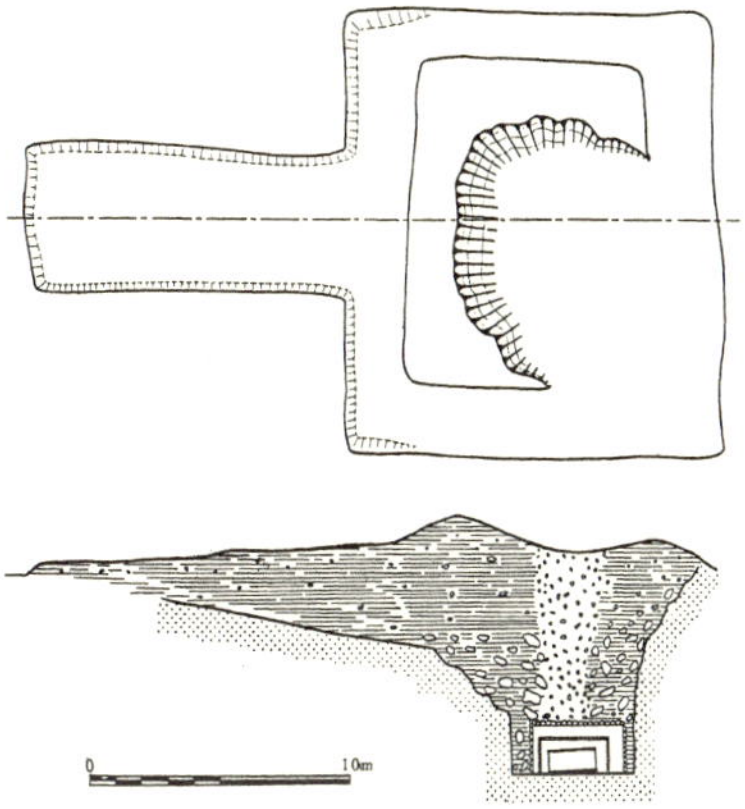

モンゴル北部，ノヨン・オール24号墳の平面図と断面図

跡がある。ここもほとんどが方墳である。調査された最大の方墳は一六×一五・五メートルで、高さは一メートル弱であるが、墓室は深さ八・五メートルのところにあり、南に長さ一四メートルの先細りの張り出しがついている。この構造はノヨン・オールとほぼ同じであるが、墳丘のすぐ下には板石を組み合わせて仕切りがつくられていた。この意味は不明である。方墳は南シベリアのタガール文化(前七～後一世紀)の中ごろと後半、タシュトゥク文化(一～五世紀)にもあるが、草原地帯では比較的まれであり、中国からの影響とも考えられる。しかし、張り出しや板石の仕切りはユニークである。

二〇〇〇年から発掘の始まったモンゴル中部のゴル・モド第一遺跡の一号墳は、墓室の深さが一七メートルもある。どの遺跡でも墓室には丸太を組み合わせた木槨があり、そのなかに木棺がおかれていた。墓は多くが盗掘されていたが、ノヨン・オールでは墳丘下の地面が凍結していたおかげで、土器、銅器、玉器だけでなく、木製品や染織品、漆器もよく残っていた。漆器には前漢の建平五(前二)年の銘をもつ耳杯《じはい》があり、錦には王莽の新をさすと思われる「新神靈廣成壽萬年」という銘文をもつものがあるように、全体として中国製品が多い。しかし耳杯と同じ墓から出土した銅鍑は明らかに遊牧民文化の所産であり、鷲グリフィンに似た怪鳥がトナカイを襲う闘争文様も匈奴などの遊牧民に固有のものである。また刺繡された有角有翼の獅子は中国の天禄《てんろく》、辟邪《へきじゃ》からの影響であろうが、これはもともとアケメネス朝ペルシアの獅子グリフィンに起源する。このように紀元前後には中国文化の影響が強くなるが、遊牧民固有の文化も根強く残っていた。

4 民族大移動時代

鮮卑の興隆と五胡十六国時代

北匈奴についでモンゴル高原に覇を唱えたのは、鮮卑である。鮮卑は烏桓とともに東胡の後裔といわれ、興安嶺南部からシラムレン川流域にかけて住んでいたが、匈奴の盛時にはその支配下にあった。しかし匈奴の勢力が衰えると、後一世紀末ころ西進して北匈奴の余衆「一〇余万落」(この場合の「落」は一戸のテントであろう)を吸収し、そのため鮮卑はしだいに盛んになったが、個々の部族はばらばらの状態であった。

ところが二世紀中ごろに檀石槐《だんせきかい》という英傑があらわれた。彼は、その父親が匈奴に従って三年間従軍していたあいだに、母親が雷鳴とともに天から落ちてきた雹を呑み込んで妊娠し、産んだ子だという。これは北アジアの遊牧民によくみられる天孫降臨伝説の一種とみなすことができる。檀石槐は十四、五歳のころから勇敢で強く、智恵や策略も備わっていた。その武勇ぶりに部族の人々は敬服し、またその指示や決裁が公正であったので、人々はついに彼を「大人《たいじん》」に推戴した。つまり檀石槐は実力によって遊牧民の君長になったのであるが、生まれの神秘性を強調し、彼以降「大人」は世襲になっていく。

彼は鮮卑諸部族を統合すると、南方では後漢の北辺を略奪し、北方では丁零を防ぎ、東方では夫余を退け、西方では烏孫を撃ち、かつての匈奴を想わせるほどの勢力を誇るにいたった。彼はその領土を東部(二〇余邑)、中部(一〇余邑)、西部(二〇余邑)に分け、東部と西部には四人、中部には三人の大人(あるいは大帥)をおいて分割統率させていた。したがって一人の大帥の下に四つか五つ前後の邑が属していたことになる。もちろんひとつの邑(血縁的ないし地縁的集団)にもそれぞれ長がいたであろうから、邑の長の上に大帥、大帥の上に檀石槐という支配構造になっていたと考えられる。

檀石槐はほぼ毎年中国北辺に侵入し、官吏や人民を殺したり略取したりした。またこのころ中国は後漢末の混乱期にあたり、経済的な困窮者や政治的亡命者が漢から鮮卑に逃亡する例も多く、密貿易もさかんにおこなわれた。後漢で最大の学者蔡邕《さいよう》は、一七七年に宮廷でおこなわれた議論のなかで、長城の警備がゆるんだために武器になる良質の鉄を鮮卑が多く保有するようになり、漢人の逃亡者で鮮卑の顧問になる者もいると語っている。しかし檀石槐のつくりあげた支配構造はあまり強固ではなかった。後漢の光和年間(一七八～一八四年)に檀石槐が四十五歳で死去するとその子孫たちは内紛を繰り返し、衰退していった。

二世紀末か三世紀初めになると、檀石槐とは別な系統の鮮卑の軻比能《かひのう》という者が頭角をあらわして大人に推されたが、その勢力は中部と西部に限られ、東部には檀石槐の系統が勢力を保っていた。この時期、中国国内ではまだ混乱が続いており、政治的・経済的に生活しにくくなった中国人は、比較的安定していた軻比能支配下の鮮卑のもとに流入した。『魏志』鮮卑伝によれば、彼らは鮮卑に兵器、鎧、楯のつくり方を教え、文字を学ばせたという。文字とは漢字のことに違いなく、行政上の必要から支配層の一部が学んだのであろう。檀石槐の治世のときと同様に軻比能の支配下でも、中国人がさまざまな分野で大きな役割をはたしていたのである。軻比能が二三五年に魏の放った刺客に暗殺されると、鮮卑は求心力を失っていったが、このように中国文化になじんだ鮮卑はその後中国本土の歴史に深くかかわっていくことになる。

中国の晋代に起こった八王の乱(二九一〜三〇六年)を契機に匈奴系や鮮卑系などの諸族が中国北部から中部にまで侵入し、独自の王朝を創始した。五胡十六国時代(三〇四〜四三九年)の始まりである。晋はいったん滅び(三一六年)、宗室の一部が長江下流域に東晋として王朝を再興した。この時代は漢民族も含めて大規模な移動が起こり、まさに東アジアの民族大移動時代と呼ぶことができる。

五胡十六国時代に終止符を打ったのは、鮮卑系の拓跋《たくばつ》部が建てた北魏である。北魏については『中国史』の巻にゆずるが、ただ一九八〇年に大興安嶺東北部の「嘎仙洞《かっせんどう》」で発見された北魏の碑文についてだけ言及しておこう。それは太武帝が祖先をまつるために四四三年に遺した祝文である。その文章のほとんどは『魏書』礼志に著録されているが、ただ碑文末尾の「皇祖である先の可寒《かがん》」「皇妣《ひ》である先の可敦《かとん》」という表現は『魏書』にはない。「可寒」は明らかに「可汗」の別表記である。このことから、北魏で帝号が採用される以前、その首長が可寒=可汗、その妻が可敦と呼ばれていたことがわかる。

従来、可汗号は柔然の社崙《しゃろん》が四〇二年に丘豆伐可汗《きゅうとうばつ》と称したのが最初とされてきた。しかし「皇祖」を拓跋部の始祖とされる力微(二七七年没)とすれば、それより前の三世紀に鮮卑系諸族のあいだで可寒＝可汗号が使われていた可能性もでてきたのである。帝号を採用した拓跋珪《けい》(道武帝)によってモンゴル高原に追いやられた柔然の社崙が、珪との対抗上、可汗号を称するようになったと解釈するほうが自然である。一方、漢化を推し進めた北魏王朝は可汗号を使わなくなったのであろう。

高車と柔然の興亡

北匈奴が西方に去り、軻比能の政権が崩壊したあと、モンゴル高原で優勢となったのは高車と柔然である。高車とは高車丁零(高輪の車を用いる丁零)の略称で、狄歴《てきれき》とか勅勒《ちょくろく》とも呼ばれるが、この二つと丁零はいずれもテュルクを漢字で表記したものと考えられる。丁零は匈奴時代にはモンゴル高原の北方にいたが、三〜四世紀には南下してきたらしい。

『魏書』高車伝によれば、高車の起源はつぎのようなものであった。匈奴の単于に二人の美しい娘がいた。単于は娘たちを天に与えようとして高い台を築き、そのうえに二人をおいて天が迎えにくるのを待ったが、迎えはこなかった。四年たつと一匹の老いた狼がやってきて台の下に穴をほり、居着いてしまった。妹はこの狼こそが天の迎えと判断し、姉が反対するのを振り切って台をおり、狼の妻となった。そのあいだに生まれた子供が高車の祖先となったという。このような狼祖伝説は、のちの突厥にもみられる。また雷を崇拝したことも知られているが、これは鮮卑とも共通する習俗である。

柔然は蠕蠕《ぜんぜん》、芮芮《ぜいぜい》、茹茹《じょじょ》とも呼ばれるが、それらがどのような原音を写したものかについては諸説があるものの、明確ではない。東胡の子孫とか匈奴の別種ともいわれる。四世紀初めころには拓跋部に服属して、家畜や貂《てん》の皮などを貢物として差し出していた。そののちしだいに発展して、北魏と対立するようになったため、北魏は柔然を討ち(四〇二年)、前記のように柔然の族長社崙はモンゴル高原北部に逃れた。

社崙はモンゴル高原の高車を併合し、トーラ川上流域に本拠を定めると、匈奴と同様に十進法による軍制をしいた。さらに西北方にいた匈奴の残存勢力をオルホン川付近で打ち破り、その威勢は遠く天山山脈東部にまでおよんだ。ここにいたって社崙は丘豆伐可汗と号した。

社崙が四一〇年に死去すると、しばらく後継者争いが続いたが、社崙のいとこにあたる大檀が牟汗紇升蓋可汗《むかんこつしょうがい》(在位四一四~四二九)として即位した。その治世は柔然の最盛期で、四二四年には北魏の旧都盛楽をおとしいれ、その討伐にでた即位直後の世祖太武帝を包囲して苦境に立たせるほどであった。その後は北魏の反撃を受け、服属していた高車諸部が北魏に投降するなど、勢力はやや弱まったが、青海地方の吐谷渾《とよくこん》や、さらにはそれを経由して南朝の宋・斉・梁と使者を往き来させ、北魏を牽制した。

社崙を初代とすると七代目の可汗となった豆崙《とうろん》(在位四八五~四九二)は人望がなく、国内が乱れ、諸部が離反した。高車はその少し前からトゥルファン盆地の高昌国に影響力を行使するなど西方に重心を移しつつあったが、豆崙の即位直後に離反して西方へ移動し、天山北方で自立した。首長の副伏羅《ふくぶくら》氏(高車には一二の氏族がいた)の阿伏至羅《あふくしら》は四九〇年にソグド人商人を使者として北魏に派遣し、柔然との対決姿勢を明確にした。ソグド人の重用はその後のテュルク系遊牧国家に引き継がれていく。その後高車は中央アジア西部で大勢力となっていたエフタルと東方の柔然から攻撃を受け、結局五四一年に滅亡した。

また豆崙の治世には北方で丁零が強力となり、柔然は南方にその居住地を移さざるをえなくなった。しかし梁の天監年間(五〇二〜五一九年)にようやく柔然は丁零を破って旧領土を回復し、はじめて城郭を築いたという。これはかつて匈奴が丁零をおさえるために城塞集落を築いたのと好一対をなす。遊牧国家は南方の中国にたいしては防御施設をつくらないが、周囲の遊牧諸族にたいしては城塞を有効なものとみなしていたのである。

柔然はまた従来の遊牧国家と同様にしばしば中国北辺に侵入し、略奪を働いた。略奪の内容を示す資料は少ないが、四二四年には「辺境の人民を殺したり奪い取ったりして逃走した」とか、五二三年四月には「人民二〇〇〇人、公私の駅馬、牛、羊数十万頭を奪ってかりたてていった」などという記録が、『魏書』蠕蠕伝にみられる。後者の事件より数カ月前に柔然の首長阿那瓌《あなかい》が北魏の朝廷から耕作用に種もみを一万石もらっているので、それを耕作させる労働力として「人民二〇〇〇人」をさらっていったと考えるのが自然であろう。匈奴と同様に、柔然も中国人農民を大量に略奪して農耕に使役していたと考えられる。

フンの興亡

東アジアの五胡十六国時代より数十年遅れて、ユーラシア大陸西部でも民族移動が起こった。それはヨーロッパでフンと呼ばれる騎馬遊牧民の侵入によって始まった。三五〇年ころ、カスピ海北岸から黒海にかけて住んでいたアランに東方からフンと呼ばれる騎馬遊牧民が襲いかかった。アランを取り込んで大勢力となると、三七五年ころ、バランベルという名の首長に率いられたフン軍は黒海北岸にいたゲルマン系の東ゴート王国に侵入した。東ゴートは敗れて一部は西方に移動し、一部はフンの配下に組み込まれた。

そして三七六年、アランと東ゴートを含み込んだフン軍は、今日のルーマニア付近にいた西ゴートに迫った。西ゴートの大部分はローマ帝国との国境であるドナウ川の北岸にあらわれ、渡河して帝国領内にはいることを許可してくれるよう、ヴァレンス帝に求めた。このときはじめてフンという名がローマ側に知られることになる。それ以前の年代はこのときから逆算して推定されたものである。

ヴァレンス帝は西ゴートを国境の警備にあてるつもりで受け入れたが、結果的にはこの政策は失敗し、西ゴートに東ゴート、アランなども加わって反乱が起こった。三七八年、鎮圧に向かったヴァレンス帝は西ゴート軍に敗れ、自らも戦死した。このあと西ゴートはギリシア、イタリアをへてスペインにいたり、ローマ帝国の領域内で独立の王国を築くことになる。五世紀にはいるとフンの圧力のもとにヴァンダルやスエヴィなども移動を始める。

フンの侵入は、二つのことを教えてくれる。ひとつは、フンの勢力が雪だるま式に大きくなっていったことである。遊牧民集団がほかの集団に襲われるとやむなく移動し、それがまた別の集団の移動を誘発するという玉突き現象を引き起こす場合もあるが、フンのように膨張していく例もあることは、のちのモンゴルの拡大の仕方を想起すれば納得できる。

もうひとつは、ユーラシア大陸の東西でほぼ時を同じくして起こった民族大移動が、いずれも騎馬遊牧民の侵入によって始まったということである。この大事件の原因を地球的規模での気候変動によって遊牧民が移動をよぎなくされたことに求める説もあるが、まだ十分に証明されてはいない。いずれにしても古代の先進文明地帯の旧体制が遊牧民の侵入によって破壊され、歴史が新しい時代へと進んでいったことは注目すべきであろう。

四世紀末から五世紀初めに、フンは中部ヨーロッパだけでなくカフカス山脈をこえてローマ帝国の東方辺境やサーサーン朝ペルシアの領域にも略奪遠征をおこなった。三九五年の西アジア遠征では家畜と人間を多数連れ去ったことが知られており、これは北アジアの匈奴などの例と同じであることが注目される。

バランベル以後の首長の系譜は明確ではないが、四三三年ころにはブレダとアッティラという兄弟が統治していた。四三四年には東ローマのテオドシウス二世にたいして貢納の倍増を約束させた。その数年後（正確な年数は不明）ブレダが死去し、アッティラが単独の支配者となった。

アッティラは東ゴート人やゲピード人を登用して、カスピ海からバルト海におよぶ大帝国を組織した。四四七年以降西ローマ領内に侵入し、四五一年には西ローマ・西ゴート連合軍と北フランスのトロワイエ（古代名トリカッシス）西方で衝突した。その戦場は従来カタラウヌムの名で知られていたが、最近ではマウリアクムとする説が有力である。この会戦で西ゴート王テオドリックは戦死したがフン軍も損害は大きく、ハンガリー方面にいったん退却した。四五二年にアッティラは、今度は北イタリアに侵入したが、ローマ教皇レオ一世の調停で休戦し、またハンガリーに戻った。しかし四五三年、彼があっけなく死去すると、まもなく彼の帝国はもろくもくずれてしまった。フンの一部は黒海北岸付近に残り、のちに興ったブルガルやアヴァルに合流したらしい。

匈奴＝フン同族説

フンの起源がモンゴル高原を追われた匈奴にあるとする説、いわゆる匈奴＝フン同族説が十八世紀中ごろにだされてから、いまだに論争が続いている。日本の学界では白鳥庫吉が批判的、内田吟風、江上波夫が肯定的であり、結論保留の慎重派には榎一雄、護雅夫がいる。護はさらに「匈奴」(この漢字名の原音はヒュンヌというようなもので、フンに近い)の名が征服者として北方・西方の諸民族のあいだに鳴り響いたために彼らの多くが匈奴(フン)と自称したり、あるいは北方系民族の総称としてほかの民族からそのように呼ばれたりした可能性があることを指摘した。

前記のようにフンの西進が雪だるま式拡大であったことを考慮すれば、「フン」と呼ばれる集団のなかにさまざまな民族がはいっていたことは明らかであり、単純に匈奴＝フンということはできない。ただしフンの中核が匈奴出身であった可能性は残る。いずれにしても、近代的な「民族(ネイション)」という概念で同族問題を議論することには無理がある。

考古学的な出土品からみると、四世紀後半〜五世紀の草原地帯にはスキタイ時代と同じように共通する要素がいくつかある。それは、紅色象嵌と細粒文で装飾された貴金属工芸品、木製の鞍とそれを覆う鱗形文様の金製・銀製薄板、フン型銅鍑などである。

サルマタイ時代には多色象嵌が流行したが、民族大移動期にはザクロ石のような深紅の石を大きめに多数象嵌し、そのあいだを細粒文で装飾することが好まれた。そのように装飾されたものとしては、鉢巻形王冠(ディアデム)、耳飾り、こめかみ飾り、バックルや帯飾り金具、辻金具などの馬具、剣装具、獣頭形装飾品などがある。

鞍《くら》はスキタイ時代には座布団のような軟式鞍が用いられていたが、民族大移動期には木製の硬式鞍が使われるようになる。鞍と鐙《あぶみ》の起源にかんしてはさまざまな説があるが、もっとも妥当と思われる説によれば、硬式鞍は三世紀末ころに中国にあらわれた。それは馬に乗りなれていない漢人のために騎乗中の安定を考えて前輪《まえわ》と後輪《しずわ》が垂直で、騎乗する際の足掛りとしてはじめて金属製(正しくは木芯銅張り)の鐙を装着していた。しかし後輪が垂直では、子供のころから裸馬に飛び乗ることに慣れている騎馬遊牧民にはかえって乗りにくく、また足掛りとしての鐙も不必要であり、すぐに草原地帯に普及することはなかった。

四世紀末か五世紀には中国北部に後輪が傾斜した鞍が登場する。これは騎馬遊牧民にも乗りやすいかたちであり、またたくまに草原地帯全域に普及した。これが中国で開発されたのかそれとも草原地帯であるのかまだ断定する証拠はないが、草原地帯のこの初期の鞍に鐙がないこと、また中国ではしばらく後輪傾斜鞍と垂直鞍

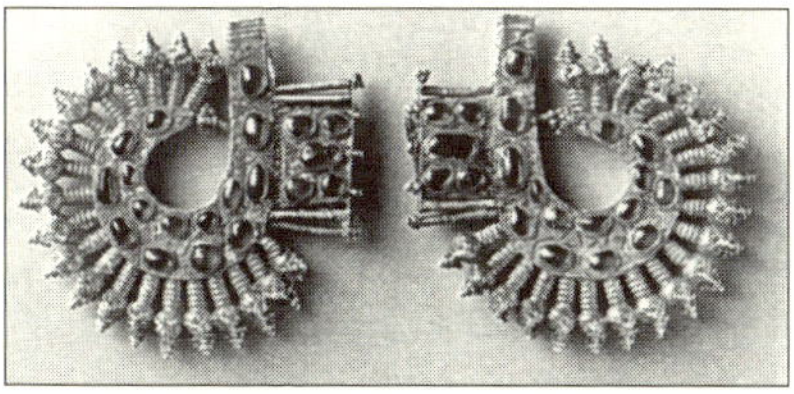

金製こめかみ飾り　前4世紀末，北カフカス，スタヴロポリ地方出土。

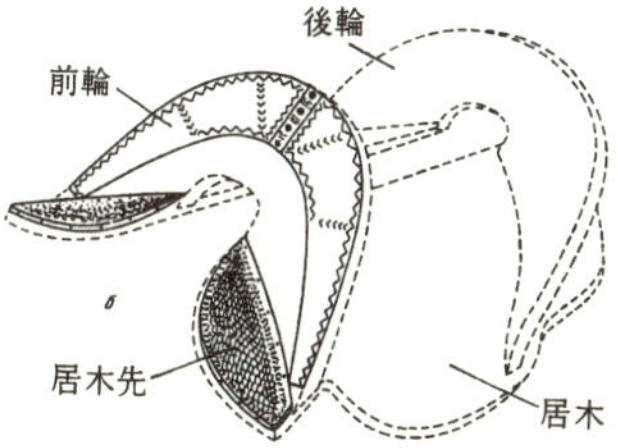

硬式鞍の推定復元　4世紀末～5世紀，黒海北岸，メリトポリ出土。

銅鍑　4～5世紀，ハンガリー，テルテル出土。高さ89cm（推定復元の台部を含む）。

銅鍑　4～5世紀，中国新疆，ウルムチ南山出土。高さ71cm（推定復元の台部を含む）。

が併用されたことを考慮すると、草原の遊牧民の考案にかかるものかもしれない。いずれにしても五世紀前半にはフンは硬式鞍を使用していた。木部は朽ちて発見されないが、鞍橋《くらぼね》の土台となる居木《いぎ》の先端（と時には後端）を覆う鱗形文様の飾板が出土しているからである。

　銅鍑はスキタイ時代の直前から草原地帯全域に広まるが、民族大移動期に天山北麓からヨーロッパ中部にかけて、かたちと文様に特徴のある鍑があらわれた。それは器壁が垂直な寸胴型で底部があまり丸みをおびておらず、耳が四角形で、胴部全体が縦の隆起線で四つに区画されている。さらに装飾的な要素として、耳の上に三つか四つ、耳の両側に一つずつのキノコ形の突起がつき、胴上部の水平の隆起線から玉飾り状の垂飾がならんでいるものも多い。とりわけキノコ形の突起は大きくて目立ち、見る者に強い印象を与えるため、この装飾のついた鍑はフンの象徴的な器物とみなされている。

　このようなフン型鍑はドナウ川流域に比較的多くみられ、そのほかには黒海北岸、北カフカス、ウラル山脈周辺、天山北麓で発見されている。上記の装飾品ではこれより東方に類品は今のところないが、このタイプの鍑はその原型とも思えるものがアルタイやモンゴル高原、中国北部から発見されている。

以上の考古資料をまとめると、一～二世紀ころモンゴルにいた遊牧民集団がアルタイから天山北麓、カザフスタンに移動し、そこで勢力をたくわえたあと四～五世紀に一気に中部ヨーロッパまで拡大したという光景が描ける。そしてその中核に匈奴出身者がいたことは十分に考えられる。

5　古テュルク時代

突厥の勃興と西進

五四二年に高車が滅んだあとも、テュルク系遊牧民の勢いは衰えるどころかむしろ活発になり、東はモンゴル高原北部から西はカスピ海北岸あたりにまで広がっていた。そのころから彼らは中国の史書には鉄勒《てつろく》という名で登場するようになる。これはテュルクを漢字で表記したものであろう。一方、同じころから突厥《とっけつ》という遊牧国家が登場してくる。これもテュルクの漢字表記と思われるが、鉄勒がテュルク系遊牧民の総称であるのにたいし、突厥はもともと鉄勒に属していたらしい阿史那《あしな》氏が中心となって建てた国家の名称として史書では使われる。

『周書』異域伝の突厥の条には、阿史那氏の起源について二つのやや異なった説話が紹介されている。その二つに共通する点を要約すると、人間の男子と雌狼とのあいだに生まれた一〇人の男子の一人が阿史那氏の祖先であるという。性別は異なるものの、親の片方が狼であるという点では高車の族祖伝説と共通する。説話はともかく、『隋書』北狄《ほくてき》伝の突厥の条によれば、阿史那氏は金山(アルタイ山脈)のあたりにいて、柔然に従属して鉄鍛冶を特技としていたという。

五四四年ころ、阿史那氏が長城にいたって絹馬交易をし、中国と国交を開きたいと申し出た。当時中国北部は西魏と東魏に分れていたが、西魏の実質上の支配者であった宇文泰(のちの北周の太祖)はそれに応えて、五四五年、酒泉(甘粛省)にいたソグド人を使者として突厥に派遣した。突厥の人々は「大国の使者がきたからには、わが国もこれから盛んになるだろう」と喜んだ。首長の土門《どもん》はさっそく翌年、西魏に朝貢使節団を派遣し、ここに中国王朝との通交が始まった。

土門とは、テュルク語で「一万、万人長」を意味するテュメンの漢字表記と思われる。実際に一万の兵力をもっていたかどうかは不明だが、柔然に従属してはいるものの、ともかく直接西魏と交渉し、西魏にその勢力を認めさせるほどに成長していたことがわかる。また、ソグド人はこのあと突厥に深くかかわっていくことになるが、その結びつきが突厥の最初の登場のときから始まっていることも興味深い。中央ユーラシアで一種の通貨ともいうべき絹を入手する手段をえて、さらにそれを西方に売りさばくことにたけたソグド人との付き合いが始まったことは、突厥の西方進出をうながすことになる。

西魏に正式の使節を派遣したのと同じころ、土門は柔然にたいして反乱を起こした鉄勒を迎え撃ち、「五万余落」を降伏させた。その勢いに乗じて、土門は柔然の可汗阿那瓌にその娘との結婚を求めたが、阿那瓌は「おまえはもともとわれらの鍛冶奴隷ではないか」とののしって拒否した。土門も反発して柔然から独立し、五五一年には西魏から公主をむかえた。そして五五二年正月、土門は柔然を攻めて阿那瓌を自殺させ、自らは伊利可汗と号した。伊利は、テュルク語で「国をもつ」を意味するイルリグの漢字表記と思われ、ここに完全に独立した遊牧国家突厥が成立したことになる。

伊利可汗は翌年死去し、短命の二代目を挟んで三代目の木杆《もくかん》可汗(在位五五三〜五七二)のときに突厥は領域を大きく広げた。南方では柔然の残党を滅ぼし、青海の吐谷渾、東方の契丹《きったん》、北方のキルギス(契骨《けいこつ》)を征服した。西方ではトゥルファンなどのタリム盆地のオアシス諸都市を支配下におさめ、さらにサーサーン朝ペルシアと共同してエフタルを挟撃して滅ぼし(五五八年)、ソグディアナ諸都市をも勢力下にいれ、版図をカスピ海北岸あたりにまで広げた。

木杆は大可汗としてモンゴル高原中央部のウテュケン山と呼ばれる聖地に本拠をおき、名目上その下になる数人の可汗とともに征服活動に従事した。エフタル攻撃を担当したのは、土門の弟で木杆の叔父にあたる西面可汗の室点蜜《しってんみつ》(瑟帝米《しっていべい》)であった。これは突厥碑文(後述)にみられるイステミの漢字表記であり、またビザンツ史料のディザブロスあるいはシルジブロス、アラブ史料のシンジブーと同一人物であったことはまず間違いがない。

イステミはソグド人の要請を受けてサーサーン朝に絹を売ろうとはかったが、サーサーン朝は絹の中継貿易による利益が減少することを恐れて、その申し出を拒否した。すると彼は五六八年にカスピ海の北側をまわり、黒海経由でビザンツの宮廷にソグド人使節を派遣し、中国から入手した絹を直接ビザンツに売り込むことに成功した。これ以後何回かにわたって両者のあいだで使節の交換がおこなわれた。いわゆるシルクロードの草原ルートが外交・交易に使われた例のひとつである。

イステミは天山山中のユルドゥズ草原に本拠をおいていた。ビザンツ側の記録には木杆と思われる可汗は登場せず、イステミは独自にビザンツと交渉をしていたらしい。五八〇年代になるとアルタイ山脈あたりを境として突厥は東西に分離していくが、西面可汗の独立の傾向は早くも五五〇年代末ころから始まっていたとみてよいであろう。

木杆が死去すると、弟の佗鉢《たはつ》可汗が即位した（在位五七二～五八一）。当時中国北部では北周と北斉とが対立していたが、佗鉢はその両国の対立関係を利用してどちらからも絹製品などの貢物をえていた。しかし北周を継いだ隋が中国の北部、さらに南部を統一していく過程で立場は逆転する。佗鉢死後の混乱を制して沙鉢略《さはつりゃく》大可汗（在位五八一～五八七）が即位したあとも大可汗と小可汗たちの対立は続き、隋の離間工作もあって沙鉢略以後の可汗は隋の末年まで隋に臣属し、隋から冊立《さくりつ》されることになる。

突厥の西部ではイステミの子の達頭《たつとう》可汗（ビザンツ史料のタルドゥ）が小可汗ではありながら大勢力を保ち、しばしば大可汗位の後継争いに介入した。木杆の子の大邏便《だいらべん》（阿波《アパ》可汗）が沙鉢略と対立して達頭のもとに逃れた五八三年をもって突厥の東西完全分離とする説が有力であるが、達頭自身がモンゴル高原に進出して大可汗になった時期もある（在位六〇〇～六〇三、その後の西突厥については第二章を参照）。

煬帝《ようだい》の失政などにより隋の国勢が衰えると、始畢《しひつ》可汗（在位六〇九～六一九）は隋に反旗をひるがえし、隋末・唐初の中国の混乱期には中国北部に割拠した群雄（のちに唐を建国することになる李淵もその一人）を逆に臣属させるほどになった。始畢の時代には東突厥では小可汗はほとんど姿を消し、可汗につぐランクは設（シャド）という官称号で呼ばれるようになる（西突厥ではシャドの上位に葉護《ようご》＝ヤブグという官職もあった）。シャドの権力・権威は小可汗のそれよりも遥かに低かった。シャドの出現は、大可汗への権力・権威の集中を示すものであろう。

ただしそれでも中央集権的な国家とはいいがたく、従属する他部族の族長は頡利発《けつりはつ》（イルテベル）とか俟《し》斤《きん》（イルキン）という称号をおびて族長の地位を保ち、これらの従属する部族やオアシス諸国には吐屯《とどん》（トドン）という貢納徴収役が派遣されていた。

中国の混乱に乗じた突厥の優位は長くは続かなかった。頡利《けつり》（イルリグ）可汗（在位六二〇〜六三〇）は建国直後の唐にしばしば侵入したが、内部分裂と鉄勒諸部の反乱、天候不順による畜産の損失などが重なって、六三〇年に頡利は唐に降伏し、ここに東突厥（後述する復興後の突厥と区別するため、ここまでを突厥第一可汗国とも称する）は滅亡した。

唐の羈縻支配と東突厥の復興

頡利の降伏後、唐は鉄勒諸部の薛延陀《せつえんだ》の族長夷男《いなん》に唐の権威のもとでモンゴル高原を支配することを認め、黄河の南に移動した突厥諸族にたいしては、部族の構造はそのままに個々の族長を監督することにした。この後者の支配方式を羈縻《きび》支配という。羈は馬のたづな、縻は牛の鼻づなのことで、馬や牛をつなぎとめ、操るような支配をめざしていた。

いったんは薛延陀の支配を認めた唐だが、その勢力の拡大を恐れて内輪もめを起こさせ、六四六年には大軍を派遣して薛延陀を滅ぼしてしまった。この結果、北方諸族はすべて唐の羈縻支配下にはいることになった。このとき長安までやってきた族長たちは太宗に「天可汗」(テュルク語ではテングリカガン)の称号をたてまつった。族長たちは、「可汗」の支配ということで唐の支配を受け入れたのである。このことは、十七世紀にモンゴル人が清朝皇帝を「ハーン」と呼び、十八世紀にカザフ人がロシアのツァーリを「白いハーン」と呼んで、その支配を受け入れたことと対応している。ウランバートルから西へ一七〇〜八〇キロ、トール川の右岸と左岸で、二〇〇九年と二〇一一年に羈縻支配末期に属する唐風の墳墓が発見され、前者から僕固氏の漢文墓誌、後者からは壁画が発見されて、注目を浴びている。

羈縻支配を甘んじて受けていたテュルク系諸族だが、徐々に反唐独立の動きをみせ始める。何度かの失敗のあと、六八二年に阿史那一門の骨咄禄《こっとつろく》(クトゥルグ)が、陰山山脈付近を拠点として独立に成功した。はじめは小勢力であったが、だんだんとかつての突厥の残党がクトゥルグのまわりに集まっていった。そのなかの一人に暾欲谷《とんよくこく》(トゥニュクク)、またの名を阿史徳元珍《あしとくげんちん》という人物がいた。彼は将軍として、また政治顧問としてこのあと三代の可汗に仕え、重要な役割をはたすことになる。

クトゥルグは六八六〜六八七年にモンゴル高原の聖地ウテュケン山を奪還すると、鉄勒諸部をつぎつぎに征服し、トゥニュククの勧めでイルテリシュ(「諸部族を集めた」の意)可汗(在位六八二〜六九一)と名乗るにいたった。この復興以後を、突厥第二可汗国と称する。

クトゥルグが死去すると、弟の默啜《もくてつ》が継ぎ、カプガン可汗(在位六九一〜七一六)と号した。カプガンはその治世の前半にしきりに中国北辺に侵入し、人間や馬を略奪した。そして六九六年(六九八年説は正しくない)には唐の則天武后《そくてんぶこう》にたいして法外な要求を突きつけた。唐にくだっていた突厥諸部と単于都護府の地の返還を迫り、さらに種子と農器具とを要求したのである。則天武后は怒ったが、臣下のとりなしで、土地は与えなかったものの、数千帳（テント）の人々と種子四万石余、農器具三〇〇〇を与えた。

単于都護府の地とは陰山山脈東南の農牧ともに適した肥沃な土地であり、カプガンは、唐にくだっていたあいだに農耕を覚えた可能性のある諸部や大量に略奪した中国人農民にその地で農耕をさせるつもりだったのであろう。その後もカプガンは陰山南方を占領する構えをみせていたが、その余裕はなかった。北方の遊牧国家が中国本土の一部を領有することは、契丹（遼）が燕雲十六州を確保する二〇〇年余りのちに現実となる。

カプガンは治世の後半には北方・西方計略に忙殺された。北方ではキルギスや鉄勒諸部が反乱を起こし、西方ではかつて西突厥に従属していたカルルク（葛邏禄）やテュルギシュ（突騎施）が台頭してきた。さらにアラブ・イスラーム勢力の攻撃にたいしてソグディアナからよせられた援軍要請にも応えなければならなかった。七一六年、彼は鉄勒諸部の抜野古《ばつやこ》（バヤルク）をトーラ川のほとりに打ち破って帰る途中、敗残兵に殺されてしまった。

後継者をめぐってカプガンの直系と初代のイルテリシュ可汗の子たちとのあいだで対立が激化したが、結局後者の兄弟が勝利をおさめ、兄が即位してビルゲ（毗伽）可汗（在位七一六〜七三四）となり、その弟のキョル・テギン（闕特勤）が軍事権を握り、譜代の重臣トゥニュククが補佐役となった。

ビルゲの治世には、従来の遊牧国家にはみられないいくつかの特徴がある。七二〇年、唐の玄宗がビルゲ政権を敵視して周囲の諸民族とともに攻囲しようとしたのにたいし、機先を制して攻撃の芽をつんだ事

キョル・テギン像頭部　1958年にチェコの調査団によって廟址背後の穴から発見された。

件を除けば、唐に侵入することはなかった。それどころか、七二七年に吐蕃《とばん》が共同で唐に侵入しようと書状を送って誘ったのにたいし、ビルゲはその書状を玄宗に献じて誠意を示し、玄宗から毎年国境で大量に絹馬交易をおこなう許可をえた。

しかしビルゲは親唐家だったわけではない。突厥文字できざまれたビルゲ可汗碑文では、唐人の甘言にのせられて破滅に陥らないようにという彼自身の警告が、突厥の民衆にたいして繰り返し発せられている。吐蕃の書状を献じたのも、唐にたいする忠誠心の発露ではなく、絹馬交易を恒常的におこなう確約をえるための方便とみなすべきである。ビルゲは略奪第一主義から交易重視策へと対唐政策を変更したのである。

またビルゲは都城を築き、仏教や道教の寺を建てようとさえ考えたが、トゥニュククが草原地帯では遊牧的生活様式が優越していることを主張し、ビルゲも自分の考えを引っ込めた。遊牧国家における都市の建設は、つぎのウイグル時代まで待たなければならない。

トゥニュククが七二五年の少しあとに死去し、キョル・テギンが七三一年、ビルゲが七三四年に死去すると、第二可汗国は転落の坂をころがり始める。内輪もめがあいつぎ、七四一年以降は鉄勒諸部のウイグルがカルルク、バスミル(抜悉蜜)などとともに突厥を攻め、ついに七四四年、ウイグルの首長が可汗となった。七四五年には突厥最後の可汗が殺され、ここに突厥は名実ともに滅亡した。

ウイグル国家の「文明化」

鉄勒諸部のなかには、九つの部族がまとまって連合体をなしているものがあった。それは古テュルクの碑文やアラブ・イラン史料ではトクズ（九）・オグズ（語源は不明だが連合体を意味するか）、中国史料では九姓鉄勒（のちに九姓回鶻）などと呼ばれ、そのうちのひとつがウイグル（廻紇《かいこつ》、回鶻《かいこつ》）であった。突厥を倒して最終的にモンゴル高原の覇権を握ったのはトクズ・オグズであったので、この国をトクズ・オグズ国と呼ぶこともあるが、当初、可汗をだしたのはウイグル部族であったので、ウイグル国と呼ばれることが多い。

ウイグル部の可汗はヤグラカル（薬羅葛）氏を称し、全部で九つの氏があったことが知られているので、ウイグル部のなかがさらに九つに分かれていたとする説が有力であったが、それよりも九つの氏はそれぞれ九部族の族長の氏に相当すると考えるほうが合理的である。

初代の可汗となった骨力裴羅（クトゥルグ・ボイラ）はキョル・ビルゲ可汗と名乗り、唐からは懐仁可汗（在位七四四〜七四七）という称号を与えられた。そのあとを継いだ子のモユン・チョル（磨延啜）は葛勒《かつろく》可汗（在位七四七〜七五九）となり、とくに北方と西方に征服活動を進めた。

葛勒可汗はいくつかの石碑を立てたが、そのうち現在までに三つが発見されている。それらは発見地の名をとってテス碑文、タリアト碑文、シネ・ウス碑文と呼ばれる。いずれも摩滅がはなはだしいが、読める部分から判断すると建国前後の征服活動が中心的に述べられており、さらにシネ・ウス碑文には以下のようなきわめて重要な一文が含まれている。それによれば、彼は七五七〜七五八年ころに「ソグド人と中国人［に命じて、あるいは彼らを住まわせるため］にセレンゲ河畔にバイ・バリクを建設させた」という。古テュルク語でバイは「豊かな、富んだ」を、バリクは「都城」を意味する。『新唐書』地理志にみえる仙娥(セレンゲ)川北岸の「富貴城」がこれにあたる。

バイ・バリクと思われる遺跡が、モンゴル国ボルガン県ホタグ・ウンドゥル町の郊外、セレンゲ川から北へ二キロ余りのところにある。それは一辺が約二三五メートルの城壁で囲まれたほぼ正方形の遺跡である。城壁のよく残っている部分を観察すると、版築《はんちく》工法で築かれ、厚さが三〜四メートル、高さは七メートルに達する。このすぐ南に城壁の残りは悪いが一辺一四〇メートル前後の城址があり、またすぐ南西にも一辺三〇五〜三四五メートルの城址があって、これら三城で一まとまりをなしていたのかもしれない。「ソグド人と中国人を住まわせるために」という解釈が正しいとすれば、この城はまず彼らが従事する交易の拠点という役割を期待され、それゆえに「富んだ城」と命名されたのであろう。葛勒可汗はそのほかにオルホン川流域の平原に宮殿を建てたらしい。

このころ唐は安史の乱(七五五〜七六三年)に悩まされていたが、葛勒可汗は七五七年に唐に自分の息子(のちの牟羽可汗)を長とする援軍を送り、長安と洛陽の奪還に大きく貢献した。しかしこのことは唐にあらたな悩みを生み出すことになった。ウイグルがこの功績をよりどころに、長安や洛陽で略奪を働いたり、以後、支払いにあてる絹の調達に苦しむほど大量に絹馬交易をおこなうことを唐に認めさせたりしたからである。バイ・バリクは、まさに交易の拡大にあわせるかのように建設されたことになる。

三代目の牟羽(ブグ)可汗(在位七五九〜七七九)は、七六二年に反乱側の史朝義に誘われて唐にきたが、結局反乱鎮圧に力を貸した。興味深いことに、翌年引き上げるときに可汗は四人のマニ教僧侶を連れて帰っ

モンゴル中北部，バイ・バリク城址　757～758年ころ建設。

た。これ以来、ウイグルのとりわけ上層部ではマニ教が広まることになる。

牟羽可汗はまた、葛勒可汗が建てたと思われるオルホンの宮殿を中心として(それ以前に唐が建てた城郭がすでにあったとする説もある)、バイ・バリクよりも遥かに大きい都市を建設した。それは中国史料では回鶻単于城、ト古罕(ブグハン)城とか窩魯朶(オルダ)城などと呼ばれ、イスラーム史料にはオルドゥ・バリクと記され(オルドゥは可汗のいるところ、宮殿を意味する)、現地ではハル・バルガスとかハラ・バルガスンと呼ばれている。

中心となる城郭址は東西に長い長方形で、四隅の高い点ではかるとだいたい四二〇×三三五メートルである。城壁の残りはきわめてよく、各壁とも七メートル前後の高さがあり、東南部の突出部は一二～一三メートルと高い。城内で発見された軒丸瓦の文様は唐代に典型的な蓮華文であり、中国人職人の関与が想定される。二〇〇九年からドイツ考古学研究所が発掘を始めた。

城外の南には巨大な石碑の断片が散乱している。碑文は突厥文字による古テュルク文と、漢文、ソグド文の三体で記されているが、古テュルク文はほとんど残っていない。この石碑は八代目の保義《ほぎ》可汗(在位八〇八～八二

モンゴル中央部，オルドゥ・バリク城址
760年代，西南方向より見たところ。後方にオルホン川が見える。

一」を称えるためにつくられたが、歴代の可汗の事績についてもふれており、とくにマニ教の導入と保護について詳しい。

城郭址から南に数キロにわたって市街区が広がっているが、それもすべて牟羽可汗のときにつくられたかどうかはわからない。またイスラーム史料によれば、ウイグルの首都のまわりには農耕地域が広がっていたという。いずれにしてもウイグルでは、都市の誕生と上層部の定住化という従来の遊牧国家にはみられない現象が起こったことに注目したい。

ウイグルは北アジアに興った遊牧国家としてはめずらしく、中国の北辺に侵入して略奪を働くことがなかった（ただし援軍としてはいったときの略奪は除く）。ところが牟羽可汗はソグド人を重用し、その勧めで大規模な唐への侵入を企てる。これにたいし、従兄で宰相の頓莫賀達干（トン・バガ・タルカン）は思いとどまるよういさめたが聞き入れられなかったので、ついにクーデタを起こして可汗とその側近、さらに可汗を誘ったソグド人など二〇〇〇人を殺し、自ら立って第四代可汗（在位七七九～七八九）となった。

このクーデタにあわせるかのように唐も国内のソグド人を国外追放した。また新可汗（唐は武義成功可汗、のちに長寿天親可汗に冊立）は、唐にたいしてそれまでの兄弟関係から舅と婿という格下の関係になったことを自ら認めた。

保義可汗紀功碑上部断片　820年代，背後はオルドゥ・バリク城址。

これらのことから、第四代可汗は遊牧的伝統を重んじる復古主義者で、外来のマニ教やソグド人を弾圧し、この時期からウイグルと唐との関係も攻守ところをかえることになったとする解釈もある。

しかし同じ可汗が唐にたいする賠償請求のときには非常に厳しい態度を示しており、その請求にきた使者は弾圧されたはずのソグド人であった。また長安でもそれから十年もたたない七八七年にソグド人の長期滞在者が四〇〇〇人もいたことが知られており(『資治通鑑《しじつがん》』)、両国ともにソグド人弾圧がそれほど徹底的なものだったとは思われない。絹馬交易の量はむしろふえており、恭順の態度もたんなるポーズにすぎなかった。このクーデタは、ウイグル上層部のなかで略奪に傾く可汗にたいして交易を重視するグループが勝利した結果とみるべきであろう。

従来の遊牧国家は、匈奴の攣鞮氏、突厥の阿史那氏のように特定の支配氏族出身者だけが首長になることができた。ウイグル国家でも当初はヤグラカル出身者だけが可汗となっていたが、七代目からは同じ九姓鉄勒のひとつではあるもののエディズ(跌跌)部出身者が可汗となった。ただしそれでも七代目可汗は自らはヤグラカル出身と称し、対外的な国名も相変わらずウイグル(回鶻)であった。いずれにしても特定の氏族だけが支配するという体制ではなくなっていた。また中国史料が内宰相、外宰相と呼ぶような人物にもウイグル部族以外の出身者がいた。これらのことから、ウイグル国家には部族の枠をこえた中央政府的機構があり、遊牧国家としては一歩進んだ体制であったとする考え方もある。

以上述べてきたように、ウイグル国家にはこれまでの遊牧国家にはないさまざまな要素が認められる。都城の建設とその周辺での大規模な農耕の展開、上層部の定住化、略奪第一主義から交易重視策への転換、経典をもつ外来のマニ教の導入、支配機構の変化、これらにさらに突厥第二可汗国時代に創始された独自の文字による表記の確立も加えれば、ウイグル国家では定住農耕国家と似たような「文明化」が進んだと解釈することができよう。

八四〇年、ウイグル国内で内紛が起こり、そのうちの一派に誘われて北方のキルギス(黠戛斯《かつかつし》)が大軍を送って一二代目の可汗を殺し、ここにウイグル国家は滅亡した。これまで遊牧国家が滅びると、敗れた側は勝者に吸収されるか西方の草原に逃れるか、中国領内に逃げ込んだ。ウイグルでも一部にそのような現象はみられたが、多くは河西(現甘粛省)や天山南北のオアシス地帯に移住してあらたな国家をつくった。これは、彼らがモンゴル高原にいたときにすでに「定住文明的」生活に親しんでいたからであろう(その後のウイグルについては第二章六節を参照)。

アヴァル、ブルガル、ハザル

ユーラシア草原の西部では、フンが姿を消したあともさまざまな騎馬遊牧民が東方からやってきた。それらの首長は北アジアで使われていたハン(可汗)を名乗り、固有名詞や官称号もテュルク・モンゴル語風であるが、民族的にはイラン系やウゴル系もまじっていたと思われる。

ビザンツ史料によれば、ユスティニアヌス一世(在位五二七〜五六五)の治世の末年にアヴァル(アヴァール)と呼ばれる遊牧民が北カフカスに出現した。ビザンツは彼らに毎年貢納を払う条件で手なずけようとしたが、彼らはさらに黒海北岸の草原を西進してダキアとトランシルヴァニア(現ルーマニア南部と西部)からドナウ川中流域のパンノニア(ハンガリー平原)にまで進出し、スラヴやゲルマン系諸族を支配下において大勢力となった。

これにたいしユスティヌス二世(在位五六五〜五七八)は帝位に就くと強硬姿勢で臨み、貢納を拒否したが、バヤン・ハンに率いられたアヴァルがバルカン半島進出の構えをみせると動揺し、五七四年には貢納を再開して同盟関係を結んだ。しかしアヴァルはしばしばスラヴとかたらってバルカンに侵入し、六二三〜六二四年にはコンスタンティノープルを包囲して陥落寸前まで攻め込んだが、ヘラクレイオス一世(在位六一〇〜六四一)によって撃退された。その後スラヴやブルガル(ブルガール)の圧力のもとに衰退し、八世紀末から九世紀初めにはフランク王国のカール大帝の遠征軍によって壊滅させられ、史上から消えた。

ビザンツは、前記のように五六八年以降何回か突厥と直接交渉をもつようになったが、突厥は自分たちが打ち破って逃走させたアヴァルとビザンツが同盟関係を保っていることに不快感を示したという。突厥が破った最大の相手は柔然であるので、アヴァルは柔然と同族だとする説がある。その場合柔然を真アヴァル、ヨーロッパに侵入したアヴァルを偽アヴァルと呼ぶことがある。またアヴァルをエフタルと結びつける説もある。

考古学資料からみると、パンノニアのアヴァルが残したとされる墓から出土した鐙や火打ち金は、東アジアないし北アジアにその起源を求められる。とくに鐙はアヴァルを介してヨーロッパに伝わり、重装騎士の戦闘能力を強化した。鐙をいち早く採用したカール・マルテルが新しい型の戦闘法を創造して、それがのちに封建制と呼ばれることになる新しい社会構造を生み出すもとになったと、鐙の役割をきわめて重視する説もあるが、もちろん反論も多い。

ブルガルは言語的にはテュルク系で、東方からきたと思われる。五世紀ころから北カフカスにいたらしいが、七世紀前半にビザンツがアヴァルを牽制するためにブルガルを同盟者と認めたころには大勢力となっていた。その集団を大ブルガリアと呼ぶ。しかしその指導者クヴラトが六四二年に死去すると後継者争いが起こり、そこに東方からあらたな勢力ハザルが襲いかかって、大ブルガリアは崩壊した。

その中心的集団はハザルの支配下にはいったが、クヴラトの第二子コトラグの率いる集団は北上してヴォルガ川中流域に落ち着いた。彼らのつくった国家をヴォルガ・ブルガリアと呼ぶ。この国は当初ハザルの貢納国であったと思われるが、十世紀になるとアッバース朝と交渉をもち、イスラームを受容した。川沿いに都市を建設し、奴隷と毛皮の交易によって栄えたが、一二三六年、モンゴル軍に征服された。

一方、第三子アスパルフの率いる集団は西走してドナウ川をこえ、六八〇年にはビザンツ軍を破り、毎年ビザンツから貢納を受けることになった。この国をドナウ・ブルガリアと呼ぶ。彼らは首都プリスカを建設し、在来のスラヴ人農耕民を支配したが、人口が圧倒的に多いスラヴに同化されていった。九世紀後半にはハンの名前もスラヴ風になり、その名もボリスが八六四年にキリスト教を国教としてからはスラヴ国家といってよい。

ハザル(ハザール)も言語的にはテュルク系であるが、民族的にはウゴル系とする説もある。しかし称号や人名、即位儀礼の類似などから、突厥となんらかの関係があったと思われる。『周書』異域伝の突厥の条によれば、可汗が即位するときには重臣たちが彼をフェルトにのせ、太陽のまわる方向に九回まわし、毎回臣下の全部がおがみ、おがみおえると介添えして馬に乗せ、絹のきれで気絶寸前まで首をしめ、ゆるめるとすぐに「おまえは何年可汗になっておれるか?」と問うと、彼はもはや意識が乱れていて年数をはっきりとは答えられないが、臣下たちは彼が口走り答えるところを聞いて、その在位年数を知るという。

鉄製輪鐙　7～8世紀，ハンガリー，ペーチ・キョズテメドゥ出土。

火打ち金と火打ち石　8～9世紀，ハンガリー，キョヴァーゴ・セレシュ出土。

これとまったく同じ即位儀礼がハザルでも知られている。十世紀のアラブの地理学者イスタフリーによれば、ハザル人がハーカーン(ハン＝可汗)を定めようとするときにはその人物の首を絹のきれで窒息しそうになるまでしめ、それからどのくらいのあいだ君臨しようとするのかをたずねると、その人物は「○○年」と答える。もしその年数のあいだに彼が死ねばそれでよいのだが、もしそうでないときには、彼が答えた年数に達したときに彼は殺されるという。突厥では予言の年数をこえた可汗が殺されるということはなく、たんなる儀礼と化しているようだが、ハザルでは実際に殺されたのかもしれない。

ハザルは六世紀末に西突厥の宗主権のもとでカスピ海北岸から黒海北岸に進出したが、七世紀の中ごろに西突厥が衰退すると独立したらしい。このころ、西突厥の阿史那氏の一部が西走してハザルのハンになったとする説もあるが、確証はない。

ハザルはしばしばカフカス山脈をこえて今日のアゼルバイジャン、アルメニア地域に侵入し、人間や家畜を略奪した。これにたいし、当初はサーサーン朝ペルシア、七世紀なかば以降はアラブ・カリフ国が反撃にでた。ハザルとアラブとの戦いは一進一退を続けたが、七三七年にアラブ軍がヴォルガ川下流域のハザルの本拠にまで攻め込んだため、ついにハザルのハンも和睦を申し入れてイスラームに改宗した。ところがこの改宗は一時的なもので、結局この時期にはイスラームはカフカスを北にこえることはなかった。

ちょうど同じころ、西ヨーロッパではフランクのカール・マルテルがトゥール・ポワティエ間の戦い（七三二年）でイスラーム軍を破り、ピレネー山脈の線でイスラームのヨーロッパへの浸透を防いだ。それと同じようにハザルはカフカス山脈の線でイスラームの北上をくいとめたとして、ハザルの役割を評価するヨーロッパの研究者もいる。

八世紀なかば以降、ハザルは交易活動に重点を移し、ヴォルガ川の河口付近に首都イティルを建設した。それ以前にもハザルは北カフカスのダゲスタン地域に都市をもっていたが、それはハザル以前からあるものを領有したのであり、自ら建設したわけではない。その意味でイティルは重要であるが、カスピ海の水位上昇によって水没したとか、ヴォルガの洪水によって押し流されたとか、河口の小島のひとつにある城址がそれだとか、さまざまな説がだされているものの、まだ確かなことはわからない。

イスタフリーによれば、イティルの周囲には耕地が広がっていたとあるから、農耕もおこなわれていたことがわかる。誰がそれに従事していたのかを示す情報はない。一般のハザル遊牧民は遊牧に従事し、十世紀初めの作者イブン・ルスタによれば、ハザルの支配層は冬だけ都市で暮らし、春になると草原にでてゆき、冬になるまで戻ってこないという。

ハザル国の主権者はもちろんハーカーンであったが、九世紀前半ころにその権威は名目的なものとなり、実権はベクあるいはシャドと呼ばれる人物が握るようになった。この体制を二重王権制と呼ぶことがある。同じころハザルの上層部はユダヤ教を受容したが、先にベクがユダヤ教に改宗して実権を握ったため、二重王権制が発生したとする説もある。またハーカーンの実権喪失と前記のハーカーン殺しとを結びつける考え方もある。

もともとユダヤ人でもないハザルがなぜユダヤ教を受容したのかという問題については、当時の超大国であるイスラームのアラブ・カリフ国とキリスト教のビザンツ帝国とから等距離の位置に身をおくためであったとする政治力学的解釈もある。ただしハザルの国内がユダヤ教一色にそまったわけではない。十世紀前半のアラブの作者マスウーディーによれば、首都のイティルには住民に応じてイスラーム、キリスト教、ユダヤ教の裁判官が二人ずつ、それ以外の異教の裁判官が一人いたという。異教とは、遊牧民ハザルに固有のシャーマニズムのような信仰のことであろう。

ヨーロッパの歴史家のなかには、およそ信仰の自由などなかった中世ヨーロッパと比較して、宗教に寛容であったハザルを進歩的として高く評価する傾向もあるが、関税を歳入の大きな柱とする遊牧国家にとっては、いかなる宗教の信者であろうとも交易商人を四方から呼びよせることが重要だったのである。ハザルは陸路だけでなく水路も交易に利用しており、カスピ海はイスラーム文献では「ハザルの海」と呼ばれていた。毛皮や奴隷などさまざまな交易品が知られているが、ハザル自体で生産される商品は魚の膠《にかわ》(糊として使われる)ぐらいしかなかった。つまり交易が最大の産業だったのである。

十世紀以降ハザルは北方にあらわれた遊牧民ペチェネグの脅威にさらされ、さらにキエフ・ルーシにしばしば侵略されるようになった。九六五年、キエフ・ルーシのスヴャトスラフ大公の遠征で北方の城塞や首都のイティルが攻略され、ハザル国は事実上崩壊した。

古テュルク時代の文化

草原地帯では、古テュルク時代になると、経典をもち世界的な広がりをもつ宗教が伝えられるようになるが、支配上層部には受け入れられても、一般民衆にまではなかなか浸透しなかったようである。

突厥第一可汗国では佗鉢可汗のときに、北斉の仏僧恵琳《えりん》が捕えられて突厥にはいった。彼は可汗に「斉国が富強なのは仏法があるためだ」と語り、十二因縁の理などを説いたところ、可汗はそれを信じるようになり、一伽藍を建て、さらに涅槃経を中国語から「突厥語」に翻訳させたという(『隋書』北狄伝)。また『唐高僧伝』巻二によれば、ガンダーラ出身の闍那崛多(ジャナグプタか)が、北周の武帝による仏教迫害を避けて帰国の途中、可汗にあって滞在をこわれ、十数年間とどまったという。

佗鉢のために建てられたと思われる廟堂の遺跡と石碑がモンゴル国アルハンガイ県ブグトで発見されている。ブグト碑にかんする従来の研究ではそのソグド語面に「新しい僧伽藍を建てよ」と読める個所があり、それが『隋書』の記述と一致するとされてきた。しかし現地調査に基づく最新の研究ではその部分は「教法の石を立てること」と解読され、一面にブラーフミーがきざまれたこの石碑こそが「教法の石」であると推定される。ブラーフミー面ははなはだしくて読めないが、ブラーフミー文のみがきざまれた一面が本来の正面で、そこには短い経典(十二因縁経か)がきざまれている可能性が高い。しかしこれ以降仏教が突厥に根づいたことを示す証拠はない。

ウイグル時代には牟羽可汗がマニ教僧侶を唐から連れ帰って以来、マニ教が信仰されるようになった。しかしそれ以前からウイグル国内にいた一部のソグド人にはマニ教徒がいたことも考えられ、可汗はそれらのソグド人から勧められたのかもしれない。

マニ教はイラン人のマニによって三世紀にバビロンで創唱され、ゾロアスター、釈迦、キリストを先師とする混成的教理をもち、善なる光明神と暗黒の悪魔との戦いの末に善霊的精神が解放されるとする。遊

モンゴル中央部，ブグト碑　580年代，写真は，拓本採取中。

古テュルクの石人　7～8世紀，モンゴル西北部，オブス県，ナランブラク。地上高82cm。

牧民にはもともと「天神(テングリ)」信仰があるが、これとマニ教の光明神とが結びつけられてウイグル上層部に受け入れられたと思われる。マニ教が一般民衆にまで広まったかどうかは不明だが、ウイグルの一部が滅亡後に建てた天山ウイグル王国でも当初上層部のあいだではマニ教が信仰されていた。

前節でふれたように、ヴォルガ・ブルガリアではイスラームが、ドナウ・ブルガリアではキリスト教が、ハザルではユダヤ教が信仰されるようになる。このように経典をもつ外来の宗教が草原地帯の東西を問わず信仰されるようになることも、古テュルク時代に共通する傾向のひとつである。

古テュルク時代の葬制・信仰に関係する遺物として興味深いのは、石人である。モンゴル高原からアルタイ、天山、カザフスタンにかけて、さまざまなタイプの石人がみられる。そのひとつのタイプは右手で容器をもつもので、東か南東を向いて立ち、その前から東方に低い立石(古テュルク語でバルバルという)が点々とならび、背後にほぼ正方形の石囲いがある。ロシア領アルタイの発掘例では石囲いの中央にくぼみがあって、そのなかに木の幹が残っており、まわりには灰や炭、焼けた羊の骨、馬の骨や歯などが発見された。この組み合わせがいくつか南北方向にならんで一グループ

キョル・テギン廟推定復元　732年建立，モンゴル中央部，オルホン川上流。

をなしていることも多い。

『周書』によれば、死者はその使っていた馬や物品とともに焼いたあと灰をとっておいて春か秋にその灰をうめ、墓所に石や墓標を立てる。石の数は生前殺した敵の数に応じて立て、墓標には羊や馬の頭をかける。『隋書』も記述はほぼ同じであるが、さらに木を立てて墓室をつくり、死者の肖像や在世中の戦陣の様子を描くという。前記の遺跡構成のなかで、木の幹は墓標、羊や馬の骨は墓標にかけられていたもの、灰や炭は火葬のあと、ならんだ石は殺した敵の数を示す石に相当すると考えられる。

しかし石人は文献にはでてこない。『隋書』にみられる墓室に描かれた肖像を石人とみなす研究者もいるが、やや苦しい。そのため、石人も殺された敵とする説もあるが、男女一対の例もあり、右手に容器をもっていることを考慮すると、石人のかたちで死者本人(時には妻も)が葬儀の酒宴に参加しているという解釈が妥当であろう。

じつは前記の組み合わせは最小の基本単位であって、かなり

古テュルクの石人　8～9世紀，トゥヴァ西南部ビジクティグ・ハヤ。両手で腹の前で容器をもつタイプ。

大規模なものまでいくつかのランクがある。まず石囲いを土塁や壕で囲い、さらに石囲いがきれいに加工した石槨にかわり、石人が男女一対の座像となって、石獅子や石羊が付け加わり、掘っ建て小屋が建てられたものもある。突厥可汗国の重臣クラスとなると、従者と思われる石人や石碑が加わって建物が瓦葺きとなり、可汗クラスでは石碑が中国風の亀趺《きふ》(礎石)の上にのせられ、囲いの土塀も瓦葺きとなる。

石人の起源についてはまだ定説がないが、石獅子・石羊、瓦葺きの屋根、亀趺と石碑などがすべて中国起源であるので、石人も中国起源とみなすべきであろう。また石人が死者の肖像という意味では、イラン・ソグド美術の図像からの影響も考えられる。突厥時代のいつごろあらわれたかという問題も、まだ最終的に決着していない。第一可汗国時代から存在したとする説が有力であるが、第一可汗国滅亡後の薛延陀のときからとか、第二可汗国時代に登場したとする説など、さまざまである。またその後のウイグル時代にもつくられたかという点も明らかではない。それというのも、ウイグル初期の石碑が発見された遺跡に石人がないからである。

しかしモンゴル高原の西端からトゥヴァ、アルタイ、カザフスタンにみられる、両手で腹の前で容器をもつタイプは、年代的にはウイグル以降の可能性が高い。このタイプは石囲いや石列をともなわないため、おそらく葬儀とは関係がなく、また別の祖先崇拝儀礼などと結びつく可能性がある。このタイプには胸に

ルーニックのきざまれた金盃　８～９世紀，ルーマニア西部，ナジセントミクローシュ遺宝。ブルガルが残したものといわれている。

乳房の表現された女性の石人もあり、カザフスタン、天山に多い。これらを十～十一世紀とする説もある。さらに時代はくだって、十一～十三世紀に南ロシアの草原地帯で勢力を築いたテュルク系のポロヴェッ（キプチャク）も、同じタイプの男女の石像を立てたことが知られている。

最後にこの時代の文化現象として、独自の文字の創造を指摘しておこう。先にふれたように、突厥第一可汗国のブグト碑文にはソグド文字とブラーフミーが使われたが、第二可汗国の七世紀末ころになると突厥文字が登場し、ウイグル可汗国時代にも使われる。これは最初の発見地の名をとってオルホン文字とか、北欧のルーン文字に形状が似ている（ただし起源的関係はない）ことからルーニック、古テュルク・ルーン文字と呼ばれることもある。

突厥文字の起源についてはソグド文字から発生したとする説があるが、両者はあまり似ておらず、その中間的な文字でもでてこないかぎり、この説を実証することはむずかしい。突厥文字は全部で約四〇文字からなるが、象形文字であることが明らかな二つを除き、そのほかはまだ未解明といわざるをえない。

この文字の起源を考える場合、もうひとつ面倒な問題がある。それは、きわめてよく似た文字がほぼ同じころ、南シベリアから天山北麓、中央アジア北部、北カフカス、黒海北岸、東ヨーロッパにまで広まっていたことである。しかもそれらはテュルク系の諸語をあらわすのに使われていたと思われるのである。それらはいくつかのグループにまとめられるが、それらのグループが一元的に発生したのか、それとも多元的なのか、また一元的とすればどのグループがもっとも早いのかというような問題は、今後の研究課題として残されている。

先スキタイ時代から草原地帯には共通する文化が広まっていたことを指摘してきたが、以上のように古テュルク時代にも同じ傾向がみられる。独自の文字の創造、経典をもつ宗教の導入、都市の建設、交易量の増大、これらは草原地帯が文化面と同時に、社会経済面でも同じようなステップを踏んで歴史の流れのなかを歩んでいたことを示している。また六~九世紀にはモンゴル高原・北中国・中央アジア東部で、テュルク・ソグド・中国の三文化が混然一体となっていたことも指摘することができる。

第二章　オアシス世界の展開

オアシス世界は、定住農耕を基盤として、多くの場合都市をともなうオアシスを中心として社会形成される世界をいう。オアシスとは、乾燥地域において沙漠やステップあるいは山岳によってたがいに隔絶された農地ということができよう。前章の草原世界からみれば南方に位置し、西はカスピ海、西南はイランに接し、南はインドに通じ、東は中国の甘粛、中原に連なる。この第二章では、このオアシス世界をかりに中央アジアと総称し、パミール高原をさかいに東部(中国新疆部分)と西部(旧ソ連領部分)に大別して、それぞれ中央アジア東部、中央アジア西部と呼ぶことにしたい。東部はその南でチベットに接する。

このオアシス世界の歴史は、草原世界とつねに密接な南北関係に立ちながら展開するが、東方は中国文明と、西方は地中海―メソポタミア―イランの文明と交わり、両者ともインド文明、仏教文化と深く関連する。そうした文明の交流に留意しながら、以下には農耕・都市文明の発生から始めて、この世界の住民がテュルク化・イスラーム化を深める時代までを概観する。

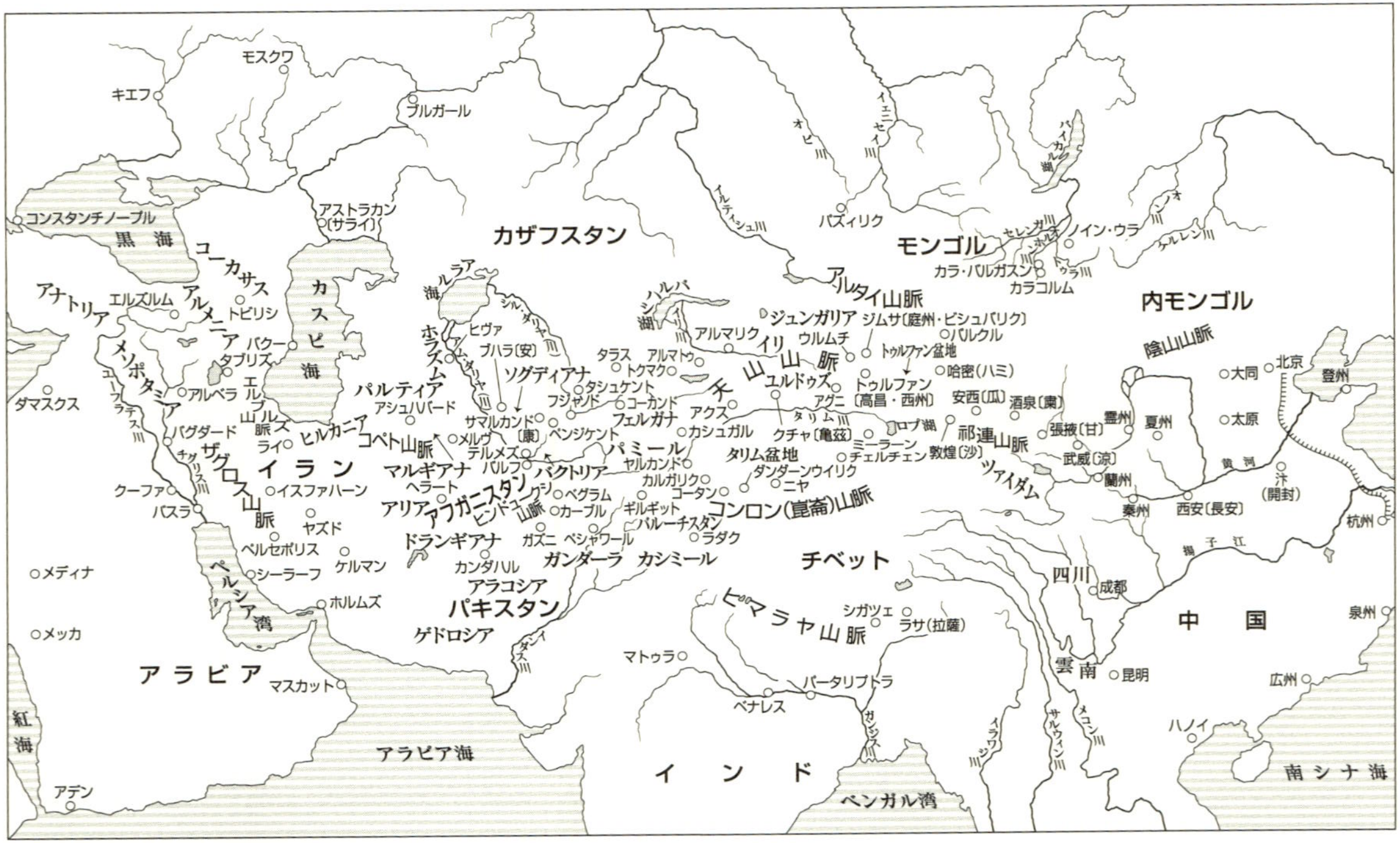

13世紀までのオアシス世界

1 農耕・都市文明の始まりとインド・イラン人の拡大

中央アジア西部の状況

人間は、中央ユーラシアという乾燥地域でも旧石器時代から足跡を残してきた。今のところ定住地域でもっとも古い人工物は、南タジキスタンのラクティI遺跡出土の石器(約三〇万年前)とされている。この中央アジア西部では二〇万年前のカラタウ(南カザフスタン)遺跡出土の小丸石器が南シベリアや天山南のトゥルファン盆地西部、中国の黄土地帯などにも共通する特徴となっている。この時期の人々はまだ完全には定住せず、狩猟や採集の生活をしていたが、そのなかから牧民が生まれる一方で、しだいに定住生活にはいる者がでてきたと考えられている。

前六千～前五千年紀の新石器時代より以降になって、定住オアシス農耕の遺跡・遺構として、いくつかの中心となる地域がみいだされている。古層の定住農耕文化は、中央アジア西部ではコペトダウ北麓のアシュハバード西北地域(パルティア——以下、歴史上の初出時期を無視して便宜的に地方名称をあげる)のジェイトゥン遺跡から知られる。小麦や大麦の痕跡があり、細石器と彩陶、そして家族単位と目される住居址が発見されている。その地域から、前三千年紀にかけてすでに定住家屋、家畜飼育をもち、小麦、大麦に加えてやがてブドウ栽培を知った人々が銅器や彩陶を特色としながら東南のメルヴ方面へ、つまりテジェン川下流からムルガーブ川下流(マルギアナ)へ文化の中心を拡大し、簡素な灌漑農耕設備をつくった。い

女性石像　マルギアナまたはバクトリア青銅器文化時代(前三千年紀末〜前二千年紀初めころ)の豊饒女神像といわれる。

ずれも今のトルクメニスタン南部にあたる。彼らはプロト・ドラヴィダ人の最北部を形成していたという見方がある。

つぎに、ウズベキスタン、タジキスタン南端のアム川中流へ北から合流する支流渓谷から、時代をおってアフガニスタンとの国境地域に拡大してくる定住農耕文化の動きが今のところ認められる。アム川を南へ渡れば、北アフガニスタンのバクトラ(今日のバルフ)を中心とするバクトリア、またはトハリスタンとも呼ぶ地域になる。また、いずれも今のウズベキスタンに属するアム川下流地域(ホラズム)、アム川とシル川のあいだを流れるザラフシャン川流域(ソグディアナ)、そして今まさに国境線が複雑に錯綜するシル川上流地域(フェルガナ)も定住遺跡のみつかるところである。これらの地域における考古学の成果は一様のものではないが、おおよそのところ前二千年紀までには青銅器時代にはいり、コペトダウ北麓にはしだいに大家屋や集落防衛囲壁などがあらわれ、生命樹や聖塔(ジッグラト)など、メソポタミア文明の影響を受け、また相互に広い流通があった。メソポタミア文明は陸路で直接、そしていったん海路でインダスに上陸したものが北方の中央アジア西部に向かったと考えられている。

しかし、前二千年紀にこれらコペトダウ北麓の初期農耕文化は限界に達して衰退した。これには、中央アジア西部を中心として起こった人間と文化の大変動が影響したと考えられている。気候変動や土壌の塩化も原因となっただろうが、インダスのハラッパ文明は滅亡し、東北イランやマルギアナの人口は減少して、かわりに草原の青銅器文化と馬利用文化をもつ民が南下した(第一章参照)。ラクダや牛に引かせる車は前四千年紀から南部定住社会のものであったが、ここに馬文化がもたらされたのである。彼らこそ、人類史上最古の大言語集団ともいわれるインド・イラン人であった。J・ハルマッタの仮説によってその足跡をみておこう。

彼らの故郷は中央ユーラシアのステップにあったとみなされるが、前六千年紀には東ヨーロッパで新石器農業をおこない、前四千年紀にはコーカサスからカスピ海、アラル海方面にでた。この人々をコーカソイドという。前四千年紀なかばころに開発された馬利用文化と、軽量二輪・四輪の車が彼らの行動範囲を広めた。そのうちの一枝、プロト・インド人は前三千年紀末ころから前二千年紀前半にミタンニ王国を建て、パレスティナ、シリアに展開した。メソポタミアの住民にプロト・インド文化(言語)が影響していた。彼らは一方では、前三千年紀末ころまでにマルギアナ、バクトリアに南下し、先に述べたコペトダウにおける新石器~金石併用時代の住民プロト・ドラヴィダ人の社会にやってきて、ガンダーラまで到達する。この移動を追うようにしてプロト・イラン人が南下し、カスピ海西岸へ、また南シベリアへと拡大したという。

前二千年紀後半まで、中央アジア西部農耕地域の土着文化や言語は保全されていたが、この移動の時代に、言語として、そして人の形質のうえでもプロト・インド・イラン人の席巻するところとなった。その姿は、『史記』大宛伝、『漢書』西域伝に描写される時期に連続しているだろう。つまり、紀元前後ころまでのフェルガナ(大宛)からパルティア(安息)にいたる人々は、言語を異にするとはいってもたがいに通じあい、また深眼でひげが多いというのである。彼らの本来の出自は北方草原にあったわけで、中央アジア西部のオアシス定住農耕世界における歴史は、草原文化との混交が運命づけられたのである。

中央アジア東部の状況

さて、旧石器・新石器の遺跡は、中央アジア東部すなわち今の新疆地域でも、東部天山山脈の北麓やトゥルファン盆地、ロプ湖西、ハミ周辺、タリム盆地周縁にみつかっている。中国では彩陶をはじめとする共通性から、それらの文化と、甘粛・青海—中原の文化とのつながりが指摘されることが多い。後者は、前五〇〇〇年ころの甘粛省秦安の新石器文化や、中原における前五〇〇〇〜前三〇〇〇年の仰韶《ぎょうしょう》文化および同時期の甘粛の馬家窯文化、ついで前二千年紀なかばまでに彩陶、銅石併用、青銅器の出現をみる斉家文化、さらに龍山文化と同時期の甘粛・青海地方にそれぞれ特色のあるいくつかの後期青銅器時代文化(前千年紀ころの辛店、唐汪、寺窪、卡約、沙井文化)である。しかし、これらの文化と新疆地域の遺跡との関係はまだ体系的な整理の段階までいたっていない。新疆地域には、パミール東麓のカシュガル、アクスなどに農耕、河川漁業、狩猟をおこなう定住民が前一〇〇〇年ころにはいたらしい。それらに彩陶はないが、天山北麓のバルクルからイリにいたる一帯、タリム盆地東南のチェルチェン、ロプ周辺には彩陶がみられる。そこでは細石器も併用し、石や泥レンガによる四角い住居址の発見がある。これらには総じて草原社会の影響がおよんでおり、ことに彩陶の存在は、上述したような中央アジア西部、西アジアとの連続性をむしろうかがわせる。

中央アジア東部の文化を担った人々の系譜をみるならば、ハミやウルムチ近郊の青銅器時代後期墓の人骨やミイラは、モンゴロイド系と、コーカソイド系に大別される。タリム盆地周縁のオアシスから発見される人骨やミイラも少なくない。上述のようにコーカソイドの特質と馬文化をもった人々が、おそらくインド・イラン系の言語をもって、前二千年紀ころにはこの草原世界の東部や天山の南にまで進出したと考えられる。彼らや、そしてインド・アフガンまで南下したグループ、そしてパミール・フェルガナ系のコーカソイドは、それぞれにハミや天山中東部にも住み着き、またコータンやロプにまではいり込み、ところによっては東方から拡大したらしいモンゴロイド系と混住ないし混血したとみられる。

2　中央アジア西部におけるイラン系社会とギリシア文化の影響

メディアとアケメネス朝ペルシア

前二千年紀の末ころから、コペトダウ北麓マルギアナの農耕文化は灌漑施設や城塞をもった都市型の集落をもって復興し、前千年紀のなかばころには、ホラズム、ソグディアナに同様の地方統一体が出現してくる。しかし、それらの土着勢力は、外来とくに南方からおよんでくるイラン系政治権力の領域的な支配を受けることになった。

メディア王国は前七世紀末ころには北方スキタイ(ペルシア資料でいうサカ)の支配を脱してアッシリア

ガンダーラ人朝貢者(上段)**とバクトリア人朝貢者**(下段)　ペルセポリス，アパダーナ東階段のレリーフ。ガンダーラ人は，インド特産の瘤《こぶ》牛をつれており，バクトリア人は，中央アジアに特徴的な双瘤《ふたこぶ》ラクダを引いている。

を討ち、イラン高原を中心として東はバクトリア、パルティアをとり、西はアナトリア東部まで達する領域を支配した。続いて前六世紀なかば、メディア王国から自立したアケメネス朝ペルシアのキュロス二世(在位前五五九～前五三〇)は、バビロニアをとり、バクトリアと、北方のサカ人とを従えた。ビーストゥーン碑文(前五一八年頃)によれば、ダレイオス一世(在位前五二二～前四八六)はバクトリア、マルギアナその他の中央アジア西部地域、ガンダーラを征服した。古代の定着農耕文明地帯を統括した政権であった。ペルセポリスのレリーフは朝貢のためにやってきたラクダを引くバクトリア人やアラコシア人、牛をともなうガンダーラ人、天秤をかつぐインド人、ソグド人、ホラズム人などをリアルに表現して、大領域王朝の威光を示している。

このことは、一方でシル川中流域まで拡大したとされるアケメネス朝の中央アジア西部領域各地に、それぞれ特色のあるオアシス統一体があったことを物語るが、ペルシアによる支配の具体的で詳細な様子はまだ明らかではない。これらの社会において農業が主体か、牧畜が主体かをめぐっても見解は一致していない。ただ、前項でみたように、イラン系の人々が定着農耕地域の住民を形成し、そこにあらためてアケメネス朝のイラン系支配体系(官僚制、サトラピー制による地方支配と徴税、貨幣鋳造、軍事道路の整備と駅伝制、灌漑施設の整備、地方要塞の建設など)がおよんだであろう。その結果、公用語としてのアラム語、アラム文字が導入されたことの意味は、オアシス発展史にとって無視できない。アラム文字に基づくソグド文字がイラン語系の土着ソグド語を表記することになって中央アジア西部における混交文化の特徴のひとつがあらわれたのである。

シル川北方のスキタイ・サカ人と総称される遊牧民も広義のイラン系であったが、ダレイオス一世は、尖頂帽サカその他の戦士集団を捕虜としてあるいは傭兵として自軍に取り込み、その騎馬戦術や武装を採用した。彼らの姿もビーストゥーン碑文岸壁、ペルセポリスのレリーフに残されている。草原の遊牧・騎馬文化は中央アジア西部で実体をもった潮流となった。ダレイオス一世以降、アケメネス朝と中央アジア西部との関係は、アレクサンドロスの遠征までは平和裏に推移した。

前四世紀までアケメネス朝ペルシアの支配下にあった中央アジア西部においては、現代にほぼ連続する大規模な都市が建設されている。たとえばマルギアナのエルク・カラ(メルヴ)、ソグディアナのアフラシアブ(サマルカンド)などである。また、中央アジア西部の人々にとって、アケメネス朝ペルシアが地中海東部にまで拡大したことによってギリシア文明に接したことは大きな意味があった。さまざまな商品がギリシア貨幣とともにペルシアに流布し、ギリシア人傭兵がペルシア領内にはいった。このギリシア文化の力がイラン高原および中央アジア西部、そしてインド西北部のつぎの時代を動かしていくことになる。

アレクサンドロスの遠征

アケメネス朝ペルシアは、前五世紀前半のギリシア遠征(ペルシア戦争)失敗ののちにしだいに衰え、最後の王ダレイオス三世(在位前三三六~前三三〇)はマケドニアから遠征してきたアレクサンドロス軍に帝国西部を奪われていく。前三三一年、アルベラで敗れたダレイオスはその急追の前に敗走を続け、アレクサンドロスは大王位を簒奪して自ら「アジアの君主」を称した。こうした経緯の背景にはヒルカニア(カスピ海東南部)をはじめとするペルシア領内のギリシア人傭兵の背反と、侵略軍を前にした東部地方司令官たちの自領域確保優先すなわち帝国統一意志の分裂をみることができる。しかし、バクトリアのサトラップ、ベッススは自領で反撃の準備をおこなった。ベッススは敗走してきたダレイオスを暗殺してペルシアの大王を自称したのである。これを追って、アレクサンドロス軍は東イランのアリア、ドランギアナを経由し、ヒンドゥークシュをこえてバクトリアにはいった。アケメネス朝ペルシアを滅ぼそうとする目的は明確であった。

ベッススを捕えたあと、これを支援していたソグディアナを討つためにアム川を渡ったアレクサンドロスはマラカンダ(サマルカンド)、のちにブハラを占領してソグディアナを平定したが、シル川の北には遊牧サカの大勢力があって、アレクサンドロスの領域は、シル川南岸の現フジャンドに要塞都市アレクサンドリア・エスカテを建設して、その拡大を止めた。アレクサンドロス自らも、また配下のマケドニア人およびギリシア人部隊も、各地で通婚した。これはたんに軍事的にペルシアを滅亡させることだけが目的だったのではなく、またヘレニズム世界の拡大をめざしたのだという近代西洋の歴史家の見解とは異なり、ヘレニズム世界と広い意味でのイラン世界の融合をめざす動機がアレクサンドロスにはあったのだという考え方もある。

しかし、中央アジア西部におけるアレクサンドロスの足跡はごく短い期間のものであり(前三二九〜前三二七年)、ソグディアナのスピタメネスの抵抗も激しかった。ここにはすでに自立したオアシスの存在がうかがわれる。アレクサンドロスはインダス遠征、イラン南部平定ののち、前三二三年にバビロンで病死した。この疾風のようでありながら広範囲におよんだ遠征は、大きな変化を中央アジア西部のオアシスにも、遊牧民にももたらした。なかでも工芸や美術の伝統をもつギリシア人による都市文化、言語・文字、貨幣経済、長距離貿易への関心などは後世に継承される遺産となり、ギリシア文化はイラン系社会であった中央アジア西部の表層を覆うこととなったのである。

ギリシア文化の拡大——セレウコス朝、グレコ・バクトリア、アルサケス・パルティア

アレクサンドロスの帝国を継いだのは、武将セレウコス・ニカトール(在位前三一二〜前二八一)の建てたセレウコス朝であったが、前三世紀初めにその領域東北部のマルギアナ、ソグディアナ、バクトリアなどの中央アジア西部を統治したアンティオコス一世(在位前二八一〜前二六一)は、セレウコスとソグディアナのスピタメネスの娘とのあいだに生まれた長男であった。彼がセレウコスのあとを継いで王となり中央にでると、中央アジア西部への統制は弱まり、またインド西部からヒンドゥークシュ山脈まではインドのマウルヤ朝に奪われた。セレウコス朝が前一世紀なかばに滅亡するまでに、中央アジア西部の東部地域

セレウコス1世の肖像(4ドラクマ銀貨)　アレクサンドロス大王のコインの系譜とは異なる新しいタイプのコインで，表は国王肖像，裏には有翼の戦勝女神ニケによる祝福がある。

にはグレコ・バクトリアが、西部地域にはパルティアが自立してくる。しかし一方では、この時代にはアレクサンドロスの時代についで、小アジア、北ギリシア、マケドニアなどから多くのギリシア人がやってきた。その多くはギリシア人植民都市の官吏となった。

セレウコス朝のアンティオコス二世が前二四六年に死去すると領域は不安定になり、前二四〇年ころには、バクトリアのサトラップであったギリシア人ディオドトス一世が独立した。グレコ・バクトリア王国の始まりである。この帝国の領域はセレウコス朝、西隣のパルティアと争いながら拡大し、四代目のデメトリオス一世(在位前一八九~前一六七)の時代にはソグディアナ、ホラズム、マルギアナ、アフガン地方、そして西北インドのインダス川に接するアラコシア、ゲドロシアを領土とした。しかし、早くも前一七五年ころから領域の統合はくずれ、ホラズム、ソグディアナは独立し、マルギアナはパルティアの領土となった。

とはいえ、この発展は、バクトリア地方の豊かな農業なしには考えられず、また一方では、周囲のギリシア人植民都市や地方首長たちとの連携政策が有効に働いた結果と考えられ、ギリシア人の色彩の濃さを認めなければならない。こうしてギリシア語、ギリシア文字が流布し、アンティオコス一世時代から鋳造が始まった銀や青銅製のコインは、明らかにギリシア文化の継承であった。他方、前一四五年ころとされるグレコ・バクトリア王国の滅亡の原因には、北方からの遊牧勢力、とくに月氏(大月氏)の南下の影響が考えられている。これは、中央ユーラシアの東西を見通す大きな問題であり、項を改めることにするが、その前に、バクトリアより西方の動向をひとつだけ確認しておきたい。

グレコ・バクトリア王国が出現したのと同じ前三世紀なかばころ、コペトダウ北麓のテジェン川流域からヒルカニア(カスピ海東南)にかけて遊牧していたイラン系パルニ族のアルサケス兄弟が、セレウコス朝の農耕パルティア地方のサトラップを襲って自立した。アルサケス(中国史料にいう安息)朝パルティアである。その領域は最大時、ミトラダテス二世(在位前一二三〜前八七)のころ、東南ではグレコ・バクトリアとの争いの結果ゲドロシアをとってインダス川に達し、東北はアム川近くまで延び、西はアルメニア、メソポタミアをおさめて前一世紀にはローマ世界と後述のクシャーン朝のあいだにあって東西貿易の利益で潤った。遊牧的軍事組織とペルシア宮廷政治の要素、そしてヘレニズム文化の摂取と、それへの抵抗とがここではみられる。公用書写言語が、アレクサンドロス以来、中央アジア西部に流布したギリシア語ではなくてアケメネス朝時代のアラム語だったのは、その抵抗の一証左ではないか。

3　クシャーン朝とその周辺

グレコ・バクトリア王国の滅亡と北方遊牧民

グレコ・バクトリア王国のバクトリア統合は前二四〇年ころからわずか一〇〇年程で終わった。ギリシアのストラボによればシル川の北から南下したスキタイ(ペルシア資料のサカ)のなかのアシオイ、パシアノイ、トハロイ、サカラウリという遊牧民がアム川の南のバクトリア地方をギリシア人から奪った。これらの集団名はさまざまに議論されてきたが、その実体はなお定まらない。

広義の遊牧スキタイは、前章でも述べられたように、中央アジア西部の北方から天山の南北、アルタイ地方、モンゴル高原の西端、甘粛の祁連山脈まで拡大していた。中国史料にいう月氏はその一支とみる考え方が有力である。この月氏は匈奴の老上単于(在位前一七四〜前一六〇)に敗れたあと、一部を祁連山周辺に残して(小月氏)アム川の北へ移動または縮小し、『史記』『漢書』などはこれを大月氏と呼んだ。『漢書』西域伝によれば大月氏は人口四〇万、勝兵一〇万という規模をもっていた。アム川の北で拠点としたのがどこであったか明確になっていないが、対匈奴戦略構築の目的をもった漢の張騫の使節行が、この月氏の移動のあとを追っていったことはあまりにも有名な史実である。

大月氏がシル川北方をへてまずはアム川の北側まで南下し、ついでアム川をこえてバクトリア地方を制したという大きな流れのなかで、榎一雄は、トハロイを含む上述のスキタイ四族が前一四一年ころにアム川をこえてグレコ・バクトリア王国を滅ぼしたのであり、その結果、バクトリアはトハロイ(トハラ、トハリ)と呼ばれたと考える。ついで大月氏全体がソグディアナからバクトリア地方を制したのはそれよりあとの前一三六〜前一二九年ころだと考えた。前一二九年ころの張騫の情報にいう大夏はすでに月氏に征服されたあとのバクトリアの地をさしているが、大夏(タイハ)がトハロイ(トハラ、トハリ)の音訳だとすれば、トハロイがトハロイを征服すると考えるのは矛盾だというのである。これに加えて小谷仲男は、『漢書』(後一世紀)にはじめて登場する前二世紀の「塞」をサカすなわちスキタイとみなして混乱していた従来の説を退け、トハロイを含めたスキタイ(サカ＝塞)＝大月氏と議論を整理した。そして前一四五年ころに焼討ちにあって廃棄されたという典型的なギリシア人植民都市、アイ・ハヌムの遺跡(アフガニスタンのアム川上流左岸、コクチャ川との合流点にある)に注目する。フランス考古調査隊のベルナールも、この都市アイ・ハヌムの滅亡を大月氏のバクトリア到来と関連づけて考えている。

ただ、未解明の課題がまだ残されている。そのひとつは、ある独特の文字による資料である。この遺跡から数多くのギリシア語碑銘が発見されるなかで、オストラコンに書かれたアラム文字と銀地金にきざまれた文字は、特異なものであった。ことに後者の文字は、シル川のかなたカザフスタンのアルマトゥの東五〇キロメートルにあるイッシク遺跡(イッシク湖とは関係がない)から出土した銀カップにきざまれた文字(一見すると後代のオルホン・ルーン文字と関連がありそうにみえるが、時代がまったく異なる)に似ていて、あたかもアイ・ハヌムへの北方文化の影響をうかがわせるかのようである。しかし、同じ文字はグレコ・バクトリア時代からつぎのクシャーン朝期におけるバクトリアを中心とする諸遺跡九地点から、一例はヒン

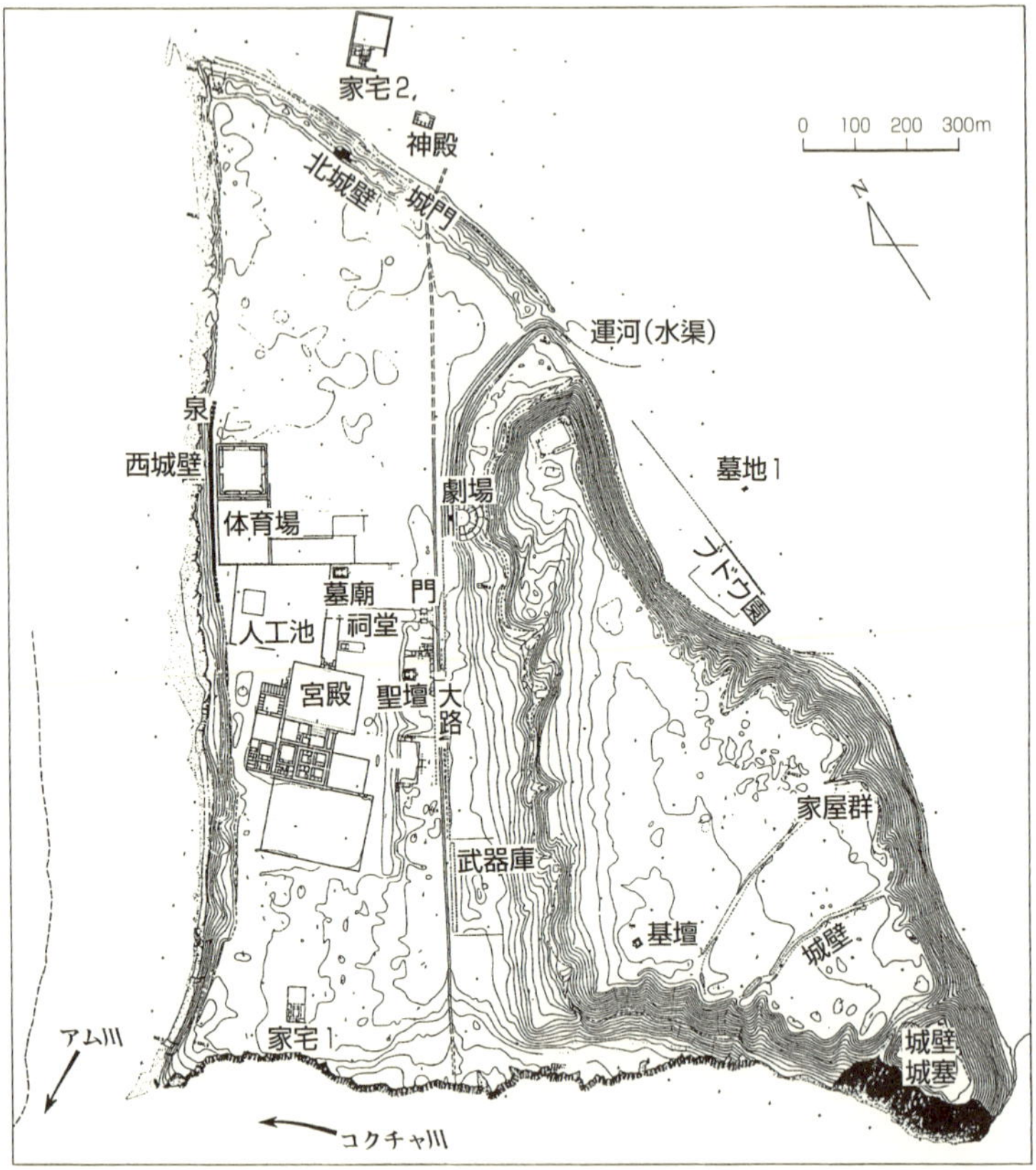

アイ・ハヌムの遺跡　典型的なギリシア都市の風をよく残している。前300年ころ，キネアスという人物が創建し，前145年ころに北方スキタイの襲撃で滅んだと考えられている。

ドゥークシュ南方(ダシュティ・ナウル遺跡)からもみいだされる。この文字・言語の歴史的な位置づけはまだ確定されていないのだが、言語学者J・ハルマッタによれば、この文字は西北インドのカロシュティー文字に起源をもち、それらの内容には、家産分割の決定文さえみいだせるという。都市文明を反映しているとみられ、南方文化の影響が強く示唆されるのである。この独特の文字で書かれたのは、資料が比較的豊富に現存するコータン・サカ語の前身であるサカ語の南方方言あるいは、のちにクシャーン人の用いた言語と考えることができるかもしれない。一方、イッシク遺跡の銀カップは前六~前四世紀のものとされていたが、前三世紀後半より以前にはさかのぼりえないという説もだされている。これらによるかぎり、バクトリア独自の文化が北方へ影響した可能性があるとはいっても、その逆に北方文化の直接の証拠をアイ・ハヌム遺跡にみいだすのは今のところ保留せざるをえないであろう。

大月氏が流入した前二世紀ころのバクトリア(今やトハリスタン=大夏地方と呼びうる)には、『史記』大宛伝によれば、一〇〇万をこえる人口が都市、家屋をもって定住している。それはすでに大月氏に支配されている姿であり、大王はおらず都市ごとの小王がいるだけで、軍は弱く戦いを恐れ、しかし商売が盛んだった。ストラボやプトレマイオスにも、この地は農産物の豊かなところであったことが記されている。

クシャーン朝

大月氏は、このバクトリアをほぼ五つに分割統治した。『漢書』西域伝には五翕侯(ヤブグ)の名があげられている。これを榎は土着有力者とみなし、アケメネス朝以来の地方統治制度、サトラピーに関連するとみている。紀元前後から一世紀のころ、五翕侯のひとつ貴霜(クシャーン)は他を圧倒してバクトリアから領土を拡大した。これがクシャーン朝である。江上波夫は、五翕侯を、大月氏によって分封された戦士階級の封建諸侯とみて、クシャーン朝を大月氏の延長と考える。この二つが代表的な解釈であるが、後述するような文書資料の発見・研究に基づいて今後も議論発展の余地がある。

クシャーン朝の創始者はクジュラ・カドフィセスで、『後漢書』西域伝には丘就卻と書かれるが、全盛期を築いたのはカニシカ王(一世)であった。北はソグディアナ、ホラズム、シル川にいたり、南はヒンドゥークシュをこえてガンダーラ、インド西北部からデカン高原西半を席巻し、東は北インドのパータリプトラ、東北はカシュガル、コータンにまで達する領域をもった。カニシカは即位年を元年とする暦をつくり、カシミールにおいて仏典編集の集会(結集)を開いたと伝えられるように仏教を保護し中央アジアの東西にそれを広めた。そのことはアフガニスタン、ウズベキスタン南部を中心とする仏教関連の遺跡(スルフ・コタル、ダルヴェルジン・テペ、カラ・テペ、アイルタム、ティリヤ・テペ、ディリベルジン・テペ、ハルチャヤンなど)が示すところであり、クシャーン朝はこのことで世界史上に輝くのである。その一方、カニシカはイラン系やインドの神々を敬い、彫像をつくったりしたことなどもよく知られてきた。最近では、仏像の誕生などガンダーラ美術の形成に、このクシャーン朝が大きく関与していたと考えられてきている。

注目されるのは、カニシカ時代になって、外来勢力の文明に支配されつづけてきた中央アジアが文化的に自立の傾向をみせたことである。これは一九九三年に、バクトリアのスルフ・コタルに近いラバータクから発見されたカニシカ王最初期の事績を記したバクトリア語の碑文を研究するN・シムズウィリアムズ

カニシカ１世像　インドのマトゥラー北方マート出土像(左)は両手に剣をもち，スカート下部の銘文は「大王，王中の王，神の子カニシカ」。アフガニスタン出土の金貨(上)から全身像がうかがえる。

らによって確かめられつつある。この碑文からあらたに判明した事実は大きい。たとえば、パータリプトラまでの北インドをカニシカが支配したことが実際にうたわれていた。それも大事な事実だが、カニシカはギリシア語勅令を発してそれをアーリア語(インド・ヨーロッパ系言語、ここではすなわちバクトリア語)にしたとあるのが注目される。これは、カニシカの時代に貨幣銘文からギリシア語が消失してバクトリア語にかわったという、貨幣学では周知の事実を裏づけているのである。貨幣や碑銘、碑文などに使用する言語・文字は、ギリシア語・ギリシア文字、およびガンダーラ語(前三世紀のアショーカ王碑文などに例があり、西北インドからタリム盆地南縁一帯に使われた)・カロシュティー文字から、土着のバクトリア語(ソグド語、コータン語とならぶ中世イラン東部方言)・ギリシア文字に統一されたとみてよい。もっとも、カニシカ王以前にバクトリア語・ギリシア文字の碑文はあったので、カニシカが創始した事績ではないし、のちにギリシア語の神の名が復活するのではあるが。

一方、イラン諸語のなかでギリシア文字を使用するのは、このバクトリア語のみである。ギリシア文字の使用はアレクサンドロス以来の伝統であったが、漢字を用いて日本語をあらわした万葉仮名のように、外来文字を用いてはいるものの自らの言語を表現したことは、社会・文化の独自性の発露とみることが許されよう。さらに重要なことに、従来はカニシカ以後とそれより前の王とは系譜が異なるものと考えられてきたが、ラバータク碑文により、初代クジュラ・カドフィセス以降、あらたに一人の王を加えたカニシカまで四代の系譜が同一家系のものとして明らかになり、これまでの通説はくつがえった。また従来、王統の絶対年代には諸説あり、なかではカニシカ元年を西暦一四三／一四四年とするR・ギルシュマンの説が有力であった。この新発見の碑文を研究したJ・クリブは、これとは異なる年代の可能性を提唱している。今後の研究の展開に影響を与えざるをえない。

クシャーン朝滅亡後の中央アジア西部

ラバータク碑文では、クシャーン朝が全インドを一〇〇〇年にわたって支配できるよう祈願されていたが、それはかなわなかった。三世紀の前半、パルティアを倒したサーサーン朝がイランを統一し、クシャーン朝を征服した。前述のように、彼らクシャーンの王たちが、遊牧の大月氏の系譜を引いたものなのか、あるいは土着のバクトリア人だったのかという議論は残るが、いずれにしてもバクトリア地方の定着農耕文化の富と、広域通商の利益とがクシャーン朝を支えていたことは、旧ソ連時代にはなやかに展開された考古学発掘調査の結果出土した各地のおびただしい金銀製品や宝石、ギリシア・ローマ、ペルシアの製品、中国製品など多様な埋蔵物が、多少の時間の前後はありながらも雄弁に物語っている。

バクトリア(トハリスタン)とソグディアナには、四世紀前半ころまでサーサーン朝王子を中心とする副王がクシャーン王として支配にあたり、この時期をクシャノ・サーサーン朝と呼ぶ。その後五世紀前半までイラン系らしきヒオン(フン＝匈奴ともいわれる)がソグディアナに、クシャーン系キダーラがバクトリアからガンダーラにかけての地域に認められる。五世紀なかばになるとイラン系もしくはテュルク系(イラン化したテュルク人か)のエフタルがこれらを吸収して広大な領域を占める。それは六世紀なかばまで、アフガン地域を中心としてほとんどクシャーン朝に匹敵するほどの支配領域をもち、モンゴリアからシベリア方面の柔然や高車(鉄勒)に対峙する遊牧の民であった。中央アジア西部の統治へゲモニーはまたしても遊牧系の集団に握られていった。エフタルを倒したのは、しばしばその襲撃を受けていたサーサーン朝と、そして六世紀なかばに北方草原に拡大した遊牧テュルク(突厥)との連合であった。

ソグディアナとその周辺——西突厥時代と玄奘の見聞

この六世紀なかば以降には、突厥西部の勢力が北方草原から中央アジア西部一帯を支配下においた。五八三年以後のこの勢力は一般に西突厥と呼ばれている。七世紀前半の早いころ、射匱可汗(在位六一一～六一七?)と、とりわけ西突厥の最盛期を築いた弟、統葉護(トン・ヤブグ)可汗の威令は、チュー川から西南へ、ソグディアナからアム川をこえ、ヒンドゥークシュ南のカーピシー国すなわちベグラムあたりまで届くものだった。その後、六五七(唐・顕慶二)年末、シャシュ(石国＝タシュケント)にいた西突厥の阿史那賀魯が唐によって捕えられ、翌年唐の安西都護府が西州(トゥルファン盆地)から亀茲(クチャ)に戻されると、西突厥の支配は終わった。それとともに中央アジア西部のトハリスタンに唐の都督府・州・県がおかれたが、それは実質をともなうものではなかった。そして、七五一年のタラスの戦いまでに中央アジア西部にはアラブ・イスラームの勢力がおよんでくる。このようにして中央アジア西部には外部政治勢力の支配が続き、土着の政治権力はなかったかのようにみえる。しかし、先の統葉護可汗の時代に、インドに赴く玄奘が西突厥支配下を旅しながら、各地のオアシス都市・農村を描写するところなどを参照すると、多少なりとも独自社会の存在をうかがい知ることができる。

オアシスの民ソグド人は、ダレイオス一世の紀元前六〜前五世紀から名が知られ、各時代の外来勢力下にあったものの独自の社会を継承していた。その商人は、四世紀のころから南は西北インド方面、西南はメルヴ、東は敦煌《とんこう》にまで広く活動している。さらにモンゴル高原の突厥、ウイグルの社会でも、識字能力をもち情報に通じた商人として遊牧権力の統治面に見え隠れする役割もはたしている。その本拠地ソグディアナの数多いオアシス都市全般について玄奘は、町ごとに長がいるというのみであるが、サマルカンド(康国)はソグド諸国(オアシス)の中心となっていて、軍隊・兵士も強力で隣国はその剛勇なる王の命を受けていると述べる。また、中国式の方孔銭(銅銭)に「ソグドの王(支配者)、サマルカンドの領主」シシュピール(世失畢、在位は大業年間＝六〇五〜六一七年まで)と刻されていたように、サマルカンド(当時の都市は今のアフラシアブ遺跡)を中心とした統治のまとまりがあったのである。ただし、世失畢は『隋書』によればとうけつかがんの娘を妻としていた。このソグディアナ全体の状況について玄奘が、農民半分、利を求めてやまない商人が半分と述べるように、ソグド人社会における商人の行動は活発であった。商人団や隊商の長はサルトポウ(薩宝)と呼ばれて広く活動し、彼らの手をとおして、西アジア、インド、中央アジア、北方草原の品々が運搬され、その精華は中華王朝(本章では地理的概念としては中国というが、その文明や王朝の性格をとくに示すときには中華という呼称を用いる)に朝貢品としてもたらされた。彼らの通商活動はたんにものを運搬して歩くのみならず、たとえば敦煌などのオアシスに植民集落をつくって農業をおこなったり、現地で納税もしたりしている。本地のオアシスでは、もちろん豊かな農業がおこなわれ、黍《きび》、麦、ブドウなどが栽培されていたほか、産業としてサマルカンドの機織が特記されてもいる。

ソグディアナでは当然のことながら固有の言語であるソグド語の読み書きがおこなわれており、その通商相手となった西のビザンツ帝国や東の唐、北の突厥などのあいだに一種の国際通商言語として用いられた。ソグド文字は縦読みにされていると玄奘はいうが、これは七世紀ソグド人の広い活動範囲からみて興味深いことである。ソグド文字はアラム系文字であるから本来は右から左の横書きであり、現在残っている紙文書も普通は横読みとして研究されている。しかし、六世紀末ころにモンゴル高原中央部に立てられた突厥のブグト碑文のソグド文字ソグド語面や、西部天山山中の昭蘇県に立つ六世紀末以降の突厥の石人にきざまれたソグド文字ソグド語の銘文や、時代はくだるがモンゴル高原における九世紀ウイグルのハラ・バルガスン碑文のソグド語面は、たしかに縦に進む。これらの銘文・碑文の筆記法には中華の碑石・漢字文化の影響をみるべきであろう。それが七世紀のソグディアナにも作用をもたらしたのかどうかはまだ

ソグド人騎士　ペンジケント王デウァシュティチュ(8世紀)の木製の盾と考えられている。甲冑に身を固めたソグド人騎士の姿であろう。

謎であるが、玄奘のたんなる誤りとはかたづけがたい背景があるのだろう。ちなみに、トゥルファン盆地などにおけるソグド語マニ教文献や手紙が絵画を中心とする美術的観点から、また、ソグド文字にならった十世紀ころ以降のウイグル文字ウイグル語の仏典が、漢字仏典文化の影響で縦書きされているのは事実である。

ソグディアナにはネストリウス派キリスト教が伝わっていたほか、仏教も一時は流行した。玄奘の時代(七世紀前半)になるとサマルカンドに僧のいない寺院が二つあったというものの、王も民も火に仕える道、つまりゾロアスター教の一種を信仰していた。これがソグド人本来の宗教である。このほかにマニ教もあった。三世紀のバビロニアに誕生したマニ教は、サーサーン朝内で弾圧を受けたが、地中海方面に一時期めざましい発展をとげたほか、マニ本人の父親の出自でもあるアルサケス朝パルティアの中央アジア部分にも伝道され、六世紀末までにはサマルカンドにも教団ができていたという。ただ、ソグド語による各種宗教の文献は、そのほとんどが翻訳であり、諸種文化にたいする彼らの融通性がうかがえる。

またシル川北方のシャシュ(タシュケント)地域とその周辺諸都市にそれぞれ君主や王がおり、フェルガナやトハリスタン(玄奘は、ソグディアナから鉄門＝デルベント峠を南にこえた地域、アム川中流域の南北全体をトハラと総称して、バクトリアを含む広い概念としている)には多くの豪族が割拠しているが、結局それぞれの都市や地域が全体としては西突厥に従属していた。おそらく納税していたのであろう。玄奘は、トハリスタンの文字は二五文字で左から右に横読みし、言語も独特であるという。これはギリシア文字二四＋shの一文字とバクトリア語の存在を記録したものとみられる。

玄奘のころ、仏教は、鉄門より南にいたってようやく盛行する姿をみせ、テルメズに一〇余りの仏教伽藍、一〇〇〇余人の僧がいたという。バクトリア地方は前三世紀のアショーカ王時代、後二世紀のカニシカ王時代からの仏教伝統をもつところであり、玄奘の七世紀前半期にも、中心都市バルフには住民がはなはだ少なかったにもかかわらず、全域に伽藍一〇〇余、僧徒三〇〇〇余と数えられている。

なお、バクトリア地方にかんしては、近年驚異的な内容と数の多時代にわたるバクトリア語文書の発見があった。一九九一年から五年間のうちに一〇〇点程の、おそらくは先述のラバータクに近いサミンガーン出土とみなされるものである。簡報によれば、宗教関係文書(仏教)二点のほかは、手紙がもっとも多く、ついで契約など原則として紀年表記をもつ経済法律関係文書(俗文書)が多い。時代は、今まで述べてきたように四世紀後半に終わったクシャノ・サーサーン朝からサーサーン朝、キダーラ時代、エフタル支配期、西突厥支配時代にまたがるほか、八世紀なかばと同定しうる売買文書にまでおよび、アラブ人への納税についで記されるものにいたる。しかもアラビア語文書さえ発見されており、今後、バクトリアのみならず中央アジア史全般の社会、経済をはじめとするあらゆる分野の解明にとって、超一級の史料となることは疑う余地がない。

4　中央アジア東部――混交文化の形成

タリム盆地のオアシス

クシャーン朝やエフタルは、基本的に中央アジア西部に主たる拠点をおきながら、また突厥は北方草原に展開しながら、ともに中央アジア東部をも文化的影響下または軍事的支配下においた。クシャーン朝またはその直前のころ、すなわち紀元前後にインド仏教は上述のように中央アジア西部に拡大しながら、とくに東方に伝播し、中国にも伝わったし、ソグド人は遠距離貿易の担い手として東西、南北を行き交って、物資だけでなく思想、文化の交流を実践した。他方、唐は八世紀なかばまでは帝国の名に値するような広域の国際的秩序を打ち立てるなかで、西突厥を破って名目的にせよ一時期は中央アジア西部までを羈縻統治下におく形態をとった。その背景には、いうまでもなく唐が中央アジア東部を支配下にいれた事情がよこたわっている。前項でみてきたのは、以上のようなことだった。

唐以前、中華政権として中央アジア東部(西域)を席巻したのは、いうまでもなく漢が最初であった。張騫が中央アジアの情報を持ち帰った前二世紀の後半より以前から、中国産の物資が中央アジア西部にまで到達していたことは、バクトリア地方において四川の竹杖や布がインド経由でもたらされていたとの張騫の記録から明らかであるので、東西の遠隔通商ルートは早くから開けていたに違いないが、それは政治力や軍事力とは別の商業ネットワークと考えなければならない。

武帝(在位前一四一～前八七)は、匈奴とのあいだの熾烈な争いに勝利して、甘粛から西すなわち西域の諸オアシスを勢力下において防衛拠点に屯田を始めた。張騫の「鑿空《さくくう》」(パミール以西に移動した月氏との連絡に派遣された張騫が、結果として東西交通路をきり開いたことをいう)と李広利の大宛(フェルガナ)遠征は、まさに武帝の対匈奴戦略に基づくものであった。神爵年間(前六一～前五八年)にはいってから、匈奴の日逐王の帰来を、騎都尉の鄭吉が、焉耆(アグニ＝カラシャフル)と亀茲(クチャ)のあいだにある渠犂(チャーディル)でむかえて前五九年、鄭吉はその北方にある烏塁城を本拠とする初の西域都護となってオアシス諸地域をにらむ体制を築いた。一八国、三六国、五五国とも数えられるタリム盆地の諸オアシスや、天山北方の烏孫、さらに西方の康居など遊牧勢力の動静を把握するためであった。こうしたなかで、タリム盆地周縁諸オアシスの人口統計資料が作成された。それをみると、まだそれほど組織的な開墾や大規模灌漑施設などがない段階における各オアシスの人口保養力の違いをうかがい知ることができる。最大規模は人口一〇万人をこえるタリム北縁中央部の亀茲(クチャ)であり、最小は南縁東南部の小宛国の一二五〇人である。疏勒(カシュガル)、沙車(ヤルカンド)、于闐(コータン)も約二万にすぎなかった。これらの数字は、遊牧民である烏孫の約八二万などと比べればよほど少ない人口であった。

それぞれの人口を現在のオアシスの人口規模と比較してみると、クチャ地方の人口の伸び率はほかのオアシスの伸び率と比べて圧倒的に小さく、二〇〇〇年前にすでにかなりの開発が進んでいたことがわかる。その一方で、タリム盆地東南の小オアシス群は相対的に小規模オアシスのままである傾向に変わりがないのである。これはほとんどもっぱら小規模河川の水資源に頼るこの地域のオアシスの自然環境がもたらす結果であり、山岳や沙漠との対比が中央アジア西部よりもずっと極端であること、つまりオアシスが孤立しがちで、しかも乾燥度が高いことの反映である。

すでに述べたように、このオアシス地域の東部にモンゴロイド系の人間が住み着いていたらしいが、タリム盆地全体としては北方、西方からはいったプロト・イラン・インド(アーリア)系やコーカソイド系つまりインド・ヨーロッパ系言語の使い手たちが住んだと思われる。東部天山方面には匈奴の影響、コータンにはチベット系の影響が考えられる。これに加えて漢代以降になれば東方から遠征してくる漢人部隊がはいってくる。こうして、これらのオアシスにも、言語・文字の点からみると時代に応じて一種の文化圏といったものが想定されることになる。現在わかっている事実は、書写語として残された史料に基づくが、すでにふれたものも含めて整理しておこう。

オアシスの言語文化圏

まず前三世紀から後三、四世紀にまたがるガンダーラ語(ガンダーリー)・カロシュティー文字文化圏がタリム南縁一帯に想定される。ガンダーラ語は中期インド・アーリア系の言語で、前三世紀中期、マウルヤ朝のアショーカ王の二碑文や、その後の西北インド(現パキスタンを含む)のカロシュティー文字碑銘に用いられるプラークリット(インドの俗語)と共通した言語である。この言語と文字の使用地域は、仏教とともに広まったと考えられる。西北インドからカラコルム山脈をこえる古道はタリム盆地西南縁のオアシスであるカルガリクからコータンに通じていた。

現存する最古(二世紀頃)の仏典写本といわれるダムマパーダ(法句経＝ダルマパーダ)はこのコータンで発見されている。これは、十九世紀末の中央アジア探検の時代に、コータン・オアシス西南端のカラカシュ川右岸にそびえる断崖(玄奘のいう牛角山＝ゴーシュリンガ山に関連か)に穿《うが》たれた洞窟聖地(現在ウジャト村に属し、イスラームの聖者廟になっているコクマリム遺跡)に住むムスリムが所持していたものを、一八九二年にロシアのカシュガル総領事ペトロフスキーやフランスの地理学者ドゥトゥルーユ・ドゥ・ランスらが購入したものである。ガンダーラ語で記されていて、樺の樹皮の巻子(この形式は世界唯一)に右からの横書きのカロシュティー文字で書かれている。

さらにこの言語・文字はサンスクリット語の影響も含みつつ、後三、四世紀のタリム盆地東南の鄯善国(楼蘭、クロライナ)にまで、タリム南縁一帯のオアシスに広がって用いられた。インド仏教の東伝にともなう早期の言語・文字文化圏の非常に重要な一グループである。鄯善から精絶(ニヤ)にかけての地域から出土するカロシュティー文書にはさまざまな世俗・法律文書が含まれており、この言語がたんに宗教言語だっただけではなく、社会言語であったことも明らかである。一九九四年から始まった日中共同のニヤ遺跡発掘調査からも、訴訟や納税、行政、契約などにかんする木簡文書が発見され、資料は増加している。

つぎに、五世紀から十世紀まで、タリム盆地西北部と、コータンを中心とする西南縁オアシスでは、中期イラン語の東部方言に属するトゥムシュク・サカ語とコータン・サカ語による書写がおこなわれた。サカとはすでに述べたように、もともと古代ペルシア語碑文に記される北方遊牧民であり、ギリシア語史料にいうスキタイのことである。前二世紀以降西北インドを支配したのもこの系統の人々であると考えられており、言語的に関連はあるものの、人間の移動や文化伝播の実態は明らかではない。トゥムシュク・サカ語の資料はごくわずかであるが、仏教、マニ教関連の写本、世俗文書があり、トゥムシュク、マラルバシ、東はトゥルファン盆地からも出土している。それよりやや新しいかと考えられるコータン・サカ語の資料は仏典、インド系医学、文学、世俗文書などが豊富に知られているほか、東方の敦煌からも出土して仏教を主流とするコータン文化・社会の広がりを示す。前代のインド系ガンダーラ語の影響を含みつつ、あらたな言語文化社会の形成がなされたとみなければならない。

サカ語はいずれも前三世紀のアショーカ王諸碑文でも使われたインドの左からの横書きブラーフミー文字で書かれたということができる。タリム盆地北縁一帯では、そこに残されたほかの言語、サンスクリットや後述の「トハラ」語と同じく、後三世紀、インドのグプタ朝ブラーフミー文字の変形である斜体文字が、そしてタリム盆地西南縁ではサンスクリットを表記したのと同じ直立文字と少しあとの時代の草書体文字が使われた。つまりインド系の文字に工夫を加えながらイラン語を表記し、地域的、時代的な変化を生んだのである。この言語はおそらくカシュガルにおいても使われていたと想定されている。

サカ語の中心がタリム南縁だったのにたいして、ほぼ五世紀から八世紀ころまでのタリム盆地北縁からトゥルファン盆地にかけての諸オアシスには、やはり前代南方のガンダーラ語の影響をいれながら、二十世紀初頭に確認されたころに「トハラ」A語（焉耆、高昌地域）、「トハラ」B語（亀茲地域）と名づけられた言語が用いられた。これは、ギリシア語やラテン語などと同じケントゥム系西方言語でインド・ヨーロッパ系言語のなかでもっとも東方に位置するものであった。ただし、この「トハラ」は、紀元前後のストラボいうところのバクトリアのトハラ(トハロイ)や、また七世紀に玄奘がいうアフガニスタン北部の覩貨邏(トハラ)国およびコータン東方(エンデレ)の覩貨邏故国とは別ものと考えられている。結局、孤立して存在したこの言語の形成過程は明らかになっていないものの、現在ではAがアグニ(焉耆)語、Bはクチャ語と呼ばれている。その分布からみてクチャ語がアグニ語に先行していたとみられる。

「トハラ語」の書写物は仏典のインド語からの翻訳がほとんどで、インド文化の強い影響をみることができるのだが、若干の詩文、医学書、世俗文書などがあるので、かなりオアシス社会に定着して広まったものと思われる。亀茲出土の唐代漢文経済文書の断片に「胡書契を立て」るという胡書とはこの言語だったのであろう。これらの言語は基本的にブラーフミー文字によって記されている。ただ、この「トハラ」語的要素はタリム東南縁のカロシュティー文字言語つまりガンダーラ語に影響しているという説もある。そうなると、ガンダーラ語が公用語となる以前からこの言語がタリム北方から東南まで広がっていたということになり、その使用年代や相互影響関係には未解明の点が残る。

以上にあげたガンダーラ語、サカ語、「トハラ語」をそれぞれ骨格とする言語社会圏の文化は、いずれもインド文化と仏教を基調としたものであったが、タリム南縁においてはヘレニズム文化が浸透した。そして、草原の匈奴が衰えた三世紀ころからは、政治的にもオアシスの統合が起こる。カシュガルのアマチャ、コータンのヴィシャ(ヴィジャヤ、尉遅)、クチャのペイ(白、伯)、焉耆のロン(龍)などの王統が認められ、それぞれの王族支配のもとに、オアシス灌漑農耕を基盤とする城郭都市中心の経済と仏教文化が繁栄した。

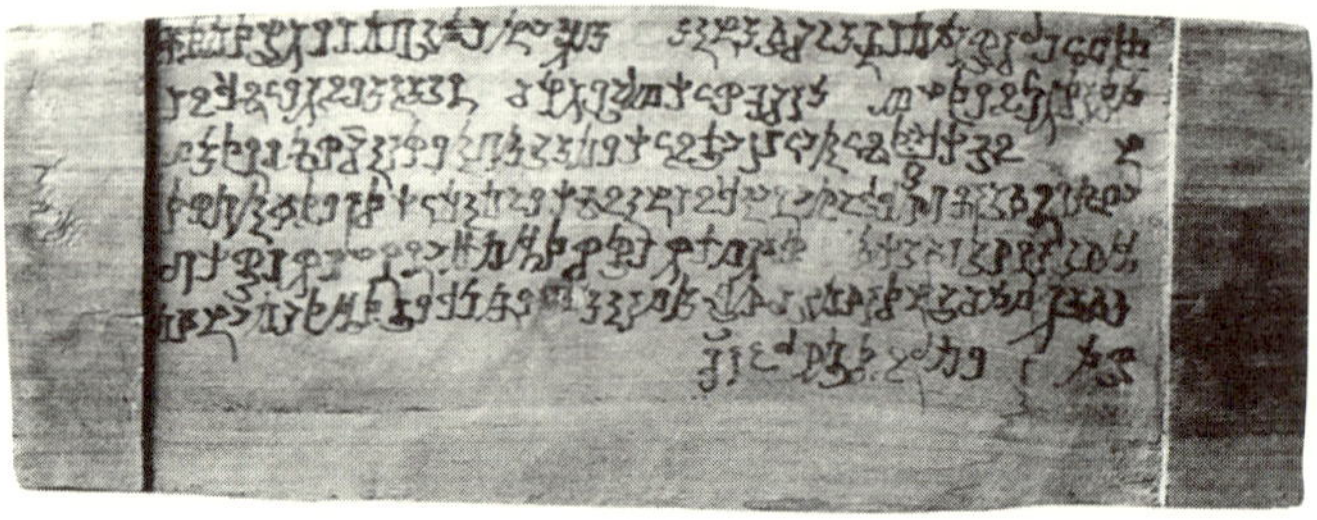

カロシュティー文字木簡(手紙)　日中共同ニヤ遺跡学術調査隊が発見したもの。内容は公式返書で，女(嫁)と6年滞納した税にかんする問い合わせにたいして，書記の判断が伝えられている。3～4世紀，新疆文物考古研究所蔵。

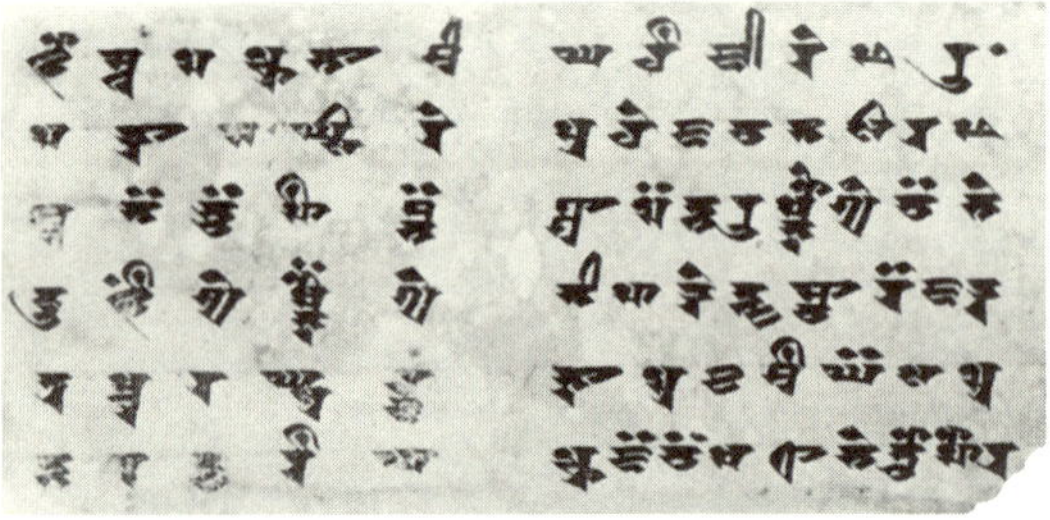

コータン語『ザムバスタの書』　表裏に，装飾体ブラーフミー文字で書かれ，コータン人が創作したと考えられる長大な仏教詩篇の一部。大部分は現在サンクトペテルブルグの東洋学研究所蔵であるが，これは大谷探検隊収集品の一葉。7～8世紀ころ，龍谷大学図書館蔵。

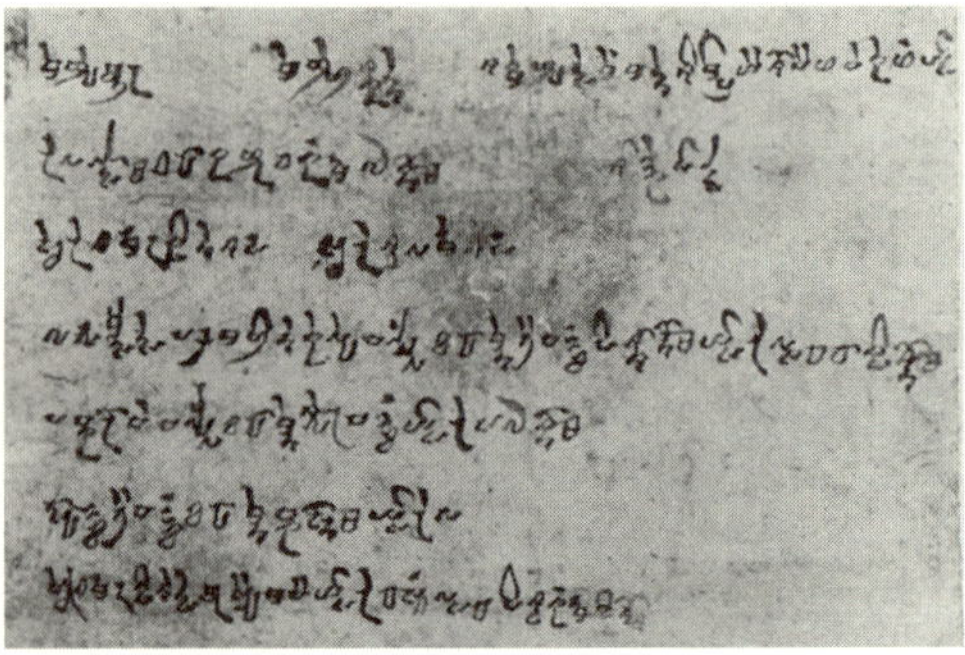

トハラB語「寺院出納文書」(冒頭部)　クチャの仏教寺院の記録。消費支出した麦・油などの日付，相手，数量，価格などが記されている。8世紀，龍谷大学図書館蔵。

例をあげればクチャに残る数々の遺跡は仏教の歴史の残照を今にみせているが、往時の様子について玄奘は、クチャは周囲十七、八里の大都城をもち、穈《きび》、麦、粳稲、ブドウ、ザクロ、梨、柰《からなし》、桃、杏をつくり、金、銅、鉄、鉛、錫を産し、管弦伎楽（亀茲音楽）で名高く、また金銭、銀銭、小銅銭を用いるという。そのほか、多少なりとも政治的側面のわかるオアシスをみると、鄯善国は少なくとも三世紀なかばから八〇〜九〇年間、マハーヌアヴァ（大王）などの称号をもつ七人の王による統治が続き、その途中からは中華的な要素（柱国という職名の採用など）を含みながら五世紀なかばまで敦煌からコータンまでのあいだの地域を支配し、司法・財政官が中央、地方に任命されて徴税などをおこなっていたが、各オアシスの支配者は温存され、自由民は土地や奴隷を所有し、各種の契約による婚姻や売買の習慣が根づいていた。一方コータン仏教王国は一〇〇六年にカラハン朝イスラーム勢力に滅ぼされるまで存続し、河西の沙州（敦煌）曹氏政権とも密接な外交・婚姻関係をもった。その間、九六〇年代まで五〇年間にわたって統治者であった王サムバヴァは李聖天の名で知られ敦煌莫高窟九八窟の供養人として描かれている。タリム盆地のオアシスはそれぞれに自立した言語文化をもちながら繁栄していたのである。しかし、外部からさまざまな勢力がタリム盆地周縁とトゥルファン盆地のオアシスにおよぶと、オアシスの住民構成には変化が生まれ、また文化もさらに多様化していくことになる。

敦煌

こうした多様な文化の集積の典型を敦煌オアシスにみることができる。中央ユーラシア史の構成要素であるオアシスの多種族性を物語る例として取り上げておきたい。敦煌は河西地方の西端にあたり、中央アジアのオアシス世界から中国へいたるルートのうえでは、タリム盆地南縁からの直接ルートにあたっていた。タリム北縁からトゥルファン盆地をへて直接に敦煌にいたる道があったものの、トゥルファン盆地からハミを経由して河西へいくルートからは敦煌ははずれていた。敦煌は、中華中原世界からみれば、その拡大の西端にあたる場所であった。しかし北方の草原世界と南方のチベット世界東部のツァイダム(青海)地域からみれば、河西地方は東西世界の連結に楔を打ち込む位置にあたっている。このため、四周の諸勢力が争奪を繰り返した。以下に、河西とくに敦煌を支配した勢力を通観列挙して、その概況のみておこう。それは漢の西方進出前史から始まる。

　前二世紀、すでにふれたように敦煌周辺には月氏がいて、匈奴に敗れて西へ移動したあとも小月氏が残り、前一二一年、漢軍の霍去病《かくきょへい》による討伐を受けたがなお後三世紀ころまで周辺に広く居住しつづけた。河西地方には匈奴、羌《きょう》、氐《てい》などの種族も雑居したが、匈奴と対抗した漢が前二世紀末から武威(涼)、張掖(甘)、酒泉(粛)そして敦煌(沙・瓜)各郡をおいた。敦煌は李広利の大宛(フェルガナ)遠征(前一〇四~前一〇一年)を契機に、漢の中央アジア進出の軍事基地となるとともに、やがて漢に来往する諸国の商人や周辺諸族が集って「華戎交わるところの一都会」と称された。こうした繁栄は、河西オアシス地域全体が農産・馬産にめぐまれ、かつ通商で潤ったことに由来し、中原の政治的混乱を避けて河西に逃れてくる漢人も多かった。敦煌には、西方文化も伝来し、とりわけ仏教は諸族の僧たちの活動によって定着し四世紀には郊外に莫高窟が造営され始めることになった。

中国史でいうところの五胡十六国から南北朝の時期つまり四世紀なかばから六世紀末まで、河西地方はまさに胡(氐の前秦・後涼、匈奴の北涼、鮮卑の南涼)、漢(前涼、西涼)諸政権と北方草原の柔然、高車や南方の吐谷渾ら諸族のいり乱れた時代であった。隋・唐時代をむかえても敦煌が一貫して中華政権の領土であったわけではないが、ほかの河西オアシスと同様、漢人が多数定居して個別の勢力を形成する傾向が増す。しかし北からは突厥や鉄勒の、南からは吐谷渾そしてやがて吐蕃の力が河西、敦煌におよぶことになる。隋の煬帝は河西に親征して西域貿易を鼓舞したが、西のはずれの敦煌ははなやかな外交の表舞台には立たず、また戦乱からは多少まぬがれていたふしがある。

敦煌オアシスには六一九年に唐の支配がおよび、唐の西域進出過程においては軍事拠点ではあったらしいが目立たない。玄奘が敦煌をとおったのはインドからの帰路、コータン経由のタリム南縁ルートからであって、往きにはとおらずにハミ(伊吾)へ向かった。唐の中央アジア東部(西域)支配と吐蕃の拡大については後にもふれるが、七世紀前半から吐蕃は外部進出を始め、同世紀なかばから河西地方に進出し、七八

于闐王供養図　「大朝大寶于闐国大聖大明天子」という銘文があり，10世紀前半ころのコータン王サムバヴァ(李聖天)の肖像であろう。敦煌の曹氏政権時代に曹氏とのあいだに通婚関係があった。敦煌莫高窟098窟壁画。

〇年代から八四八年まで敦煌を直接支配下においた。この時代にチベット文化は敦煌に色濃く反映された。また八四〇年すぎからはエチナ川沿いにウイグルがしだいに南下し、約五〇年後には甘州を確保しており、天山ウイグル王国とともに敦煌に人的・物的・文化的な影響を与えている。八四八年、敦煌の土着漢人豪族である張議潮が吐蕃勢力を駆逐し、八五一年、唐から帰義軍節度使に任ぜられつつ自立した。張氏の支配は唐滅亡(九〇七年)ころまでで、西漢金山国を建てた張承奉は甘州ウイグルと対立し、かえって住民の申し出のかたちでこのウイグルと父子関係を結ぶにいたる。

次代の曹氏政権は大王を称する独立王国であったが、東方の甘州ウイグルと、遥か西方のコータンと婚姻関係を結び、その安全保障のもとで相互に東西通商利益の確保をおこなっている。十一世紀にはいると、甘州にタングート勢力がおよんでくる一方、敦煌(沙州)には甘州ウイグル人の影響が高まり、一〇一四年から曹氏は沙州ウイグルを称する。こののち敦煌には天山ウイグルの強い勢力がおよんだと考えられ、一〇三六年ころにタングート西夏の李元昊が「瓜沙粛三州をとる」にいたってこれに滅ぼされたかにみえるが、実際には一〇五二年まで沙州の名で宋への朝貢が続き、また十二世紀にはいっても沙州ウイグルの名は残る。しかし東西通商ルートを西夏が掌握したのは確かなことであった。

西夏治下の瓜・沙州が一二〇五年にモンゴルの攻撃を受けて以降、二七年の西夏滅亡をへて、河西地方はモンゴル帝国内にはいる。クビライは一二八〇年には沙州路総管府をおく。敦煌は広域帝国のなかで従来の限定された通商拠点・兵站基地の役割から解き放たれる一方、莫高窟をはじめとする多種族合同の仏教霊場を擁するオアシスとしてかろうじて存続していくのみとなった。

5　トゥルファン盆地、タリム盆地への外部勢力進出

漢の影響

前漢による西域支配は、匈奴や烏孫などの勢力に伍して交通路を掌握し、通商利益を確保するためのものであった。そのため各オアシスを西域都護の監督下におき、ヤルカンドにいたる要所オアシスに屯田や駐留軍を配置しながらも、基本的には現地の王、副王以下の政権を利用して、印綬を授けることによって漢朝廷と結びつけるという方法をとった。それは一定の統治効果をあげ、漢の商人も西域に向かったのである。しかし、領域支配という点では脆弱なものであり、前漢が衰退すればたちまち匈奴は南下し、また諸オアシスも漢に離反する。

紀元前三〜前二世紀ころからトゥルファン盆地にはアルタイ系と目される車師(キョシ)前国が、北の匈奴、東の漢、西南のタリム盆地オアシス都市諸国家に挟まれるようにして存在していた。後漢になって将軍竇固と班超が匈奴を破り、鄯善、コータンなどを手中にしたあとも情勢はほぼ同様であった。漢の朝廷はいったん西域の放棄を決定した。しかし班超は九四年までにはトゥルファン盆地、タリム盆地のほぼ全域を制圧し、パミールの西へも漢の威令は達した。だが、匈奴との関係は一進一退であり、そうした勢力関係の推移をみながら、諸オアシスは独自の社会・文化を形成していき、東西通商の利益にも浴したとみなければならない。

中華文化の流入と南北遊牧勢力――漢から唐へ

三世紀になり、匈奴は衰退したが、漢地、河西地方のみならず中央アジア東部に細い残留の痕跡を残すこととなった。同時に中華中原は政治的分裂時代にはいる。これにともなって、車師前国は三国の魏(二二〇～二六五年)、西晋(二六五～三一六年)に介入された。さらに五胡十六国時代、甘粛の漢人系王朝である前涼(三一三～三七六年)がトゥルファン盆地を三二七年に支配して現地語と漢語が併用され、儒教教育がおこなわれるなど漢文化の移入があった。これについで氐(チベット系)の前秦(三五一～三九四年)は甘粛一帯をおさめたあと、同系の呂光を焉耆(アグニ＝カラシャフル)、亀茲(クチャ)などに遠征させ、自立した呂光は甘粛に後涼(三八六～四〇三年)を建てた。また北魏(三八六～五三四年)に敗れた北涼(四〇一～四三九年)の匈奴系人、沮渠無諱・安周の兄弟が逃れて高昌に自立した。四四八年に沮渠安周がトゥルファン盆地の交州をとると車師人は焉耆に西走して車師前国のトゥルファン史は終わる。

四六〇年、安周は草原の柔然によって殺され、柔然をバックとした漢人傀儡《かいらい》政権である闞伯周の政権が成立すると、これがあらたな漢人系のトゥルファン王国の始まりとなった。闞氏政権は柔然に続いてやはり草原勢力の高車、エフタルの介入を受けて四九一年に崩壊し、高車は敦煌人の張孟明を高昌王とした。これを継いだ馬儒が北魏に通じようとすると高車はこれを殺して五〇〇年ころに麴嘉を高昌王とした。麴氏を中心として張氏をはじめとする漢人名族をかかえる麴氏高昌国の成立である。トゥルファン盆地は草原勢力と中華的社会の圧力に翻弄されていたともいえよう。

やがて北方に台頭した突厥が五五二年に柔然を破ると、突厥は麴寶茂に可汗の娘を降嫁させ、テュルク固有の称号イルテベル（希利発）を与えたりするなど、影響力を確固としたものにしていった。ただ麴伯雅のとき隋（五八一〜六一八年）に接近して高昌国では漢化が進んだ。七世紀前半には草原から西突厥がタリム一帯をも影響下においたが、こうしたなかで、六三〇年、唐が東突厥を倒して東方のハミ一帯をとると、その進出を恐れた最後の高昌王麴文泰は西突厥と結び、イルテベル称号をえて妹を西突厥最盛期の統葉護（トン・ヤブグ）可汗の子に嫁がせるなどの対抗策をとった。しかし、結局六四〇年には唐の遠征軍の前に屈した。唐は高昌に西州をおき、安西都護府を設置して軍を駐留させ、こうして唐のタリム盆地支配への地歩が築かれた。その根底的動機は、漢が匈奴に対抗して西域に進出したのと軌を一にしつつそれ以上に、王朝北方の草原世界の雄をくじき、その重要な経済源泉である東西貿易の利をもたらす西域（中央アジア東部）オアシス地域を自らの勢力下におこうとするものであった。トゥルファン盆地に興亡を繰り返した諸政権は、南北対立のなかの最前線にあったのである。

さらに、タリム盆地と天山山脈一帯は八世紀なかばにいたるまで、中華の唐と、西突厥、テュルギシュ（突騎施）、カルルクなどの北方テュルク人遊牧勢力、および南のチベット（吐蕃）という三方向からの政治・軍事勢力の争奪戦に巻き込まれていった。唐は西突厥から六四四年には焉耆をとり、六四六年には亀茲王スヴァルナデーヴァを西突厥から帰順させた。その後、唐の安西都護府は西突厥とチベットの進出に応じて亀茲（六四八、六五八、六九二年）と高昌（六五一、六七〇年）とに移設を繰り返さざるをえなかったし、唐の現地支配機関、安西四鎮の治所も、于闐（コータン）、疏勒（カシュガル）、亀茲（クチャ）、焉耆（アグニ＝カラシャフル）であったり（六四九〜六七〇年）、焉耆にかわって砕葉（天山西部のスイアブ）に進出したり（六七九

如来坐像　焉耆(カラシャフル)のショルチュク，キリン窟出土。台座にはサーサーン朝美術の影響がみられ，中央アジア出土仏のなかでも秀逸なもののひとつ。高さ102センチメートル。7〜8世紀，ベルリン，インド美術館蔵。

〜七一九年)した。西突厥によるオアシスの実効支配は、阿史那賀魯の時代(六五〇〜六五七年)で完全な収束をみて、以後は唐とチベット、そして突厥の一支であるテュルギシュとの争いとなる。東部天山北麓においては、唐は六四〇年に庭州(七〇二年に北庭都護府)をおいて西突厥に対抗したが、ここビシュバリクは北方草原の遊牧勢力が唐あるいはチベットと争奪戦を繰り返したように、非常に重要な地点であった。

この間に各オアシス文化に中華の漢字文化が徐々に浸透していった。またいったん中華にはいった仏教が、トゥルファン盆地、タリム盆地に逆輸入されてもいた。すでにみたように、たとえばトゥルファン盆地には『論語』をはじめとする漢語典籍などがもたらされたし、亀茲のテュルギシュ人に『左氏春秋』などが好まれたという記録もあるが、トゥルファン盆地こそ中華文化のショーウインドーであった。とくに高昌国時代からのトゥルファン盆地には土着の「胡文字」もあったが、中華式の行政がおこなわれた。仏教もサンスクリットからの漢訳がつくられたり、四世紀からトユクやベゼクリクに石窟寺院が造成されたりして繁栄した。玄奘が麹文泰に引きとめられて高昌国に滞在したこともあったほどに仏教信仰は定着し、唐支配下で拡大したのである。一方、多くのソグド人がトゥルファン盆地にやってきて、ゾロアスター教、マニ教(八世紀末より)のみならず仏教の伝播に関与しつつ、東方の敦煌方面への活発な広域貿易活動をおこなった。先住の「トハラ」人や漢人は、それぞれの言語・文字を用いてインド仏典を翻訳したほか、ネストリウス派キリスト教もトゥルファン盆地などには伝来していた。

ところで、唐のオアシス支配は、それが貫徹していた時代、とくにトゥルファンやハミなどで明らかだが、クチャやコータンにおいても一般的にいって二重支配体制をとった。つまり、オアシス現地の政権を温存して羈縻政策に服させながら、駐留軍をおいて別の徴税体系を打ち立てるものであり、オアシス諸国は朝貢を義務とされた。安西都護府や安西四鎮はそうした支配の総轄官庁だったのである。

チベット事情

タリム盆地の南からはチベットがしばしば進出してくる。チベットには局地的な灌漑農業もあって牧業と並立し、ヤクの放牧、遊牧を特徴として、人々はボン教というシャーマニズム、アニミズムに近いともいわれる信仰をもっていたが、氏族ごとに分れてまとまりのない社会であった。政治的統一は七世紀初めころにおこなわれた。それから二五〇年間程続いたのが吐蕃王朝である。ソンツェンガムポが王となって(在位五九三〜六三八、六四三〜六四九)、ネパールから王女ティツゥンをむかえ、六四一年には唐の太宗の娘、文成公主をむかえて唐と二〇年間にわたる良好な外交関係を固めた。都はラサであった。この双方から仏教がチベットにはいり、また従来の鉄製品製造技術などに加えて、唐からは臼、紙、墨、ガラス、茶、蚕などの文物および諸制度が、インド、ネパールからは天文学や医学、美術工芸などがもたらされた。カシミールから仏教とともにサンスクリットを学びとってチベット文字、文法が構成されて文化的な独自性が生まれたのも、この王の時代であった。

七世紀後半になると吐蕃は唐に対抗し始めた。吐谷渾から青海、鄯善、且末(チェルチェン)を奪ってタリム盆地に膨張を始め、唐のタリム盆地オアシス支配をたびたび脅かした。前述のように六七〇年には亀茲におかれていた唐の安西都護府を于闐軍とともにトゥルファン盆地に押し返したり、また突厥の残存勢力と連合して唐軍を破ったり、六八〇年代にも進出を続けた。しかしテュルギシュと連合した唐軍に六九二年には亀茲を奪回され、そこには唐の三万の軍が駐留し、安西都護府が復活した。吐蕃第五代の王ティデックツェン(在位七〇四~七五四)は金城公主をむかえて唐と和解し、チベットには儒教、道教そして仏教の経典がもたらされた。次王ティソンデツェン(在位七五四~七九六)の時代にインド僧や密教(ニンマ派)行者の力によってボン教の威力は抑え込まれた一方、中国仏教にも関心がはらわれた。しかし結局はサムエ寺での論争でインド系の仏教が主流を占めることになった。この王のもとでサンスクリットや漢訳の教典が忠実にチベット語に翻訳され、これはのちのチベット大蔵経に結実する。

ティソンデツェンは吐蕃の最盛期を担い、西方のギルギット、バルーチスタンを領域にいれて、カシュガルよりカシミール、インダス川上流にぬけるルートをおさえ、またインドのマガダ、ベンガルからの使節がやってくるまでになった。東は雲南、四川に達し、東北は河西地方の唐の領域に拡大し、一時は長安を占領した。それは安史の乱(七五五~七六三年)に乗じてのことであった。唐のこの内乱で西域の唐軍は力をそがれたため、タリム盆地に進出するチベット軍の勢いは盛り返し、七九〇年には亀茲の安西都護府、七九二年にはトゥルファンの西州をおとしいれ、また天山北麓のビシュバリクまで進出して遊牧ウイグルと覇を競うほどになった。こうして吐蕃は河西からタリム盆地を経由して中央アジア西部および北インド、アフガニスタン、イランへの貿易路を確保する一大王国をなしたのである。

その後、ティツクデツェン王(在位八一五~八四一)の初期、吐蕃は唐と講和した(唐蕃会盟)が、内部では仏教保護が過度にはしり、チベット各地の貴族らの反乱を招いて王朝は急速に衰退した。吐蕃の敦煌支配も八四八年以降には漢人政権張議潮によって終焉を告げられた。その後のチベット世界の展開については第五章に述べられるとおりである。

この間、八世紀末から九世紀前半の約六〇年間の吐蕃支配期におけるタリム盆地南縁では、たとえばコータンやミーラーンでチベット語による契約文書も残されるなど、住民のあいだにチベットの影響が浸透していたことがみてとれる。

6　天山ウイグル王国――オアシスのテュルク化の画期

王国の誕生

以上のように、唐のトゥルファン盆地、タリム盆地支配は安史の乱をさかいにして衰退し、両盆地のオアシス都市はつぎの時代をむかえる。インド仏教文化の広がりのうえにソグド通商文化が加わり、突厥、中華、チベットそれぞれの影響のもとでもそれなりに固有の文化と政権が定着していたこの地域に、本格的なテュルク化の大きな波が押しよせたのである。突厥系遊牧民がトゥルファン盆地の高昌国に深く関与していたことや、亀茲方面にテュルギシュなどがすでに足跡を残していたことはすでにみたが、つぎの遊牧ウイグルは八〇三年には高昌をおさえた。そしてウイグルの西遷は、タリム盆地のテュルク化に画期的な現象をもたらした。テュルク人が直接にオアシス都市・農村に定住を始めるのである。

八四〇年、モンゴル高原における遊牧ウイグル可汗国が連年の雪害や内紛によって弱体化していたところを北方のキルギス軍に攻撃されて集団ごとに四散すると、その西走した一支が龐《ほう》テギンに率いられてビシュバリク(北庭)地域を確保しつつ、さらに天山山中のユルドゥズ草原に展開したと考えられている。ビシュバリクは、これもすでに述べたように、七世紀以来、広義のテュルク人、そしてウイグルにとってもゆかりの地であり、またユルドゥズ草原は西突厥が一時王庭をおいた名高い遊牧地である。龐テギンは可汗としてこの高地草原からタリム盆地東北端のオアシス、焉耆(アグニ＝カラシャフル)に進出して拠点とした。ここは地理的にいってトゥルファン盆地とタリム盆地を結ぶルートの搤咽の地である。八五〇年ころにはここからトゥルファン盆地（西州）およびビシュバリクに支配をおよぼし、その後、ビシュバリクにとどまっていたらしい僕固俊が改めてトゥルファン盆地、輪台（今のウルムチ地域）、そしてハミ、焉耆を征圧して天山ウイグル王国（西ウイグル王国）の基礎を形成したのである。

こうして当初の天山ウイグル王国は、トゥルファン盆地を中心として東西に広がり、北はやはりビシュバリクを含み込んでいた。その版図は北方アルタイ山脈方面の草原のほか、やがてタリム盆地のクチャからパミールに接するにいたり、南はロプ湖からチェルチェン、コータン方面、東は敦煌にもおよぼうとするものであった。十世紀になってカラハン朝がイスラームを受容してカシュガルにはいり、十一世紀にはコータンやクチャ方面に迫ると王国のタリム盆地の領域は狭まったが、ジュンガル草原は契丹（遼）の耶律大石の西走（一一二四年すぎ）とその建国になるカラキタイ（西遼）になかば従属してからも確保されていた模様である。天山ウイグル王国の由来をたどれば、遊牧勢力のオアシス支配という経過を歩んだのだったが、この政権自身がオアシスへの定住をはたしたという点が、従来の遊牧民とオアシスの関係史とは大きく異なるところである。中央アジア東部のテュルク化は明らかに定住化を意味していた。彼らはもはや草原という自らの出身地に戻ることはなかった。

王族と王国の体制

この十二世紀初頭まで、天山ウイグル王は遊牧世界の権力筆頭者が称することのできるカガンやハンの称号を、遊牧時代からそのまま継承した。これは、実際に彼らの書き残したウイグル文の各種の碑銘などにみえる称号から、少なくとも十一世紀初めまで確認できることである。たとえば八五〇年代の「大天より幸霊を受けた勇敢で高名なビルゲ(智・賢明な)懐建カガン」、九八〇年代の「第四のアルスラン(獅子のごとき)ビルゲ天王スュンギュリュグ(槍)カガン」、一〇一〇年代末の「日月天より幸霊を受けた、大幸霊を授けられた、勇気と徳をもって国を束ねた、勇敢なアルスラン、幸霊ありキョル(湖のごとき)ビルゲ天ハン」、およびおそらくその前後の時期の「日月諸天より幸霊を受けた、福を授けられた、勇気と徳をもって国を束ねた第三のアルスラン・ビルゲ・ハン」などがいた。

これにたいして、カガンやハンを名乗らない王もいた。彼らは九五〇年代の「第四の国のビルゲ天王」、九九〇年代の「ボギュ(賢い)ビルゲ天王」、十一世紀初頭の「日月天のように望まれた麗しい光輝ある天ボギュ・われらのテングリケン」、一〇六〇年代の「天ボギュ、国のビルゲ・アルスラン・天ウイグル、われらのテングリケン」というように、「テングリ・イリグ(天王)」や「テングリケン」称号を用いた。

称号の相互関係や王の系譜についてはまだ判然としていないが、称号の多様性は「カガン国」と「王国」との揺れ動きないし移行を暗示しているのかもしれない。ただ、これらの称号から確実にいいうるのは、十二世紀のウイグルについて契丹側の記録に「俗は天神に仕える一方で仏法を信じている」とあるように、ウイグルが草原シャーマニズム世界の天神(テングリ)信仰を継承していることである。漢語表記を用いれば、王国の統治の頂点に天王が、そして天公主(夫人)、天王子(王の兄弟や息子)が君臨したものと思われる。十一世紀後半のマフムード・アル・カーシュガリーによるとウイグルは当時最強の非ムスリム弓射軍団であった。しかし、かつての遊牧草原の覇者という王の実質は急速に失われていったとみるべきであろう。王の下には、草原遊牧時代以来のテュルク系の、また中華風の称号をおびる官僚が存在した。たとえば十世紀前半の漢字印章「大福大回鶻中書門下頡於迦思諸宰相之寶印」をみるとよい。頡於迦思とはイル・ユゲシ(国の宰相)という古テュルク・ウイグル語である。その他の資料に知られるブイルク(梅録)も突厥時代からの官僚称号である。たんに大臣(ウルグ・アイグチ)というのもある。このほか、もともと漢語から導入されたタルカン(達干)、トトク(都督)、センギュン(将軍)、チグシ(刺史)、チャンシ(長史)などが知られ、あるいは国老とか断事官、太師大丞相総管内外蔵事(要するに総理兼大蔵大臣)に相当する官職(十二世紀末)もあった。これらはいずれも定着社会支配のために活用されていたに違いない。

ウイグル王の肖像と銘文　ビシュバリク故城の西にある仏教寺院遺跡から発見された壁画に金箔を貼って描かれる。銘文からトゥグミシュという名のアルスラン・ビルゲ・ハンの称号が読みとれ，11世紀初めころの王と考えられる。

宋の史料が伝えるところでは、王(国主)は黄色の服を着て宝飾の冠を戴き、九人の宰相とともに国事を司ったという。また八人の長史以下、五人の将軍、侍郎、校郎、主簿が続いたと契丹には伝えられている。十二世紀までの記録である。ただし、それらがどの程度まで秩序だった定型官僚組織を形成して王国を統治していたかについてはよくわかっていない。王国末期、モンゴル支配期に、トゥルファン盆地内部の都市や農村に役人(ベグ)や顧問官(アイグチ)がおかれていたことがわかる程度であるが、これらモンゴル皇帝が掌握した各レヴェルの役人や役所(内庫など)は、一般農民、仏教僧侶、キリスト教徒らとともに、もともとウイグル王国固有の社会階層と組織とみなすべきであろう。

このように、王国社会の基盤はオアシス都市、農村におかれた。九八〇年代のスュンギュリュグ・カガンは、「師子王」として『宋史』などに記録された王で、宋が対契丹戦略の一環として天山ウイグル王国に派遣した使節、王延徳が西州(高昌)にたずね、ビシュバリクで会見した。ウイグル王族たちはビシュバリク周辺に馬群を養い、騎馬の風を保っていたが、オアシスに灌漑施設をめぐらし、城中に楼台を多く築いて工芸職人をかかえていた。王国の中心地域とくにトゥルファン盆地は古来実り豊かなオアシス地域として名高く、穀物は蕎麦《そば》を除く五穀がそろって、二期作も可能であり、もちろんブドウなどの果実や綿、胡麻《ごま》が豊富なことは今と変わらない。

宗教と識字能力

王族はモンゴル高原の遊牧時代に導入したマニ教をこのあらたな王国に持ち込んで、トゥルファン盆地にもいたソグド人らのマニ教徒を当初は保護、育成したが、十世紀末以降は土着の伝統的仏教への帰依を進めていった。そのころ、中心地域内には唐代以来の仏教寺院五〇余りが保たれ、またマニ教寺院やペルシア僧を有していた。これはトゥルファン盆地とビシュバリクについてのことであったが、これに加えて焉耆地域で発展していた仏教は、東はハミ、西はクチャ地域をも含み込みながら、ウイグル人に継承されていった。

彼らはソグド文字にならったウイグル文字を駆使して、先行の「トハラ」語や漢語から、自らのテュルク語すなわちウイグル語へ経典を翻訳した。なかでも九世紀ころから「トハラ」人がもっていた弥勒信仰がウイグル人に広まったこと、上に立つ者が民衆にたいしてもつべき義務を強調する八世紀の漢文偽経『天地八陽神呪経』や、義浄漢訳の『金光明最勝王経』、漢文『玄奘伝』がウイグル語に翻訳されて流布されたことなど、注目されるところであり、いく人かウイグル人訳経僧の存在が知られている。大乗仏教や浄土信仰にかんする多くの経典のほか、敦煌出土品を含めてみれば論書の類におよぶ多量の写本が生み出された。またオアシス縁辺の石窟寺院の改修、保護、高昌城内のマニ教寺院の改造やビシュバリク城外の寺院をはじめとする仏教施設への寄進などを通じて、定住地の仏教徒としてのウイグル人の姿は明確なものになった。

こうした識字能力の涵養は、中央アジアの複合文化の集大成ともいえるものであった。ウイグル人は、かつてないほどの規模でタリム盆地のオアシス統合をなしとげた結果、アラブの侵入によって本国との連絡がたたれてかつての活力を失ったソグド人にかわって、みずからがオアシス東西貿易ルートの主宰者として登場し、その側面でも識字力は発揮された。王国は、十世紀後半からモンゴル高原に進出してくる契丹(遼)や、それと対抗した宋のそれぞれの動向をうかがいながら貿易活動に励んだ。対外的には、古来の名オアシスであるトゥルファン盆地の高昌という顔、また亀茲という顔をみせるが、それら個別オアシスごとに組まれる隊商を統括していたのはウイグル王であった。

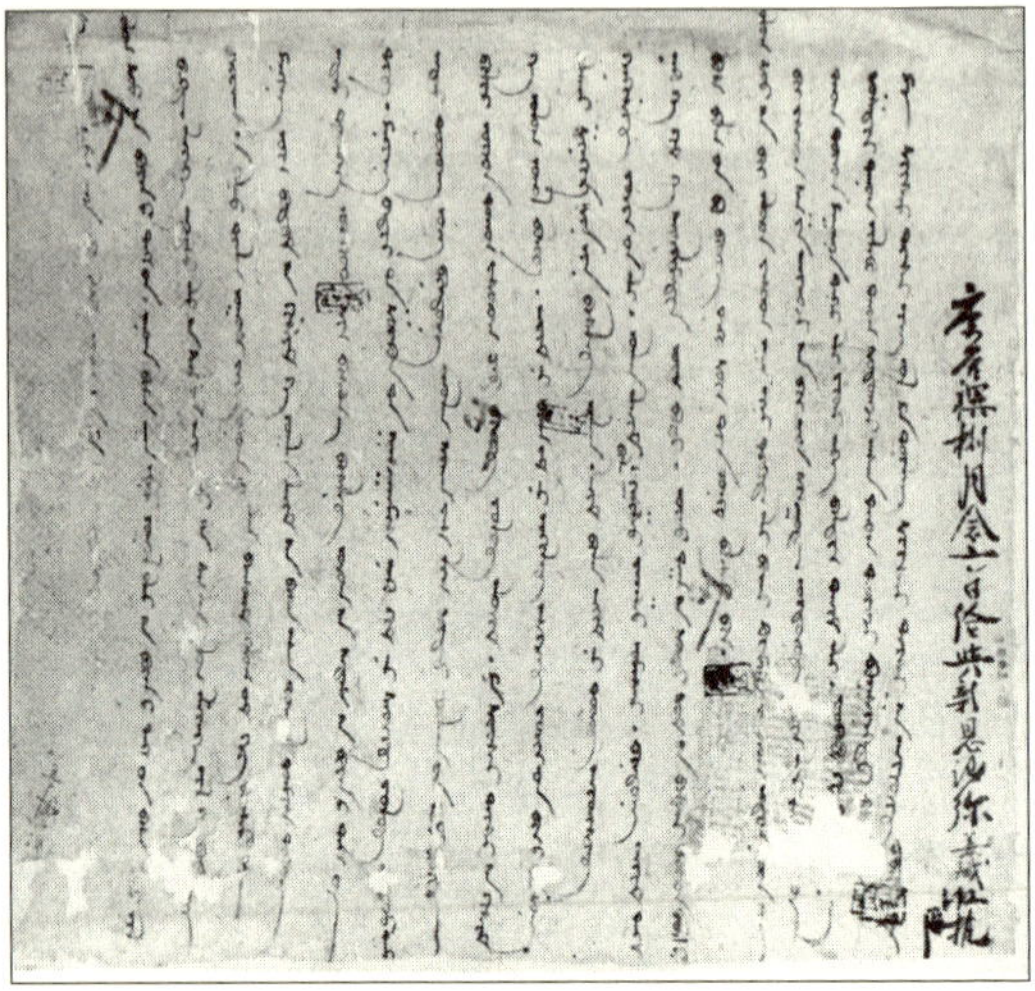

ウイグル文奴隷解放文書
庚辰(龍)歳(1280年) 8月26日付で，ピントゥン(斌通)という名の40歳の漢人奴隷を買いとって自由にするという証文。この証文を紛失されたピントゥンはのちにウイグル文の訴状を書いている。末尾に漢字題記もあり，上から下に，行は左から右に進む。中国歴史博物館蔵。

彼ら商人の揺籃にもなったオアシス都市に統治者や仏教徒としてのウイグル人が住んだだけでなく、農村にウイグル人農民、地主があらわれた。その農村でもウイグル文字、ウイグル語を用いて、土地や人身などの売買契約文書、土地や消費物資などの貸借契約文書がつくられ、また遺言や家計記録なども作成される社会が築かれた。仏教帰依者ではあるが奴隷身分の者による訴状が書かれるなど、識字能力はかなり広範に社会の底辺にまでおよぶものであった。経済契約関連文書の形式は高昌国から唐支配時代のトゥルファン盆地における漢文文書の伝統を受け継いだものであるが、内容的にはソグド人世界の広がりのなかでえられた中央アジア西部、またはかつてタリム盆地一帯に広まっていたインド文化の影響をみることさえ可能になるかもしれない。

それには、本文でも紹介してきた中央アジア西部での新発見文書や、各種言語資料との比較研究の進展が、今後おおいに寄与することになるであろう。商人としてのウイグル人の活動のなかで、中華王朝に朝貢品として運び込まれる商品が、中央アジアや草原地帯、チベットなどの内陸地域のみならず西アジア、インド、場合によってはさらに遠方の海洋の産品などを含んでいるところをみると、文化・商業のネットワークは広く、また深い土壌をもつものであったと想定される。いずれにしても十三世紀後半、十四世紀にかかるころまで、商品リストや手紙、受領書、各種経済文書、行政文書、そしてマニ教、キリスト教関連の諸経典、もっとも多くは仏教写本が作成されつづけた。豊かな文化の多様性とともに、一定の法制概念に基づく秩序だった社会形成をうかがうことができる。十三世紀になると自らの王と、チンギス・ハンに始まるモンゴル政権との権力関係を一般ウイグル人が認識していたこともわかる。なお、仏教文献にかんしては古形を保ったまま十七世紀の甘粛地方にまで継承されているほどにウイグル仏教は息の長い基盤をもったのであった。

モンゴル帝国形成への貢献

さて、天山ウイグル王国は一一三二年すぎころにカラキタイのグル・ハンからの代官派遣という間接的な統治を受けてから、カガンやハンの称号を名乗れなくなったものの、王国内部統治の実権はウイグル王にあった。

王はいつのころからかイドゥククトという、ビシュバリク方面にウイグル人より早く定住したバスミル人から採用した称号を名乗るようになった。十二世紀末から十三世紀初め、モンゴル高原にチンギス・ハンが台頭すると、ウイグル王のバルチュク・アルト・ティギンは一二〇九年から一二一一年にかけての使節往復のあいだに、チンギス・ハンの仇敵メルキトの残党をイルティシュ川方面で討ち、またカラキタイの代官を殺し、チンギス・ハンに帰順して王国の命運を保つことに成功した。チンギス・ハンの娘(也立安敦)を娶って、その第五子の地位をえたのである。モンゴル帝国形成の最初期にあたって、この関係はウイグル、モンゴル双方に大きなメリットを与えた。

モンゴル治下における、このウイグル王の地位は以後十四世紀後半になっても少なくとも名目上は変わることなく保証され、歴代のウイグル王はモンゴルや元朝の皇帝からイドゥククト称号・高昌王の名義・金印のすべてまたは一部を賜授された。またモンゴル王族の女を娶る王がほかにも確認され、ウイグルにとって、新興モンゴルの軍事力は強力なうしろだてとなった。一方、ウイグル文化はすでに草原のテュルク系集団にも伝わっていた。モンゴル草原西部に展開したナイマン部のタヤン・ハンに顧問として仕えていたウイグル人、タタトゥンガは、タヤン・ハンを倒したチンギス・ハンの捕虜となったとき、保持していた印璽をモンゴルにもたらした。またその命によって王子たちにウイグル文字を教えた。文字や定住地統治システムをもたなかったモンゴル政権にとって、ウイグルのこうした文化はその後の定住文明地域を占領し統治していくうえで大きな支えとなったはずである。さらに、高い識字能力をもつ多くのウイグル人が、あいついでモンゴル政権に登用された。彼らとその後裔たちもモンゴル王族の女を与えられた例があるほか、ウイグル人どうしの婚姻による同族の絆の形成もみられ、モンゴルとウイグルの集団的な共生関係は急速に打ち立てられたのである。軍事面でも、チンギス・ハンの一二一九年ホラズム遠征に王(イディククト)は、ほかのウイグル人部隊とともに参加したと伝えられる。

モンゴル帝国の一翼を担うようになってからの天山ウイグル王国内部では、多くの有能な人材がモンゴル政権側に流出したこともあって、イドゥククトの統治能力は低下したものの、ウイグル人の婚姻や風習維持を裁定するなど一般民への権威はなお維持された。しかし各種ウイグル文契約文書の内容やクビライ時代のモンゴル皇帝聖旨をみると、十三世紀も後半になると、王国ではモンゴル皇帝を最高権力として戴き、イドゥククトはその下に、皇帝の兄弟や子息とならんで位置づけられたことが明確になる。モンゴル政権の本俗重視主義によって、ウイグル農村経営に自立的な側面は残されていたが、しだいにモンゴル皇帝の権威と実質支配の傾向が強まった。

一二六六年より少しあと、アリク・ブケ、カイドゥによるモンゴル内乱に巻き込まれて一時ビシュバリクを失ったウイグル王のコチガルは、高昌(火州)に退きながらもここを拠点として勢力増強をはかったが、結局クビライの財政・軍事の援助を受けざるをえなくなった。そして一二七五年、ドゥアの軍に包囲された高昌城をなんとか維持したものの、次王ニギュリンは一二八〇年すぎにはトゥルファン盆地をあとにして甘粛の永昌で一三一八年に没している。

イドゥククトの系譜は甘粛においてなお続くが、トゥルファン、タリムの天山ウイグル王国はイドゥククトの手を離れた。歴代ウイグル王の世勲碑が、今のトゥルファンではなくて甘粛の武威地方に立てられたのは象徴的な出来事である。それでもウイグル農民たちはトゥルファン盆地を中心として住みつづけ、ウイグル名族のなかにはトゥルファンに錦を飾って歓迎される者もいた。元朝一代を通じて大都や雲南にまで、人的にもまた仏教の面でも広いネットワークを保ち、いわゆる色目人として中華内地にはいり元朝の軍事・財政統治を支える者も少なくなかった。西アジア方面では、ホラーサーン総督となったキョルクズも一寒村から身を起こし、ジョチ陣営に属し、文字を知る馬丁として頭角をあらわしてのぼりつめたウイグル人であった。しかし、十四世紀のタリム盆地の各オアシスに混住、混血しながら住みつづけた一般のウイグル人は、一部の仏教徒も甘粛方面へ脱出せざるをえなくなるような時代の趨勢、すなわちイスラームの本格的な東進、チャガタイ勢力の拡大を待ち受けることになるのである。

第三章　中央ユーラシアの「イスラーム化」と「テュルク化」

　イスラーム化という歴史的事象は、個人に即していえば、イスラームの教えを受け入れてムスリムとして生きるようになること、人の集団に即していえば、ムスリムとなった人々がイスラーム的規範にのっとった社会を形成していく過程、また地域に即していうならば、ある地域がおおむねムスリムの住民によって占められ、そこにイスラーム社会が形成されていく過程であるとひとまずは定義できよう。同様に、テュルク化の現象は、個人または集団がテュルク語を母語とするようになること、また地域についていえば、ある地域の住民の多数がテュルク語を話す者によって占められるようになる現象であるということができよう。現在イスラーム圏、テュルク圏に含まれる広大な地域において、この二つの現象が進展した経緯は当然まちまちではあるが、おおむね地域の変化は、その本来の住民のイスラーム化、テュルク化の結果であると考えられる。すなわち、地域のイスラーム化、テュルク化は、あらたな移住者が先住者を物理的に排除した結果というよりはむしろ、移住者の影響下に先住者があらたな宗教、あらたな言語を獲得した結果であった。

　中央ユーラシアは、その西方のアナトリアやアゼルバイジャンとならんで、この二つの現象がともに生起した地域である。そのうち、マー・ワラー・アンナフル(アラビア語で川の向こう側の意、具体的にはアム川以北のオアシス地域すなわちトランスオクシアナ)では、イスラーム化はテュルク化に時間的に先行したが、パミールの東、とくに東トルキスタン西半では、アナトリアなどと同じく二つの現象はほぼ同時並行的に進展した。以下その経緯を概観しよう。

1 イスラーム化の進展

中央ユーラシアへのイスラーム勢力の進出

六四二年、ニハーヴァンドの戦いでサーサーン朝の正規軍を粉砕したアラブ軍は、サーサーン朝の東部領土であるホラーサーン、スィースターンへも進出した。が、初期の遠征は略奪行のようなものであり、恒久的な支配を確立するものではなかった。また、六五六年に始まるアラブの第一次内乱のために、東方への進出は一時的に頓挫をきたした。ウマイヤ家のムアーウィヤが内乱を克服し、六六五年に寵臣のズィヤード・イブン・アビーヒをバスラ総督に任命してホラーサーンの統治を彼に委ねた結果、より計画的な遠征が再開された。ズィヤード・イブン・アビーヒ(その父の息子ズィヤード)という奇妙な名は、彼がターイフの町の娼婦の子であって父が不明であったことによる。しかしムアーウィヤは、彼を自分の父が娼婦に生ませた子であるとして、取り立てたのであった。

六六七年、ズィヤードの部将ハカム・イブン・アムル・アル・ギファァリーはバルフ方面へ作戦をおこない、アラブ軍としてははじめてアム川をこえてチャガーニヤーンにいたり、アラブにたいする反撃の機をうかがっていたサーサーン朝の王子ペーローズを駆逐した。六七一年、ズィヤードはバスラとクーファから五万のアラブ戦士をその家族とともにホラーサーンへ移住させ、メルヴをさらなる東方進出のための基地にした。そのおよそ一〇年後にもアラブの集団がホラーサーンへ移住している。

ズィヤードは六七三年に死去するが、同年その子のウバイドゥッラーはホラーサーン総督に任じられて父の政策を継続し、翌年春、アム川を渡河してブハラのオアシスに侵入した。当時のブハラは先の王の妃であるハトゥーン(王妃を意味するテュルク語の称号)の支配下にあったと伝えられている。その直後、ウバイドゥッラーはイラク総督に任命されたが、彼はバスラへの帰還に際し二〇〇〇の「ブハラの射手」をともない自らの護衛隊とした。彼の後継者たちもこの例にならい、これがのちのアッバース朝におけるマムルーク(カリフ直属の奴隷身分の軍人)の濫觴《らんしょう》となったといわれているが、これらの「ブハラ人」がソグド人であったか、テュルク系であったか確認はできない。現段階では、ソグド語のうちに傭兵もしくは奴隷兵を意味することばは在証されていないが、たとえばR・フライはテュルク系遊牧民を軍事力として利用するマムルーク制度自体、アラブがソグドから取り入れたものではないかと推察している。

ソグド、テュルク、アラブ

ソグドの名は早く『アヴェスタ』にあらわれ、紀元前六〜前五世紀には、この地に灌漑網をもつオアシス都市が成立していたことが、考古学発掘の結果確認されている。アレクサンドロスの東征ののち、バクトリア王国に属していたこの地方は、バクトリアの滅亡以後は、つねに遊牧勢力の影響を受けつづけた。すなわち康居、エフタル、西突厥などである。西突厥がサーサーン朝と連合し、エフタルを破ってムルガーブ川まで勢力を拡大した結果、トハリスタンやヒンドゥークシュ南麓の支配者もヤブグやエルテベルなどの突厥の称号を称していた。漢文史料によれば、西突厥に服属したサマルカンド(康国)の王は、突厥の王女を娶り、遊牧民の風俗にしたがって辮髪《べんぱつ》にしていたという。隋唐の記録はまた、ソグド地方のオアシス国家にはいずれも昭武姓の王がいると伝え、これを九姓昭武と総称しているがその原語はいぜん不明である。六五八年唐は西突厥を滅ぼし、ソグド諸国は唐の冊封を受け、安西都護府を通じて唐帝国に服属した。しかし、その服属は多分に名目的なものにすぎず、西突厥の一部であったテュルギシュなどのテュルク系遊牧勢力がオアシスへ影響力を伸ばしていた。そこにアラブ軍が出現したのである。

アラブの征服地の拡大は、六八三年ウマイヤ朝の第二代カリフ、ヤズィードの死去を契機に勃発した第二次内乱によって後退をよぎなくされた。いったんは服属した土着勢力の反乱に加え、アラブ駐屯軍内部の部族抗争は事態をさらに悪化させた。内乱を克服した第五代カリフ、アブドゥルマリクによりイラク総督に任じられたハッジャージュ・イブン・ユースフは、七〇五年クタイバ・イブン・ムスリムをホラーサーン総督に起用し、アラブの征服はあらたな段階にいたることになる。

クタイバの征服

ホラーサーンに移されたアラブの多くは、タミーム、バクル、アズドなどの部族に属する者であったが、クタイバはバーヒラという小部族の出自であったために部族抗争に巻き込まれることなく、アラブを再結集することができた。クタイバはいくつかのあらたな政策を採用した。ひとつは、現地の住民を大規模に遠征に参加させたことである。また、先の遠征がおおむね略奪行に終わり、作戦後は軍を引いたのにたいし、征服地に部隊を駐屯させたこともそのひとつである。

クタイバはまず、下トハリスタンを回復し、バードギースを根拠地とするエフタルの首領ネーザクと講和すると、七〇六年にはアム川をこえ、渡し場であるアームルとブハラ・オアシスの中間に位置し、交易で繁栄したバイカンドの町を占領して多大の戦利品を手にいれた。翌年彼はブハラ・オアシスに進軍し、いくつかの町を占領したが、ブハラの町はソグドとテュルクの援軍をえて抵抗を続け、七〇九年激しい戦闘ののちにようやく征服された。クタイバは過酷な降伏条件を課し、アラブの兵士を市内の家屋に宿営させた。

サマルカンドの支配者タルハーン(タルフーン)は抵抗を断念し、クタイバと和議を結んだが、翌年クタイバの弟のアブドゥッラフマーンが約束の貢納の受け取りのためサマルカンドに赴いたとき、町の住民は蜂起してタルハーンを退位させた。彼は自殺したとも、後任のグーラクによって殺害されたとも伝えられている。が、おりしもトハリスタンでネーザクが反乱したため、対サマルカンド作戦は先送りされた。クタイバは生命の保証とひきかえに降伏したネーザクを処刑し、マー・ワラー・アンナフルへ戻った。

クタイバのつぎの目標はホラズムであった。ホラズムは征服されいったんは貢納の支払いを受け入れたものの、クタイバが退去すると反乱を起こし、そのために過酷な懲罰をこうむった。ブハラに戻ったクタイバは、前出のハトゥーンの息子トゥグシャーダをブハラ王に指名し、サマルカンド攻略にとりかかった。サマルカンドの王グーラク(漢文史料にみえる康国王烏勒伽)はよぎなく降伏し、クタイバは略奪品をえ、貢納をとり、部隊を市中に駐屯させた。七一二年、テュルク部隊がサマルカンドに来援したが現地人の支持をえられず退去した。このテュルク部隊はいわゆる突厥第二可汗国の軍勢であり、オルホン碑文(キョル・テギン碑)の「ソグドの民を組織するため、われらは真珠河を渡り鉄門にまで進軍した」という文章はこの遠征に言及したものと考えられる。

七一四年にクタイバの庇護者ハッジャージュ、その翌年にカリフ、アル・ワリードがあいついで死去すると、あらたに即位した先のカリフの弟スライマーンは、ハッジャージュ派の排除をめざし、時をおかずクタイバを解任した。クタイバはこれにたいして反乱でむくいたが、彼の経歴の最初では利点となった小部族の出自であることが今度は災いとなり、麾下《きか》の軍勢の支持さええることができず、部下に殺害されその首はダマスクスへ送られた。

クタイバ以後のマー・ワラー・アンナフル

クタイバの死によってアラブの征服が頓挫をきたすと、テュルギシュの反攻が始まった。これより先テュルギシュは、いったんは突厥の討伐をこうむっていたが、漢文史料が蘇禄と呼ぶ首領のもとですみやかに勢力を回復した。この名の原語は不明であるが、アラブ側では彼をアブー・ムザーヒム、すなわち「(アラブと)競合する奴」と呼んでいた。蘇禄はカガンを称し唐の冊封を受け、また吐蕃とも同盟してアラブ軍と戦った。テュルギシュとアラブのあいだにあって、自らの力を維持しようとするオアシス支配者たちの態度はいささか微妙であり、唐とテュルギシュに援軍を求める一方で、サマルカンドのグーラクのごとくいったんはアラブに敵対したものの、ふたたびその陣営に属する者もあった。

七二八年までに情勢はアラブにとって最悪となり、かろうじてサマルカンドを確保するのみであった。七三〇年にホラーサーン総督に任じられたジュナイドは、テュルギシュと戦うことを条件にすべての奴隷を解放し、ようやくブハラを回復したが、テュルギシュの攻勢はやまず、サマルカンドとブハラを包囲したため、時のカリフ、ヒシャームはバスラとクーファからあらたに二万の軍勢を派遣せねばならなかった。七三七年、蘇禄はトハリスタン方面に出陣したが、アラブ軍の奇襲を受けて敗北し根拠地に戻ったのちに、同族の部将に殺害された。唐は、蘇禄の死によって発生したテュルギシュの内紛に介入し、これを統制することに成功した。その結果、アラブの最大の敵は消滅し、七四〇年代のなかばには、フェルガナを含むアム、シル両川のあいだの地域はアラブの支配に服し、アラブ勢力はシル川の彼方にもおよび始めた。

時あたかもホラーサーンを舞台にアッバース革命が進展し、七四七年末、アブー・ムスリムはマルヴを掌握してほとんど混乱なしに東方でのウマイヤ朝の支配を終息させた。彼の部将、ズィヤード・イブン・サーリフが率いるアラブ軍はさらに進んで、七五一年タラス河畔で高仙芝麾下の唐軍を撃破した。この戦いは、遊牧勢力にたいするイスラーム帝国の優位を確立する結果となり、つぎにテュルク族がふたたびマー・ワラー・アンナフルに侵入するのは、二世紀近くのちのことになる。しかも、そのときにはテュルク族はすでにイスラームを受容していた。

イスラーム化の始まり

アラブによる軍事的占領と支配はイスラーム化の起点ではあるが、本章の冒頭で定義した意味でのイスラーム化そのものではない。また、イスラーム化の速度とその徹底度は地域によりさまざまであって、たとえば周知のとおり、シリアはアラブ軍にもっとも早く占領された地域のひとつでありウマイヤ朝の本拠ではあったが、その地の単性論を奉ずるキリスト教社会は言語的にはアラブ化したものの(彼らの元来の言語はアラム語であった)、少なくともウマイヤ朝時代にはさしたる衰頽の兆候を認めることはできず、その後も少数者としてではあるが存続し現在にいたっている。これに比すれば、中央ユーラシアのイスラーム化はより迅速、より徹底的であった。

アラブ侵入以前の中央ユーラシアにはさまざまな宗教が存在していた。マルヴを中心とするホラーサーンでは、ゾロアスター教が最有力であったが、ネストリウス派とヤコブ派のキリスト教徒および少数ながらもユダヤ教徒がいたことが確認される。かつてのバクトリアに含まれる地域では、エフタルとサーサーン朝の打撃をこうむりながらもいぜんとして仏教寺院が活動を続ける一方で、マニ教とキリスト教の信徒もおり、マー・ワラー・アンナフルではゾロアスター教が信仰されていたが、それはサーサーン朝のそれとは少しく異なり、より土着的な要素を含むものであったと考えられている。

アラブの征服者が被征服民の改宗に必ずしも積極的でなかったことは、よく知られている。中央ユーラシアでも農村部の住民がイスラームを受け入れたのは、征服後何世紀もへてからであることは確実であるが、オアシス都市での改宗は強制により迅速に進められた形跡がある。すなわち、より後代の十世紀なか

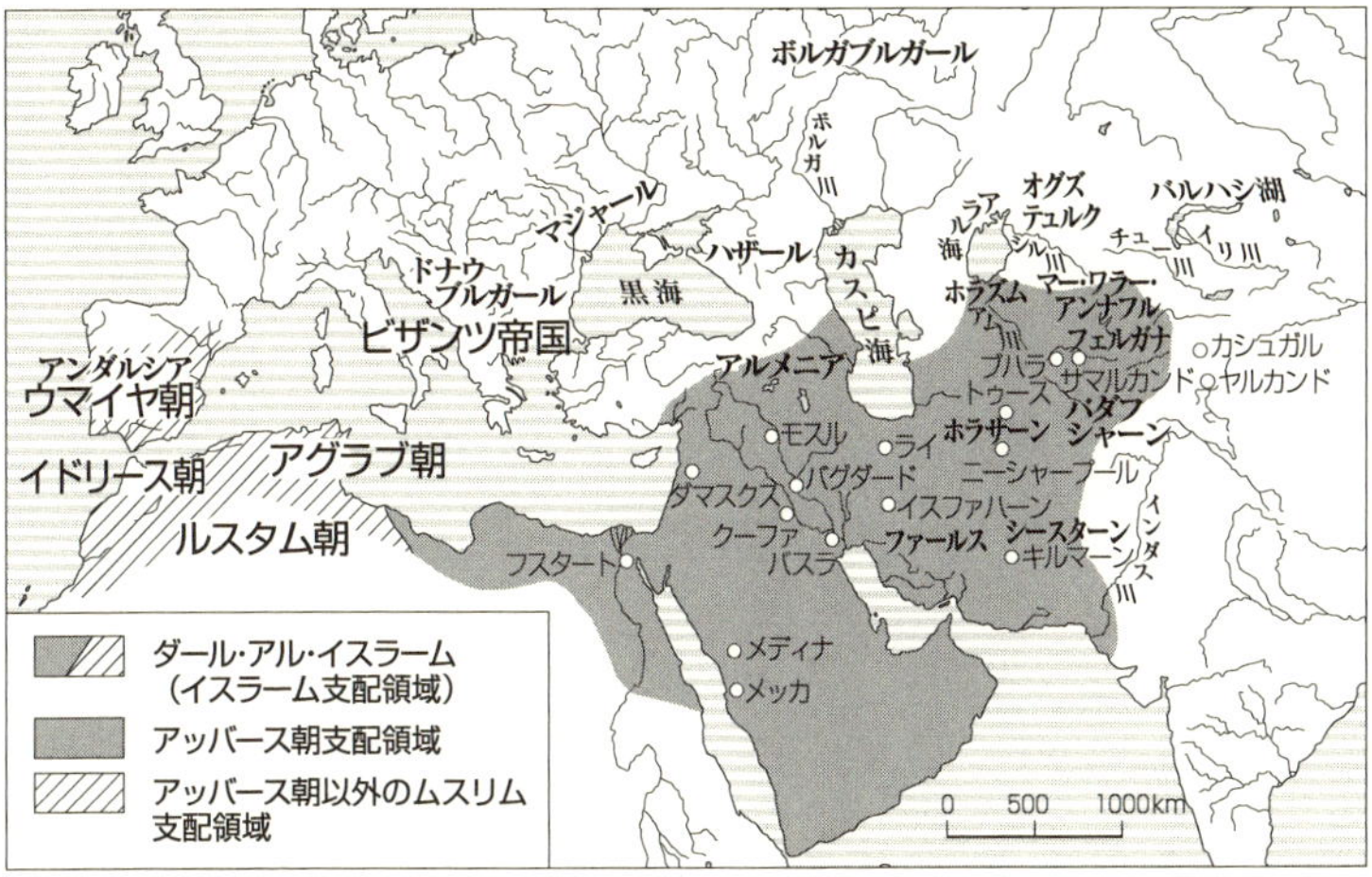

アラブの征服地域

ばに著わされた著作ではあるが(しかももとのアラビア語ではなく、十二世紀前半のペルシア語訳のみが現存する)、ナルシャヒーの『ブハラ史』によると、クタイバはブハラを占拠する度に住民を強制的に改宗させたが、アラブ軍が退去する度に住民は棄教しこれを繰り返すこと三度におよんだという。四度目に戦闘によりブハラを占領したクタイバは、住民が表向きは改宗を受け入れたものの秘密裏に偶像を崇拝していることを知り、住民にたいしその住居の半分にアラブ人を住まわせるよう命令して改宗を強制した。彼はまたブハラの要塞の内側に大きなモスクを建設し、金曜日の礼拝に参加するよう命じ、礼拝にくる者には二ディルハムを与えた。そのため、貧民は礼拝に参加したが富裕な者はこれを無視したという。その真偽には問題が残るとしても、征服当初から住民の改宗が勧められたという伝承は注目に値すると思われる。

七一七年に即位したカリフ、ウマルはウマイヤ朝の税制を改革し、アラブとマワーリー(改宗者)を同等に扱おうとしたことで有名であり、かつ狂信的なまでに敬虔な人物であったとされているが、異教徒にたいするジハード(聖戦)より平和的改宗を希望して、マー・ワラー・アンナフルの土着の支配者たちに改宗をうながした。ウマルは在位二年半で没したためにその改革は実現せず、前節で述べたごとく、テュルギシュの攻勢によりマー・ワラー・アンナフルは、いったんはアラブの手から失われそうになったが、この地におけるイスラーム帝国の支配が確立した八世紀後半からはイスラーム化は確実に拡大、深化していった。

マー・ワラー・アンナフルの言語的「ファールス化」

ところで征服者と被征服者はいかにして意志を通じていたのだろうか。それにはまず、征服以前の言語状況を確認しておかねばならない。

サーサーン朝における言語使用の状況は相当に複雑であった。公的な、つまり統治のために用いられる書きことばはパフラヴィー語(中世ペルシア語)であったが、この言語はアラム語から多くの語詞を借用しており、ちょうどわれわれが漢字にたいしてするように、アラム語の語詞をパフラヴィー語で訓読していた。公的な話しことばは、パフラヴィー語、もしくはサーサーン朝の出身地であるファールス地方のイラン語であった。後者はダリー語と呼ばれたが、これは宮廷のことばという意味である。宗教教典はいうまでもなく古代のアヴェスタ語であるが、その注釈にはパフラヴィー語が用いられた。しかし、各地の住民が日常生活で話していた言語はさらに多様であり、アラム語を含むさまざまな言語が存在した。

中央ユーラシアでは、ホラズムのコラスミア語(コラスミアはホラズムのギリシア語形)、マー・ワラー・

アンナフルのソグド語、トハリスタンからホラーサーンにかけてのクシャーン語、さらにパミールの東のタクラマカン砂漠縁辺のオアシスには、現在のトゥルファンからカラシャフルにかけてのアグニ語、クチャを中心にしたクチャ語(この二つをあわせて普通トハラ語と呼ぶ)、ホタン・オアシスではホタン・サカ語、さらにその東のクロライナではガンダーリー語が使用されていた。これらのうち、トハラ語はギリシア語、ラテン語と同じくインド・ヨーロッパ語族のケントゥム語群に属し、ガンダーリー語はインドのプラークリット(厳格な文法規範に従うサンスクリットにたいし、俗語をさす)の一種であるが、その他はすべて中期イラン語の東部方言である。ついでながら、これらの言語は十九世紀末以来のいわゆる中央アジア探検によってその資料が発見され、現在もなお研究が継続中である。

さて、サーサーン朝が強力であった時代、周辺の諸民族はその富に引きつけられて帝国の辺境で交易をおこなっていた。サーサーン朝側では、イラクにいたタイ部族に由来するターズィークという名でアラブ一般を呼んでいた。また東方ホラーサーンの中心都市マルヴにはソグド商人の住区が存在していた。彼らとサーサーン朝の交渉は、おそらくはダリー語によっていたと推測される。つまり、サーサーン朝時代からすでにダリー語は帝国の周辺を含む地域の一種の共通語(リンガ・フランカ)になっていたと考えられる。

周知のとおり、アラブは当初征服地の行政のために、従来その地方で用いられていた言語をそのまま採用した。六九七年、カリフ、アブドゥルマリクはアラビア語を用いるよう改革をおこなったが、ホラーサーンと中央アジアでパフラヴィー語からアラビア語への切り替えが開始されたのは七四二年のことであった。それ以前はアラブ戦士の登録台帳、すなわちディーワーンはパフラヴィー語で記されていたに相違ない。一方、征服者と被征服者の共通の話しことばはダリー語であった。多くのペルシア人が亡命者として、また征服軍の兵士としてマー・ワラー・アンナフルへ流入したことは、ダリー語の普及を加速したことであろう。いずれにしても、十世紀の人であるマクディスィーが伝えるサマルカンド、ブハラの言語はすでにソグド語ではなく一種のペルシア語、おそらくはダリー語である。

かくして、土着のソグド人と外来のアラブ人・ペルシア人が混住し、公的な書きことばにはアラビア語、共通の話しことばにはダリー語(ソグド人はこの二語を同時に学んだことであろう)が用いられる環境のうちからあらたなペルシア語が誕生することになる。ペルシア語すなわちファールスの言語とは呼ばれるものの、アラビア語の語彙を自由に取り込み豊かな表現力を備えたこのことばは、ダリー語の故地においてではなく、まさしく中央アジアで成立したのであった。

サーマーン朝の成立

アッバース朝の版図は、バグダードから集権的に統治するには広大でありすぎたために、九世紀にはいると早くも帝国の遠隔地に半独立の地方王朝が成立し始めた。八〇〇年に成立した北アフリカのアグラブ朝がその嚆矢《こうし》であり、東方では、八二一年にホラーサーンに成立したターヒル朝がイラン系地方王朝の最初であると伝統的にみなされてきた。しかし、ターヒル朝の場合、その中央権力からの独立の度合いは低く、総督の地位を世襲する有力家系から地方王朝への過渡的段階にあった。そのターヒル朝の庇護のもとで力をつけたのがのちのサーマーン朝である。

しかし、サーマーン朝の系譜はターヒル朝より遥かに古くサーサーン朝の有力家系にさかのぼると考えられている。通説は、その名祖サーマーン・フダー（「サーマーンの領主」を意味する）をバルフ地方の地主（ディフカーン）層の出身とするが、サーマーンという地名はバルフのみならずサマルカンドやテルメズの地方にも存在する。サーマーン・フダーはウマイヤ朝末期にイスラームを受容し、その子アサドはアッバース朝に仕え、四人の孫は八一九年ころ、サマルカンド、フェルガナ、シャシュ（タシュケント）、ヘラートの支配権を与えられた。彼らのうち、フェルガナを委ねられたアフマドの息子ナスルは、八六四年にサマルカンドの支配者となり、ついで八七五年にはカリフ、アル・ムータミドからマー・ワラー・アンナフル全体の支配権を与えられ、事実上の独立国家が成立した。ナスルのあとを継いだ弟のイスマーイールは、ホラーサーン、さらにはスィースターンを領域に組み込み、北方ではタラス方面に遠征して国境地帯をテュルク系遊牧民の侵入から防衛するとともに、交易ルートを確保した。その結果ムスリムの商人たちが草原地帯に赴き、遊牧民のあいだにイスラームが広まり始めた。

サーマーン朝の支配者は形式的にはアッバース朝のカリフの権威に服し、貢納とひきかえにアミールに叙任される習慣は、九四六年にブワイフ朝がバグダードに入城するまでとだえることがなかった。しかし、ターヒル朝とは異なってサーマーン朝は独自の政治権力であり、アッバース朝の統治機構を模して宰相（ワズィール）府をはじめとする一〇のディーワーン、すなわち行政部局を有していた。国家機構の最重要の働きのひとつが徴税であることはいうまでもないが、サーマーン朝がオアシス農民、手工業者、商人から徴収した税の総額はおよそ四五〇〇万ディルハムに達し、うち半分近くが軍隊と官僚組織の維持のために支出されたとアラブの地理学者たちは伝えている。

サーマーン朝は、最盛期のアッバース朝のような完全な中央集権国家ではなく、その版図のうちには多くの地方領主が存在した。自立の機会をうかがう彼らを統制することを可能にしたものは、グラームと呼ばれたテュルク系奴隷兵からなるアミールの親衛隊の軍事力であった。軍事遠征によって捕虜とされたり、商人に購入されたりしたテュルク人奴隷は、草原地帯との境界に近いイスフィージャーブやシャシュで売買され、一部はサーマーン朝の君主や有力者に保有されたが、一部はさらに西方に転売された。ウマイヤ朝の時代すでに、有力者が中央アジア出身者を自らの親衛隊とした例があることは先にも述べたが、アッバース朝のカリフもこれを踏襲し、第八代のムータスィム(在位八三三〜八四二)は、即位前すでに三〇〇〇とも四〇〇〇ともいわれるテュルク人奴隷兵を有していたが、即位後にはその数はさらに増大して七〇〇〇に達したという。

地理学者イブン・フルダーズビフによれば、サーマーン朝成立以前、ターヒル朝のアブドゥッラー(総督在任八二八〜八四五)は、毎年二〇〇〇人の「グッズ」(テュルク人をさす)の捕虜をバグダードに送っており、その価値は六〇万ディルハムに相当したという。奴隷一人当りでは、三〇〇ディルハムの計算になる。サーマーン朝ではテュルク人奴隷の輸出には許可状が要求され、それをえるには奴隷一人につき七〇ないし一〇〇ディルハムの支払いが必要であり、奴隷輸出はサーマーン朝の重要な財源であった。当時の貨幣価値にかんする史料はほとんど存在しないが、ターヒル朝にかわってイランを支配したサッファール朝の創始者、ヤークーブ・ビン・ライスが雇われの銅器職人(サッファール、王朝の名はこれに由来する)であっ

タジキスタンで発見されたウマイヤ朝の貨幣

たとき、月給が一五ディルハムであったという情報は興味深い。これによれば、奴隷の値段は職人の給与の二十カ月分ということになる。

サーマーン朝は、テュルク人奴隷兵を効果的に訓練するシステムを備えていた。その詳細は、セルジューク朝の宰相、ニザームルムルクの『スィヤーサト・ナーメ』という有名な著作から知られる。それによれば、五年の訓練期間ののち、有能な者は君主の身近に二年仕え、八年目には自分の部下をもち、部隊長、侍従、さらにはアミールの地位を与えられて地方の総督へと昇進する者もあった。このように奴隷軍人を重用した結果、ブハラの宮廷のみならず地方でもテュルク人の勢力が伸張した。九六〇年代にガズナ朝の基礎を築いたアルプテギンはその典型である。彼は自身グラームの出身であるが、ホラーサーンの総督になり、自ら一七〇〇のグラームを保有していたことが知られている。勢力をえたテュルク人グラームは派閥を形成してたがいに抗争し、サーマーン朝の弱体化の一因となった。

奴隷出身者を養成して国家を支える軍人と官僚をつくりだすサ

ーマーン朝のシステムは、のちのマムルーク朝の制度やオスマン朝のカプ・クル(御門の奴隷の意)制度の起源となったと考えられる。『スィヤーサト・ナーメ』の記事自体、セルジューク朝においてサーマーン朝の奴隷兵制度への関心が存在したことの証左である。

アラブ・ペルシア文化の発展

ところで、先に述べたマー・ワラー・アンナフルの言語的ファールス化は、サーマーン朝の治下で完成した。九世紀末葉にはペルシア語で書かれた韻文の文学作品が出現し始め、つぎの世紀にはルーダキー(九四一年没)、その弟子のバルヒー(九三六年没)、ダキーキー(九七七年没)、そして『シャー・ナーメ』の著者フィルダウスィー(一〇二〇年頃没)らの宮廷詩人が輩出して、古典ペルシア文学の基礎を築いた。これらの詩人の活躍は、通常イラン系の人々の民族的意識の高揚と結びつけて考えられている。

だが、サーマーン朝にあっては、アラビア語による作詩もまたさかんにおこなわれていたことを付け加えておかなければ、当時の文化状況を誤解する結果になるであろう。事実、サアーリビーが編纂した詩華集には、マー・ワラー・アンナフル、ホラーサーン、ホラズム出身の詩人たちのアラビア語の詩が収録されている。その一方で、ペルシア語で作詩したアラブ人の存在も知られている。歴史書についてみても、先述のナルシャヒーはその『ブハラ史』をアラビア語で著わし、彼のほぼ同時代人でサーマーン朝の宰相であったバルアミーはタバリーの『使徒たちと王たちの歴史』をペルシア語に翻訳している。このように二つの言語は相並んで用いられていたのである。

文学、歴史、地理以外の知的活動の分野では、もっぱらアラビア語が用いられ、ファールスの話しことばが東方で書写語の地位を獲得したことと軌を一にするかのように、知的活動もまたまず東方で盛んになり、多くの学者が輩出した。この現象は、あとからイスラーム世界に組み入れられた地域の人々がいかに真摯にイスラームの教えとその文明を受け入れたかを示すものである。

イスラーム法(シャリーア)の法源としてコーランについで重視される預言者の言行(スンナ)の伝承(ハディース)の集成として、スンナ派は一般に六種のハディース集を正統なものとして認めている。その筆頭に数えられる『真正伝承集』の編者、アル・ブハーリー(八七〇年没)は、その名が示すとおりブハラの生まれであり、曾祖父の代からのムスリムであった。十六歳で伝承を集め始め、各地を遍歴して六〇万の伝承を収集し、うち「真正なもの」を選んで九七巻三四五〇章に編纂した。含まれる伝承の数は七三九七、ただし同じものが繰り返されているので、実際の数は二七六二である。彼はサマルカンドの近郊で生涯を終えた。そのほかの五種の伝承集編者のうち、ムスリム(八七五年没)はホラーサーンのニーシャープール、アッ・ティルミズィー(八九二年没、ただし異説あり)はアム川上流北岸のテルメズ、アン・ナサーイーはホラーサーンのナサー(ニサー)のそれぞれ出身であった。六人のうちの四名までがマー・ワラー・アンナフルとホラーサーンの人であったことは特記に値する事実である。真正のハディースが確定されたことは、すなわちムハンマドの慣行(スンナ)の内容が確定されたことであり、それはとりもなおさずスンナに従う人々(スンナ派)の立場が確定されたことにほかならない。その意味で伝承学者たちの功績は絶大であった。

中央アジアでは、以後も引き続きスンナ派(とくにハナフィー派)の法学が発展し、十二世紀のブルハーヌッディーン・アル・マルギーナーニーはハナフィー派の法規定を集大成して、のちにこの学派の最重要文献としての権威を広く認められることになる『アル・ヒダーヤ』を著わした。ハナフィー派は元来アッバース家によって支持された学派ではあったが、セルジューク朝はマー・ワラー・アンナフルのハナフィー派をイスラーム世界の中心部にもたらし、その優勢を決定づけた。イスラーム教学と法学を教授する機関であるマドラサのシステムはまず中央アジアで成立したが、セルジューク朝はこのシステムをも西アジアへ移植した。

数学や天文学などの自然科学の発展にもめざましいものがあり、その影響は遠くヨーロッパにまでおよんだ。一次および二次方程式の解法を発見したアル・ホラズミー(八五〇年頃没)はもっとも著名な学者の一人である。代数学にかんするその著書『アル・ジャブル・ワル・ムカーバラ』は早くも一一四五年にはその一部がラテン語訳され、アラビア語のタイトルそのままに『リベル・アルゲブラエ・エト・アルムカボラ』と題された。アルジェブラ(代数)ということばがこれに由来するのみならず、数学用語のアルゴリズムは著者のラテン名、アルゴリスムスに起源をもつ。このほか、三角関数のアル・マルワズィー(八七〇年頃没)、当時の天文学知識を集大成したアル・ファルガーニー、六分儀の発明者アル・フジャンディー、三角測量法のアル・ブーズジャーニー(九九八年没)などが輩出した。

ラテン語名のアヴィセンナで知られるアブー・アリー・イブン・スィーナー(一〇三七年没)は、サーマーン朝の末葉の九八〇年にブハラに近い一村落に生まれた。彼は哲学者、自然科学者、医学者、数学者にして詩人であったばかりでなく、神秘主義的思想家でもあり、現代のある専門家によれば、その著作の総数は疑問の余地を残すものを含め二七六種におよぶというまさに百科事典的な大学者であった。その『医学典範』はイスラーム世界のみならず、西洋でも長らくもっとも権威ある医学書であった。また『治癒の書』は、一見医学書を思わせるその標題にもかかわらず、イスラーム世界に伝承されたアリストテレス哲学を駆使して、イスラーム哲学を樹立した著作である。

ホラズム出身のアブー・ライハーン・アル・ビールーニー(一〇四八年没)もまた百科全書的な学者であり、数学、天文学、地理学、測地学、鉱物学、歴史学などについて著述をおこなった。イスラーム到来以前のホラズムとマー・ワラー・アンナフルにかんする彼の記述はきわめて貴重である。彼はまた、ガズナ朝のマフムードのインド遠征に同行し、サンスクリットやその他のインド語を学んで『インド史』を著わした。

アル・ファーラービー(九五〇年没)は、バグダードで教育を受け、シリアに生きた人物ではあるが、シル川中流のファーラーブ(のちのオトラル)に生まれたテュルク人であり、その父はおそらくはカリフの親衛隊の軍人であった。「第一の師」アリストテレスにつぐ偉大な哲学者という意味で、アル・ファーラービーは「第二の師」と呼ばれ、その哲学はイブン・スィーナーをはじめとするイスラーム世界の哲学者のみならず西洋スコラ哲学にも多大の影響を与えた。

以上のような文化的飛躍は、中央アジアにあらたな人間社会が形成されたことの結果であった。先にも述べたように、サーサーン朝の時代から、ペルシア人はアラブ人をターズィークと呼び、この名称は中央アジアさらには「大食」というかたちで中国にまで知られていたが、ついでイスラーム化した中央アジアの定住民はすべてこの名で呼ばれるようになった。最初は遊牧民の側からの呼称であったらしいが、十一世紀のなかばの歴史書に「われらターズィーク」ということばがみえるように、やがては自称ともなった。

では中央アジアに移住した元来のターズィーク、すなわちアラブ人はどうなったのか。直接この問いに答える史料はないが、彼らがアラビアに帰還したり追放されたりしたという記録も存在しないかぎり、彼らもまたこの地の定住社会に融合した、すなわちあらたに形成されたターズィーク社会の一部となったと想像することは許されるであろう。十三世紀以降、ターズィークにかわってタジクというかたちが一般的になるが、テュルク化ののちもこの名称が消えることはなく、ティムール朝時代には、部族に組織された戦士がテュルクであるのにたいし、部族的関係をもたぬ都市と農村の定住民はすべてタジクと称されていた。これらの名称は民族的というよりむしろ社会的なものであったのである。

2 テュルク化の進展

テュルク族のイスラーム化

西突厥の滅亡後の草原地帯にはさまざまなテュルク系遊牧集団が蟠踞《ばんきょ》していた。前述のごとく彼らはイスラーム世界への奴隷兵の供給源であったが、同時にオアシスと草原との接壌地帯には都市と密接な関係をもち、イスラームを受容する集団も出現した。アラブの地理学者イスタフリーによれば、彼らムスリム・テュルク人は同宗者に与《くみ》して異教徒の同族と戦い、奴隷を獲得する役割をはたしていた。一方、ムスリムの商人とスーフィー（神秘主義を奉じる宗教家）たちは草原の奥深くへ活動を広げ、遊牧民は定住文明の産品とあらたな宗教の魅力に惹かれてイスラームに改宗し始め、その趨勢はすみやかに遠隔の地方にもおよんだ。ヴォルガ川とカマ川が合流する地域にいたブルガールについての情報は十世紀の初頭にはじめてイスラーム史料にあらわれるが、このときすでに彼らはイスラームを受容していたと伝えられる。彼らにあらたな宗教をもたらしたのは、ホラズムからのムスリム商人であったと考えられている。

このように、テュルク族のイスラーム化の現象は中央ユーラシアの各地で同時多発的に発生していたが、この流れを決定づけたのは、カラハン朝であった。カラハン朝という名称は近代の学者によるものであって、イスラーム史料はこの王朝をハーカーニーヤすなわちカガン朝、もしくはアフラースィヤーブ朝などと呼んでいる。その王家がいかなる遊牧集団に起源をもつのかについては、多くの議論が交わされてきたがいまだ定説はないといってよい。おそらくは八四〇年にモンゴル高原のウイグルの支配が崩壊したあとに、突厥の支配氏族であった阿史那の系譜につながる者がカガンを称し、タラスからイリ河谷、さらにはカシュガルにおよぶ地域にあらたな部族連合体を形成したとするのが大方の見解である。

イスラームの受容は、初代のカガンの孫にあたるサトゥク・ボグラ・ハンによっておこなわれた。しかし彼の改宗にかんしては、同時代の記録は存在せず、十一世紀に書かれた史料を引用した十四世紀初頭の文献が最古のものであるが、それはすでに伝説的な様相をおびており、たとえば発端となるカシュガルの東北のアルトゥシュにおけるモスク建設の物語は、一種の頓知話として構想されている。すなわち、カシュガルに亡命してきたサーマーン朝の王族ナスル・ビン・マンスールなる者が、ブハラ、サマルカンドからの隊商がもたらす品々によってサトゥクの伯父であるカガンを満足させ、モスクを建設するために「一頭の牛の皮」分の土地の下賜を願い出て許されると、屠《ほふ》った牛の皮を裂いて革紐にし、それで囲えるだけの土地を獲得したという。サトゥクはナスルの導きによって十二歳で改宗し(ムスリムとしての名はアブドゥルカリーム)、二十五歳で伯父を倒してカシュガルの支配者となり、九五五年に没したとされている。サトゥクの改宗伝説には以後さまざまな奇跡譚が付加され、彼は聖者として崇拝を受けるにいたった。アラブの歴史家イブヌルアスィールが伝える、九六〇年に二〇万帳のテュルク人がいっせいに改宗したという記録は、サトゥクの後継者の時代にカラハン朝が完全にイスラーム化したことを示すものと考えられている。

カラハン朝とテュルク・イスラーム文化の発生

イスラームを受容したのちも、カラハン朝は遊牧的な支配体制を維持しつづけた。ウクライナ出身のトルコ学者プリツァークによれば、カラハン朝には突厥と同様に東西二人のカガンがあり、東方のアルスラン・カラ・カガン(アルスランはライオンの意)が大カガン、西方のボグラ・カラ・カガン(ボグラは雄ラクダの意)が小カガンであった。彼らの下には、アルスラン・イリグ、ボグラ・イリグ、アルスラン・テギン、ボグラ・テギンという四人の下級君主があり、順次上位の君主へと昇進した。

サトゥクの孫の世代では、アリーがアルスラン・ハン、彼の従弟のハサンがボグラ・ハンであったが、彼らはマー・ワラー・アンナフルへの侵入を開始した。九九二年にはハサンが一時的にサマルカンドとブハラを占領したが、カシュガルへの帰途に死亡し、サーマーン朝がブハラを回復した。しかし、アリーの息子ナスルは九九九年に最終的にブハラをとり、サーマーン朝を滅亡させた。

こうしたカラハン朝のすみやかな勝利の原因は、先にも述べたようにテュルク系グラームの派閥争いによって、サーマーン朝の軍事力が低下していたこと、および地方の領主層(ディフカーン)が、すでにイスラーム化していたカラハン朝の支配を抵抗なく受け入れたことにあった。こうしてマー・ワラー・アンナフルはアリー家、バラサグン(のちにはカシュガル)を中心とする東部領土はハサン家の支配下におかれたが、十一世紀のなかばにはカラハン朝は完全に東西に分裂した。

定住地帯に移住したカラハン朝のテュルク族は、そこにすでに成立していたアラブとペルシアの要素の

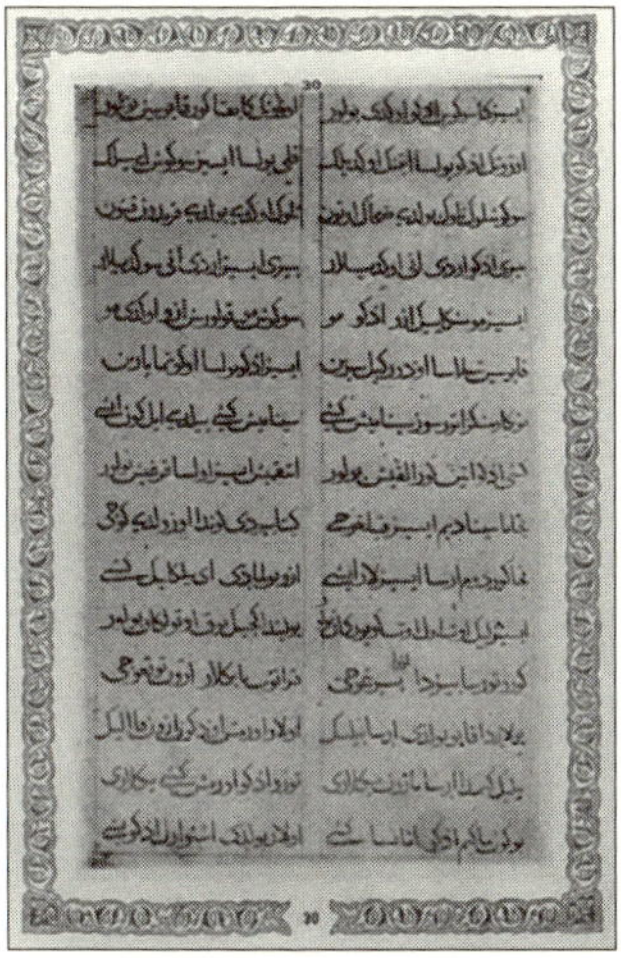

『クタドゥグ・ビリグ』

融合したイスラーム文化を受容し、ちょうど一世紀前にサーマーン朝がアラブ・イスラーム文化を受け入れてペルシア的要素をそれに融合させたと同様に、テュルク的イスラーム文化の形成の先駆となった。その文化の最初の記念碑的作品が、一〇六九年(もしくは七〇年)に、バラサグン出身のユースフ・ハース・ハージブなる人物によって書かれ、カシュガルの支配者であったタブガチ・ボグラ・ハン(ハサン家のハサン・イブン・スライマーンに比定されている)に献呈された『クタドゥグ・ビリグ(幸福になるための智恵)』である。フィルダウスィーの『シャー・ナーメ』と同じく、マスナヴィーという詩形とムタカーリブという韻律が用いられていることは、その叙事詩的なスタイルとあいまって、ユースフがフィルダウスィーの影響を受けたことを示している。しかし、六五〇〇をこえる対句からなるこの長大な作品の内容は、『シャー・ナーメ』とは異なってイスラーム以前の神話・伝説ではなく、君主のあるべき姿を説いた教訓書であり、四人の主要な登場人物、「昇った太陽」という名の王、その宰相「満ちた月」、宰相の息子で賢者「賞賛される者」、宰相の一族の苦行者「目覚めた者」は、それぞれ、正義、幸福、智恵、終末の四つの徳目の擬人化である。

　正義の王「昇った太陽」に仕えて宰相となった「満ちた月」は、死去に際して後事を息子に託し、息子「賞賛される者」と王は山中に隠棲している「目覚めた者」を招くが彼は病に臥《ふ》し、「賞賛される者」に助言を与えたのちに死亡する、というのが全編の筋書きである。そのあいだに登場人物の独白もしくは討論のかたちで、君主の権力のあり方から宴会への招待の儀礼にいたるまで、当時のカラハン朝の宮廷人が関心をもったであろうことがらが議論されている。とくに「目覚めた者」が登場する後半部には、現世にたいする諦念を主張する議論が多くみられ、これを仏教からの影響とする説もあるが、むしろイスラーム神秘主義思想の忠実な反映と考えるほうが自然である。

『クタドゥグ・ビリグ』の完成にわずかに遅れて一〇七七年(一〇八三年とする説もある)に、カラハン朝の文化を代表するいまひとつの作品『ディーワーン・ルガート・アッテュルク(テュルク諸語集成)』という題のテュルク・アラビア語辞典が、バグダードのカリフ、アル・ムクタディーに献呈された。著者マフムード・アル・カーシュガリーは、カラハン朝のハサン家の出自であり、中央アジアの各地を流浪したのち、セルジューク朝が権力を樹立して間のないバグダードにいたり、五年を費やしてこの書を著わした。著者はアラビア語の文法理論に精通したうえで、それを適用してテュルク語の単語を音韻的に分類し、単語の各項目ではアラビア語による説明のほかに、往々にして民謡や格言からなる用例をつけ加えている。それらの説明や用例は、当時のテュルク系諸民族の言語のみならず、口承文学、歴史、民族分布、社会、民俗などにかんする情報の宝庫であり、これを利用することなしにテュルク学の研究はありえないといいうるほどである。

『クタドゥグ・ビリグ』と『ディーワーン・ルガート・アッテュルク』はテュルク・イスラーム文化の輝かしい先駆者であるが、同時にやや孤立した存在でもあった。すなわち、これらの作品に続いて、テュルク語による著作がさかんにおこなわれるようになったわけでは必ずしもない。これら以外のカラハン朝期の文学的作品としては、アフマド・ユクナキーの『アタバト・アル・ハカーイク(真理の敷居)』がわずかに知られているのみである。また、これらの作品自体、広く流布していたわけでもない。『クタドゥ

『テュルク語集成』

グ・ビリグ』については現在三種の写本の存在が知られているが、うち一本はティムール朝時代のヘラートで擬古的に流行したウイグル文字で写されたものであることから、少なくともこの時代まではある程度読みつづけられていたと考えられる。アラビア文字で書かれたほかの二写本の年代は不明である。『ディーワーン・ルガート・アッテュルク』にいたっては、まさに海内の孤本というべき写本がイスタンブルに存在するのみである。

中央アジアにおいて、テュルク語がペルシア語に拮抗するにたる文化的言語の地位を獲得するのは、十三世紀のホラズムにおいてある程度の発展をみたのち、ようやくティムール朝においてであった。が、付言すべきは、十二世紀のアフマド・ヤサヴィーをはじめとするスーフィーたちが、民謡に由来する韻文形式を用いて神秘主義思想をテュルク語で表現したことである。彼らの影響はテュルク族の移住とともにアナトリアにまでおよび、そこでも多くの民衆的宗教詩人が輩出した。

オアシス定住地帯のテュルク化――東トルキスタン

中央ユーラシアのオアシス定住地帯のうち、東トルキスタンのテュルク化はほかの地域に比してより迅速、より徹底的であった。その東半のテュルク化が、八四〇年のモンゴル高原におけるウイグル国家の解体を契機にして起こった遊牧民の移動の結果であることは、すでに先の章に述べられているとおりである。西半では、カラハン朝は、九世紀の終わりにはカシュガルを占領し、イスラームを受容したのち、十一世紀初めにはホタン、なかばにはクチャまでを支配下においた。カラハン朝の領域では住民のテュルク化が急速に進展し、十一世紀後半には住民はテュルク語を話していたと伝えられている。

東トルキスタンのオアシスは、比較的小規模であり、その元来の住民数もオアシスの規模に見合ったものであったと考えられる。一方、この地には天山山中のユルドゥズ渓谷を除けば、大規模な牧地は存在しない。したがって、ここへ移住した遊牧テュルク族は、早くからオアシスもしくはその周辺に定住し、先住民と融合したと想像される。ホタン語の文書のなかに、ホタン語・テュルク語の対訳語彙集が存在する事実は、イスラームの「聖戦」を呼号したカラハン朝のホタン占領ののちも、新旧の住民の全面的な入れ替えという事態が発生しなかったことを示している。先住民はあらたな支配者の言語と宗教をともに受容したと考えられる。

東トルキスタン全域をみれば、しかしその後のイスラーム化の進展はむしろ緩慢であった。諸宗教にたいし一視同仁的立場をとったモンゴル帝国のもとで、とくに東トルキスタンの東部ではイスラームは仏教と長期にわたって共存しており、一四二〇年にティムール朝のシャー・ルフから明の永楽帝に遣わされた使節団は、トゥルファンの住民の大部分が仏教徒であってみごとな仏寺が存在すること、コムル(哈密)にはモスクと仏教寺院が向かいあって存在していたことを伝えている。コムルから仏教徒勢力が最終的に駆逐されたのは一五一三年のことであり、東トルキスタンのイスラーム化はようやくここに完成したのであった。

オアシス定住地帯のテュルク化——西トルキスタン

東トルキスタンに比して、西トルキスタン、すなわちマー・ワラー・アンナフル、フェルガナ、ホラズムのテュルク化の過程はより複雑である。オアシスの規模は大きく、したがって定住民の数も多く、またオアシスのあいだには遊牧可能な空間が存在する。さらに、カラハン朝が占領したオアシスの住民はすでにムスリムであり、支配者の宗教をあらたに受容するために、支配者に言語的に同化する必要がなかった。おそらくはこうした事情のため、東トルキスタンのように定住民が短期間に言語的にテュルク化するという現象は発生しなかったと考えられる。

もとより征服者と被征服者との人口比、およびその人口比を背景とする両者のあいだの通婚の多少がテュルク化を決定する唯一の要因ではなく、圧倒的に多数の被征服者が少数の征服者の言語を自らの言語とする可能性も検討せねばならないことはいうまでもない。さらに、当時のオアシス社会の人口と流入した遊牧民の数にかんする史料はきわめてまれである。ただ、西トルキスタンに流入したテュルク系遊牧民が、オアシスのあいだのステップで遊牧生活にとどまっているかぎり、先住民との接触の度合いは比較的希薄であり、したがって先住民の言語的テュルク化の進展も緩慢であったと考えられる。

シル川以北にいたオグズの連合体の一部であったセルジュークという部長を戴く集団は、十世紀の中ごろ、オグズから分れて左岸に移りジャンドの町を根拠地とした。ここでイスラームを受容した彼らはサーマーン朝の庇護のもとザラフシャン川の流域に移動し、ついで一〇二〇年代には、カラ・クムの草原をこえてガズナ朝の領域であったホラーサーンの北部に侵入し始めた。一〇四〇年ダンダナカンの合戦でガズナ軍を壊滅させたセルジューク集団は、余勢をかって五五年にはバグダードに入城するのであるが、このダンダナカンの合戦でのセルジューク軍の戦士の数は一万六〇〇〇であったと伝えられている。遊牧集団全体に占める戦士の比率を低めに見積もって五人に一人が戦士であったと仮定しても、全体の数は八万にすぎない。カラハン朝の遊牧集団はこれより大きかったとしても、到底数十万という数字ではありえなかったと考えられる。

アム川下流域のホラズムは、ステップと砂漠に囲まれて地理的に孤立しているため、イスラーム化以後も土着の政治権力が以前からの称号であるホラズム・シャーを称して存在しつづけたが、一〇一七年にはガズナ朝の支配下にはいり、七七年ころにはセルジュークの総督アヌシュ・テギンが、やはりホラズム・シャーの称号を名乗って支配者となった。彼の子孫はやがて自立し、一二一五年にはガズナ朝にかわったゴール朝を破って、モンゴルの征服までの短期間ではあるが、シル川からイラン全土を含む大帝国を樹立することになる。この王朝は、テュルク的伝統を強固に守ったことで知られ、北方の草原からテュルク系キプチャク部族を招き入れて軍事力を拡張した。その結果この地方のテュルク化は相当程度進展したと考えられている。

カラキタイの建国(一一三二年)によって引き起こされた遊牧部族の移動の規模も明らかではない。カラキタイはカラハン朝の東半を直接の統治下においたが、一一四一年に征服したマー・ワラー・アンナフルでは、自らの宗主権を認めさせて貢納をとる政策を採用した。したがって、この地のカラハン朝はホラズム・シャーに占領される一二一二年まで、またフェルガナのカラハン朝は、カラキタイを簒奪したナイマンのクチュルクに占領される一二一一年まで存続したのである。このカラキタイの宗主権下のマー・ワラー・アンナフルでは、テュルク系遊牧部族の活動が活発化しており、それにともなうある程度のテュルク化の進展を想定することが可能である。

これに続くモンゴルの征服にともない、あらたな遊牧民(その多数はテュルク系であり、モンゴル人はむしろ少数である)が西トルキスタンに流入した。モンゴル帝国からティムール帝国の時代にかけて、彼らは一方で部族組織に属する戦士階層としての性格を維持しつつ、定住化への道をたどった。彼らは一層ペルシア的イスラーム文化に同化し、先にも述べたようにテュルク語を文化的言語として洗練し、中央ユーラシアのテュルク族に共有される文章語、すなわちチャガタイ語を発展させた。定住化したテュルク系遊牧民と元来の定住民との融合が本格化し、同時に後者のあいだにもテュルク語の使用が広まり、とくに都市においては二言語の併用がしだいに一般的になっていった。

十六世紀末以降シャイバーニー・ハーンに率いられたウズベク集団の侵入は、遊牧部族の定住化を促進した。すなわち、彼らがマー・ワラー・アンナフルとフェルガナの最良の牧地を占拠し、もといた遊牧民を追い出したため、後者は定住化の道をたどることをよぎなくされたのである。かくして、西トルキスタンの定住民は、使用言語のいかんにかかわらず、おおむね一様な形質的特徴と文化を共有するようになった。ホラズム、フェルガナ、タシュケントの住民はサルトと称され、テュルク語使用者が多数であったが、二言語使用者もいた。またマー・ワラー・アンナフルでは、住民はタジクもしくはチャガタイと称され、多くはペルシア語使用者であったが、バイリンガルの者もおり、一部にはテュルク語を母語とする者もあった。一九二四年にソヴィエト政権によって実施された、いわゆる「民族・共和国境界画定」は、一民族に一言語という「原則」に基づいて、こうした歴史的状況を力によって否定したのであった。現在の中央ユーラシアのテュルク系諸国家における言語的テュルク化の過程は、まさしくこの時点で最終段階にはいったのである。

第四章　モンゴル帝国とティムール帝国

ここで扱われる時期は、ほぼ十三世紀から十六世紀にあたっている。この間、中央ユーラシア史を動かす二つの要素――遊牧民の軍事・政治力とオアシス定住民の経済力――がもっとも効果的に結びつき、中央ユーラシア世界のエネルギーが最大限に発揮されたのである。とくに前半は、モンゴルという単一政権のもとに中央ユーラシアが統一され、それがさらに周辺地域に向かって拡大して史上最大の帝国が建設された時代であった。ユーラシア大陸の諸地域は、それまでたがいに関係をもちながらも個々に時をきざんでいたが、モンゴルによって統合され、北アフリカをも含めて同じ時系列に従って歴史を展開させていくこととなった。

しかし十四世紀も後半になると、各地のモンゴル政権は衰退に向かい統合のシステムもくずれてくる。そうした時代にあらわれて、いったん崩壊したモンゴル帝国の再建をめざしたのがティムールであった。志は実現しなかったものの、彼はモンゴル帝国旧領の西半分を勢力下におさめることに成功したのである。ティムールとその後継者たちの時代、支配下にあったオアシス諸都市では華麗な都市・宮廷文化が花開き、テュルク・イスラーム文化の結実がみられたのであった。

1　モンゴル帝国の成立

一二〇六年春、モンゴル高原の中央部オノン川の源に近い草原において即位したテムジンは、あらたにチンギス・ハンと名乗った(在位一二〇六～二七)。大モンゴル国《ウルス》が誕生し、中央ユーラシアが世界史の中心となる時代が到来した。

チンギス・ハンの登場

古来モンゴル高原が、中央ユーラシア世界に雄飛した遊牧国家の根拠地であったことは、すでに第一章で述べられている。ところが、八四〇年ころにウイグルの国家が瓦解したあと、三六〇年の長きにわたって、モンゴル高原には統一政権が存在しない「空白」の時代が続いた。これは、ゴビの南を支配したキタイ(契丹)や金が巧みに干渉して、この地に強力な政権が出現しないよう工作していたためであった。

十二世紀後半、高原ではテュルク・モンゴル系遊牧諸集団が割拠していた。東部のタタル部が金の攻撃を受けて勢力を減じたのちは、中央部のケレイト部とアルタイ山脈に近いナイマン部が有力であった。そうしたなか、むしろ小集団であったモンゴル部の有力氏族キヤト氏に属すボルジギン氏にテムジンは生まれた。父イェスゲイ・バアトル、母ホエルン。生年は諸説(一一五五、六一、六二、六七年)あって定かでない。父はキヤト氏の有力者であったが、早くにタタルによって毒殺され、テムジンは母ホエルンとともに、苦難に満ちた少年・青年時代を送ったという。

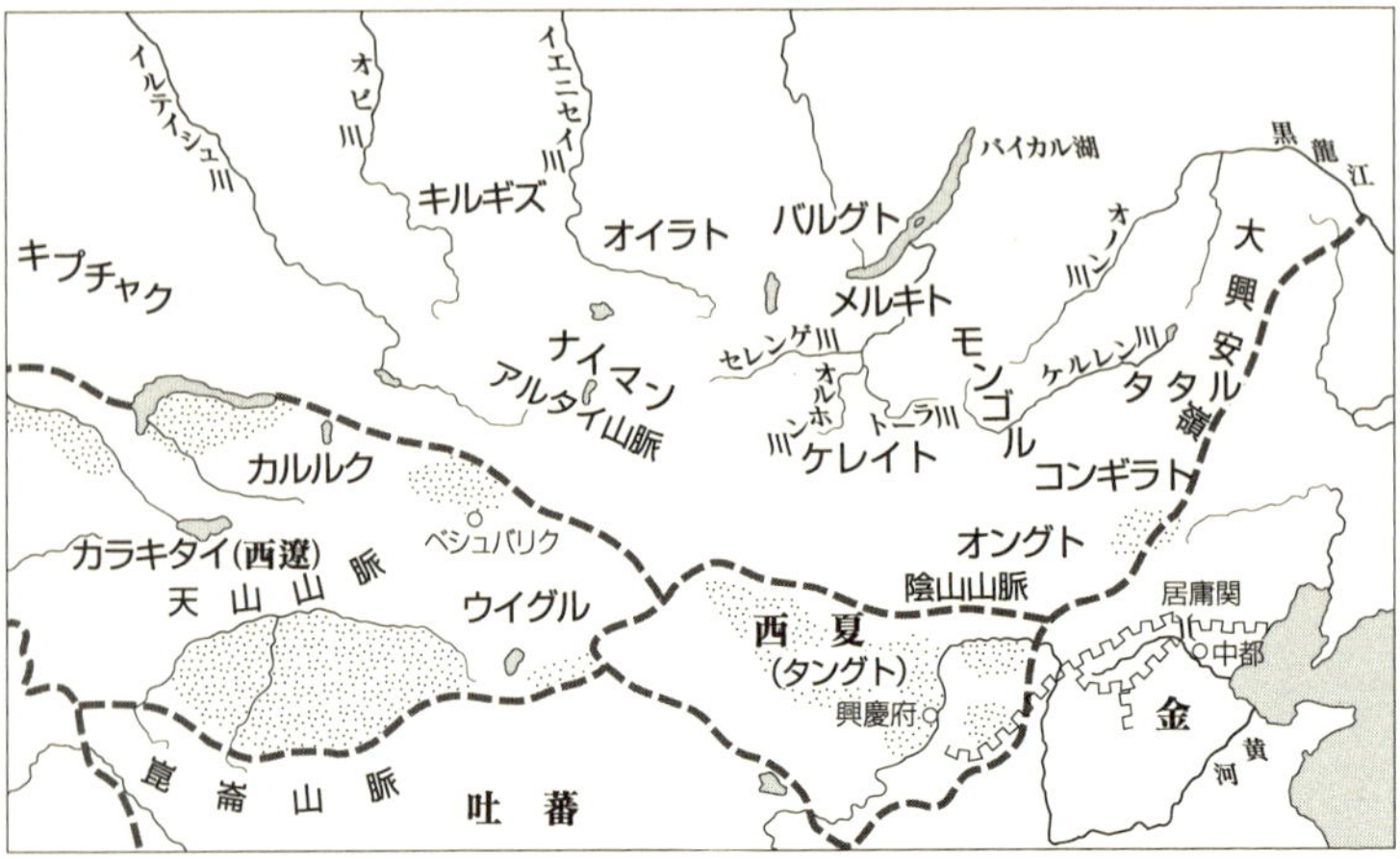

チンギス・ハン登場前夜のモンゴル高原とその周辺

彼の行動をはっきりと把握できるようになるのは、ケレイト部のオン・ハンを奇襲で倒した一二〇三年の秋以降である。一二〇五年の春までにナイマン部を中心にかたちづくられた連合軍を破って、短期間でモンゴル高原のほぼ全域を統合した。一二〇六年は中央ユーラシア史にとって特筆すべき年となったのである。

遊牧民にとって「国」とは人の集まりであった。モンゴル語のウルスも、テュルク語のイル、エルも、「国」をあらわす単語は元来、人の集合体を意味した。国づくりには人の掌握がなによりも重要であった。チンギスが即位後最初に実施したのが、遊牧民集団の再編成であった。支配下にあった遊牧民を数百から一〇〇〇人の戦士を供出することのできる九五の集団(千人隊)に編成した。千人隊は、軍事・政治行政・社会すべての基礎となる組織で、その下は百人隊、十人隊と十進法で組織されていた。国家の要であった千人隊の隊長には功臣たちが任命された。

ついで、千人隊の一部を一族に分与した。杉山正明によれば、チンギスは三人の息子ジョチ、チャガタイ、オゴデイにはそれぞれ四個の千人隊を与え、モンゴル高原の西に連なるアルタイ山脈西麓沿いに、北からジョチ、オゴデイ、チャガタイの順で遊牧地を定めた。一方、三人の弟ジョチ・カサル、カチウン(遺児のアルチダイ)、テムゲ・オッチギンには、それぞれ一、三、五個の千人隊が与えられた。母親のホエルンにも三個の千人隊が分与されたが、そっくりオッチギンが引き継いだので、彼だけが八個の千人隊をもつことになった。彼らは、東方の興安嶺一帯に北からカサル、オッチギン、カチウンの順で牧地をえた。モンゴル高原の東西辺境に、一二ずつの千人隊を擁する一族のウルスを配置したのである。

諸子・諸弟に分与した二四の千人隊以外は、チンギスと末子トルイの直属であった。これらは左右両翼に分けられ、南を前方とするかたちで右翼はハンガイ山脈からアルタイ山脈にかけての高原西部に、左翼は興安嶺までの高原東部に配された。これらは、右翼万人隊、左翼万人隊と呼ばれ、それぞれの長には、第一の功臣ボオルチュと第二のムカリが任じられた。

左右両翼の中央には、ケシクと呼ばれる一万の近衛軍団がおかれた。ケシクのメンバーは千人隊長、百人隊長、十人隊長などの子弟から選ばれたが、有能と認められれば、誰でも採用された。各自身分に応じて三～一〇人の従者をともなっていたので、正規軍は一万であっても実数はその数倍となる。四班に分れ、三日交代でチンギスを護衛した。各班の長には、前述の功臣ボオルチュとムカリのほか、ボロクルとチラウンが任命され、一族・子孫に引き継がれた。ケシク制は、チンギスと日常的に親しく接することにより、絶対的忠誠心をもつ側近を養成し、強い連帯感をもって国家の中枢を担っていく人材を育成するのに有効であった。

チンギス個人の財産は高原中央部に配置された四つのオルド(天幕)に分れ、それぞれをとりしきる皇后によって分割管理されていた。これらのオルドを引き連れて、チンギスはケシクとともに季節に従って本拠地を移していた。

このように、十進法による遊牧民の編成や左右両翼制など、中央ユーラシア世界の伝統を継承しつつ、チンギスは功臣や耶律阿海らのブレーンを側近として、自分に権力が集中する国家体制をつくりあげたのであった。

大モンゴル・ウルスの拡大

国内の整備を終えると、チンギスはただちに対外戦争を敢行した。一二〇七年、長子ジョチに「森林の民」を討たせて北方の安全を確かめ、翌年にはナイマンの王子クチュルクらの残党を掃討した。クチュルクはカラキタイに落ちのび、その王女と結婚したあと、国をのっとってしまう。〇九年チンギスは西夏を屈服させるが、一方で、カラキタイの支配下にあった天山ウイグル王国が服属を申し出た。

第二章でも述べられたように、天山ウイグル王国は元来遊牧民であったウイグルが天山東部のオアシスに移住して、そこの住民を支配下におさめて成立した。彼らは広範囲にわたって通商活動に従事し、国際事情に明るかった。すでに、チンギスはナイマンを征服したとき、ウイグル文字で記された玉璽《ぎょくじ》を手にしていた。ウイグル文字はモンゴル語表記に採用され、読み書きに堪能な彼らに活躍の場を提供することとなった。彼らはモンゴル軍事国家のいわば「頭脳」として、また、イラン系ムスリム集団とならぶ商業勢力として大きな役割をはたすようになる。チンギスはウイグル王に娘を与え、第五の子と呼んで王家の一員とした。続いて、天山西部北麓の遊牧民カルルクもカラキタイを見限ってモンゴルについた。

このように西方をおさえたのち、一二一一年春、チンギスは全軍をあげて金にたいする遠征に出発した。まず、内モンゴル草原にあったキタイ騎馬軍団を、その一族の耶律阿海・禿花兄弟の手引きで味方につけ、同時にそこで養われていた金の軍馬の大半を接収した。ついで華北各地を略奪して、金の都である中都を包囲した。一二一四年三月、金が岐国公主を降嫁させ、毎年銀や絹などをおさめることを条件に和議が成立し、チンギスは軍を引いた。遠征後モンゴル軍の千人隊は、キタイ軍団などを加えて九五から一二九に増加したのである。

ところがその二カ月後、金の宣宗は突然都を黄河の南の開封に移した。金の違約をとがめ、チンギスはキタイ軍を主力とする部隊を派遣して中都を落とした。そして一二一七年、左翼万人隊長のムカリに国王の称号を与えてこの方面の統治を委ねた。

一二一八年、チンギスがホラズム・シャー朝に派遣した通商団が国境の町オトラルに到着したとき、守備隊長のイナルチュクが、彼らをモンゴルのスパイとして殺害し商品を没収する事件が起こった。オトラル事件である。チンギスは責任者の引き渡しと商品の賠償を求めた。これが拒否されると、クリルタイ(国会)を開催してホラズム・シャー朝への軍事遠征を決定し、一二一九年一五万の軍を率いて出発した。

ホラズム・シャー朝は、セルジューク朝のテュルク系奴隷(マムルーク)出身アヌシュ・テギンが一〇七

オトラル遺跡

チンギス・ハン

七年ころホラズム総督に任命されたのが始まりであった。十二世紀前半にカラキタイの宗主権下にはいり、第六代テキシュのとき、キプチャク草原のテュルク系遊牧民のカンクリ族を味方につけて強力となった。セルジューク軍を破ってイランの支配権を握り、七代目ムハンマドはカラキタイとゴール朝を破ってパミール以西の中央アジア全域と現在のアフガニスタンも版図に加えた。一二一七／一八年にはバグダード遠征も企て、東方イスラーム世界随一の強国であった。

杉山正明は、オトラル事件はたんなる口実でチンギスは当初からホラズム・シャー朝を倒すつもりであったと述べる。また加藤和秀は、交易ネットワークの安全と拡大を願うムスリム商人たちが、オトラル事件をひきおこしたホラズム・シャー朝のムハンマドを自分たちの敵とみなし、チンギスの遠征に積極的に参画するにいたったとする。

たしかにチンギス・ハンのマー・ワラー・アンナフル征服は、シナリオがあらかじめ準備されていたかのごとく、じつに整然と実施された。一二一九年末にオトラルに到着したモンゴル軍は、ここで四軍に分けられた。ジョチを隊長とする右翼はシル川の下流ジャンドをめざし、左翼軍は上流のフジャンドへ向かう。オトラルはチャガタイとオゴデイに任せ、チンギス、トルイの中軍は、砂漠を横切る道をとおって、首都サマルカンドの背後ブハラに姿をあらわした。

モンゴル軍を迎え撃つホラズム・シャー軍は総勢四〇万、平原での会戦を避けて各都市に兵を分散配置する作戦をとった。モンゴル軍の得意な戦いを避け、堅固な城壁によって敵の疲れを待つ作戦であったが、むしろ、ムハンマドは自分に必ずしも忠誠ではないカンクリたちの反乱を恐れて、全軍を結集することができなかったのである。

ブハラやサマルカンド、そしてオトラルなどの都市がいつ陥落したか諸史料でくい違いがみられる。しかし、比較的短期間でこれらの町はモンゴルの手に落ち、チンギスは一二二〇年の春のうちに、マー・ワラー・アンナフルの主要な部分を支配下にいれたと考えられる。

ホラズム・シャー朝のムハンマドは首都サマルカンドをすて、ホラーサーン方面へ逃亡した。チンギスは、ジェベとスベデイに二万の軍をつけてあとを追わせた。ムハンマドはイラン各地を逃げ回り、同年十二月にカスピ海上の小島で病死する。一方、追撃軍は彼の消息をつかめぬまま、カフカース山脈をこえて黒海の北のカルカ河畔でルーシ(ロシア)諸侯連合軍と遭遇してこれを破った(一二二三年)。この事件は、ヨーロッパ・キリスト教世界にモンゴルの最初の衝撃を与えることとなった。

チンギス本隊は、ムハンマドの後継者となったジャラールッディーンを追ってアム川をこえ、アフガニスタンにはいった。しかし、険しい山岳地形に悩まされて目立った戦果をあげられず、撤退を決意する。

征服地をゆっくりと戻り、一二二五年春に遠征軍はモンゴル本土に帰還した。チンギスは最大の敵ホラズム・シャー朝を倒し、東はマンチュリアから西はホラーサーンにいたるまで、広大な領域を支配下におさめたのであった。

一二二六年チンギスは、ホラズム遠征に参加を拒んだ西夏にたいして自ら軍を率いた。領内の各都市を陥落させ首都興慶を包囲したが、一二二七年の陰暦八月十五日、六盤山の南麓清水河の地で没した。その三日後興慶は開城した。遺骸はモンゴル本土に運ばれ、生前葬られることを望んだ木の下に埋葬された。

オゴデイ・カアンの治世

チンギス没後二年間は、末子のトルイが国政を代行した。チンギスと行動をともにしていた彼は、チンギスが残した千人隊のうち、一族に分与された分を除く大部分を受け継いでいたうえ、遺産の大半を継承した。ところが、一二二九年に開かれたクリルタイで帝位に就いたのは、チャガタイとオッチギンの支持をえた第三子オゴデイであった(太宗、在位一二二九〜四一)。

即位後ただちに着手されたのが、金朝殲滅《せんめつ》作戦である。留守はチャガタイに委ねられた。右翼軍を率いるトルイは陝西の拠点京兆を落とし、大きく迂回して金の背後を突いた。左翼のオッチギンは、中都から黄河へ向かってゆっくりと南下、恐怖にかられた住民は黄河の南、都の開封とその周辺に大挙して逃げ込んだ。金は開戦前に、流入人口により食料危機と社会不安に直面したのである。一二三二年一月、開封西南の三峯山でトルイ軍と金の主力部隊が衝突した。おりからの猛吹雪のなか、この激戦によって一五万を

カラコルム遺址

オゴデイ・カアン

かぞえる金の主力軍が潰滅したという。

オゴデイは中軍を率い、トルイ軍と呼応して黄河を渡ったが、勝敗はすでに三峯山の戦いで決していた。あとは開封が膨れあがった避難民の人口圧で自滅するのを待てばよかった。わずかな兵を残して、オゴデイとトルイは北へ軍を返した。開封は翌一二三三年に陥落し、そこを逃げ出した金王室も三四年に滅んだ。

帰還の途上、突然トルイが没した。今や、名実ともにモンゴルのカアンとなったオゴデイは、つぎつぎと新政策を実行していく。カアンは、柔然以来君主の称号として用いられたカガン(可汗)に由来し、オゴデイのときに皇帝の称号としてはじめて採用された。

一二三五年、モンゴル高原の中央部に首都カラコルムが建設され、実務機構が整えられた。オゴデイの命令は書記局で文書化され、同じ書記局で財務全般にかかわる帳簿が管理された。首班はウイグル人のチンカイ、西方担当がホラズム出身のムスリム、マフムード・ヤラワチ、東方はキタイ族の耶律楚材などが担当した。中央と対応して、三大属領である華北、トルキスタン(中央アジア)、イランに総督府がおかれ、徴税業務がおこなわれた。帝国各地へは、カラコルムを起点とした駅伝網(ジャムチ)が整備された。中央の命令はすみやかに地方に伝えられ、地方の情報は中央へ集まってきた。オゴデイの治世に、モンゴル帝国は軍事的拡大を続ける一方で、統治体制を整えて征服地の経営にとりかかることになったのである。

東西二方面への遠征が企画された。ひとつは、オゴデイの第三子クチュを総司令官とする南宋遠征であった。ところが、開始早々クチュが急死したため、遠征軍は統制を失って大失敗に終わった。西征はジョチ家の所領として予定されていたキプチャク草原(現カザフ草原~南ロシア草原)の平定が第一の目的であった。総司令官にはジョチの次子で、ジョチ・ウルスの当主バトゥが任命された。副将はキプチャク草原にも分け入った経験をもつスベデイであった。ジョチ家はもちろん、ほかの諸王家からも王子が参加した。のちに皇帝となるグユクもモンケもそのなかに含まれていた。

西征軍はまず、キプチャクと総称されるテュルク系遊牧集団の多くを吸収することに成功する。そして、ヴォルガ川中流域のブルガールを落とすと、翌一二三七年、ルーシ諸公国を征服した。いったん、ヴォルガ川下流域からカフカース方面へ軍を戻してアス族を平定したのち、一二四〇年にはキエフを陥落させ、一隊はポーランドへ進軍して、一二四一年四月、レグニツァでポーランド軍とドイツ騎士団の連合軍を破った。一方本隊はハンガリーに進み、同じ四月にモヒー草原でハンガリー国王軍を撃破し、ウィーン郊外にまで軍を進めたが、四二年三月に、バトゥのもとにオゴデイ死去の知らせが届いた。遠征軍はゆっくりと兵を引く。しかし、バトゥはヴォルガ川下流域にとどまり、ジョチ家は遠征によってえられた広大な領域をわがものとしたのである。

トルイ家の復権

オゴデイと相前後して、そのうしろだてであったチャガタイもこの世を去った。オゴデイの遺骸を守り、オルドを掌握したのは第六皇后のドレゲネであった。彼女は自分の息子グユクを帝位に就けるための多数派工作を展開した。そのかいあって、一二四六年夏のクリルタイでグユクは新皇帝に選出されたものの、まもなく四八年に他界した。

一二五一年七月、帝国の長老で随一の実力者であったバトゥの支持をえて、トルイの長男モンケが帝位に就いた(憲宗、在位一二五一～五九)。即位後、彼は自分の即位に反対したオゴデイ家とチャガタイ家のメンバーを多数粛清した。チャガタイ家の当主には自派のカラ・フレグを指名し、これが急死するとその未亡人のオルクナを就けた。また、ジャライル部のモンケセルを首班とする中央政府の陣容を整え、華北、トルキスタン、イラン総督府の人事を刷新した。

モンケは即位直後に、次弟クビライに中国を中心とした東方経略を一任し、ついで、三番目の弟フレグにイラン以西の経略を委任した。モンゴルの各千人隊から、十人隊当り二人の割合で若い兵を供出させ、十分な準備を整えて一二五三年秋フレグは出発した。彼の当面の標的は、「邪宗者」と呼ばれるイスマーイール派(ニザール派)勢力であった。

イスマーイール派はシーア派の一派で、十世紀初頭、エジプトにファーティマ朝を建てた。宣教活動によってシリアからイランに勢力を伸ばしたが、十一世紀末にでたハサネ・サッバーフは、ファーティマ朝から分れて一派(ニザール派)を形成し、アルボルズ山脈のアラムート山城を根拠地に、東イラン、西南イラン、シリア各地に山城を建設して、スンナ派を奉じるセルジューク朝と激しく対立した。シリアでこれと接触した十字軍は、「暗殺者(アサシン)」の名とともに、ニザール派教団の噂をヨーロッパに伝えた。チンギス・ハンのホラズム遠征時に、教団はいち早く臣従の使者をモンゴルに送ったが、イラン総督府によるイラン支配が開始されると両者の利害が対立するようになる。モンゴル部将が教団の刺客の手にかかる事件が起こり、すでにグユクは教団への攻撃を命じている。

フレグ軍はじつにゆっくりと進軍し、兵員や兵糧を整えて一二五六年の年初にようやくアム川を渡った。一方、父の突然の死により教団の教主となったルクヌッディーン・フルシャーは、モンゴルへの臣従を表明し和平をはかった。しかし、フレグの硬軟おりまぜた政略に抗しきれず、同年十一月に降伏した。

つぎの目標はバグダードであった。七五〇年に政権を樹立したアッバース朝は、二代目カリフ、マンスールのときここに新首都を建設した。それから約五〇〇年、バグダードはアッバース朝の首都として最盛期には一〇〇万をこす人口をかかえ、世界一の繁栄を誇った。十世紀以降、政治の実権はダイラム系やテュルク系の軍人に奪われたものの、カリフは「信徒の長」としてムスリムの精神的支柱であった。

一二五八年二月、モンゴルの巧みな調略によって内部分裂を起こしたバグダードは、有効な対策を講じることもできず降伏した。アッバース家の一族がエジプトに逃れ、マムルーク朝の保護下にカイロでカリフを名乗ったものの、もはやその権威はまったく失われてしまった。

一二六〇年、シリアに進出したフレグ軍は、アレッポ、ダマスクスを陥落させ、エジプトへの進撃に移

戦うモンゴル騎馬兵　モンゴル軍は，騎馬の機動力と強力な弓矢による，離れた位置からの攻撃に最大の威力を発揮した。しかし，ひとたび接近戦ともなれば，長槍や剣が用いられたのである。

ろうとした。そのとき、モンケの死が知らされた。フレグは、先鋒部隊のキト・ブカに後事を託し、残る軍団を率いて帰還の途についた。しかし、タブリーズあたりで、兄クビライ即位の知らせを受けて帰還を断念し、イラン、イラクの地での政権樹立を決意した。このようにしてフレグ・ウルス(イル・ハーン国)が形成されたのである。

フレグ・ウルスの自立は、カフカース方面の領有をめぐってジョチ・ウルスとの対立を引き起こした。キト・ブカ率いるモンゴル軍を、パレスティナのアイン・ジャールートで破ったマムルーク朝は、フレグの勢力をシリアから一掃する一方、キプチャク草原のジョチ・ウルスと急接近した。マムルーク軍人の多くは、キプチャク草原からつれてこられたテュルク系遊牧民出身だったのである。両者に対抗して、フレグ・ウルスは西欧キリスト教世界に共同作戦を提唱するようになる。モンゴルが絶対的な軍事力で他を服従させる時代は終わり、これからのちあらたな国際関係が展開していくのである。

2 クビライ政権

クビライの即位

一二五一年、モンケに南宋征服を柱とする東方経略を委ねられたクビライは、モンゴル高原の東南端、金の中都にも近い金蓮川の草原を本拠地と定めた。ジャライル部のムカリ国王家を筆頭とする五投下(五大遊牧集団、ジャライル、コンギラト、イキレス、ウルウト、マングト)が、クビライのもとであらたに組織化された。

クビライは、オゴデイ時代にクチュの遠征が失敗した教訓から、正面きっての短期決戦を避ける策をとった。翌年、幾多の困難の末、南宋の背後に位置する戦略拠点で、金銀鉱産資源の豊富な雲南の大理を落とすと、後事をスベデイの子ウリャンカダイに託して金蓮川に帰還した。そして、ここに開平府を造営し長期戦の構えをとった。彼の行動を歯がゆく思うモンケは親征を決意する。いったんはクビライをはずし、オッチギン家のタガチャルに左翼軍団の指揮を委ねたが、わずか一週間の攻撃で彼が襄陽《じょうよう》から軍を引くと、ふたたびクビライを起用した。ところが、クビライが遠征軍の編成に手間どっているあいだに、四川に進んだモンケの中央軍が前線で戦うことになった。一二五九年八月、モンケは陣中で急逝する。

汝南にあったクビライは、大方の予想を裏切って北に帰らず進軍して長江を渡り、雲南から敵中を突破して北上するウリャンカダイとの会合地点である鄂州を包囲した。友軍を救出して、自ら遠征軍の殿《しんがり》を務めようとする彼の行動に、中国本土各地に残った諸隊が呼応した。そして、タガチャルに率いられたチンギス・ハンの諸弟を祖とする東方三王家の軍が合流を表明し、ウリャンカダイとも連絡がとれると、クビライはその救出を副将のバアトルに任せて、ただちに中都へ向けて軍を返した。

モンケを継ぐ新皇帝候補としては、遠征の留守をあずかりモンケの葬儀を主宰した末弟のアリク・ブケが有利であった。クビライは翌一二六〇年春、開平府に移動して自派のみのクリルタイを開き即位した(世祖、在位一二六〇~九四)。カラコルムにあったアリク・ブケも、翌月クリルタイを開いて即位、帝国に二人の皇帝がならび立つ事態にたちいたったのである。

クビライ・カアン

四年間続く帝位継承戦争において、正統性のうえではモンケ政権を継いだアリク・ブケに分があった。しかし、中国をおさえ、東方三王家と五投下の軍勢を握ったクビライのほうが、軍事力でも補給面でも優位であった。アリク・ブケはチャガタイ家の傍流アルグを当主の地位に就け、チャガタイ領のオアシスから物資の搬送を約束させた。ところが、オルクナを逐って当主の座に就くと、アルグはクビライと結んでアリク・ブケに反旗をひるがえした。アリク・ブケはこれを討って、チャガタイ領の本拠地イリ渓谷を占領したが、降将を皆殺しにして人心を失い、一二六四年七月クビライに降伏した。

実力で帝位を握ったクビライは、首都をカラコルムから自分の本拠地である上都(旧開平府)と中都に遷し、アリク・ブケ派を処分すると、中央アジア以西の実力者——ジョチ家の当主ベルケ、イランで自立した弟のフレグ、チャガタイ家のアルグに呼びかけて、一二六六年にあらためてクリルタイを開催することを決定した。ところが偶然か、三者があいついで没し、帝国はふたたび混乱へ向かうことになる。

中央アジアの紛争

クビライは、自分の宮廷にいたチャガタイ家のバラクをアルグの後継者として送り込んだ。しかし、オルクナの子ムバーラク・シャーを退位させていったん権力を把握すると、バラクはクビライの期待に反して自立の姿勢を明らかにした。彼とオゴデイ家のカイドゥ、ジョチ家の新当主モンケ・テムルの代理人は、一二六九年夏にタラスで会盟した。三者で帝国の属領であったマー・ワラー・アンナフルの分割を決めると、バラクは中央アジア各地の遊牧諸集団を糾合し、一二七〇年イランの領有をもくろんでアム川をこえた。

前述したように、フレグ・ウルスは北のジョチ・ウルスと西のマムルーク朝という両面の敵をかかえていた。フレグを継いだアバガは、バラクの大軍を迎撃するためにホラーサーンに進軍し、カラ・スー平原においてバラク軍を粉砕した。バラクは単騎でようやくマー・ワラー・アンナフルに到着したが、そこで待ちかまえていたカイドゥに殺害された。バラクを失い、後継者をめぐって混乱するチャガタイ家は、カイドゥに操られることとなった。

一二七一年クビライは国号を大元と称した。中国史でいう元朝(一二七一～一三六八)の成立である。これから約一世紀間、中国史は中央ユーラシア史の一部として時をきざむことになる。同じ七一年にクビライは、混乱する中央アジア情勢を解決すべく、第四子ノムガン率いる大軍をチャガタイ・ウルスの本拠地であるイリ渓谷のアルマリクに派遣した。ホラーサーン駐留のアバガ軍と呼応して、カイドゥらオゴデイ、チャガタイ両家を東西より挟撃しようというのである。ノムガンとアバガは従兄弟であった。

一二七六年、ノムガン軍に従っていたモンケの子シリギ、アリク・ブケの子ヨブクルとメリク・テムルらが陣中で反乱を起こした。反乱自体はすばやく対応したクビライによって鎮圧されたが、中央アジアを直接掌握しようとする彼の目論見は潰えた。反乱軍のヨブクルとメリク・テムルがカイドゥにつき、アルタイ方面に大きく広がるアリク・ブケ家の牧地と遊牧民が彼の陣営に加わった。チャガタイ家ではカイドゥの後見によってバラクの子ドゥアが当主となり、アルタイ地方からマー・ワラー・アンナフルにいたる領域に、カイドゥを盟主とする「国家」がかたちづくられたのである。

クビライにとって最大のピンチは、一二八七年におとずれた。東方三王家を率いるオッチギン家の当主ナヤンが挙兵し、これに応じてカイドゥも軍を東へ進めたのである。クビライは自ら軍を率いてナヤン本軍を急襲、撃破した。東進したカイドゥも、八九年クビライがカラコルムへ出兵すると退却した。

クビライが没して(一二九四年)テムル(成宗)が即位したのち、一三〇〇年から翌年にかけて、モンゴル高原西部およびアルタイ一帯で、中央アジアの総力を結集して進軍したカイドゥと元の軍とが衝突した。

数次の会戦ののちカイドゥは敗走し、そのとき受けた傷がもとで死亡した。チャガタイ家のドゥアは、カイドゥの子チャパルとともにテムルに臣従を誓った。この和合は、ジョチ家、フレグ家にも歓迎され、帝国の紛争は終息したのであった(一三〇五年)。

大都の建設と南宋征服

クビライ政権の基盤は、モンゴル帝国全体からみれば東にかたよっていた。モンケから東方経略を任され、東方三王家を中核とした軍事力によって、開平府で即位したクビライは、自分の権力基盤の中心地に首都を移し、そこから帝国全体に目を配ることとなった。

政権を支えていたのは、もちろんモンゴル騎馬軍団の軍事力であった。そして、当時世界でもっとも人口が稠密《ちゅうみつ》で生産力の高かった中国の経済力と行政組織であった。クビライ政権は比重が東にかたよっていたため、かえって中国をそっくり手にいれることができた。モンゴル草原世界と中国農耕世界双方に権力基盤をもつために、クビライは草原(夏)の都に上都を定め、農耕地域(冬)の都として大都を建設させたのである。

クビライが金の中都の東北郊外、現在の北京の地に帝都の建設を命じたのは一二六六年であった。一二七一年クビライが国号を大元と称したのにともない、建設中の新都は「大都」と命名された。テュルク語の通称で「ハーン・バリク(王の町)」。『周礼《しゅらい》』にいう古代中国理想の都を実現したものであった。それと同時に、池を中心とした広大な草地を皇室の専用地として皇城内に囲い込んでおり、草原の環境がそっく

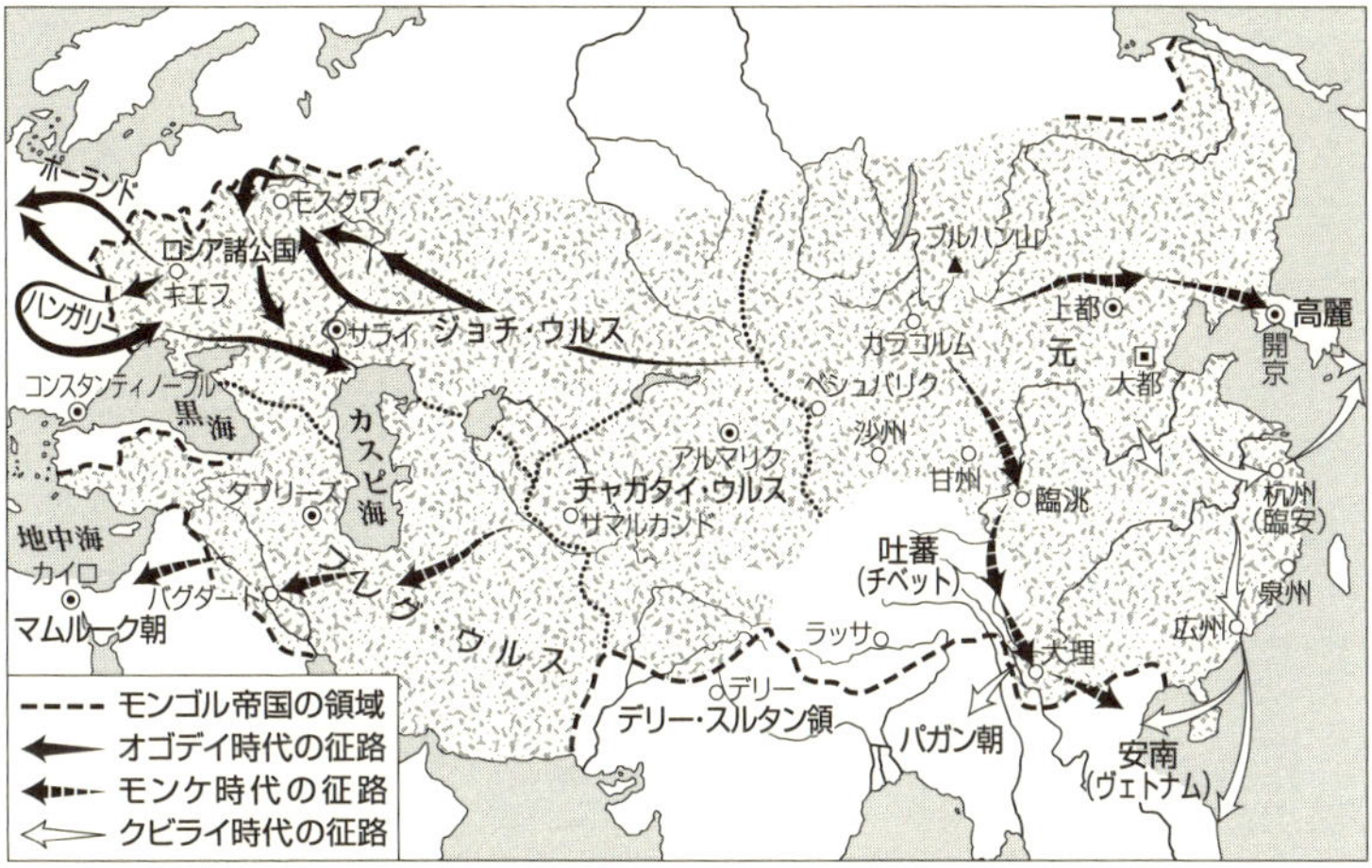

モンゴル帝国の発展と四ウルス

り都市内に持ち込まれていた。

大都のもつ最大の独創性は、内陸都市でありながら港をもっていたことであった。皇城北の巨大な湖水積水潭は、通州とのあいだ五〇キロ、高度差三七メートルを閘《こう》門《もん》式の運河である通恵河で結ばれ、白河を通じて直沽(現在の天津)とつながっていた。陸上の駅伝網が上都をターミナルとして帝国全土へと広がっていたように、通州は水運のターミナルであった。改修された大運河も通州にいたっており、海運と運河経由で江南の物資を効率よく大都へと輸送することができた。このように大都は、計画段階からすでに経済力豊かな江南(南宋)の接収を前提として建設されていたのである。

一二六八年、漢水中流域の襄陽、樊城《はんじょう》包囲作戦から南宋攻撃は開始された。包囲軍は一二七一年六月に范文虎《はんぶんこ》率いる南宋の援軍を粉砕し、マンジャニーク(回回砲)と名づけられた投石機で城壁を破壊した。さしもの守備軍も力つき、一二七三年二月全軍が降伏した。モンゴル軍の本隊は、降将の呂文煥の先導で漢水から長江をくだり、首都臨安は一二七六年正月無血開城した。臨安を逃れた一族も七九年に崖山の戦いで滅び、南宋一五〇年の歴史に幕がおりた。

クビライの経済政策

南宋を手にいれたクビライは、江南を起点として海上貿易ルートの掌握をめざした。すでに八・九世紀以来、広州(のちに泉州)を中心とする中国東南海岸には、ペルシア湾岸の諸都市を母港とするムスリム商船がしばしば来港して活発な取引をおこなっていた。居留する者も多く、九世紀には中国にかんする詳細なアラビア語の記録も残されている。南宋時代、泉州にあって貿易を管理していたのがムスリムの蒲寿庚であった。蒲寿庚に代表されるムスリム商業勢力が南宋滅亡以前にモンゴルと手を結んだのは当然といってよい。彼らの故郷はフレグ・ウルスの領内にあったし、モンゴルの政策はムスリム商人の利害と合致していた。

モンゴルとムスリム商人の協力関係は、文献で確認できるかぎりでもチンギス・ハンの時代にまでさかのぼる。しかも、彼が政権を握る以前、ケレイト部のオン・ハンとの争いに敗れてバルジュナ川に逃れたときに、アサン(ハサン)という名のイラン系ムスリムと接触している。当時モンゴル高原にあったケレイト部、ナイマン部、オングト部などにネストリウス派のキリスト教が広まっていたことはよく知られているが、モンゴル草原と西方世界との結びつきは、われわれが想像する以上に緊密であったようだ。

中央ユーラシアの遊牧国家が、必ず農耕地帯とそこの商業資本を取り込んで成立したことは先の章でも述べられている。またチンギスの中央アジア遠征はムスリム商人の積極的な参加をえて、みごとなシナリオに従って整然と遂行された。チンギスの遠征に限らず、イスラーム世界でのモンゴルの軍事活動には、その方面の事情に通じたムスリム商人が、自分たちの能力と組織をあげて協力している。作戦計画の立案、敵情調査、降伏勧告、外交交渉、軍事物資の調達・輸送など、彼らの担当は多岐にわたった。駐留軍と協力して、征服地の行政・財務を担ったのも彼らであった。中央アジアでは、ホラズムの大商人であったマフムード・ヤラワチに続いて、その子マスウード・ベクがその任に就いている。彼らはオルトク（斡脱）と呼ばれる共同事業組織をつくり、帝国の拡大とともに、さらに大きな商業ネットワークを築いていった。

シャールヒーヤ（旧名バナーカト）遺跡からシル川を臨む

クビライは、より積極的にムスリム商人を国家経営に参画させた。やはりオルトクを形成して広域商業活動に活躍していた仏教徒のウイグル商業集団とともに、さまざまな特権を与え、政権の財務・経済を彼らに委ねた。クビライの財務長官として辣腕をふるったアフマドは、シル川中流域の町バナーカト出身のムスリムであったし、預言者ムハンマドにつながる家柄であるサイイド・アジャッルは、雲南開発で名をはせた。南宋征服戦の補給を河南で担当したアリー・ベグは、前述したマフムード・ヤラワチの一族というように、いずれも、巨大資本をかかえるオルトク組織を背景にもっていた。

クビライ政権の財源は、商業利潤に極端にかたよっていた。農業生産物からの税収は地方で使われ、中央政府は歳入のほとんどを塩の専売と商税に頼っていた。モンゴルの基本通貨は銀であったが、その絶対量の不足を補うために、政府は塩引と呼ばれる塩の引替券を発行した。貴重な塩という裏づけをもつ塩引は、高額な紙幣として流通した。塩引の売上げ代金が政府収入の八〇%を占めたという。

塩引につぐ収入は、税率およそ三・三%の商取引税であった。モンゴル政権は、従来各都市や港湾などの関門ごとに課せられていた税を一切廃止して、最終売却地で一回だけ支払えばよいようにした。その結果として、遠距離交易が活性化し、物流が一挙に急増して商税収入も増大した。商税も基本的には銀でおさめられたため、クビライの手元には膨大な銀が集まることとなった。彼はこの銀を、モンゴル王族たちをつなぎとめるために大量に賜与し、王族たちはそれを出入りのオルトク商人に投資した。このようにして、帝国全域にわたって物と銀の流れが創り出され、巨万の富がふたたびクビライのもとに還流していったのである。

3　モンゴルの平和

西方三王家

アルタイ山脈の西、現在のカザフ草原と南ロシア草原、中央アジア、そしてイラン、イラクには、それぞれジョチ家、チャガタイ家、フレグ家の所領《ウルス》が形成された。これら三王家のモンゴルは、生活習慣も近い多数のテュルク諸族に出会ってしだいにテュルク化するとともに、イスラームを受容していった。そのため、中央ユーラシアは東の仏教文化を中心とした世界と西のイスラーム世界とに大きく分れることになる。

まず、チンギスによってアルタイ山脈沿いに与えられたジョチのウルスは、先に述べたように、その子バトゥを総司令官とする遠征の成果をそっくりわがものとして、キプチャク草原全域へと大きく拡大した。わが国ではこれを「キプチャク・ハーン国」とも呼ぶ。バトゥは帝室の長老として、帝位継承にも大きな影響力をもったが、彼を継いだ弟のベルケも、ジョチ・ウルスをよく統御し、モンケ没(一二五九年)後の混乱期を乗りきった。彼はイスラームに改宗して、フレグ・ウルスと対抗するためにマムルーク朝と手を結んだ。ベルケを継いだモンケ・テムル以降、王統はふたたびバトゥ裔へと戻る。十三世紀末、ジョチ一門のノガイが軍を掌握して権力をふるったが、彼の支援を受けて即位したモンケ・テムルの孫トクタは、コンギラト族の岳父サルジダイを重用してノガイと対立した。両者の争いは長期にわたったものの、最終的にトクタが勝利をおさめた。

トクタ没後、甥のウズベクが、母方の従兄弟であるコンギラト族のクトゥルグ・テムルの助けで政変を起こし、権力を掌握した。彼はトクタの息子たちとの政権争いを有利に導くため、イスラームを受容してムスリムになったという。聖なる戦いの名のもとに政敵を倒し、ムスリム君主としてジョチ・ウルスを統治した。

ウズベクのあと、その子ジャーニー・ベグ、ついで孫のベルディ・ベグがあとを継ぐ。ベルディ・ベグの死(一三五九年)後バトゥ家の嫡流はとだえ、ジョチ・ウルスは、その後二〇年間に二五人以上がハーン位に就くという混乱に陥った。そうしたなか、ティムールの援助をえて、ジョチ・ウルス東部(左翼)の支配権を握ったトカ・テムル(ジョチの第一三子)家のトクタミシュが、首都サライに進出してジョチ・ウルス全体の再統一に成功した。

後述するように、トクタミシュがティムールと争って敗れたあとは、ジョチ・ウルスに強力な統一政権があらわれることはなかった。十五世紀には、ヴォルガ川中流域のカザン、下流域のアストラハン、クリミア半島にあいついでトカ・テムル裔の独立政権が誕生する(いわゆるカザン、アストラハン、クリミア、三つのハーン国)。また、ウラル川以東のキプチャク草原では、ジョチの第五子シバンを祖とするシバン・ウルスがアブル・ハイルのもとで統一され、それに逐われてモグーリスタン(天山西部北麓)辺境に移動した一団はカザフ(カザク)と呼ばれるようになった。

イラン、イラクを領土として成立したフレグ・ウルスは、フレグ没後、第二代アバガがベルケ軍を撃退し、さらにバラク軍を粉砕して国家基盤を固めた。しかし、政権を支える軍事力を維持するための経済的手段は、支配下のイラン人に頼らざるをえず、歴代の君主(イル・ハーン)は確たる財政政策をもっていなかった。ハーン位の継承争いや有力部族長の権力争いは、国庫の枯渇と遊牧戦士の貧困化を招いた。たび重なる臨時税の徴収や紙幣の発行も、財務にたずさわる者の私腹を肥やすばかりで、国庫の回復と遊牧戦士の救済には実効をあげることができなかった。

ガザンが二十四歳で第七代イル・ハーンに即位したとき（一二九五年）、国家は崩壊寸前の状況にあった。彼はまずイスラームに改宗し、『集史』の編纂者としても名高い宰相（ワズィール）のラシードゥッディーンの補佐をえて、反対する者を容赦なく処刑し改革政治を断行した。徴税制度の改革と遊牧戦士へのイクター（封邑）の授与によって懸案の解決をはかり、モスクなどの宗教施設を建設して、モンゴルが無秩序な収奪に明け暮れる異教徒ではなく、イランの地を守るムスリム戦士であることを示した。ガザンが創設した国家機構は、ハーンを頂点として、軍事を司る遊牧貴族（アラビア語でアミール、モンゴル語のノヤン、テュルク語のベクと同じ）と、国政を担当するワズィールがこれを支えるものであった。ワズィールは財務・行政の実務にたずさわるイラン人官僚群と社会秩序の安定をはかるイスラーム宗務関係者を管轄した。

ガザンの治世は九年に満たず、それを継いだ弟オルジェイトが兄の政策を宰相ラシードゥッディーンとともに実行した。やがて、オルジェイトの子アブー・サイードが没して（一三三五年）フレグの嫡流がとだえると、国家の統合は急速に失われ、地方政権が各地で自立するにいたったのである。

チャガタイ・ウルスの自立

中央アジアでは、元軍との戦いに敗れたカイドゥが一三〇一年に没すると、彼を盟主とした連盟は崩壊する。そうしたなかで、つねにカイドゥを補佐してきたチャガタイ家のドゥア・ハーンが動き出す。彼はカイドゥの葬儀をとりしきって中央アジアの第一人者であることを示し、カイドゥが生前後継者に指名していたオロスではなく、あえて暗愚なチャパルをオゴデイ家の当主に推挙して一門の分裂を策した。そして、チャパルとオロスの対立を利用し、元軍と呼応してオゴデイ勢力を個別に撃破していった。中央アジアのオゴデイ・ウルスは消滅し、ドゥアを戴くチャガタイ家の主権が確立した。いわゆるチャガタイ・ハーン国の成立である(一三〇六年)。

同年ドゥアが没し、その子コンチェクも没すると、一族の長老であったタリク(あるいはナリク)が政権を掌握した。これに危機感をいだいたドゥア一門は、ドゥアの少子ケベクを押し立ててクーデタを起こし、タリクを殺害した。そして、この機に乗じてカイドゥ・ウルスの再興をめざし進軍してきたチャパルをも撃退して、アフガニスタンに派遣されていたケベクの兄エセン・ブカをハーン位に推戴した(一三一〇年)。エセン・ブカはケベクの功を認め、チャガタイ・ウルスの経済的中心地であるマー・ワラー・アンナフルとフェルガナの統治を彼に委ねた。これ以降、緑豊かなカシュカ・ダリヤ川流域がケベクの根拠地になった。

エセン・ブカの治下で、しばらくおさまっていた元およびフレグ・ウルスとの対立が再燃する。また、ウルス内部におけるハーンの権威も絶対的なものとはいえなかった。一三一六年には、一族のヤサウルが自分に追随する諸王やアミールらを引き連れてフレグ・ウルスへと亡命する事件も起きている。

エセン・ブカを継いで一三二〇年ころ即位したケベクは、元やフレグ・ウルスとの対立解消につとめる。一三二〇年、ホラーサーンに一軍を派遣し、フレグ・ウルスの軍と呼応してヤサウルを倒す一方、二一年から連年元に使節団を送っている。彼はムスリムではなかったが、オアシス定住地帯の経済的重要性をよく理解し、無秩序な収奪をおさえてイスラーム社会の発展に意を用いた。以前に兄エセン・ブカより統治を委ねられていたカシュカ・ダリヤ河畔に宮殿(カルシ)を建て、イスラーム世界の貨幣制度に範をとって、ディーナールとディルハム二種の銀貨を、一ディーナールを六ディルハムと定めて鋳造した。これらの銀貨はケベキーと呼ばれ、高品位で信頼性が高かったため、中央アジアの基準貨幣として長く使用された。

ケベクを継いだ弟のタルマシリンは、兄と同じくカシュカ・ダリヤ川流域に住み、敬虔なムスリムでテュルク語を話したという。モンゴル王族のテュルク化・イスラーム化が進んでいた様子がみてとれる。しかし、チャガタイ・ウルスの本拠地である天山山脈西部北麓(セミレチエ地方)にあったアミールらの反発を招き、彼らに殺害されるにいたった。

このように、マー・ワラー・アンナフルを中心に、オアシスの豊かな経済力をより効果的に取り込んで政権を運営しようとする勢力と、セミレチエを中心として伝統的な生活習慣や法によって遊牧政権を維持しようとする勢力との対立が深まっていった。前者は自らを「チャガタイ」と称して、定住民を収奪の対象としかみなさない後者を「ジェテ(盗賊)」と呼び、一方後者は、自らを「モグール」と称して、テュルク化・イスラーム化の進む前者を「カラウナス(混血児)」と蔑称した。一三四〇年代になると、両者の反目によってハーン権力はますます弱体化したのであった。

モンゴルのイスラーム受容

モンゴルとムスリム商人とのあいだには、チンギス・ハンが政権を握る以前から緊密な協調関係が築かれており、モンゴルの軍事遠征で、ムスリム商人たちが大きな役割をはたしたことはすでに述べた。また、クビライ政権下で彼らが担った経済的役割についても言及した。一方、中央アジア以西に所領をもったモンゴル王族は、やがて、イスラームを受容し、その支配地域のイスラーム化を促進することになった。

一族で最初にイスラームに改宗したのは、ジョチ家のベルケであった。十七世紀に中央アジアのヒヴァ・ハーン国で書かれた史書は、彼がカスピ海に注ぐウラル川の河口付近に建設されたサライチクで、ブハラからのキャラヴァンに加わっていた二人の賢者から教義を聞いて改宗したと伝えている。また、イブン・ハルドゥーンは彼がブハラのサイフッディーン・バーハルズィー(一二六一年没)に導かれて改宗したと伝える。サイフッディーンは、クブラヴィー教団の創設者であるナジュムッディーンの弟子であった。

クブラヴィー教団がモンゴル王族を改宗に導いた話としては、フレグ・ウルスのガザン・ハーンの例が知られている。彼はすでにイスラームに改宗していた遊牧民たちの支持をえるため、アミール・ナウルーズの助言で一二九五年に改宗したとされるが、その際に彼を導いたサドルッディーン・ハマヴィーの父親は、ナジュムッディーンの弟子であった。サドルッディーン自身スーフィーであるとともに、スンナ派法学(シャーフィイー派)をおさめた学者(ウラマー)であり、同時にシーア派(十二イマーム派)の教義を教授する免許をえていたという。

改宗にスーフィーが関与したとの伝承は、チャガタイ・ウルスでもみられる。タルマシリンはムスリムであったが、一三三四年に反対勢力によって暗殺され、国家の分裂を招いた。チャガタイ・ウルスは、やがてトゥグルク・ティムールによって再統一されるが、彼はスーフィーのジャマールッディーンとの約束に従い、その子アルシャドゥッディーンの導きによって改宗したという。十六世紀の史書には、アルシャドゥッディーンはモグールの戦士を一指もふれずに投げ飛ばすという奇跡を演じることによって、一六万人を一日で改宗させたと伝えている。

スーフィーの起こした奇跡が改宗に大きな働きをした例は、十六世紀に記されたウズベク・ハーンの改宗説話のなかにもみられる。ジョチ・ウルスでは、ベルケの改宗にもかかわらず、彼の死後反対勢力の台頭によって、イスラーム化は進展していなかった。ウズベクを導いたスーフィーのババ・テュクレスは、燃えさかるかまどのなかにあっても、身体の毛一本たりとも焼けることがなかったという奇跡を演じて、ハーンや側近をイスラームに改宗させた。そして、ウズベク時代にジョチ・ウルスの民はみなムスリムになったという。

ナジュムッディーン・クブラー廟(旧ウルゲンチ)

以上述べたように、モンゴル王族の改宗にはいずれもスーフィーがかかわっていたようにみえる。その奇跡譚を割り引いても、モンゴルが理解したイスラームにスーフィズムの要素が含まれていたことは間違いあるまい。

また、ハーンの改宗と同時に多数の者が集団で改宗したとされるのも特徴的である。前述したようにトゥグルク・ティムールとともに、一六万のモグールが改宗したといわれるし、ガザン・ハーンが改宗した日に何万ものモンゴル人が一度に改宗したと伝えられている。こうした集団改宗の話は、十世紀にイスラームを受容した遊牧テュルクの改宗説話にもみられるパターンであるが、トゥグルク・ティムールやガザンの例からも、また、ジョチ・ウルスのベルケやウズベクの話からも、イスラームへの改宗が彼らに大きな政治的利益をもたらしたことをみてとることができる。すなわち、戦いや外交の場においても、統治の場においても、彼らにはムスリム君主というあらたな正当性が付与されたのであった。

東西文化の交流

ユーラシア大陸の東西にまたがる大帝国の出現は、各地の歴史に大きな影響を与えることとなった。

第一に大規模な人の移動が生じた。モンゴル遠征軍に参加した戦士たちは、しばしば新天地であらたな生活を始めたし、征服地の有能な人材や職人たちは強制移住を余儀なくされた。東アジアから中央アジアのオアシス・草原地帯をへて、西アジア、南ロシアに達する広大な領域がモンゴルという統一政権のもとにはいると、さまざまなレヴェルで人間集団の移動が意図的になされた。クビライはキプチャク草原出身のキプチャク・アス・カンクリらの遊牧民を新しい軍団に組織し、自らに直属する親衛軍としたし、雲南開発のために、中央アジアのムスリムやウイグル人が多数入植している。ユーラシア各地のモンゴル政権は、たがいに人材を提供しあい政権の維持につとめたのである。

このような人の移動はモンゴル帝国領内にとどまらず、玉突き現象となって周辺地域へも波及していった。モンゴル軍の進攻を避けて、多くのテュルク系遊牧民がアナトリアに移住し、十一世紀以来続いていたこの地のテュルク化を促進した。北インドではすでに十二世紀後半からテュルク系ムスリムの侵入が本格化していたが、モンゴルの征服活動を避けて、中央アジアやイラン、アフガニスタンから多くのムスリムが流入し、イスラーム化の進展に寄与した。また、モンゴル内部の対立・抗争はモンゴル自身の移住をも引き起こした。フレグ・ウルスからマムルーク朝へ亡命し、ナイル・デルタ西岸のバフリーヤ地方に土地を与えられた一団や、シリア北部に移住してイスラーム化した軍団の存在が知られている。

第二に東西世界の交流が著しく促進された。帝国各地を結ぶ駅伝制度(ジャムチ)が整備され、交通路の安全が確保されたために、旅人はユーラシア大陸の東西にわたって、容易に旅をすることができた。また、泉州をはじめ中国東南部の海港都市と、ペルシア湾のホルムズを中心とする西アジアの諸港とを結ぶ海上ルートが活況を呈するようになった。本田實信のいう「アジア循環交通路」の完成である。

こうした交通路を利用して、ウイグル商人やムスリム商人が大規模な商業活動を展開した。モンゴル帝国を軸とする商業圏は、フレグ・ウルスとの友好関係を利したジェノヴァ、ヴェネツィアなどのイタリア商人やビザンツ商人の参入をえて、地中海世界へと広がっていった。十四世紀より本格化するイタリア・ルネサンスの背景には、モンゴルによってもたらされた世界規模での経済発展があったことを見落としてはならない。また、マムルーク朝治下のカーリミー商人も、地中海と紅海、インド洋にまたがるネットワークを通じてこの商業圏に加わった。とくに、クビライとカイドゥがあいついで没してモンゴル帝国内の紛争が終息し、イスラームを受容したフレグ・ウルスがマムルーク朝にたいして宥和政策をとるようになった十四世紀前半には、日本も含めたユーラシア大陸と北アフリカを包含する大経済圏が機能し、人や物、文化や情報がさかんに往き交う状況が出現した。

帝国各地からは、西方三王家をはじめ王族や地方君主の使節団が大都をめざした。彼らは最高級の特産品や珍奇な品を携えた公的な通商使節であり、時に数百人の規模であったというから、そこで取引される商品は莫大な量にのぼったであろう。また、世界各地から大都をおとずれた商人は数知れない。

宗教者の往来も盛んであった。全真教の祖師長春真人は遠征中のチンギス・ハンを追って中央アジアを旅し、ネストリウス派の司教ラッバーン・ソウマは大都からフレグ・ウルスに、さらにアルグン・ハーンの使者として西欧各地へと赴いた。ローマ教皇の使者として中央アジアを旅したフランチェスコ派の修道士プラノ・カルピニやルブルク、大都にカトリック教会を開いたモンテ・コルヴィノ、日本からも数百人を遥かにこす留学僧が元をおとずれたという。モロッコ生まれのイブン・バットゥータが、各地に在住するムスリムの援助を受けながら中東から中央アジア、さらに、インドから中国をおとずれることができたのもこうした時代だったからである。彼はスペインとサハラ以南のアフリカをも旅し、旅行記『地域の珍奇と旅行の驚異との観覧者への贈り物』(『大旅行記』)を書いたが、人々の注目を惹くことはなかった。マルコ・ポーロの『イル・ミリオーネ(世界の記述)』がヨーロッパで流布し、人々に東方への憧れを呼び起こしたのとは対照的であった。

学術・科学の分野ではとりわけ顕著な交流がみられた。たとえば、大都に建設された回回司天台ではジャマールッディーン(札馬児丁)を長官に天文観測と暦の編纂がおこなわれたが、そこの観測機械はすべてイラン製で、図書館にはペルシア語の図書が備えられていた。フレグ・ウルスでは、ナスィールッディーン・トゥースィーの設計になる天文台がアゼルバイジャンのマラーガに建てられ、中国人学者も参加した正確な天文観測に基づいて作成された「イル・ハーン天文表」が一二七一年に奉呈された。一方、同じ年に建設された回回司天台では、当代随一の科学者郭守敬らによって「授時暦」が編纂され、一二八一年から実施された。明代の大統暦は基本的にこれと変わりないから、授時暦は中国史上最長の三五〇年以上にわたって使用されたことになる。

十四世紀前半に中国の景徳鎮で生産されるようになった染付(青花)も、東西交流によって生み出されたものであった。中国の優れた磁器生産技術と、イランからもたらされた上絵付の技法およびコバルト顔料

ボタン唐草文瓢形瓶(14世紀中頃)　トプカプ宮殿博物館(トルコ共和国イスタンブル)所蔵の品。この博物館にはモンゴル帝国時代に製作された染付の逸品をはじめ，中国陶磁器の一大コレクションがある。

が結びついて染付が生まれた。染付はとりわけ西アジアで人気を博し、高価な国際商品として泉州から船積みされていった。

中国のこのように進んだ陶磁器作製技術は、イランにおける優れた陶器や色タイルの製造をうながした。また、同じくモンゴル政権下のイランで著しい発達をみせたミニアチュール(細密画)に、中国絵画の影響が如実にあらわれているのも、東西の文化交流を示す恰好の材料である。

東西の交流は恐ろしい伝染病の流行をも引き起こした。原山煌によれば、元来、野生の齧歯《げっし》類にあらわれる動物間流行病であったペストは、モンゴル帝国時代に、野生の齧歯動物が豊富に棲む中央ユーラシアの草原が通商路として頻繁に利用されたことによって、急速に拡散されたという。十四世紀中葉、黒死病と呼ばれたこの疫病は、中東およびヨーロッパ各地で猛威をふるい、推定で二五〇〇万人の人命を奪った。元末に中国で発生した疫病も、やはり黒死病であったと考えられよう。

モンゴル帝国の解体

クビライとカイドゥという両巨頭が没し、モンゴル帝国全土に平和がおとずれた十四世紀前半、ユーラシア大陸の東西を長期に覆う大天災のなか、帝国は解体への道を歩み始めた。西方三王家の状況はすでに述べたが、元では、クビライを継いだ孫のテムル(成宗)が没したあと、後継者をめぐる権力闘争がたえず、キプチャク草原出身者から編成された親衛軍団が実権を握っていった。長年にわたる宮廷の乱費と放漫財政によって逼迫した国庫は、あいつぐ天災や疫病に端を発する農民反乱と武装勢力の割拠によって、江南の富が失われたために破綻した。白蓮教徒による紅巾の乱から身を起こした朱元璋《しゅげんしょう》は、一三六八年に南京で即位して明王朝を興した。天災と内紛に苦しむトゴン・テムル(順帝)は大都をあとにし、明軍に占領された大都は灰燼に帰した。

従来中国王朝史では、このときをもって元朝は滅亡したといわれる。しかし、元はけっして滅んだわけではなく、政治の中心を北へ移したにすぎない。これから約二〇年間、元と明とは華北を挟んで対峙することになる。一三八八年トグス・テムルが明軍に急襲され、逃亡中にアリク・ブケ裔のイェスデルに殺害されたことによってクビライの王統はたえた。元朝がクビライ王朝であるとすれば、元はこのとき滅びたことになるのである。

しかし、その後もモンゴルの支配者たちは「大元」の国号を一〇〇年以上使いつづけている。イェスデル以降、さまざまなチンギス裔がハーン位に就いたが、そのほとんどがチンギス家以外の実力者に擁立されたものであった。当時モンゴルで力をもっていたアルクタイ・タイシに擁立されて、一四〇八年に即位したプンヤシュリー(本雅失里)は、政権争いに敗れて中央アジアのティムールのもとに亡命していた王族であった。アルクタイを倒してモンゴリア全域を握ったのがオイラト部のトゴンで、その子エセンは、チンギス家との婚姻をとおして権力の強化をはかる一方、東西に勢力を拡大した。東方では興安嶺をこえて女真(直)族を服属させ、西方ではチャガタイ・ウルスの東半分であるモグーリスタンを制圧した。またムスリム商人を使って経済基盤の安定をはかり、明との通商活動を活発に展開したが、一四四八年に派遣した使節の数があまりにも多かったことから明との対立が生じ、翌年土木の変を引き起こした。一四五二年エセンは自らハーン位に就いたが、クーデタによって五四年に殺害された。

エセン没後の政治的空白ののち、チンギス家の復権をはたしたのがダヤン(大元)・ハーン(在位一四八七～一五二四)で、彼はモンゴルを、自ら直接支配するチャハルおよびハルハ、ウリャンハンからなる左翼とオルドス、トゥメド、ユンニシェブからなる右翼に再編成して政権の安定をはかった。

ハーン位を継承するチャハル王家の権威は、トゥメドを継いだダヤンの傍系の孫アルタン・ハーンの登場によって損なわれることとなった。彼は実権を奪うと明に通貢を要求して侵攻する一方、西モンゴルや青海に達する広大な領域を支配下にいれた。アルタンによって建設されたフフホタは、彼の王国の政治的中心となったばかりでなく、経済的・文化的中心ともなった。とくに、ここは、アルタン時代に再流入したチベット仏教の、モンゴリアにおける中心地となっていくのである。

一六〇四年チャハル王家ではリンダン・ハーンが即位した。彼はモンゴルの統一をめざすが、これに立ちふさがったのが、女真を統一して後金国(のちの清)を建てたヌルハチであった。一六三四年、リンダンが青海方面への遠征の途次没すると、その子エジェイは、元皇帝伝国の玉璽をヌルハチの子太宗ホンタイジに献じ、元朝は名実ともに消滅したのである。

4　ティムール帝国の成立

ティムールの台頭

十四世紀初頭にひとつのまとまりをみせたチャガタイ・ウルスも、一三四〇年代には東西に分裂し、国を支える遊牧戦士たちはそれぞれ「モグール」「チャガタイ」と呼ばれるようになった。マー・ワラー・アンナフルを中心とした西半分の地域では、一三四六年にカザン・ハーンを有力なアミールのカザガンが弑《しい》して実権を握った。ロシアの東洋学者バルトリドはこれ以降を「アミール国の時代」と名づけて、ハーン権力の後退と遊牧諸勢力の台頭を指摘している。カザガンはヘラートやインドへの遠征を企てたが、一三五八年狩の最中に暗殺された。

東のモグーリスタンでも、ドグラト部のアミールが勢力を伸ばしたが、トゥグルク・ティムール・ハーンが即位すると、彼はハーン権力の確立に成功した。トゥグルク・ティムールはイスラームを受容し、カザガンが暗殺されて混乱に陥っていたマー・ワラー・アンナフルに二度にわたって軍を進め(一三六〇、六一年)、久方ぶりにチャガタイ・ウルスを再統一した。ティムールが歴史の舞台に登場するのはこのときであった。

ティムールは一三三六年、ケシュ近郊のホージャ・イルガール村で生まれた。父親のタラガイは、チンギス・ハンがチャガタイに与えた四個の千人隊のひとつであるバルラス部の名門に属していたが、すでに有力者としての地位を失ってわずかな従者を従えるだけの小身であった。ティムールは、青年時代に持ち前の指揮官としての才能を発揮して、しだいに部下の数をふやしていったようであるが、この間の事情について詳しくは知られていない。一三六〇年、トゥグルク・ティムールがマー・ワラー・アンナフルに軍を送ったとき、ティムールはいち早く彼に帰順して父祖の所領であったケシュ周辺の地を安堵された。翌年には、自ら軍を率いて到来したトゥグルク・ティムールより、バルラス部の指揮権を委ねられた。しかしやがて、モグールの支配を脱すべく活動を開始することになる。

当時マー・ワラー・アンナフルでは、チャガタイ・ハーンに従って、中央アジアへ移住したバルラス、スルドゥズ、ジャライル部族などのほか、モンゴル帝国以来の遊牧集団や、その後あらたに形成された諸集団が軍事・政治勢力として存在していた。こうしたなかで、ティムールは、アミール・カザガンの孫で、カラウナス部を率いていたアミール・フサインと行動をともにするようになる。一三六五年、彼らはモグール軍との戦いに大敗して、アム川の南に逃亡した。モグール軍は進軍してサマルカンドに迫ったが、住民たちが都市の防衛に立ち上がり、モグールらを撃退してしまった。

モグールの襲来にたいして都市の防衛にあたった自治組織はサルバダールと呼ばれる。その中心となっていたのは都市の商工業者で、知識人や職人頭が指導者として記録されている。サマルカンドのサルバダール運動が、フレグ・ウルス崩壊後、ホラーサーンのサブザワールに成立したサルバダール朝にみられるように、シーア派のスーフィー教団の影響を受けていたか否かは不明である。都市住民のこうした自治組織は、覇権をめざすフサインやティムールにとって是認できる存在ではなかった。彼らは、サルバダールの自治を認めると偽わって指導者たちをおびきだし、一網打尽に殺害してしまう。ただ、指導者の一人でウラマーのマウラーナーザーダだけは、ティムールによって助命されたという。

サマルカンドを中心として支配権を確立した両者は、やがて宿命の対立を始める。争いは、スルドゥズ、ジャライルなどの有力部族がフサインについたため、ティムール劣勢のうちに和解が成立する。しかし、フサインが根拠地のバルフを要塞化しようとしたのを契機に、遊牧諸集団はフサインに反発し、こぞってティムール支持にまわった。ティムールはバルフへ向けて進軍する途中テルメズ付近で、メッカ、メディナの寄進財産(ワクフ)拡張のために浄財を求めていたサイイド・バラカにあうと、多くを寄進して免税特権を与え、バラカより高貴な者のみがもつ太鼓と旗をえた。アム川を渡ったティムールは、オゴデイ裔のソユルガトミシュをハーンに擁立してバルフを包囲、フサインはメッカへの巡礼を条件に降伏した。町の城塞は破壊され、結局、フサインとその子供たちは殺害された。

実権を握ったティムールは、フサインの妻のうち、カザン・ハーンの娘サライ・ムルク・ハヌムらを娶り、チンギス家の婿(キュレゲン)の地位をえる。そして、遊牧集団の長(アミール)や地方領主、宗教的権威であるサイイド、チンギス裔の王子らの支持を受けて王位に就いた。ティムールが、傀儡《かいらい》とはいえソユルガトミシュをハーンに立て、婿(キュレゲン)となったことは、当時チンギス・ハンの権威がいぜんとして生きていたことを示している。彼はその権威を利用して、遊牧勢力をおさえる一方、イスラーム社会に大きな影響力をもつサイイド・バラカの支持をえて、一三七〇年に政権を獲得したのである。

ティムール政権の確立

ティムールは当初より絶対的権力を握っていたわけではなかった。隙あらば彼にとってかわろうとする勢力は、いまだ健在であった。バルフから帰還して、ティムールは本領のケシュで側近の論功行賞をおこなった。そこでは、ティムールの姉妹の夫であるダーウード・ドグラトを筆頭に、ティムール個人との親しい関係のなかで、彼と苦楽をともにしてきた股肱《ここう》の臣が名を連ねている。彼らがティムール政権を支える中核であった。彼ら新しい支配層をいかに育て、旧来の部族的基盤に立つ勢力の力をいかにそいでいくかが、ティムールに課せられた課題であり、政権強化の道程であった。

政権を樹立した翌年から、ティムールは、モグーリスタンとホラズムへたて続けに遠征する。また、ティムールを頼って身をよせたジョチ・ウルスの王子トクタミシュを支援し、自らも出兵している。モグーリスタンは旧チャガタイ・ウルスの東半で、支配者であるハーンは、ティムールの主家筋にあたる。ティムールにとって、隣接するモグーリスタンの政情が自分の意に従う統治者のもとに安定することこそ、対外的に自政権をゆるぎないものとする第一歩であった。

ホラズムはモンゴル帝国時代、北半分はジョチ・ウルスに、南半分はチャガタイ・ウルスに属していた。ハーン権力の衰退するなか、この地の有力部族であるコンギラトがスーフィー朝を建てて、ホラズム全域を支配していた。ティムールは旧チャガタイ・ウルス領であった南部の返還を要求して出兵し、これを手にいれると、一三七三年に長男のジャハーンギールとスーフィー朝の王女との婚姻をとりまとめて、ホラズム全域を勢力下にいれた。

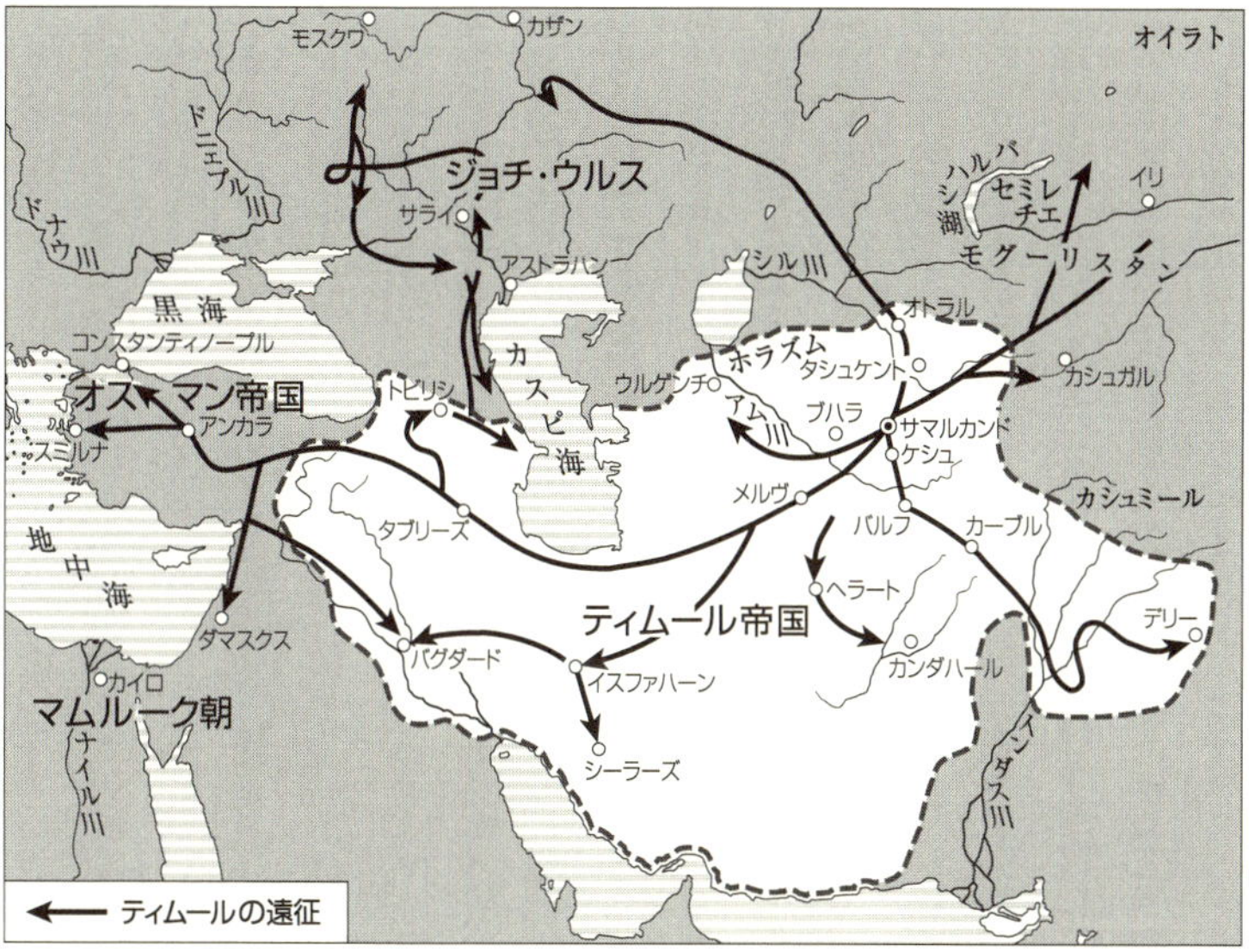

ティムールの遠征とその帝国

ジョチ・ウルスでは、宗家のバトゥ裔が十四世紀なかばでたえて以来、政権争いが激化していた。トクタミシュは、ジョチ・ウルス左翼の支配権をオロス・ハーンと争って敗れ、ティムールを頼った。ティムールは二度にわたって彼に軍勢を与えシル川中流域へと送り出したが、敗退したため自ら出陣して一三七七年にオロスを破り、ジョチ・ウルスの左翼を統括するハーンとして即位させた。トクタミシュはいったんオロスの子に王位を奪われるが、ティムールの援助で返り咲き、一三七八年の春には、首都サライを手にいれてジョチ・ウルスの支配権を奪取した。これによって、ティムールの威光はジョチ・ウルス全域におよんだのであった。

ティムールは翌一三七九年にスーフィー朝の首都ウルゲンチを攻略し、ホラズム全域を支配下におさめる。このようにして即位後一〇年間で、ティムールはマー・ワラー・アンナフルとホラズムを直接支配下におき、隣接するモグーリスタンとジョチ・ウルスを自らの影響下にいれてその脅威を除き、続く西方遠征の足場をしっかりと固めたのであった。

ティムールにとって一三七〇年代の遠征は、自らの権力基盤を強化するうえでも重要な意味をもった。休む暇なく実行された遠征によって、部族集団を率いる旧支配層は政治的策動を企てる余裕を奪われてしまった。一方、ティムールを支える新支配層は、遠征のたびに手柄をあげて多くの戦利品にあずかり、昇進の道が開かれていった。彼らはティムール一族との婚姻によっても社会的地位を上昇させた。こうした状況に不満をいだいた旧勢力のうち、反乱を起こしたスルドゥズとジャライル両部族はたちまち鎮圧され、一三七六年にあいついで解体された。ティムールの出身部族であるバルラスとならんで、チャガタイ・ハーン時代以来の名門であった両部族の解体に象徴されるように、ティムールは旧支配層の政治的影響力を排除して、自らを中心とした新しい秩序を確立したのであった。

ティムール帝国の建設

ティムールのつぎなるターゲットは旧フレグ・ウルス領であった。アブー・サイードが男児を残さず没した(一三三五年)あと、各地で有力集団が自立してフレグ・ウルスは分裂状態に陥った。当時、西北イランからイラクにかけてモンゴルの有力部族であるジャライルの政権、南イランのムザッファル朝、そして、東北イランのヘラートを中心としたカルト朝(クルト朝)とサブザワールによったサルバダール朝がたがいに抗争していた。ティムールは、一三八〇年にカルト朝へ向けて軍を送ったのを皮切りに、八二年にはカルト朝とサルバダール朝を直接支配下にいれてホラーサーン地方を確保した。

　ついでアフガニスタンを攻める一方、ジャライル朝の首都スルターニヤを制圧し(一三八五年)、翌年からの三年戦役では、キリスト教国のアルメニア、グルジアからアナトリア東部へ進軍した。さらに、イスファハーンをへてシーラーズへ入城し、ムザッファル朝を服属させた。この間に、ジョチ・ウルスのトクタミシュ・ハーンがティムール領に攻撃を加えたとの知らせがはいる。一三八八年にサマルカンドへ帰還したティムールは、しばらく北方草原への対応に追われることとなる。

タシュケントのティムール像

　三次にわたるキプチャク草原への遠征によって、トクタミシュに勝利したティムールは、一三九二年から五年戦役に出征する。まず、ムザッファル朝を滅ぼして、ファールス地方の支配権を次男のウマル・シャイフに与えたあと、バグダードへ向かった。ジャライル朝の君主スルタン・アフマドが戦わずしてエジプトのマムルーク朝に逃げたため、ティムールはバグダードに無血入城する。マムルーク朝のバルクークは、ティムールからのアフマド引き渡し要求を拒否しシリアに軍を進めた。そして、ティムールが上イラクから北上した隙をついて、アフマドにバグダードを奪還させカイロに帰還した。

一方、ティムールはデルベントをこえてテレク河畔でトクタミシュを破ると、彼の息の根をとめるべく追撃して、ヴォルガ河畔からドン川沿いに北上、ルーシ諸国に侵入したあと、方向を変えて黒海岸のアザク(アゾフ)にいたり、ヴォルガ川を河口のアストラハンからさかのぼって首都サライを破壊した。この地で冬営したティムールは、翌春デルベントを南にこえ、イラン経由でサマルカンドに帰還した。

一三九六年までに、ティムールは西方遠征の目的をほぼ達成したと考えてよかろう。マムルーク朝のうしろだてをえたアフマドが、いぜんとしてバグダードに居座っているとはいえ、旧フレグ・ウルスの大半を手中にいれ、難敵のトクタミシュを粉砕してジョチ・ウルスの力をそいだことによって、ティムールはあらたな目標に向かうこととなった。

明遠征の計画

一三九七年、ティムールはサマルカンドの東郊にあらたな庭園「よろこびの園」と宮殿の建設を命じた。これは、モグーリスタンの支配者ヒズル・ホージャ・ハーンの娘を妻にむかえるための準備であった。シル川まで出迎えたティムールは、遊牧民の信奉を集めていた聖者アフマド・ヤサヴィーの廟を大々的に修復し、十一月にイスラーム法にのっとりシル河畔で挙式した。そして、明の使節に謁見を許して帰国させたのち、モグーリスタン辺境に要塞を築き、耕作地をふやして穀物の増産につとめるよう命令を発した。

ティムールは明への遠征を考えていた。モンゴル帝国の宗家を北へ逐って中国を支配した明は、帝国の再興をめざす彼にとって、打倒せねばならない仇敵であった。四万ともいう先発隊を送り出し、自らは本隊の準備と編成にたずさわるためにサマルカンドに戻った。しかし、明への遠征は実行されなかった。

一三九八年春、前年末にインド遠征に送り出した孫のピール・ムハンマドがムルタンで苦戦しているとの知らせに、ティムールは予定を変更して急遽インドに出立した。ティムール軍はカーブルからパンジャブ地方をとおり、その年の暮れに、デリー・スルタン朝の支配下にあったデリーを占領した。重税が徴収される一方、ティムール軍兵士による略奪がいたるところでみられ、多くの住民が捕虜となった。市内戦で、抵抗する住民が多数殺害された。翌年正月、多くの戦利品とともにデリーを発って、ティムールはサマルカンドに帰還した。

インド遠征は、もともとティムールの計画にはなかったものであった。デリーをはじめ各地で略奪を繰り返し、破壊的側面を色濃く残した突発的遠征であったといえよう。このとき強制的に移住させた石工を中心とした職人に、彼はサマルカンドの中央モスク建設を命じている。

この年、アゼルバイジャン方面を統治する三男ミーラーン・シャー錯乱の報に出馬したティムールは、ミーラーン・シャーの側近を処刑するとグルジアを襲い、一四〇〇年、アナトリア東部からシリアへ進撃してアレッポを占領、翌年にはダマスクスへ入城した。このとき、ダマスクスに滞在していたイブン・ハルドゥーンは、ティムールと会見し、彼を知恵者できわめて明敏な人物と評している。

ティムールはここからモスルをへてバグダードを占領し、翌一四〇二年には、東アナトリアに勢力を拡

ティムールの中央モスク（ビビ・ハヌム）

アフマド・ヤサヴィー廟

大するオスマン朝のスルタン・バヤズィトをアンカラの戦いで粉砕した。オスマン朝祖宗の地ブルサへと軍を派遣し、自らはイズミルまで進んで聖ヨハネ騎士団の要塞を攻略したが、ティムールにはアナトリアを直接統治する意志はなかった。オスマン朝は一時君主不在の時代をむかえ、そのアジア側の領土は、オスマン朝に所領を奪われた旧領主に委ねられた。一四〇四年七／八月に、ティムールはサマルカンドへ帰還した。

この間ティムールは、アンカラの戦いの直後に、孫のハリール・スルタンを明遠征準備のために帰還させ、一四〇三年にはアゼルバイジャンのカラ・バーグで、自らつくりあげた中央アジア、アフガニスタンからイラン、イラクにおよぶ帝国の諸地域を一族に分封した。マムルーク朝も名目的ではあったがティムールに従い、彼の宗主権を認める勢力も含めて、支配領域は旧モンゴル帝国の西方三王家の範囲をこえて、西はエジプトおよび小アジア半島西端にまでいたった。

一四〇四年十一月、中国をめざすティムールは、二〇万と伝えられる大軍を率いてサマルカンドを出発した。このときティムールはモンゴルから亡命してきたチンギス家の王子をともなっていた。モンゴル帝国を再建して彼を帝位に就け、帝国全土に号令する目論見であったと思われる。ティムール没後、彼はモンゴル高原に帰り、プンヤシュリーと名乗って即位した話は前述した。キズィル砂漠を横断してオトラルにいたったときティムールは発病し、一四〇五年二月に没した。

ティムール政権の性格

ティムールが一代で大帝国を築きえたのは、第一に強力な軍事力を有していたからである。ティムールは、マー・ワラー・アンナフルのオアシス地帯に育ったが、彼やその軍団は郊外の庭園や牧地に天幕を張って生活しており、定住民社会に同化したわけではなかった。騎馬戦術に長けた遊牧民からなる強力な軍団を、ティムールは卓越した指揮能力で操り、戦いを勝利へと導いた。

前述したように、ティムールは支配初期に部族組織を権力基盤とした旧支配層の影響力をおさえ、部族的背景をもたない新支配層を取り立てることによって、自らの命令に忠実に従う軍団をつくりあげた。征服戦争は彼らに莫大な戦利品を約束し、ティムールのみに忠誠をつくす腹心や一族の王子に、新しい領土や職務を生み出した。こうして権力基盤をますます強固なものにしたティムールは、権力を自らに集中し、その分散化を未然に防ぐ方策を同時にとっていった。

征服地には、自らの子や孫を軍団とともに派遣したが、その際有力な部下を後見役に任命し、王子らの行動を監視・制御させた。また、しばしばその統治に介入したり、配置替えを実施して、王子らが自立して自分に対抗する勢力に育つことを防いだ。

腹心の部下たちにたいしても警戒をおこたらなかった。彼らの地位や職は子孫にも約束されており、その社会的優位は保証されていたものの、ティムールは若干の例外を除いて、彼らに領土と軍隊を同時に与えることはなかった。また、国事の重要ポストも、軍隊や土地といった権力養成のよりどころをともなっていなかった。

ティムールが成功した第二の要因は、オアシスや都市のもつ経済的重要性を熟知して、その繁栄をめざしたことである。オアシス定住地域が遊牧政権の経済的基盤をなし、収奪の対象となったのは、中央ユーラシア史を通じていえることであるが、都市近郊で育ったティムールはその価値を誰よりもよく知っていた。首都サマルカンドや故郷のケシュなどに、宮殿やモスク、庭園など多くの建造物を建て、バザールの建設や交通路の整備によって商業の振興をはかった。なによりも征服活動の進展による支配領域の拡大が、商人たちの活動範囲を広げ通商活動を活発化させることにつながっていった。ティムールは都市を征服した場合、抵抗を示さなければ生命保証金の徴収で満足し、略奪や破壊をおこなわなかった。また、各地で灌漑設備の整備につとめている。

当時ティムールの支配下にあった住民は大半がムスリムであった。彼自身もちろんムスリムであったが、けっして敬虔な信徒とはいえず、彼にとってイスラームはむしろ政治の一手段であった。彼は征服活動を聖戦と位置づけ、イスラームの拡大を旗印としてその正当性を主張していた。

ティムールが建設した国家は、すべてティムール個人を中心に構成されていた。生涯の大部分を遠征に費やしたティムールは、必要な仕事を自由に部下に割りあて、きっちりとした行政システムを構築しようとはしなかった。そのため、要であるティムールが没すると、たちまち帝国は分裂の危機をむかえた。各地の王族は、後継者の座をめざして抗争を展開することとなった。

5　ティムールの後継者たち

シャー・ルフ政権の成立

先にみたように、ティムールは征服地の統治を王子たちに委ねたが、これは、征服地域を一族の共有財産とみなすテュルク・モンゴル系遊牧民の伝統に基づくものであった。また、一族でもっとも実力のまさった者が、王族や有力者たちの総意をえて君主位を継承するのも遊牧民の伝統にのっとっていた。ティムールが没したとき、各地に分封された王族は一斉に君主候補者として名乗りをあげたのである。

ティムールは長男の子ピール・ムハンマドを後継者に指名してオトラルで没した。しかし、その遺言は実現しなかった。まず、ティムールが没したとき大軍とともにタシュケントに駐留していたハリール・スルタンがサマルカンドに入城した。ティムールとその時代の政治史を研究するマンツによれば、彼の軍はティムールが征服した諸地域からマー・ワラー・アンナフルへ移動させた混成部隊で、忠誠心を欠いていたため、ハリールは彼らの歓心をかおうとサマルカンドの富を使いはたしてしまったという。

ハリールにかわって権力を握ったのはシャー・ルフ(在位一四〇九～四七)であった。ティムールが没したとき、彼の統治下にあったホラーサーンでは、ティムールの腹心や地方領主の反乱が続発した。これらを鎮圧する一方、彼は麾下《きか》のアミールたちに領地の賜与(ソユルガル)をおこなって、その忠誠心をつなぎとめねばならなかった。

一四〇九年、サマルカンドを占領したシャー・ルフは、統治を十五歳になる長子ウルグ・ベクに委ね、ティムールの寵臣であったシャー・マリクを後見役に任じてヘラートに戻った。自らの本拠地であったヘラートを首都としたシャー・ルフは、ティムール帝国の再統一をめざし、三人の兄の家系から実権を奪って自らの一族に権力を集中させていった。彼はティムール政権を支えた譜代の有力者にかわって、ティムール家と同じバルラス部を除けば、寵妃ガウハル・シャードの実家であるタルハン部をはじめ姻族や子飼いの臣下を重用して政権の基盤を固めたのである。

対外的には、明朝との外交関係を修復して使節の交換をおこない、また、商業活動や農業の振興をはかって文芸を保護したため、その宮廷では顕著な文化的発展がみられた。四〇年近いシャー・ルフの治世は、ティムール一族による支配時代を通じてもっとも安定した時代であった。

しかし、イラン西北部からイラクではトルクメンの活動が活発化し、カラ・ユースフに率いられた黒羊朝(カラ・コユンル)が強力となった。シャー・ルフによる三回の遠征のかいもなく、アゼルバイジャンはティムール帝国の支配から抜け落ちたのである。

一四四七年シャー・ルフが没すると、一族の王子たちが各地で独立した。また、北方では遊牧民のウズベクやトルクメンの活動が活発となった。サマルカンドの統治を委ねられていたウルグ・ベクは、翌年へラートに入城して王位を継承したが、ウズベクの中央アジア侵入を聞いて、父の遺骸をともない本拠地のサマルカンドへ引き揚げた。一四四九年、ウルグ・ベクは息子のアブドゥッラティーフに殺害され、帝国の再統一はシャー・ルフ家とは別の家系に委ねられることとなった。

ティムール帝国の分裂

シャー・ルフ没後の混乱をおさめたのは、ミーラーン・シャー家のアブー・サイードであった。彼はトルクメンのアルグン部の軍事力を背景に台頭し、一四五一年にウズベクのアブル・ハイル・ハーンの援助をえてサマルカンドを奪取した。そして、タシュケントからナクシュバンディー教団の指導者であるホージャ・アフラールを招聘し、その宗教的権威を恃《たの》んでマー・ワラー・アンナフルを掌握した。

一四五七年には、ホラーサーン情勢の混乱に乗じて出兵したが、ヘラートを占領できず、翌年黒羊朝のジャハーン・シャーがヘラートへ入城した。しかし、アゼルバイジャンで生じた反乱のために、ジャハーン・シャーは占領地をアブー・サイードに引き渡して本国へ帰還せざるをえなかった。アブー・サイードはホラーサーンほかイラン東部地域を支配下にいれ、シャー・ルフ以来となる帝国の再統一をなしとげた。

アブー・サイードは黒羊朝とは友好関係を保ったものの、国の東北方面では、ウズベクやモグールの侵入、そして、ウルグ・ベクの孫ムハンマド・ジューキーの反乱に悩まされた。彼は領内にいたモグールのユーヌスを、モグーリスタンのハーンとして送り込んで東方の安定をはかる一方、一四六七年に白羊朝(アク・コユンル)がジャハーン・シャーを倒して台頭すると、旧領土の奪回をめざして出撃した。しかし、白羊朝のウズン・ハサンのためにかえって敗れて殺害された(一四六九年)。

アブー・サイード没後、長子アフマドがあとを継いだ。しかし、彼はサマルカンドを中心としたマー・ワラー・アンナフルを確保しただけで、ホラーサーンはウマル・シャイフ家のスルタン・フサインがヘラートによって統治することとなった。

サマルカンドでは、アブー・サイードのときから大きな影響力をもっていたホージャ・アフラールが、政治的・宗教的に絶大な力をふるうようになった。彼には多くの寄進財産(ワクフ)が委ねられたほか、中央アジア各地に莫大な不動産と商業資本を保有して、経済的にもマー・ワラー・アンナフル随一の実力を有していた。スルタン・アフマドの二五年におよぶ治世では、ほとんどのことがらがホージャ・アフラールのおかげで公正に法にのっとって解決され、サマルカンドの人々は、「平安にのんびりと」日を過ごしたという。

一四九四年にアフマドが没し、あとを継いだ弟のマフムードが支配半年にも満たず没すると、足かけ六年のあいだに、三人の王子が五回王位に就くという内訌《ないこう》が生じた。ここで展開された抗争は、ティムール家の王子たちの争いであるだけでなく、国家の軍事・行政を支えていた有力アミール層のうち、名門のバルラス部とアブー・サイード時代に力をもった新興勢力アルグン部との対立を背景としている。また、ホージャ・アフラールの二人の息子も、たがいに反対派にまわって抗争に加わっている。これに外部のモグールとウズベク両勢力が干渉して、サマルカンド政権を崩壊へと導いていくのである。

一方、ヘラート政権は、一四七〇年にヘラートを奪還したスルタン・フサインによって打ち建てられた。

彼は四〇年近くホラーサーンを支配し、アム川を挟んで北のサマルカンド政権とも、また、西方の白羊朝とも友好的な関係を保った。この平和の時代、優れた教養人であったフサインや宰相のミール・アリー・シール・ナヴァーイーなどの文芸保護活動によって、ヘラートの宮廷を中心にティムール帝国時代随一の文化が花開いたのであった。

しかし、長く続いた平和は、王族にも臣下のアミールたちにも戦いを忘れさせることとなった。一五〇〇年にサマルカンドを征服したウズベクのシャイバーニー・ハーンにたいして、フサイン没(一五〇六年)後のヘラート政権はなんら有効な軍事行動をとることができないまま、その軍門にくだったのである。

ティムール帝国の行政機構

ティムールは生涯を通じて、確固とした行政システムを構築しなかったと考えられるが、その後継者たちの時代についても不明な点が多い。近年、久保一之によって提示されたスルタン・フサイン政府の行政機構モデルによりつつ、ティムール帝国の行政機構についてみてみよう。

まず、君主のかたわらにあって、勅書の発行を司っていたのがパルヴァーナチで、玉璽を管理し捺印を担当したムフルダールおよび勅書作成の実務にあたったムンシーとともに、以下で述べる軍務庁・財務庁両官庁で遂行される文書行政の中枢に位置した。そのほか側近のなかには、君主の警護を担当する親衛隊長、日々の食事や酒宴、鷹狩りや幕営にかかわる官職などが含まれていた。

国政の柱となっていた軍務庁と財務庁は、それぞれ数名のアミールによって統轄されていた。アミール

スルタン・フサインの肖像

たちの最上位に位置づけられていたのが、アミール・アル・ウマラー(アミールのなかのアミール)であった。久保によれば、ティムール帝国期にアミールという語は、遊牧貴族の身分を示す称号としてだけでなく、官職・地位をあらわすこともあったという。軍務庁は軍隊の召集・監督をはじめとする軍務を司り、「ヤサの民」と表現されるテュルク・モンゴル的慣習法の規範のなかで生活する軍人たちを管轄していた。実務は書記(バフシ)と軍隊監督官(トヴァチ)が担っていた。

財務庁は徴税・財務を扱い、都市と農村の発展につとめて納税者である住民の保護をおこなった。実務はタージィーク(イラン)系のワズィールが担っていた。彼らは中・下級官吏任用権をもち、事実上財務庁を運営していた。彼らの最有力者がディーワーン監督官として、ワズィールらを統轄した。軍務庁と財務庁は、それぞれテュルク・モンゴル系遊牧民社会とタージィーク系定住民社会に対応していたのである。

両官庁とは別に、イスラーム社会の宗務長官の役割を担っていたのがサドルであった。サドルの職掌は、サイイド(預言者ムハンマドの子孫)やウラマー層の統轄と、ワクフ運営の監督であった。サドルはカーディー(法官)やムフタスィブ(違法行為取締官・市場監督官)などシャリーア(イスラーム法)にかんする諸官職者の人事権を握り、サイイドやウラマー、ワクフ関係者にたいして絶大な影響力をもった。ティムール帝国では、サドルを政権内の行政官と位置づけることによって、支配下にあったムスリムすなわちタージーク系定住民社会の掌握が意図されていたのである。

以上みてきたように、ティムール帝国の行政機構は、テュルク系軍人とタージーク系定住民にたいする二元体制をとっていた。久保によればスルタン・フサイン政権では、かたちのうえではテュルク系軍人が上位を占めていたとはいえ、国家財政安定のために、行政上の実権はタージーク系財務官僚・側近に集中していた。そして、彼らの進出がこの時代の「輝き」と密接に結びついているという。彼らのもつ豊かな経済力が慈善活動や建設事業、文人・芸術家の保護活動に向けられることによって都市文化・宮廷文化の繁栄がもたらされたのである。

ウズベク遊牧政権とカザフ

十五世紀前半、ジョチ・ウルス東部において、ウズベクと呼ばれる遊牧集団の活動が活発化してくる。彼らを率いたのがジョチの第五子シバンの後裔アブル・ハイル・ハーン(在位一四二八〜六八)であった。彼はモンゴル時代から名の知られたブルクト部の支援を受けて即位し、シバン家のライヴァルを倒すと、宗主であったサライ政権からの独立を宣言した。一四三〇／三一年にはティムール帝国領ホラズムに遠征して豊富な戦利品を獲得し、彼に従う遊牧民たちを満足させて政権の強化につとめた。そして一四四六年に、キプチャク草原東部の統一に成功したのである。

同年アブル・ハイルは、シル川中流域のオアシス都市スグナク、サウラン、ウズゲンドを占領して、政治的・軍事的拠点とするとともに経済的基盤を固めた。シル川中流域は、モンゴル時代から北のジョチ・ウルスと南のチャガタイ・ウルスの境界にあり、南北の勢力双方にとって重要な戦略拠点であった。またここに点在するオアシス都市は、遊牧民と定住民とが交易などをとおして日常的に交流する場でもあり、とくに、遊牧勢力にとっては経済的に重要な意味をもっていた。シル川中流域をそれまで根拠地としていた一団は、アブル・ハイルによって圧迫を受け、ケレイ(ギレイ)・ハーンとジャーニー・ベク・ハーンに率いられてモグーリスタン辺境へと移住した。彼らはウズベク＝カザフあるいはたんにカザフと呼ばれ、現在のカザフ民族の起源となった。

ティムール帝国でシャー・ルフ没後の内訌が生じると、一四五一年にアブル・ハイルは、アブー・サイードの要請で出兵し、そのサマルカンド奪取を助けた。アブー・サイードはアブル・ハイルを恐れて城外にとどめ、莫大な贈り物と、ウルグ・ベクの娘ラビア・スルタン・ベギムを贈って引き揚げさせた。

一四五六年アブル・ハイルは中央アジア草原に進出したカルマク(オイラト)軍と戦って敗れ、その権威は失墜したものの、君主の座をめぐって争うティムール家の王子たちからはしばしば援軍の要請があった。一四六八年に、援助を求めてアブル・ハイルをたずねたスルタン・フサインは、一週間におよぶ酒宴で酩酊しなかったため援軍の約束をとりつけたという。しかし、アブル・ハイルがその年没したためにこの約束は実現しなかった。

アブル・ハイルが没すると、ウズベクのウルスはたちまち分裂状態に陥った。ウルスを構成していた多くの遊牧民は、先にモグーリスタン辺境へと本拠地を移していたケレイ、ジャーニー・ベク両ハーンを君主とあおぎ、その数二〇万に達したという。のちにウズベクがマー・ワラー・アンナフルへ移住すると、カザフはキプチャク草原の遊牧民を麾下におさめ、カーシム・ハーン(在位一五一一～一八)の時代には強力な遊牧国家に成長していった。彼らは、シル川中流域やセミレチエ地方のオアシス都市を支配下にいれ、東西トルキスタンをしばしば攻撃して周囲の諸勢力に恐れられた。十八世紀前半までには、シル川中流域を扇の要の位置において、セミレチエ地方の大ジュズ、現カザフ草原中部の中ジュズ、同じく西部の小ジュズという部族連合体が形成されたが、最終的にはロシアの支配下にはいることとなった。

アブル・ハイル没後四散した遊牧民を再統合して、ウズベクの復興をなしとげたのが、孫のムハンマド・シャイバーニー・ハーンであった。彼は祖父の死後各地で亡命生活を送ったあと、ティムール一族の内部抗争に乗じてシル川中流域に拠点を築き、一四九六、九七年の交、アブル・ハイル時代より数が減じたとはいえ、ウズベク遊牧集団の再結集に成功したのである。

シャイバーン朝の支配

一五〇〇年、シャイバーニーはサマルカンドを征服し、マー・ワラー・アンナフルの支配権を奪取した。

これから一五九九年まで、一時的な中断はあるものの、アブル・ハイルの子孫がこの地に君臨する。われわれは普通この王朝をシャイバーン朝と呼ぶ。

シャイバーニーは、一時ティムール家のバーブルにサマルカンドを奪われるが、三カ月余りで奪還し、一五〇三年にアム川上流域のクンドゥズからフェルガナ盆地・タシュケントを、〇五年にホラズムを占領した。一五〇七年には、スルタン・フサイン没後のヘラートを占領してティムール帝国を滅ぼし、ホラーサーンにまで支配領域を拡大した。

しかし、一五〇八〜〇九年の対カザフ遠征は成功をおさめることができず、アフガニスタンのハザラ族にたいする攻撃も失敗したうえ、王族にたいする分封政策の失敗から彼らの支持を失うこととなった。おりしもサファヴィー朝のシャー・イスマーイールがホラーサーンへの進軍を開始し、援軍をえられぬままシャイバーニーは一五一〇年にメルヴ郊外で敗死したのである。

この機に乗じて、バーブルはシャー・イスマーイールから援軍を受け、翌一五一一年サマルカンドを奪い返した。しかし、バーブルの権力基盤はきわめて脆弱であった。四万とも五万とも伝えられるバーブル軍のうち、最大の勢力はシャー・イスマーイールから遣わされたトルクメン遊牧部隊(キジルバシ)であった。あとは、モグールやチャガタイなどの混成部隊で、バーブルが自ら率いる手勢はむしろ少数であった。また、シャー・イスマーイールの援助をえるためにシーア派に宗旨替えしたことや、軍費を捻出するために銅貨の改鋳を実施して経済的混乱を招いたことなどによって住民の支持を失っていた。

一五一二年、数では遥かに劣るウズベク軍がバーブル軍に勝利した。バーブルは中央アジアの支配を最終的に諦めて、アフガニスタンのカーブルからインドに新天地を求める。一五二六年パーニーパットでローディー朝軍を破り、デリー、アーグラを占領して、インドの地でティムール王朝を再興したのである。われわれはこれをムガル朝と呼ぶが、ムガルとはモンゴルの訛音である。

バーブル軍の駆逐という軍事的成功を受けて開催された王族功臣会議では、シャイバーン朝のハーン位に一族内で最年長であったクチュクンジが推戴された。各王族には、征服地がそれぞれの所領として割りあてられたが、クチュクンジ自身は国家統合の要として首都サマルカンドとその周辺をおさえた。国家の軍事・外交を担ったのは、対バーブル戦を指揮したウバイドゥッラーで、ブハラを所領とした。クチュクンジのあとは、息子のアブー・サイードが継ぎ、ついで実力者のウバイドゥッラーがハーン位に就いた。彼は即位後も根拠地であるブハラから動かなかったため、サマルカンドとならんでブハラの重要性が増大することとなった。

ウバイドゥッラー没(一五四〇年)後、それまで強敵のサファヴィー朝を前面において統一を保っていたシャイバーン朝は、強力な君主の存在を欠いて分裂の時代をむかえる。アブドゥッラー一世の短い統治のあと、弟のアブドゥッラティーフが即位すると、ブハラでは、ウバイドゥッラーの子アブドゥルアズィーズが自らハーンを宣言した。両者の争いは一〇年余り続いた。一五五二年、一族のバラク・ハーン(ナウルーズ・アフマド・ハーン)は、所領であったタシュケントから出馬してサマルカンドを占領し、国家を再統一した。

バラク・ハーンについで権力を握ったのが、アブドゥッラー二世であった。彼は一五五六年にバラクが

アブドゥッラー・ハーンの屋根付き市場

没すると、一族の最長老であった伯父のピール・ムハンマドをハーンに推戴した。一五六一年にピールが死ぬと、父のイスカンダルをハーン位に就けて、実質的に権力を掌握した。この間一五五七年にはブハラを奪い、以後ここが国政の中心となる。彼が即位するのは、父親が没する一五八三年であるが、それまでに各地に所領をもつ王族を力で屈服させ、着々と中央集権化を推し進めた。

即位後、彼は内政の充実に力を注ぐ。まず新しい貨幣を鋳造し、各地方の王族がそれぞれ発行していた貨幣を整理した。これによって、それまで各都市で異なっていた通貨が一元化され、商取引の円滑化がはかられた。アブドゥッラーは首都ブハラの建設にも力をつくした。町の西側に新しい城壁を建設して市域を拡大し、マドラサやその運営資金を提供する公衆浴場などを建てたほか、町の中心部に三つの屋根付き商店街や屋根付き市場を建設するなど商業施設の整備・拡充につとめた。また、新しい灌漑施設を建設して農業生産の向上をはかるなど、経済力の強化をめざした。こうした一連の施策により、ブハラを中心とした経済活動が活発化し、国家財政が好転して政権の経済基盤が安定したのであった。

一五八四年にアム川上流域のバダフシャン地方を占領したのを皮切りに、アブドゥッラーは対外遠征を開始する。一五八八年にはヘラートを占領し、さらにホラーサーン全域をも支配下にいれた。一五九三／九四年には、ヒヴァ・ハーン国支配下のホラズムを征服し、中央アジアからアフガニスタン北部、イラン東北部にいたる広大な領域を支配して絶頂期をむかえたのであった。

一五九八年にアブドゥッラーが没した。あとを継いだその子アブドゥル・ムウミンは人望がなく、六カ月の統治のあと暗殺された。この混乱期に、北から侵入したカザフとの戦いを指揮したのがピール・ムハンマド二世であった。彼は、ジャーニー・ムハンマド一族の援軍をえてカザフ軍に勝利した。ジャーニーは、ジョチの子トカ・テムルの後裔で、父ヤール・ムハンマドのときロシア軍に逐われてアストラハンから移住してきた。彼らはシャイバーン朝王家と通婚したが、ジャーニーの妻はアブドゥッラー二世の妹であった。

一五九九年、ピール・ムハンマドが没してシャイバーン朝の男系がたえると、ハーンに推挙されたジャーニーは、シャイバーン朝の血を引く王族の即位を主張した。そのため、アブドゥッラー二世の甥にあたる息子のバーキー・ムハンマドが即位して、新王朝ジャーン朝を開くことになった。

シャイバーン朝の国家体制

シャイバーン朝は、中央ユーラシア遊牧世界の伝統を引く国家であった。まず、君主はチンギス・ハンの血を引く一族の王子のなかから選出された。それを支えた軍団は、遊牧集団を単位として編成されていた。なかには、モンゴル帝国時代、あるいはそれ以前から活動が知られている集団名もみられる。また、王家や軍隊にかかわる諸問題は、遊牧世界古来の慣習法(ヤサまたはトレ)にのっとって解決がはかられた。さらに、征服地を一族の共有財産とみなして各王家に所領として分配している。シャイバーン朝では各王家の独立性が強く、王朝の創設者であるアブル・ハイルの四人の息子を祖とする家系が有力であった。

一方、シャイバーン朝の支配者たちはまぎれもなくムスリムであり、ウズベク遊牧民や領内の住民もほとんどがムスリムであった。実行に移されるさまざまな施策は、イスラーム法にのっとって企画されねばならなかった。もっとも、為政者にとってイスラーム法の尊重は、あくまでも統治の一手段であったとみられる。

シャイバーニー・ハーンと当代随一の法学者イブン・ルーズビハーンとの対話を研究した磯貝健一は、君主は自分の行為を正当化するためにイスラームを利用したと結論した。しかし、シャイバーニーがヤサの規定をイスラーム法理論を用いて強引に合法化しようとした際には、イブン・ルーズビハーンに論駁されて撤回したという。これは、ヘラート征服のときにワクフ財産を没収するなど、イスラーム社会の秩序に悖《もと》る行動が目立つシャイバーニーであっても、法学者の見解を無視して政策を実施することはできなかったことを示している。

シャイバーニーの甥ウバイドゥッラーにかんしてある史書は、彼が公正で有徳、敬虔で禁欲的な君主であり、宗教・国家・軍事・臣民にかかわるすべてのことがらをイスラーム法の規定にのっとって処理した。彼は書道や詩、音楽にも通じており、多くの文化人を保護したため、彼の支配するブハラは、スルタン・

フサイン時代のヘラートを思い出させるほどであったと伝えている。国事や軍事にいたるまで、すべてイスラーム法に従ったとの記述をどこまで信用するかはさておき、シャイバーン朝の君主やウズベクの高官が、建設事業や商業振興策によって都市の発展に寄与し、文化人を保護してティムール帝国時代の文化の摂取につとめたことは事実である。イスラーム社会の統治にあたり、彼らは、イスラーム社会の発展に寄与する理想的な君主として評価されるよう努力していたのである。

遊牧政権とタリーカ

先に、十五世紀後半のサマルカンドにおいて、スーフィー教団(タリーカ)の一派であるナクシュバンディー教団のホージャ・アフラールが政治の舞台でも大きな力をふるったことを述べた。スーフィズムは、アッバース朝(七五〇～一二五八年)治下でイスラーム法が体系化されていった八世紀末～九世紀に、信仰の形骸化にたいする危機感から、行為の内面性を重視する運動として始められた。スーフィーの道を求める者は、導師の指導下に禁欲的な修行をとおしてひたすら神を思念し、忘我状態となって神との神秘的合一をめざした。

十二世紀ころから、スーフィーの道を究め、聖者と尊崇される人物を教祖とする教団組織が形成され、その活動が活発化する。最後の審判の日、確実に楽園へいくことのできる聖者の葬られた場所は、神にもっとも近い場所と考えられ、人々は自分もそこに葬られることを望んだ。また奇跡を起こす力をもつと信じられた聖者に、神へのとりなしを求め、現世におけるご利益を願った。教祖の法灯を継ぐスーフィー、とくに教団の指導者たる導師(シャイフ)には多くの人が帰依し、財産が寄進された。私財を寄進した者には教団の保護が約束され、社会にたいする教団の影響力が増加することになった。

教祖の墓には立派な廟が建てられ、モスクや道場が建設されて教団の活動の中心となった。教団専属のスーフィーたちは、伝道師となって各地に教団の支部を開設し、それらがさらに細胞分裂して教団独自のネットワークを形成した。ネットワークは国境をこえて拡大し、商人たちに恰好の拠点を提供した。

十五~十六世紀の中央アジアで社会的影響力をもったタリーカとしては、ナクシュバンディー教団、クブラヴィー教団、ヤサヴィー教団などの名をあげることができる。ベルケ・ハーンやガザン・ハーンなどモンゴル王族の改宗に、クブラヴィー教団の導師が大きな役割を演じたとの伝承は先に紹介した。同教団はこの時代に、ホラーサーンから中央アジアへも進出し、サマルカンドを中心に活動を展開した。ヤサヴィー教団については、教祖アフマド・ヤサヴィーの廟をティムールが修復したことを述べたが、アブル・ハイル・ハーンの帰依を受け、十六世紀にもシャイバーン朝王族のなかに信奉者をえるなど大きな影響力をもった。

しかしながら、中央アジアの政治と社会にもっとも重大な影響をおよぼしたのはナクシュバンディー教団であった。その前身であるホージャガーンの法灯を継ぐバハーウッディーン・ナクシュバンドを名祖とする。

そもそもスーフィズムがめざす「神にいたる道」は、すべての世俗的ことがらからの脱却、とくに、政治との訣別を前提としている。ホージャガーンでも同様であったが、ナクシュバンディー教団では、やがてスーフィーの導師は君主がシャリーアを遵守するよう監督する必要があると説くようになる。ホージャ・アフラールはスルタン・アブー・サイードの帰依を受け、シャリーアにかなった国家秩序の強化をめざした。タムガ税(商税)の廃止をアブー・サイードに認めさせたのをはじめ、ヤサに基づく施策の防止につとめ、ムスリム民衆の保護をはかった。導師たちは民衆の尊崇を集めると同時に、彼らとのあいだに結ばれた保護関係のネットワークを通じて、イスラーム社会にきわめて大きな影響力を有していた。タリーカをなんらかのかたちで政権側に取り込まなければ、円滑な統治は望めなかったのである。

十六世紀にはいると、ナクシュバンディー教団の政治理論は、マフドゥーミ・アーザムによって整備される。彼は、導師は民衆のみならず君主やその取り巻きをも教え導かねばならぬとして、政治への積極的関与を理論化した。こうして、ナクシュバンディー教団がウズベク諸王朝だけでなく、東トルキスタンやインド、さらにはオスマン帝国でも大きな影響力をふるう礎がつくられていったのである。

シャイバーン朝の歴代君主は、ホージャ・アフラールの子ヤフヤーを殺害して財産を奪ったシャイバーニーを除き、ナクシュバンディー教団との共存をはかった。そうしたなか、ブハラ西部に本拠地をおくジュイバール家のホージャ・イスラームとサアド親子は、教団の道師としてアブドゥッラー二世の帰依を受け、ブハラの都市建設をも積極的に推進した。彼らは寄進や購買をとおしてワクフ財産や私有地をふやし、経済的実力を養った。モスクやマドラサ、公衆浴場や隊商宿など、多くの宗教施設や商業施設を自ら建設したほか、モスクワへ代理人を派遣して貿易をおこなっている。十五〜十六世紀にみられた都市の繁栄には、導師を先頭にしたタリーカが一翼を担っていたのである。

十五〜十六世紀の文化

ティムールとその後継者たちの時代には、はなやかな都市・宮廷文化が開花した。歴代の君主は、自らの威光とイスラーム文化の保護とを直接民衆に示すことのできる建築事業に熱心に取り組み、壮麗なモスクやマドラサ、霊廟や宮殿付き庭園、公共宿泊施設や公共浴場などを建設した。ティムールは首都サマルカンドの中央モスク(ビビ・ハヌム)をはじめ、多くの建設事業を征服地から強制的に移住させた職人を使って実施した。とくに、モンゴル時代に高い技術水準に達したイランからは、建築のみならず、芸術や学術の分野においても多くのものが中央アジアへと移植された。当時の壮麗な建物は、シャー・ルフとスルタン・フサイン時代の首都であったヘラートや、シャイバーン朝の首都となっていったブハラその他の都市でも、現在なおみることができる。

ティムール朝の宮廷には、当代一流の芸術家が集まっていた。とくに、写本の挿画として発達し、モンゴル時代のイランであらたな発展をみた細密画は、ヘラートで高い芸術水準に達した。フサイン時代の絵師ビフザードはとくに有名である。写本作製に欠かせない書道も発達した。その流麗な筆蹟は、写本のほか、建物や墓石に残る銘文からも知ることができる。

学問分野でつとに名高いのがウルグ・ベクである。優れた学者であった彼は、数学や天文学、医学など自然科学に強い関心を示し、サマルカンドの東北郊外に天文台を建設して天体観測をおこなった。それに基づいて新しく作成された天文表は、アラビア語やオスマン語に翻訳されてイスラーム世界で広く利用されたほか、ヨーロッパに伝わってラテン語に訳されている。サマルカンドには、カーディーザーダ・ルー

ウルグ・ベクのマドラサ
(サマルカンド)

ミーをはじめ多くの学者や留学生が集まって研究に従事した。ここで学んだアリー・クシュチはのちに招かれてイスタンブルで天文台の建設にたずさわることになる。

当時の学術語は、イスラームにかかわる学問にアラビア語が主として使われたことを除けばペルシア語であった。しかし十五世紀後半以降、テュルク語が文語として優れていることを主張したアリー・シール・ナヴァーイーや、ムガル朝の創設者で回想録『バーブル・ナーマ』を残したバーブルなどの出現により、チャガタイ・テュルク語が文語としての地位を確立した。シャイバーン朝時代以降の中央アジアでは、イランに成立したサファヴィー朝と対立したこともあって、テュルク語の作品が増加し、文語のテュルク化が徐々に進行していくのである。

ティムールによって各地からサマルカンドへ移植され花開いた都市・宮廷文化は、スルタン・フサイン時代のヘラートで頂点に達した。政権が崩壊したとき、保護下にあった芸術家や文化人たちの一部はマー・ワラー・アンナフルへ、一部はインドへと移住し、それぞれの地に文化的伝統を伝えた。シャイバーン朝ウバイドゥッラー支配下のブハラが、フサイン時代のヘラートに譬えられているのはその証であろう。また、インドのムガル朝文化も、ヘラートを支配下にいれたサファヴィー朝の文化もこうした文脈のなかでとらえることができるのである。

中央ユーラシア世界の衰退

従来、ティムール帝国の「輝き」を最後に、中央ユーラシア世界は落日をむかえるといわれてきた。その原因は、ティムール帝国滅亡後、イランにシーア派を奉じるサファヴィー朝、中央アジアにスンナ派のシャイバーン朝が成立し、たがいに抗争を繰り返したため、東西交易路(シルクロード)経由の貿易が阻害されるとともに、大航海時代の到来によって陸上交通路の重要性が薄れ、シルクロードが衰退したためとされた。また、サファヴィー朝との対立によって、十六世紀以降中央アジアでは、イランとの文化交流やイスラーム世界の中心地との交流がとだえ、文化的エネルギーを従来のように受けられなくなって社会が停滞したためとも説かれた。

たしかに、サファヴィー朝とシャイバーン朝との抗争によって、両者の公的交流がとだえたことは間違いなく、商業活動になんらかの影響があったことも想像される。しかし、商人たちの行き来が途絶したわけではなく、また、中央アジアからは、カスピ海の北、ヴォルガ河口のアストラハンから黒海の北岸へでて、船でイスタンブルなどへわたるルートがさかんに利用され、地中海世界やイスラーム世界の中心地との商人や巡礼・使節の往来は継続しておこなわれていた。

十六世紀後半以降、ヴォルガ川沿いに南下したロシアは、一五五六年アストラハンを占領して中央アジアと直接取引をする道を開いた。またシベリアへ進出して、中央ユーラシア各地と商取引をおこなうようになる。一方、シャイバーン朝とムガル朝とのあいだには、正式の使節を交換するなど緊密な関係が結ばれた。サマルカンドで高利貸しを営むヒンドゥー教徒の存在が確認されており、商人の往来も盛んであった。ポルトガル人のインド到来によって、インドと中央アジア方面との貿易も刺激された。このようにして、ロシアの参入と、アメリカ銀の流入による世界的好景気のために、中央ユーラシアをめぐる国際貿易はむしろ活況を呈した。アブドゥッラー二世時代にブハラで活発な都市建設が遂行され、商業施設の拡充がはかられたのは、商業活動の活発化と都市社会の活性化を反映したものである。

サファヴィー朝とシャイバーン朝との政治的・軍事的対立が、宗教戦争の側面をもっていたことは否めない。一五八八年、アブドゥッラー二世によってマシュハドがこうむった破壊は、それを物語っている。しかし、両者間に人の往来がなくなったわけではなく、文化交流がとだえたわけでもなかった。宗派の障壁は従来考えられていたほど堅固なものではなく、十七世紀には両者の文化交流がおこなわれていた具体例も報告されている。

また前述のように、シャイバーン朝は、イスラーム世界の中心部をことごとく支配下にいれ、その盟主となったオスマン帝国とは、アストラハン経由のルートなどでさかんに交流していた。イラン文化・イスラーム文化流入の途絶が、中央アジアの衰退を招いたとの見解にも与《くみ》することはできない。

それでは、十六世紀以降徐々に進行した中央ユーラシア衰退の最大要因はなんであろうか。それは、間野英二が正しく指摘しているように、中央ユーラシアの遊牧民がもっていた軍事的優越性が失われたからである。中央ユーラシアが有史以来他を凌駕しえたのは、最高の機動力を提供する馬に乗り、弓矢で武装した騎馬軍団を擁していたからである。一四五三年、巨砲の威力でコンスタンティノープルを征服したオスマン帝国は、火器の時代が到来したことを世界に告げた。いち早くそれを学んだヨーロッパが、やがて世界を制覇していくことになるが、中央ユーラシアでは、周辺諸地域が火器で武装した歩兵軍団の導入を進めるなかで、騎馬軍団による軍隊編成が抜本的に変更されることなく存続した。軍事力は周辺諸国に比べて相対的に低下し、軍事的優越を前提に成り立っていた繁栄は失われることとなった。中央ユーラシアは、ロシアと清という二大強国が進出してくるなかで、周縁化していくのである。

第五章　チベット仏教世界の形成と展開

　仏教は千年の時をかけて三つのルートをたどって世界に伝播した。ひとつはガンジス川流域に発生し、セイロン(現在のスリランカ)を経由して東南アジアに伝わった初期仏教、二つめはインド北部で発生しシルクロードや草原の道をとおって中国に到着し、さらには朝鮮半島、日本にまで伝わった大乗仏教。三つめは、チベットで発生し、モンゴル、満洲に伝播したチベット仏教である。チベット仏教は戦前にラマ教と呼ばれていたが、ラマ教ということばには偶像崇拝という蔑視的意味合いがあることや、仏教ということばが含まれないことから、現在は用いられていない。ただし、このチベット仏教ということばも、チベット仏教がチベット高原ばかりか、中央アジア、青海高原、モンゴル高原、満洲平野にまでおよぶ広大な教圏にまたがっていたことを示すには十分ではない。十三世紀以後の中央ユーラシア史にもっとも影響力を与えたのは、この最後の波、すなわちチベット仏教の北伝である。

　仏典において仏が王にたとえられていることからもわかるように、仏教と王権は深い関係を有している。仏教が伝播した地域には例外なく仏教思想の影響を強く受けた王権が誕生した。チベット仏教思想の影響のもとに成立した王権としても、古代チベット王朝、モンゴル人の中国王朝である元朝、満洲人の中国王朝である清朝をあげることができる。

チベット仏教が伝播した地域を大乗仏教の伝播した地域と比べると、政治的、文化的により緊密な一体性を認めることができる。たとえば、チベットの高僧はモンゴルや満洲でも同様に崇拝を受け、チベットの過去の名王の事績はモンゴル、満洲の王侯の手本となり、チベットの大蔵経《だいぞうきょう》はそのままモンゴル語や満洲語に翻訳された。つまり、この三つの地域にはチベット仏教文化を紐帯《ちゅうたい》にしたチベット仏教世界ともいうべきひとつの場が存在していたといえるのである。

チベット仏教徒であったチベット、モンゴル、満洲の王侯の事績を正しく理解するためには、チベット仏教の基本思想にたいする理解が不可欠である。したがって、以下にまず、チベット仏教の王権思想について略述し、この王権思想がチベット、モンゴル、満洲の王侯にいかにして実践されていったのかについてみていきたいと思う。

1　チベット仏教と王権

チベット仏教の王権思想

世界も人間も造物主によって創造され、造物主の裁きによって終わるというキリスト教の世界観とは対照的に、仏教思想は造物主を説かず、世界もその世界に住む「命あるもの(有情《うじょう》)」も「始まりのない昔(無始《むし》)」から、それぞれの「行為の結果(業《ごう》)」の力によって死と再生(転生)を繰り返してきたものであると考える。転生は地獄・畜生・餓鬼・天・人・阿修羅《あしゅら》という「六つの生存領域（六道輪廻《ろくどうりんね》）」のなかでおこなわれ、悪い行為を積めば地獄・畜生・餓鬼などの悪しき境涯（悪趣《あくしゅ》）に堕し、善い行為を積めば天・人・阿修羅などの善い境涯（善趣）に生をうけることができる。また、始まりのない昔から繰り返されてきた輪廻は、すべての命あるものを、かつての父、母、子として関係づけるため、仏教徒はすべての命あるものにたいして慈しみと憐れみ（慈悲）の心をもつことが要請される。

六道輪廻のなかで天や人などのよい生を受けたとしても、老いたり死んだりする苦しみは避けがたい。真の幸福とはこの六道輪廻から脱する（解脱《げだつ》）ことによってえられる。輪廻から解脱するためには悪業を形成するもととなる煩悩を断ち切らねばならない。そのためには戒律を守り瞑想をおこなうなどの仏教修行をおこなわねばならない。こうした修行をまっとうして輪廻から解脱して「仏の境地（菩提《ぼだい》）」をえたものは「目覚めたもの（仏）」と呼ばれる。

大昭寺シャカムニ像

仏は仏教における理想の人間像であるが、出家をして仏道修行をまっとうし、仏になることができるのはめぐまれたごく一部のエリートにすぎない。輪廻の苦海をさまよいつづけなければならない大多数の命あるもののために大乗仏教運動が起こり、そこでは菩薩《ぼさつ》という人間像が生まれた。菩薩とは修行をまっとうし仏になる資質を完全に備えていながら、すべての命あるものにたいする慈悲の心から六道輪廻の世に踏みとどまり、すべての命あるものを「仏の境地」に導くまでは自らも涅槃《ねはん》にはいらないことを誓った存在である。

この菩薩思想が王権と結びついて生まれたのが菩薩王思想である。チベットをはじめ、モンゴル、満洲において多数翻訳され、もっともよく読まれた大乗経典のひとつである『般若経《はんにゃきょう》』は菩薩王思想について以下のように説いている。

スブーティよ。さらに偉大なる勇気をもつ菩薩は戒律修行(戒波羅蜜《かいはらみつ》)をしっかりおこない、目的をもって一切の生をとり、転輪聖王《てんりんじょうおう》の一族に生まれ、転輪聖王の超常力(自在)によって、あらゆる命あるものを十善業道に導くのである。

十善業道とは初期大乗仏教徒の戒律であり、具体的には、身体にかかわる三つの悪い行い(殺生、偸盗《ちゅうとう》、邪淫)、言語にかんする四つの悪い行い(妄語、両舌、悪口、綺語《きご》)、心にかんする三つの悪い行い(貪欲、嗔《しん》恚《に》、邪見)を慎しむことである。また転輪王とは、インド思想に説かれる理想的帝王である。初期仏教の代表的論書である『阿毘達磨倶舎論《あびだつまくしゃろん》』は、転輪王が誕生すると天から輪(日輪)が降臨し、その輪は王国の四門からころがりでて四方の国をくだすこと、また、その治世には如意宝珠《にょいほうじゅ》、名妃、名馬、名象、名臣、名将に、この輪を加えた七つの宝(輪王七宝)が出現することが記されている。つまり、転輪王とは軍隊(車輪)をもって四方を征し、太陽(日輪)が万物を育むがごとくに国土を豊かに養う理想的な王を意味するのである。この転輪聖王思想が仏教に取り入れられると、仏教(法輪)と太陽(日輪)のアナロジーから転輪聖王には仏教を興隆することによって国土を安寧に育む王という意味が付加されていった。

つまり、上記の『般若経』の記述は、仏になる資質を備えながら慈悲の心をもって六道輪廻にとどまった菩薩は、仏教をもって人々を善行に導く理想の王に化身する、と解釈できるのである。

菩薩とは修行によって「仏の境地」をえた者をさすので、理論上は複数人が同時に出現することが可能である。したがって、チベット仏教思想は、複数の菩薩王がそれぞれの王国に君臨しつつ、全体としてはひとつのまとまりをもつ複眼的世界像を生み出す。これは、儒教世界が天命を受けたただ一人の皇帝を認め、その皇帝をピラミッド型社会の頂点におく単眼的世界像を結ぶことと対照的である。

この菩薩王思想はチベット仏教世界において受肉し、史上に数々の菩薩王を生み出した。具体的な名をあげると、古代チベットのソンツェンガムポ王とティソンデツェン王、モンゴルのクビライ・カアンとアルタン・ハーン、清朝の康熙帝と乾隆帝などである。

以下にこれらの王侯の事績をたどりつつ、チベット仏教世界の視点から新しい中央ユーラシア史を呈示してみたいと思う。

古代チベットの転輪聖王ソンツェンガムポ

七世紀にチベット高原に君臨していたソンツェンガムポ王は、それまで小国に分裂していた国々をまとめ、仏教を国是として古代王朝を創始した。中国史料において吐蕃と記されたこのチベットの古代王朝は、

ソンツェンガムポ王とその二人の妃の像

古代中央ユーラシアにおける最強の国家に成長し、七六三年に起きた安禄山・史思明の乱の際、唐の都長安を占領するほどの威勢を誇った。仏教美術と古文書の出土によって名高い河西回廊の敦煌は、八世紀後半からこの古代チベット王朝の支配下にはいったため、敦煌文書には漢文についでチベット文の文書が多くを占めている。

ソンツェンガムポ王の事績は早くから伝説化し、数多くの史書に記され、後世に影響を与えた。以下に、もっとも広く読まれた同王伝のひとつである『マニカンブム』に基づいて、ソンツェンガムポ王像をみていきたい。『マニカンブム』はソンツェンガムポ王代に記されたとの奥書を有しているが、実際の成立は十三世紀以後といわれている。

観音菩薩は暗黒のチベットの地を教化しようと思い立ち光を放った。その光はナムリソンツェン王の妃の胎にはいり、誕生した王子はソンツェンガムポと名づけられた。ソンツェンガムポ王は若くして即位すると仏教の導入を開始し、チベット文字を制定し、ネパールからティツゥン妃を、中国から文成公主を妃にむかえた。両妃はそれぞれラサに大昭寺(トゥルナン寺)と小昭寺(ラモチェ寺)を建立し、インドと中国の仏教文化をチベットに導入した。ソンツェンガムポ王は転輪王となってチベット全土をめぐり、十善法を勧奨し、仏典の翻訳をおこなわせ、チベットの民を安楽にした。そして、すべての事績を終えると、二人の妃とともにトゥルナン寺の観音菩薩と緑白二体の多羅菩薩にとけこんでこの世から姿を消した。

この「観音菩薩がチベット王家に生まれ、転輪王となってチベットに仏教を広め平和にした」というあらすじが、「菩薩が転輪王家に生まれ、命あるものを十善業道に導く」という『般若経』の菩薩王思想をそのまま物語化したものであることは一目瞭然であろう。

ソンツェンガムポ王伝を構成する、仏教の導入、寺院の建立、自国語への経典の翻訳、十善法の制定といった諸要素は、後世のチベット、モンゴル、満洲の王侯によって繰り返し反復されることとなる。

2　チベット仏教とモンゴル

モンゴル帝国の転輪聖王、クビライ・カアン

ソンツェンガムポ王の創始したチベットの古代王朝が滅びたあと、僧団は施主を王室から名氏族に、のちにはモンゴルや満洲など他民族の王侯に移すことによってさらに大きな発展をとげていった。

チベット仏教を国家規模で導入した最初のモンゴル王はクビライ・カアンである。クビライはチンギス・ハンの孫であり、中国に元という王朝を創始し、大都（現在の北京の前身）を建設した。マルコ・ポーロが『東方見聞録』に記した大都の繁栄に刺激を受けて、コロンブスが大西洋航海に乗り出した話は有名

である。そして、当時世界随一の繁栄を誇っていたこの大都は、チベット僧パクパによって菩薩王の都として演出されていたのである。

クビライは一二六〇年、即位と同時にチベットの高僧パクパを国師に任命し、帝国内で用いられる言語を表記する文字(パクパ文字)を作成させ、帝国内の宗教を司る宣政院の長に任命し、チベットの支配を委ねた。この経緯をパクパ伝は、クビライがパクパから『ヘーヴァジラ・タントラ』の灌頂《かんじょう》(本尊の力を弟子に授ける儀式)を受けた際、第一灌頂ではその返礼にチベット一三万戸(中央チベット)を、第二灌頂ではチベット三区(チベット全土)を、第三灌頂では中国の地を献じたと、象徴的な逸話をもって語る。

クビライの建設した王都には、クビライを菩薩王として演出するさまざまな象徴が存在した。まず、大都建設が着工された年は、チベット仏教暦の初年、十干十二支にたとえれば甲子にあたる年、丁卯年であった。さらに、大都の正門にあたる崇天門にパクパの勧めによって掲げられた金輪は、明らかに転輪聖王の最高位である金輪王を示しており、クビライを金輪王になぞらえるものであった。また、同じくパクパの勧めによってクビライの王座のうえに掲げられた白い天蓋は、中央ユーラシアで流行した『白傘蓋大佛頂陀羅尼経』に説かれる白傘蓋仏を象徴しており、密教の力がクビライの王座を加護することを示していた。この白傘蓋が輿にのせられて城内四方をめぐり都の邪気をはらう白傘蓋の仏事は大都最大の祭典であったが、この祭りも経典の内容に忠実にのっとっておこなわれたものであった。このほかにも、一三二六年にチャガタイ王家の末裔が河西回廊の文殊寺に建立した碑文も、チンギス・ハンから始まりクビライ・カアンにいたった皇帝位を、金輪宝位すなわち最高位の転輪聖王の座であると記している。これらのことから、大都におけるクビライの王権像は、パクパの采配のもと、菩薩が化身した転輪聖王として演出されていたことは明らかであろう。

つまり、クビライの王権像も、ソンツェンガムポ王伝と同じく『般若経』に説かれた菩薩王思想が受肉化したものなのである。このクビライ・カアンとパクパの施主・応供僧関係は、前述したソンツェンガムポ王伝とならび、のちに十六世紀後半のアルタン・ハーンとダライラマ三世、清朝の歴代皇帝とダライラマならびにパンチェンラマとの出会いにおいて手本とされることになる。

クビライ(左)とパクパ(右)

転輪聖王アルタン・ハーンによるチベット仏教の再興

クビライ・カアンの創始した元朝は、一一代目のトゴンテムル・ハーンの時代にいたって滅亡し、モンゴル集団は大都を放棄してモンゴル高原に撤退し、ふたたび草原の遊牧生活に戻った。モンゴル高原に戻ったトゴンテムルの子孫たちは、かつてチンギス・ハン家の姻族集団であったオイラト集団と抗争を繰り返して弱体化していったが、十五世紀にチンギス・ハンの直系の子孫を称するダヤン・ハーンがあらわれるや状況は一変した。ダヤン・ハーンは東モンゴルを統一し、オイラトを討伐しチャハル、ハルハ、オリャンハンから成り立つ左翼の三トゥメンと、オルドス、トゥメド、ユンニシェブから成り立つ右翼の三トゥメンのあわせて六トゥメンを再編成した。ダヤン・ハーンの時代にあらわれる諸集団の枠組みが現在にいたるモンゴル諸集団の原型となったことを考えると、ダヤン・ハーンが登場した歴史的意義は大きいといえよう。ダヤン・ハーンの死後、諸子が所属の集団を分割相続してその勢威は急速に低下したが、ダヤン・ハーンの第三子バルスボラドの子アルタンがふたたび右翼三トゥメンを勢力下において、明やオイラト集団と抗争した。このアルタンこそ、ダライラマ三世をチベットから招聘し、衰微していたチベット仏教をふたたびモンゴルの地に興隆させたアルタン・ハーン(阿勒坦汗)である。

一方、チベットの社会も大きな変革期をむかえていた。元来、チベットの仏教教団は特定の氏族を施主に戴き、教団はその氏族の強い影響下にあった。たとえば、パクパが座主を務めていたサキャ派は、クン氏という氏族を施主にもち、代々のサキャ派の座主もクン氏一族が務めていた。しかし、十三世紀ころからカルマ・カギュ派に寺院財産を前任者の転生者によって相続させる方式が生まれ、その後、チベット全土に急速に普及していった。転生相続制は超俗的価値観に基づいて相続をおこなうため、以後、氏族(世俗)は教団(超俗)にたいして劣勢を強いられることになった。

十四世紀後半に、青海出身の僧ツォンカパが仏教思想に含まれるさまざまな見解を体系化して、他宗派の教えを包括、糾合することを可能にする思想を提唱した。彼の思想を奉じた弟子たちはゲルク派という宗派を形成し、包括的な教学を武器に他宗派の取り込みを積極的にはかったため、教団勢力は日増しに拡大した。ゲルク派はさらに転生相続制を取り入れ、たくさんの化身僧を生み出していった。なかでも有名な化身僧の系譜は、ツォンカパの弟子ゲンドゥンドゥプを一世と数える歴代ダライラマであり、この系譜はのちにチベット仏教界随一の勢威を誇るものとなる。

話をモンゴルに戻そう。

一五七二年ころ、アルタン・ハーンは青海に遠征し一人のチベット僧と出会った。アシンラマという名のこの僧は輪廻思想や真言の効用などを説き、感銘を受けたアルタンは、クビライにならって当時パクパの「転生者」とされたゲルク派の化身僧ソナムギャムツォをチベットからむかえることを思い立った。ソナムギャムツォはゲンドゥンドゥプから数えて三代目の転生者であり、当時はゲルク派の大寺、デプン寺の座主を務めていた。一五七八年、ソナムギャムツォとアルタン・ハーンは青海において会合し、ソナムギャムツォはアルタン・ハーンに「梵天にして力の輪を転じる王」という転輪聖王号を授け、アルタン・ハーンはソナムギャムツォに「持金剛ダライラマ」という称号を献じた。ダライラマという称号はソナムギャムツォのギャムツォ(海)の部分をモンゴル語訳した「ダライ」と、「師」を意味するチベット語の「ラマ」を組み合わせた称号である。このようにダライラマという称号は実際はソナムギャムツォの代から始まったのであるが、彼の二人の前世者もさかのぼってダライラマ号をもって呼ばれるようになったため、便宜上以後はソナムギャムツォをダライラマ三世と記すことにする。

アルタン・ハーンは、クビライにならってダライラマから『ヘーヴァジラ・タントラ』の灌頂を授かり、臣下に十善業を称揚し、さらに、ソンツェンガムポ王の中国妃がチベットにもたらした釈迦牟尼像をモデルに仏像を鋳造し、陰山の南にチベットの大昭寺をモデルにした寺を建立した。アルタン・ハーンの死後

ダライラマ3世(中央)とアルタン・ハーン(右下)

も、その子孫たちは『般若経』をはじめとする経典のモンゴル語訳を続け、ついには全経典をモンゴル語に翻訳し、モンゴル・カンギュル(経部)を誕生させた。以上のようなアルタン・ハーンの事績が、チベットにはじめて仏教を導入したソンツェンガムポ王や、モンゴルにはじめて仏教を大規模に導入したクビライ・カアンの事績を忠実に模倣したものであることは明らかであろう。

このアルタン・ハーンとダライラマ三世の出会いは、モンゴルの社会に激しい価値の変動をもたらした。そのひとつとして転生思想がモンゴル社会に与えた影響をみていこう。

『アルタン・ハーン伝』をはじめとする諸モンゴル年代記には、アルタン・ハーンがダライラマと出会った際、アルタンが前世の記憶を蘇らせて自らがクビライの転生者であることを自覚した旨が記されている。この記事は非常に重要な意味を含んでいる。以下にその意味を説明しよう。

モンゴル帝国が分裂したあともチンギス・ハンの血統を引く家系は尊ばれ、アルタン・ハーンの時代にもチンギス・ハンの直系を名乗るいわゆるチャハル王家が存在していた。しかし、帝国期から遥かに時を隔て、往時の威勢を忍ぶよすがもない当時のモンゴルにおいて、チャハル王家の権威がチンギス・ハンやクビライ・カアン当人の権威に比して微々たるものであったことはいうまでもない。現実世界では祖先と子孫が同時に在世することはありえないが、仏教の説く輪廻思想はこれを可能にした。アルタン・ハーンをクビライの転生者であると認める者にとって、アルタン・ハーンの権威がチャハル王家のそれをしのいだであろうことは想像にかたくない。事実、現存する年代記はチャハル王家については系譜と略伝を記すのみであるが、アルタン・ハーンがモンゴルに仏教を興隆した事績には多くの紙数を割いている。このことは年代記の作者がチンギス・ハンの血筋よりも、クビライの再来としてのアルタン・ハーンの事績を評価していたことを示していよう。

つまり、転生思想の流入は、従来チンギス・ハンの血筋の遠近で権威の高下が生じていた社会を、過去世の貴さの程度に応じて権威の高下が生じる社会に変えていったのである。

転生思想がもたらした価値観の変動は、ダライラマがアルタン・ハーンに授けた称号にも如実にあらわれている。ダライラマ三世がアルタン・ハーンに授けた転輪(チャクラヴァルティン)王(ハーン)号のうち、ハーンという称号は、元来チンギス・ハンの血筋を引くと信じられていた家系の、さらに限られた者しか名乗ることのできない称号であった。しかし、ダライラマ三世が転輪聖王ということばの一部としてハーン号を授け始めたことにより、チンギス・ハンの血筋の者の転生者として、あるいは転輪聖王として、すべての者にハーン号を名乗る可能性が開かれたのである。

さらに、転生思想は家格ばかりか、民族の差異まで平板化していった。たとえば、ダライラマ三世は内モンゴルで客死したあと、アルタン・ハーンの曾孫に転生してダライラマ四世となった。このモンゴル人のダライラマ四世は、十四歳の年にチベットにむかえられ正式に得度《とくど》した。この一連の再生劇を目前にしたモンゴル社会が、転生思想に感銘を受け、チベットとの一体感を感じたであろうことは容易に想像がつく。

もうひとつの典型例として、チベット仏教の一宗派であるジョナン派の高僧ターラナータが、一六三五年に東モンゴルのトシェート・ハン王家に転生したことをあげることができよう。幼名ジニャーナヴァジュラ(ザナバザル)、のちにジェブツゥンダムパ(哲布尊丹巴)の名で知られるようになるこの人物は、やはり十四歳の年にチベットに留学し、帰国後はチベットからともなってきた多数の職工によって、ラサのガンデン寺をモデルにして同名の寺をモンゴルに建立した。この寺はのちに外モンゴルのチベット仏教界の中心となり、ジェブツゥンダムパも外モンゴル最高位の化身僧として君臨するようになった。チベットの高僧がモンゴルの王家に転生するというパターンはその後もいたるところで繰り返され、チベットとモンゴルの社会は急速に一体化を進めていった。

モンゴルに転生思想が普及していくにつれて、モンゴル社会にもチベット社会と同じく変化が生じ始めた。世俗が超俗に従属し、世俗勢力は宗教的権威を支持するか、それと一体化することによってしか権力を握れないような社会に変質していったのである。

モンゴル社会において仏教教団の勢力は日をおって拡大し、モンゴル文化は哲学、医学、天文学、歴史、はては人名表記にいたるまでチベット仏教文化の洗礼を受けていった。このチベット文化はモンゴルを経由して満洲人にも浸透し、十七世紀にはいると、チベット仏教世界を構成する民族は、チベット、モンゴル、満洲の三つにおよんでいた。

チベット仏教世界を制したダライラマ五世の権威

十七世紀、チベット仏教世界には、内モンゴルにチャハル王家をはじめとするモンゴル諸族が、東モンゴルにチンギス・ハンの末裔であるハルハの三集団(トシェート・ハン、ジャサクト・ハン、セチェン・ハン)が、西モンゴルにこれと対立する強力なオイラトの三集団(ホショト、ジュンガル、トルグート)が割拠していた。一方、十七世紀にはいるとユーラシア大陸の東北に居住する満洲人がしだいに勢力を強め、一六三七年に内モンゴルのチャハル王家を滅ぼして内モンゴルを支配下にいれ、四三年に明王朝を倒して中国を支配下にいれた。

この同じ時期、長らく分裂状態にあったチベットにも求心的な政権が成立した。一六四二年にダライラマ五世はホショト部のグシ・ハーンの軍事的後援により政敵であったカルマ・カギュ派を制圧して中央チベットの覇権を握った。以後、ダライラマ五世の権威はチベットはむろんのことモンゴル、満洲王侯にまでおよんだ。一六四五年から九六年にかけて五〇年の時をかけて築造されたダライラマの居殿ポタラ宮は、当時のダライラマの勢威を雄弁に物語っている。

ダライラマ五世は菩薩王思想のもっとも忠実な体現者であった。ポタラ宮に所蔵されているダライラマ五世の肖像は、ソンツェンガムポ王と同じく蓮華と法輪を手にしている。イコノロジー(図像学)上、蓮華は観音菩薩を、法輪は転輪王を示すため、この肖像はダライラマを観音菩薩の化身した転輪聖王として描いたものといえる。ダライラマをチベットの守護尊である観音菩薩とし、かつ、古代統一王朝の始祖ソンツェンガムポ王の転生者であるとする信仰は、ダライラマのチベット支配を裏づける大きな力となった。ダライラマはこの信仰にのっとって、かつてソンツェンガムポが夏の離宮を営んだ地に自らの宮殿を建て、仏典に説かれる観音菩薩の聖地「補陀洛《ふだらく》」(ポタラ)からその名をとったのである。

このように、ダライラマは理念上チベットの守護尊であり王であるとされたが、大半の政事はダライラマの意を受けた摂政が代行し、軍事力の提供はグシ・ハーンの一族がおこなっていた。そのため、ダライラマが死亡した直後から転生者が成年に達するまでの権力の空白期間には、チベット貴族やモンゴル王侯や清皇帝が実権を握る場合もあった。しかし、そのような場合でもチベットの理念的支配者がダライラマであったことは、簒奪者たちがダライラマに従う旨を必ずことばと行動で示していたことより明らかである。

ダライラマ五世はモンゴル人の内部で起きた紛争を調停したり、紛争で生じた難民を処理したり、ハルハの王侯が清朝に朝貢する際の証明書を発行したりと、モンゴル内で起きる問題にたいして超越的立場から介入していた。ダライラマがモンゴルにたいして優越的立場にあったことは、書簡の形式からも証明することができる。チベット仏教世界で交わされていた書簡は、その形式面から差出人と受取人の身分の上下を知ることができる。そこで、ダライラマがモンゴルや清朝にたいして発信していた書簡の形式を検討すると、ダライラマがモンゴル王侯に発信した書簡は、支配者が臣下にたいする形式を踏み、尊大な命令口調でしたためられており、一方、清皇帝にたいして発信した書簡は、対等な者に差し出す形式を踏んでいたことがわかる。また、のちに詳述するモンゴル王侯ガルダンの書簡を検討すると、ダライラマにたいして発信した書簡は目上にたいする形式でしたためられており、清皇帝にたいして発信した書簡には命令形式をとっていたことがわかる。つまり、ダライラマは清皇帝を対等な者として扱い、モンゴルを目下においていたこと、ガルダンはダライラマには臣従するものの、清皇帝には臣従していなかったことがわかり、ダライラマがモンゴルにたいして優越的な立場を保持していたことを知ることができるのである。

さらに、ダライラマの授与儀礼を検討すると、式次第の構成が中国の朝貢儀礼に酷似したものであることがわかる。中国の朝貢儀礼においては、下賜品とともに称号をきざんだ印章が異国の使者にくだされるが、ダライラマも、聖紐、水晶、仏像などの宗教的かつ呪的な下賜品とともに称号をきざんだ印章をモンゴル王侯に授けていた。中国皇帝が称号と印章の授与によって中華的世界秩序の中心に自らを位置づけていたように、ダライラマも称号と印章の授与によってチベット仏教世界の中心に自らを位置づけようとしていたのである。

ダライラマ5世とグシ・ハーン(右下)

また、ダライラマからハーン号を授かったモンゴル王侯は、それ以後中国史料などでもハーン号を付して記録されているため、ダライラマの授与するハーン号は、清朝も追認する権威を有していたことを知ることができる。このダライラマの称号がたんなる虚号ではなく世俗的・政治的効果を有するものであったことは、清朝がチベット仏教世界のイニシアティヴを手にいれていく過程で、ダライラマのモンゴル王侯にたいする称号授与に介入したり、ダライラマの称号を名乗ったモンゴル王侯を反乱者とみなして処罰したことからも明らかである。

つぎに、ダライラマがモンゴル王侯に授与した称号の意味について考察してみよう。

ダライラマ五世は、一六三七年にはグシ・ハーン(テンジンチューキ・ゲルポ)、五八年にはテンジンダヤン・ハーン、七一年にはテンジンダライ・ハーン、一六六六年にはオチルトセチェン・ハーン、七四年にはトシェート・ハン、一七〇三年にはラサン・ハーン、一六九七年にはダイチンアユキ・ハーン、七八年にはガルダンテンジンボショクト・ハーン、ンとそのハーン号を順に継いだダヤン・ハーン、ダライ・ハーン、ラサン・ハーンの四人は前述のとおりダライラマ政権の樹立を助け、その後も軍事的後援をおこなった人々である。オチルトセチェン・ハーンはグシ・ハーンの所属するホショト部の長である。トシェート・ハンはハルハ三部のうちのひとつで、ダライラマから称号を授かった人物のうち、唯一もとからハーン号をおびていた人物である。ガルダンはオイラト四部のうちのひとつであるジュンガル部の長である。アユキ・ハーンはオイラト四集団のひとつトルグート部の長である。

これらのモンゴル王侯のうち、グシ・ハーン一族からでた最初の三人のハーンと、ガルダンのハーン号には「護教」を意味するテンジンということばが含まれている。そして、これらの「護教ハーン」たちの事績は、まさに護教の名にふさわしいものであった。たとえば、グシ・ハーンはダライラマ五世の政敵であるカルマ・カギュ派の政権を倒してダライラマ政権の成立を助けた元勲である。また、その子ダヤン・ハーンはコンポ地方を、さらにその子ダライ・ハーンはパルカムを制圧してダライラマ政権の教圏の拡大に貢献している。これらグシ・ハーンの子孫たちは中央チベットに貢納もおこなっていた。

ガルダンテンジンボショクト・ハーンは、化身僧としてチベットで幼少期を過ごし、帰国後は中央アジアの城塞都市ヤルカンドを制圧し、一六七八年にその地からダライラマに貢物を送付した。また、一六七九年にはグシ・ハーン一族とともに西チベットのラダックの制圧にも参加している。ガルダンは一六八六年にはハルハのジェブツゥンダムパ一世がダライラマにたいして不敬を働いたことを理由にハルハを襲い、ハルハが清朝に逃げ込むと今度は清朝と交戦し、結局は清朝の三度にわたる親征を受けて九七年に自殺した。文字どおり、ガルダンの一生はダライラマに捧げられたものであったのである。このように、護教ハーン号を戴いた人物は例外なく、ダライラマ政権のためにたたかう生涯を送っていたことを知ることができよう。

つぎに、護教ハーン号以外のハーンの性格について考えてみよう。護教ハーン号以外のハーン号をダライラマから授かったのは、オチルトセチェン・ハーンとアユキ・ハーンの二人であり、いずれもオイラト部の有力者たちである。この二人にガルダンテンジンボショクト・ハーンを加えるとオイラトの三大部長がそろう。そして、この三人の没年とハーン号授与年をみると奇妙な相関性をみいだすことができるのである。一六七八年にガルダンがオチルトセチェン・ハーンを滅ぼすと、その同年にダライラマからガルダンにハーン号が授与され、ガルダンが九七年に清朝の軍隊に敗北して死亡すると、同年にアユキ・ハーンがダライラマからハーン号を授かっている。あたかもひとつのハーン号が、ホショト部のオチルトセチェン・ハーンから、ジュンガル部のガルダンテンジンボショクト・ハーンを経由して、トルグートのアユキ・ハーンに継承されたかにみえるのである。このことから、ダライラマはオイラトのハーンという意味でこのハーン号を授与したのではないかという推論も成り立ちうる。この推論は、ダライラマから称号を授かったこの三人が、自部族内だけでなくオイラト全体のハーンとして承認されていたことが証明できないかぎり断定はできないが、かりにこの推論が正しければ、ダライラマはオイラトの長に御墨つきを授ける権威も有していたことになろう。

つまり、ダライラマ五世がモンゴル王侯に授与した称号は、テンジンハーン号であれ、オイラトのハーンという意味でのハーン号であれ、ダライラマがモンゴル内に有していた強大な権威を証明したものなのである。

このようにダライラマ五世がモンゴルにまでおよぶ権威をもちえた理由としては、ダライラマ五世の王権が菩薩王という超世俗的な価値によって権威づけられていたことにあった。彼の権威は超俗的かつ理念的であったがゆえに、逆に地域や民族といった世俗の特殊状況を超越した場で発揮することができたのである。

3　チベット仏教と清朝

文殊皇帝康熙帝によるチベット仏教世界の軍事的統合

つぎに、チベット仏教世界を動的な視点から透視してみよう。すると、三つの民族が共有する思想の解釈をめぐって闘争を繰り広げた歴史がみえてくる。以下に、十七世紀のチベット仏教世界の歴史を点描していこう。

仏典において文殊《もんじゅ》は東方を司る仏と考えられたため、インドからみて東方にあたる中国は、古くから文殊の加護を受ける地とされてきた。山西省にある五台山はとくに有名な文殊の聖地であり、長城から近いこともあって漢民族ばかりでなくモンゴル人、満洲人の王侯が巡礼にかよった。満洲人はその民族名を文殊からとったと伝えられるほど元来熱心な仏教徒であったため、中国を征服して清朝を立てたあとも、代々の皇帝は五台山登攀《とうはん》を欠かさなかった。当然、清皇帝はチベット仏教世界では文殊菩薩皇帝として知られるようになった。

ダライラマ五世と同時代に清朝に君臨していた康熙帝は、ダライラマがモンゴルにたいして保持した権威を尊重し、モンゴル問題についてはダライラマと協力して解決する姿勢をとっていた。一方、ダライラマも清皇帝を文殊菩薩の化身、仏教の興隆者と称え礼をつくしていた。しかし、三藩の乱が鎮圧された一六七八年、ダライラマ政権が呉三桂と通交していた書簡が明るみにでたことにより、ダライラマ政権と清朝の関係は急速に冷え込んでいった。

一六八二年にダライラマ五世が他界すると、摂政サンゲギャムツォはその死を秘匿して引き続き政権を担当した。一六八六年、ガルダンはハルハ部を襲い、ハルハ部が清朝へ逃げ込むと、ハルハのハーンであるトシェート・ハンとその弟ジェブツゥンダムパ一世の身柄を求めて清の境内にまで攻め込んだ。これにたいして清朝は三度にわたる親征をおこなってガルダンを一六九七年に滅ぼした。

それに先立つこと一年前、摂政サンゲギャムツォはダライラマ五世がすでに一五年前に他界していたこと、その転生者であるダライラマ六世がすでに成年に達していることを公表した。清皇帝はこれまでのガルダンの行為をすべてサンゲギャムツォの扇動によるものとし、彼のもとで育てられたダライラマ六世も認めず、一七〇三年にグシ・ハーンの直系の子孫であるチベット王と協力して新ダライラマ六世を擁立した。しかし、この新六世はまったく世人の支持を受けられず、チベット王の傍系家系である青海ホショトですら、前六世の転生者であるダライラマ七世を別に擁立して中央チベットの本家と対立した。

一七一七年、ガルダンのあとにジュンガル部長となったツェワンラプタンが、突如チベットに軍を派遣しラサを占領した。ジュンガル軍は当時のチベット王ラサン・ハーンを破り、清朝の擁立したダライラマ六世を廃し、前六世の転生者とされる童子をダライラマ七世として即位させようとした。当時、ジュンガルと青海ホショト部は連携関係にあったのである。

しかし、長年ジュンガルと対立してきた清朝はすばやい変わり身をみせた。清朝は自らが擁立したダライラマ六世をあっさりとみすて、青海ホショトに清朝への協力を迫ったのである。青海ホショトはしぶしぶ清朝への協力を約束し、ダライラマ七世を擁して清朝とともにチベットへ侵攻した。自らの正統性を保証するダライラマ七世をむかえることができないままラサで孤立していたジュンガル軍は、ダライラマ七世を擁した清朝、青海ホショトの連合軍の侵攻を前にして戦わずして帰国した。これが世にいう一七二〇年の清朝のチベット平定である。

ジュンガルが撤退したあと、チベットを占領した清朝、青海ホショト、モンゴルの連合軍とチベットの貴族は、ダライラマ七世を正式に即位させ、協力して旧秩序の回復にあたった。清朝はさっそく青海ホショトにチベット王の選出をおこなうように要請したが、ジュンガルを裏切って清朝に与《くみ》するまでの一連の経緯のなかで、不和の極に達していた青海ホショトの王侯は、一致して一人のチベット王を選出できるような状況にはなかった。代々グシ・ハーンの子孫が務めていたチベット王の座は空席が続いた。

一七二三年、青海ホショトの最長老であるロプサンダンジンは同族のエルデニエルケトクトネーを襲殺し、清皇帝に授与された満洲貴族の称号をすてダライラマ由来の称号を名乗った。清朝はこれを「反乱」とみなし、青海に大軍を投じて青海ホショトを制圧した。これ以後、青海は清朝に併合されて、青海ホショトはチベット王の座を永遠に失ったのである。

以上が十七世紀後半から十八世紀初期にかけてチベット仏教世界で生じたおもな軍事衝突の経緯である。つぎに、この事件をひとつひとつ細かく検討することによって、これらの戦いにはその始まりから終わりにいたるまで、すべてチベット仏教世界の論理が強く影響していたことを示してみよう。

まず、ガルダンがハルハ部を襲撃した公式の理由は、ハルハのジェブツゥンダムパ一世がダライラマ五世の使者にたいして不敬を働いたことにあった。康熙帝がハルハを保護すると、ガルダンは康熙帝にたいして「ダライラマをないがしろにしたジェブツゥンダムパをかくまうとは、仏教に基づく政治をおこなわないものである」と非難した。一方の康熙帝も「ダライラマはガルダンのそのような行動を喜ばない、ガルダンこそ仏教に基づく政治を壊すものである」と非難し返した。このことから、康熙帝とガルダンは、ダライラマを尊ぶことを共通の価値基準にしながらも、その解釈が異なっていたため対立したという構図を認めることができるのである。

一七一七年、ジュンガル軍が「偽のダライラマを廃して、正統なダライラマを即位させる」と宣伝しつつラサに向かったとき、ラサの住民は自ら城門を開けてジュンガルを迎え入れた。これはジュンガルのチベット侵攻の目的が正統なダライラマの即位にあり、かつ、チベット王ラサン・ハーンの敗因が世人の支持のないダライラマを擁立したことにあったことを示している。

さらに、清朝が青海ホショトとダライラマ七世の参加を待つまでチベットへの侵攻を延期し、さらに事後にも青海ホショトからチベット王の選出をおこなわせていたことは、清朝のチベット侵攻は、ダライラマとその後援者であるグシ・ハーン一族の歴史的権威を借りなければ不可能であったことを示している。また、清朝がチベットに侵攻した際「文殊菩薩皇帝の軍がジュンガルに踏み荒らされたチベットの人々を救済し、正統なダライラマを即位させる」と宣伝していたことも、清朝の派遣軍がチベット仏教思想の論理に縛られて行動していた一証左である。

最後に、一七二三年に青海ホショトが清朝に制圧される契機となったロプサンダンジンの蜂起は、ロプサンダンジンが清朝にチベット王の座を奪われるのではないかという懸念から始まったものである。つまり、一六八六年から一七二三年にかけて中央ユーラシアを戦場にした戦いは、すべてチベットないしダライラマ位が問題となって始まっていたことを知ることができるのである。

さらにいえば、満洲とモンゴルはたがいに同じ宗教を共有していたからこそ、対立しぶつかりあっていたといえるのである。ジュンガルがチベット仏教徒でなければチベットに侵攻することはなかったであろうし、清皇帝がチベット仏教徒でなければジュンガルに対抗してチベットに軍を派遣することもなかった。ジュンガルと清皇帝の双方にダライラマを尊ぶという認識が共有されていたからこそ、両者は軍を起こさねばならなかったのである。

これは「一六八六年から一七二三年にかけてのチベットをめぐるモンゴル軍と清朝軍の動きは、ダライラマ位に影響を与えることのできるポジションを、満洲人(清朝)とモンゴル人(ジュンガル、青海ホショト)が奪い合ったもの」と言い換えることもできよう。

乾隆帝の征服活動にみる転輪聖王思想

菩薩王として知られた歴代の清皇帝のなかでも、乾隆帝はとくに熱心なチベット仏教徒であった。帝は生涯にわたり足しげく五台山に巡幸し、クビライ・カアンにならって青海の高僧チャンキャ二世から『勝楽タントラ』の灌頂を受け、チベットの名刹をモデルにした寺を熱河や北京に数多く建立し、満洲大蔵経を編纂した。故宮博物院に所蔵されている乾隆帝の肖像画のなかには、法輪(転輪聖王の象徴)と剣(文殊の象徴)を手にした僧形像が多い。

乾隆帝は同じく文殊菩薩の化身した転輪聖王として知られていたクビライ・カアンとティソンデツェン王を自らの前世者として認識していた。乾隆帝が一七五〇年に建立した故宮内最大のチベット寺、雨華閣や、五五年に頤和園に建立した香岩宗印之閣は、ティソンデツェン王の建立したサムエ寺をモデルにしたものである。また、一七四五年にチャンキャから受けた『勝楽タントラ』の灌頂は、パクパがクビライから『ヘーヴァジラ・タントラ』の灌頂を受けた故事にちなんだものである。

また、乾隆帝の治世は一七四九年の大金川の征服、五七年のジュンガル部の制圧、五九年には新疆の征服、七一年のトルグート来帰、九二年のグルカ戦役といった数多くの戦功にかざられていた。これらの征服地には現代的意味での清朝の支配はしかれなかったが、紛争が生じた場合には清朝軍がすみやかに派遣されるなど、清朝との密接な関係が生じるようになった。中華人民共和国はこの清朝の版図をほぼ引き継いで現在にいたっているため、康熙帝、乾隆帝の軍事活動が現代に与えた影響は大きいといえよう。

このような乾隆帝の征服活動とチベット仏教思想は深い関係を有している。そのことを象徴的に示すものが熱河に建立されたチベット寺院群である。

熱河(現在の承徳)はかつて清皇帝の避暑山荘があった地で、皇帝は夏になるとここに滞在し、モンゴル、満洲の王侯と天幕を張って酒宴や狩りに興じていた。熱河の地が清皇帝が儒教原理に縛られた北京を抜け出して、満洲人としてのアイデンティティを再確認する場であったことはよく知られている。

この避暑山荘のまわりには八大ラマ廟と俗称される八つのチベット式寺院が点在している。これらの寺院は乾隆帝が国家的慶事を記念して建立したもので、寺内に建立された碑文がその経緯を伝えている。たとえば、普寧寺は一七五五年にジュンガル部を平定したことを記念して、普樂寺は六六年にドルベトとハサクの来帰を記念して建立されたものである。また、普陀宗乗之廟は乾隆帝の還暦記念と皇太后の八十賀を記念して一七七〇年に着工されたもので、翌年トルグート部が来帰してきたため、その旨を祝う意味もこめられていた。また、一七八〇年に乾隆帝が自らの七十賀を祝ってパンチェンラマを招請した際、須彌福壽廟と大昭寺が建立された。これらの廟の大半はチベットの名刹をモデルにしており、たとえば、普寧寺は古代チベット王ティソンデツェン王が建立したサムエ寺を模しており、普樂寺は『勝楽タントラ』の立体マンダラであり、普陀宗乗之廟はポタラ宮の、須彌福壽廟はチベットのタシルンポ寺の、大昭寺はい

文殊菩薩として描かれた乾隆帝

うまでもなくラサの大昭寺の模造である。

乾隆帝はなぜ版図の拡大を祝してチベット仏教の寺院を建立したのであろうか。その答えは転輪聖王思想にみいだすことができよう。前述したように、乾隆帝はチベット仏教世界においては、文殊菩薩が化身した転輪聖王として知られていた。転輪聖王とは仏教(法輪)をもって四方を征服し、太陽(日輪)のごとく臣下を育む帝王なのである。つまり、乾隆帝は自らの転輪聖王としての徳が四方の国を自分の支配下にいれた、という世界観を、熱河の寺の建立によって示していたのである。

これを、トルグートの来帰と普陀宗乗之廟の建立の関係を例にとってみてみよう。トルグートはジュンガル部に圧迫されて一六二八年ころロシアの支配下にはいった。しかし、その後もチベット仏教徒でありつづけ、前述したように一六九七年にトルグート部長であるアユキ・ハーンはダライラマ五世からハーン号を授かり、アユキを継いだその子ツェリンドンドゥップもダライラマにハーン号を求める使いを送るなど、チベット仏教世界とは密接な関係を有していた。ロシアの古文書は、ダライラマ五世がこのアユキ・ハーンにたいして、ロシアの支配をでて、同じ宗教を奉じるジュンガルのハーンのもとにくだるように、ジュンガルのハーンもトルグートを破滅させないように、との命令をくだしていたことを記録している。これは、観音菩薩であり転輪聖王であるダライラマが、仏教の力によってトルグートの政治的帰属先を変えようとしていたことを示している。

その後チベットとジュンガルはあいついで清朝の軍事的制圧下におかれたため、トルグートは清朝への投降を考え始める。一七七一年、トルグートは大挙して清朝に来帰し、乾隆帝は一兵も動かすことなく、オイラトの大部族を手中におさめた。その経緯を記した碑文には、トルグートは宗教を異にするロシアをきらい、同じ宗教を奉じる清に来帰したという旨が記されている。このようにして、乾隆帝はチベット仏教の統合力を実感し、チベット寺をその顕彰のために建てることとなった。トルグート来帰の際に建立された普陀宗乗之廟は、前述したように、ダライラマの居殿ポタラ宮をかたどったものであるが、この寺廟の建立には、トルグートへ来帰を呼びかけていたダライラマの功績を顕彰する意味があったのであろう。

こうして、清朝の版図が拡大していくにつれて、乾隆帝の仏教熱も高まりつづけ、それは一七八〇年、自らの万寿節(誕生日)にパンチェンラマを招請した時点で頂点をむかえた。パンチェンラマはチベットにおいてダライラマにつぐ権威を有する化身僧であり、ダライラマが観音菩薩の化身であるのと同様に、阿弥陀仏の化身として信仰されていた。

一七八〇年のパンチェンラマ招請の目的は、従来は冊封のためと解されてきた。しかし、冊封を目的にパンチェンラマを招請したのであれば、乾隆帝はパンチェンラマに臣礼をとらしめ、集まった諸外国に列したはずである。ところが、パンチェンラマは諸外国の使節の目前で皇帝と同じ高さの席に着き、皇帝と同じ金瓦をふいた宮殿に滞在し、皇帝の輿にのり、皇帝の臣下から叩頭礼を受けていた。つまり、乾隆帝は周囲にパンチェンラマを自らと同等の者として示していたのである。それどころか、乾隆帝は自ら進んでチベット仏教世界の原理に同化していた。乾隆帝はパンチェンラマをむかえるにあたり、熱河にパンチェンラマの座牀《ざしょう》寺タシルンポ寺をモデルにした須彌福壽廟を、北京の郊外の香山にはラサの大昭寺をモデルにした昭廟を建立し、拝礼の際にはチベットの風俗にのっとってカター(スカーフ状の絹)を用い、時には僧形ともなり、チベット語の日常会話まで操っていた。また、万壽節儀礼の当日、乾隆帝は文殊菩薩の化身した転輪聖王として長壽仏である阿弥陀仏の化身であるパンチェンラマの祝福を受けていたのである。

つまり、一七八〇年における乾隆帝とパンチェンラマとの会見は、すべてチベット仏教世界のコンテクストのなかでおこなわれており、両者のあいだに儒教原理に基づいた冊封儀礼などは存在しなかったのである。一七八〇年のパンチェンラマ招請は、乾隆帝がチベット仏教世界の構造に忠実であったことを公に示した出来事として記憶されるべきものであろう。

その後、パンチェンラマは北京で客死し、乾隆帝は莫大な布施とともに遺骨をチベットに送り届けた。当時、カルマ・カギュ派の紅帽派の化身僧であったパンチェンラマの弟は、清朝から送られてきたこの布施を、兄の遺産分与というかたちで要求した。しかし、タシルンポ寺の僧がそれを拒否したため、怒ったパンチェンラマの弟はネパールに赴いてグルカ兵を扇動し、タシルンポ寺を襲わせた。これが世にいうグルカ戦役である。この戦役は清朝に莫大な出費を強いたため、これをさかいに乾隆帝の仏教信仰熱は急速にさめていった。

乾隆帝は戦役の発端となった化身僧たちの腐敗の根源を断ち切るべく、特定の人物の意志が転生者の認定を左右しないように、籤《くじ》による化身僧選定の制度を導入した。これが現在、中国がチベットを支配していた証とする金瓶《きんぺい》制度である。しかし、このあと西欧列強の侵略を受けて国力を急速に弱めていった清朝は、チベットへの内政干渉能力も急激に弱めたため、この制度は実際上あまり機能しなかったようである。一方、清皇帝という最強の保護者を失ったチベット仏教世界も、このあと急速に衰退に向かっていった。

チベット仏教世界の歴史的意義

以上、中央ユーラシアが清皇帝の軍事力のもとに再編されていく過程において、チベット仏教がいかに大きな作用をはたしてきたかをみてきた。かりに、康熙帝がチベット仏教徒でなければ、チベット平定はおこなわれなかったであろうし、チベットは現在も独立国家であったかもしれない。また、乾隆帝がチベット仏教徒でなければ、トルグートは今もロシアの支配下にあったかもしれない。新疆を支配するジュンガルがチベット仏教徒でなければ、新疆は中国に編入されず、現在もイスラーム国家として独立した政治単位であったかもしれないのである。中国の国土の大半を構成する自治区の代表格が、すべてこのようにチベット仏教を介在して中国に結び合わされた歴史的経緯を考えるとき、チベット仏教世界の重要性、その研究の必要性はおのずと明らかになってこよう。

現在の中央ユーラシア地域を構成する基本的要素、すなわち、民族分布、国境線の位置、国都の所在地などの大枠が、チベット仏教文化の大きな影響を受けていたことは、かつて菩薩王が君臨していた都が現在の首都や区都に発展していることからも明らかである。

たとえば、七世紀にソンツェンガムポ王が建立した大昭寺を核に発展した街ラサ(拉薩)は、現在はチベット自治区の区都である。また、十六世紀にアルタン・ハーンがこの大昭寺をモデルにして建立した寺を核に発展した街フフホタ(呼和浩特)は、現在は内モンゴル自治区の区都である。また、十七世紀にジェブツゥンダムパ一世がチベットのガンデン寺をモデルに建立した寺を核に発展した街フレー(庫倫)は、現在のモンゴル国の首都オラーンバートルである。十三世紀にクビライとパクパが設計した大都の町は、明・清両王朝の都北京となり、この地には、十八世紀に乾隆帝が大昭寺をモデルにした寺を建立した。いうまでもなく北京は、現在も中華人民共和国の国都である。これらの大都市はむろんのこと、地方の都市も多かれ少なかれチベット仏教寺院が核となって成立したものが多い。

これにたいして、チベット仏教の影響を受けたことによって、遊牧の民であるモンゴル人や狩猟農耕民である満洲人の弱体化が進んだという否定的な評価をくだすことも可能である。しかし、火器登場後の世界史において、遊牧・狩猟民族の軍事力は相対的に低下し、定住生活を送らない遊牧民や狩猟民は、列強に併呑されて消滅する可能性がつねにあったことを考えると、チベット仏教のもつ統合力が、これらの民族国家の分裂崩壊を防いだという側面も無視できないのである。

第六章　中央ユーラシアの周縁化

1　モンゴル、チベット

清朝の勃興と中央ユーラシア世界の解体

十六世紀後半、今日の中国東北地方で、ツングース語系の建州女直はヌルハチのもと、しだいに勢力を拡大し、一五八八年にマンジュ国を形成した。ついで一六一六年、ほぼすべての女真(女直)族を統一して後金国と称したが、その社会構造の基礎となったのが八旗制であり、後金国の軍事的・経済的基盤となっていた。さらに遼東の平野に進出する一方、興安嶺の東側に居住するモンゴル系集団をも勢力下においたが、ヌルハチの後継者であるホンタイジは、一六三二年に軍事行動を起こし、元朝帝室の直系であるチャハル部のリンダン・ハーンを撃破し、内モンゴルをも支配下へおさめた。このとき、リンダン・ハーンのもとに伝わる「大元伝国璽」、つまり元朝歴代皇帝が保持していた「国璽」が、ホンタイジの手に渡ったと伝えられる。このエピソードはモンゴル帝国の皇帝権、すなわち中国や中央ユーラシア世界への支配権が、モンゴル族であるチンギス・ハンの後裔から、満洲族のホンタイジへと委譲されたという、象徴的な意味をもつ。ついで一六三六年に、ホンタイジは配下の満洲人、モンゴル人、漢人から推戴されて皇帝の位に就き、「大清」という帝国が成立するが、これら三集団の連邦という性格をもっていたのである。

清軍はさらに軍事攻勢を強め、まず朝鮮半島を勢力下にいれ、つぎに中国本土へ進撃、李自成《りじせい》らの反乱で明朝が混乱するなかを衝いて、ホンタイジのあとを継いだ順治帝の代に、中国全土を支配下におさめ、首都も盛京(瀋陽)から北京へと移した。つぎの康熙《こうき》帝により、国内有力漢人軍閥ともいうべき三藩の反乱が鎮圧され、清朝政権の国内支配が固められ、また三藩の乱に呼応して起こったチャハル部のブルニ親王の反乱も平定され、モンゴルの名門であったチャハル部は八旗に編入された。さらに清朝は、黒龍江流域に進出をねらうロシアをおさえ、ロシアとのあいだに一六八九年にネルチンスク条約を締結した。これと前後して外モンゴル王侯間の紛争に介入して、外モンゴルへ侵入したジュンガル部のガルダンにたいしては、康熙帝自らが指揮し反撃にでて、九六年にガルダン軍を敗走させた。この事件を契機として、外モンゴルも清朝の領域に組み込まれることになった。

康熙帝のあとの雍正《ようせい》帝の手により、皇帝権力の確立、政治機構の改革がはかられ、官僚統治機構に支えられた皇帝の専制独裁による、巨大な支配装置が動き出した。雍正帝は青海、チベットに支配を広げるとともに、中国西南の非漢民族地域でも支配を強化し、さらにロシアとのあいだではモンゴル地域をめぐる国境を、一七二七年のキャフタ条約によって画定した。そして雍正帝のつぎの乾隆《けんりゅう》帝の時代に清朝領域は完成し、ここに比類なき巨大な帝国が実現する。乾隆帝は十八世紀中葉までに、それまで北方における清朝にとって最大の対抗勢力であったジュンガル部を壊滅させ、また東トルキスタン、天山南路沿いのオアシス地帯をも支配下にいれ、さらに今日の東南アジア、ネパール、中央アジア諸国の領域まで、その影響力を拡大することに成功した。

この十七世紀から十八世紀にかけての時代は、ユーラシア大陸の各地域で、前後していわば「地域的世界帝国」ともいうべきものが興隆する時期でもある。たとえば中東におけるオスマン朝、インドのムガル朝、ロシアのロマノフ朝、ついでオーストリアのハプスブルク朝などである。またイギリスでは重商主義のもと、東インド会社のアジア進出がはかられていた。東アジアにおける巨大帝国、清朝の出現も、このような世界規模の動きのなかに位置づけることが可能である。

ではそれが、中央ユーラシア地域では、どのような影響を与えたのであろうか。それ以前の時期まで、中央ユーラシア地域こそは、「東洋」と「西洋」を結ぶ幹線にあたり、この幹線のうえにオアシス都市がならび、背後には広大な遊牧地帯が広がっていた。さらに、この幹線をとおして、いわゆる「東西交渉・交易」がおこなわれた。十三・十四世紀におけるモンゴル世界帝国は、中央ユーラシア地域を舞台として勃興しているが、それはこの幹線ルートを一元的な支配のもとに運営するという時代の要求の産物でもあった。しかも世界帝国の樹立を可能ならしめたのは、遊牧騎馬軍団の卓越した軍事力であった。ところが十六世紀末より歴史に登場する満洲族は、中央ユーラシアの最東端からあらわれ、歴史的にみてもはたして中央ユーラシアの住民といえるかどうかも意見の分れるところである。しかしその勢力拡大の過程をみれば、モンゴル族の騎馬軍事力の吸収があって、はじめて地域的世界帝国の建設は可能であった。ちなみに清朝の成立よりほぼ一世紀前に成立したムガル朝も、もとはといえば中央アジアに出自は由来している。

だが清朝は地域的世界帝国として発展する過程で、モンゴル、チベット、東トルキスタンを順次、その支配下にいれていくものの、かつてチンギス・ハン一門が実現した中央ユーラシアの統合という目標ではなく、結果的に東アジア地域世界に君臨する帝国をめざした。したがってこれらの地域が清朝領域にはいることで、中央ユーラシアのほぼ東半分は、東アジア世界帝国の周縁部という意味あいをもつこととなる。さらに北からの新興帝国で、実態として清朝と同じく皇帝専制独裁国家であるロシアとのネルチンスク、キャフタ両条約での「国境」の画定などという出来事は、中央ユーラシアが地域的世界帝国間の周縁部であることを如実に示しており、やがて十九世紀になると、その状況はより明確なものとなる。かつて中央ユーラシア地域からは、強力な遊牧騎馬軍団が歴史上の現状打破・革新勢力としてあらわれた。だが後金といっていた時代でさえ満洲軍は、明軍との戦闘にはポルトガル砲を用い、さらにジュンガル部との死闘においても火器が多用されたことは、すでに軍事力としての騎馬軍団の黄昏《たそがれ》を物語っていた。

清朝のモンゴル、チベット支配の理念と機構・制度

清朝は満洲人皇帝を頂点に戴く、最期の中華帝国といわれる。しかし、たしかに伝統的な中国王朝の支配システムを継承しているものの、広大な領域のそれぞれの状況にあわせ、支配のあり方も一様ではなく、重層的な構造になっていた。清朝側の論理では、清朝皇帝の権力はこの地上のすべてにおよぶものであり、領域外の国家・地域との関係においても、近代的意味での「外交」や「国際関係」という発想はそもそも

存在しない。清朝の直轄領である中国本土と満洲族発祥の地である中国東北地方をつつみこむかたちで、東南方面には儒教・農業文化圏である朝鮮、琉球、ベトナムなどの「朝貢」諸国(「東南の弦月地帯」)が広がり、一方西北方面には、これらの諸国と比べ清朝のより直接的な支配を受けるモンゴル、東トルキスタン、チベットなどの非儒教・遊牧文化圏(「西北の弦月地帯」)が存在していて、異質な文化圏からなる東アジア地域世界が構成されていた。儒教文化を共有する「朝貢」諸国とのあいだでは、中華世界の「皇帝」と「国王」との関係で、秩序は示されたが、チベット仏教文化圏であるモンゴル、チベットにたいしては、皇帝の存在は文殊菩薩の化身として説かれた。さらにチベットと清朝皇帝との関係は、仏教教団と施主との関係になぞらえられ、またモンゴルとの関係は、モンゴル王侯とチンギス・ハンに由来する皇帝権を継承した満洲皇帝との主従関係で結ばれているとされた。いわば清朝はそれぞれの「文化」を巧みに利用することにより、支配の正統性を証明するフィクションをつくりだしたのである。

清朝統治下のモンゴル社会構造の基本単位は「ホショー(旗)」であり、「ザサッグ(扎薩克)」という領主により支配される、それぞれが独立性の高い小王国のような存在であった。旗のうえに「チョールガン(盟)」がおかれ、その盟に属するザサッグのなかから清朝により「盟長」が任命され、各旗をこえた案件は三年に一度おこなわれる、ザサッグの集会である「会盟」において処理された。旗は「ソム(蘇木)」から構成されるが、一ソムはほぼ一五〇戸からなる。清朝による旗の編成過程をみれば、内モンゴルにおいてはモンゴル族の再統合を警戒して、かなり厳格に実施されたのにたいして、前述したようにガルダンの侵入を契機として清朝に服属することとなった外モンゴルへは、初め寛大な措置がとられた。だが清朝は旗の境界、つまり牧地の範囲を設定し、そして旗の兵丁数を制限し、モンゴル王侯への人事権を握ることで、確実にその権力を時間をかけてモンゴル内部へと浸透させていった。もともとモンゴル高原においては、古代より牧地の設定と軍団の編成を介して政治権力が行使され、モンゴル社会内部の競合で勢力の交替もおこなわれていた。ところが、清朝の監督のもとで、モンゴル社会は旗ごとに分断・固定化させられ、内部からの変革へ向けての可能性は完全に遮断されたのである。

清朝政権でモンゴル、チベットなどの「藩部」を担当した役所は理藩院であったが、外モンゴルの要衝には、定邊左副将軍(オリヤスタイ)、科布多参賛大臣(ホブド)、庫倫辦事大臣(フレー)など、中央より派遣された満洲ないしはモンゴル八旗出身の官僚が駐在して、モンゴル各旗を監督した。法制度の面でみると、もともと中央ユーラシアの遊牧社会には、固有の法体系が存在したが、清朝が内モンゴルを支配下においてほどなく、一六四三年、従来のモンゴル慣習法に基づく「蒙古律書」を公布した。やがて清朝は中国本土を対象とする「大清律例」を制定したのち、モンゴルを対象とした特別法をまとめて「蒙古律例」を編纂した。

一方、外モンゴルでも慣習法の法典化がおこなわれ、「ハルハ・ジロム」が作成されていたが、やがて一八一六年に「理藩院則例」が発布されて、先行法令は吸収されるとともに、清朝の主導によるモンゴル固有法の制度化も完成した。モンゴル王侯と清朝皇帝は主従関係で結ばれていたことは先にふれたが、有力王侯は清朝宗室出身の夫人と結婚して姻戚関係をもった。また江戸期日本の大名の「参勤交代」と同じく、北京に定期的に赴き駐在する「年班」という制度も存在した。このようなチャネルを通じて、北京の宮廷文化や情報がモンゴル貴族層へ伝えられたのも事実である。

チベットにたいして清朝の支配が確立するのは十八世紀の中ごろである。それまでチベット政局に介入していた、ジュンガル部ないしは青海モンゴル勢力を完全に鎮圧し、ダライラマ七世を頂点としてチベット現地政権を立て直し、「三俗一僧」からなる四人のチベット人大臣（カルン）で構成させ、中央から派遣した駐蔵大臣の監督下においた。つまりダライラマ政権とは、清朝により組み立てられた政権であった。だが、モンゴルへの清朝の政策に比べると、チベットにたいしては支配・監督権の行使という点で、清朝のとった方法は遥かにゆるく、いわばダライラマ政権による高度の自治を認めるものであった。これまで

転生決定に用いられた金瓶　清朝はダライラマ，パンチェンラマなどの転生決定にも監督権を行使するようになり，乾隆帝下賜の金瓶にいれられた候補者名のなかから，駐蔵大臣が抽選した。なお1995年の中国政府によるパンチェンラマ11世の決定に際しても，この金瓶が用いられたという。

チベットの政治情勢を混乱させていたジュンガル部をはじめとするモンゴル勢力を排除し、あるいはチベットとモンゴルの政治的連携を完全に断ち切ることに成功した清朝としては、もはやチベット自体の存在は政治的にも軍事的にもなんら脅威となるものではなく、むしろチベット仏教界を最高の施主の立場から保護することこそが、もっとも有効な支配の方法であったといえよう。

清朝のモンゴル支配とモンゴル社会の変容

もともと清朝政権が、その初期においてモンゴル支配の目標としたのは、モンゴル固有の遊牧社会を、なるべく漢人社会と接触させることなく維持することであり、有事の際には満洲皇帝の同盟軍事力として動員しようと考えていた。ところがモンゴル遊牧社会も漢人農耕社会も、ともに清朝の統治下にはいることによって、従来の対立緊張関係から融和へと進み、やがて清朝の意図をこえて、漢人勢力のモンゴル高原への進出となってあらわれる。モンゴル遊牧社会は、漢人農耕社会と比べて、富の蓄積、つまり再生産への余剰蓄積という点では決定的に欠陥のある社会構造であったが、さらにモンゴル社会内部には「商業」という業種自体がほとんど存在していなかった。初め清朝政府は、漢人商人のモンゴル高原での活動にたいしてさまざまな制限を設けて規制しようと試みたが、漢人商人たちはしだいにモンゴル社会内部へと勢力を浸透させていった。漢人商人という外部勢力により、モンゴルではじめて商業網が形成され、モンゴル産品は漢人商人のネットワークにのることにより、外部世界へ商品として移転し、また多くの消費財が漢人商人によりモンゴルへともたらされた。このようにしてモンゴルの経済は、漢人商人の手に握られ、モンゴル王侯から一般牧民にいたるまで、その収奪にあえぐこととなる。

モンゴルにおける漢人商人は、北京に本拠をおく「京幇《けいほう》」と山西商人を主体とする「西幇《せいほう》」に大別されたが、固定店舗をかまえたり、牧民のあいだを行商して営業活動をおこなった。清朝はモンゴルの要衝に官僚と軍隊を駐屯させたが、そのような地点は必然的に物資の集散地となり市場と集落が形成された。さらに清朝の保護のもとで仏教教団は勢力を拡大したが、僧侶の増加は一面では有効生産者人口の低下をもたらした。巨大な仏教僧院伽藍は、それ自体が大きな消費地であったが、参拝者を集めて門前市が形成され、交易と人々の交流の場ともなった。このようにしてモンゴル高原に、官衙や僧院を核とした都市集落が出現したが、いずれも交通の要衝に位置しており、人間・情報・物資の移動の結接点となっていた。

清代のモンゴル王侯　乾隆年間のチョロス部のダワチ親王の肖像画。ベルリン，民族学博物館蔵。

モンゴル高原のなかでもゴビ砂漠の南側、内モンゴルの長城線に近い、漢人農耕地帯と隣接する地方ではさらに深刻な事態が進みつつあった。もともと内モンゴルの一部では、農耕がおこなわれていたが、清朝社会が安定すると中国本土では急速な人口増加現象が発生し、この余剰人口が長城線をこえて内モンゴルへと流入し、モンゴル牧地に入殖した。初めはモンゴル王侯が漢人農民を招募するかたちで「蒙地開放」が始まったが、地味の痩せたモンゴル牧地で開墾をおこなうことは必然的に土地の荒廃を招いた。しかし漢人の入殖はとまらず、土地の荒廃と牧地の狭隘化が進行した。中国本土に接する内モンゴル地域の一部では、旗の人口の多数が漢人となり、彼らを支配するために州・府・県などの行政機構が設置され、さらにこれら行政機構の主導による農民招募がおこなわれた。このような地域では、モンゴル王侯はもはや寄生封建地主と化し、かつてのモンゴル牧民はまわりを漢人農民に囲まれ、慣れぬ農業労働にいやおうなく従事することになり、しかも漢人商人からの負債が重くのしかかっていた。このような状況のなかで、モンゴル人と漢人とのあいだで「民族間対立」感情も生じた。とくに清末時期に内モンゴル各地で発生したモンゴル人の反漢蜂起は、一面では漢人農民を招募したモンゴル領主への抵抗であるとともに、漢人農民・商人への襲撃をともなっていた。かつては騎馬遊牧民の活動の舞台であったモンゴル高原は、清朝の支配が続くなかで、制度的にも内発的な可変性は抑止され、しかも漢人勢力の浸透により社会の状況は変化し、退嬰《たいえい》していったのである。

露清関係とモンゴル

モンゴルは清朝版図のなかで「西北の弦月地帯」に位置していたが、やがてロシア帝国が本格的にシベリア開発を推進し、ついで東アジアへ進出をはかると、二つの帝国のあいだの力関係の推移が、モンゴル族の動向に大きな影響を与えることになった。ロシアはおもにシベリアの河川路を使い、勢力を東へと進め、十七世紀中葉には黒龍江流域にいたった。しかし、ここで清朝とのあいだに紛争が起こり、結果的に一六八九年、ネルチンスク条約を締結することにより、清とのあいだで黒龍江流域をめぐる国境を画定し、北京での貿易が開始された。さらに外モンゴルとシベリア地区との国境も、一七二八年に批准されたキャフタ条約で決まり、両条約の成立で、露清間の関係は安定したものとなった。当時は清朝の国力がもっとも充実していたときでもあり、ほぼ清朝側の主導により両帝国関係が決まった。露清貿易も国境の街、キャフタでおこなわれ、十八世紀末より十九世紀前半の時期にかけて順調に発展した。

ところが国際情勢は確実に変化しつつあった。世界帝国へと発展していたイギリスはインドを拠点として、さらに東アジアへも勢力を拡大しようとはかり、イギリスのこのような野望は、必然的に清朝の掲げる「朝貢体制」への挑戦となってあらわれた。アヘン戦争の勝利により、イギリスは一八四二年に清朝とのあいだに南京条約を結び、これにより清朝の対外関係は、「朝貢体制」と「条約体制」が並存するかたちとなるが、ロシア帝国はこの段階では、ネルチンスク、キャフタ両条約で確認された露清関係の原則を改定する意図はなかった。しかし、一八五一年のイリ通商条約に基づき、イリおよびタルバガタイの開放を受けて、ロシアは東トルキスタンとモンゴルでの勢力浸透をはかり始めた。

ついでクリミア戦争勃発による英露対立が東アジアへ波及し、また中国本土ではアロー号事件が起こるなかで、ロシアは清朝から一八五八年の愛琿《アイグン》条約および天津条約、六〇年の北京条約などにより、東北境界において広大な土地を獲得することに成功した。露清両国間の力関係は完全にロシア側の優位へと転換し、建前上は平等な主権国家間関係に基づく「近代」的な「外交関係」が両国のあいだで正式に始まった。

英仏など西ヨーロッパ列強は、海上から清朝への攻勢をかけたのにたいして、ロシアは陸上から、つまりは東トルキスタン、モンゴルを舞台として積極的な帝国主義的侵略を開始した。中央ユーラシアの住民は、すでに自分たちの意志とはかかわりなく、国際関係の大きな渦のなかに巻き込まれていったのである。

世界的な規模での英露両帝国による覇権争いと弱体化した帝国清、このような構図のなかで起こったのが、ヤークーブ・ベグの反乱とロシア軍によるイリ占領、そして清朝側の反撃とその結果としての一八八四年の新疆省成立、という一連の事件であった(第2節参照)。すでに同治の中興、洋務運動をへて、清朝内部では漢人官僚が台頭し、主導権を握っていた。彼らは「中華帝国」としての清朝の「辺疆」防衛という視点から、問題を重視していた。イリ事件においても、もし清朝が妥協的な行動をとると、つぎにロシアがねらうのはモンゴルであろうと憂慮していた。実際に十九世紀後半になると、モンゴルにおけるロシアの経済活動は増大し、漢人系商人とロシア商会とのあいだで競合関係が起こった。

ところがこのような清朝官僚の危惧に反して、露清両帝国間のつぎなる係争の場となったのは、モンゴルではなく、清朝発祥の地である今日の中国東北地域、つまり当時の欧米人と日本人の表現では「満洲」地方であった。これには「近代」を象徴する技術である鉄道の敷設問題が関連している。ロシアは、一八九一年にシベリア横断鉄道の建設を開始し、さらにはシベリア鉄道本線からウラディヴォストークへ迅速に輸送をおこなうために、中国東北地方を横切る鉄道線(中東鉄道)を敷設する権利を、清国から獲得した。このようなロシアの攻勢は、明治維新をへて近代国家建設に邁進し、さらに勢力を朝鮮半島へと拡大しようとしていた日本とのあいだに緊張をもたらすものであった。結果的にロシア極東・シベリアと日本とを両極とし、あいだに挟まれた中国東北地域と朝鮮半島を緩衝地帯とする、「東北アジア」の国際関係の推移が、あらたな紛争を導くことになる。

日本は一八九四〜九五年の日清戦争勝利によって、李氏朝鮮王朝と清朝の宗属関係を解消させることには成功するものの、清朝にかわってロシアが朝鮮半島への勢力拡大をめざした。ロシアの強引な勢力拡大、とくに義和団事件に際してのロシア軍の行動は、日本に危機感をいだかせ、やがて一九〇四年には日露戦争が勃発する。戦争自体は日本の限定的勝利で終結するが、その後ロシアと日本は対決から宥和へ、つまり東北アジア地域における相互の帝国主義的利益を認め、勢力範囲を設定する方向へと進む。その第一歩が一九〇七年の第一次日露協商の成立で、これによって外モンゴルはロシアの勢力範囲であることが、日本ついで列強により承認されることとなる。注目すべきは、清朝政府は日露戦争後の一九〇七年に東三省総督を設け、統治の強化に乗り出したことである。しかも「東三省」のなかにはモンゴル人の生活空間がかなり含まれていた。東三省においては鉄道網が整備されることにより、中国内地よりさらに多くの漢人移住者が流入してきた。

イギリスとチベット

清朝は十八世紀中期までに、中央ユーラシア世界における最大の対抗勢力であった、モンゴル系のジュンガル部を壊滅させ、またチベットをその版図のなかに組み込むことに成功した。チベットと清朝との関係をみれば、「朝貢国」といわれた朝鮮やベトナムとの関係とは異なり、またモンゴル、東トルキスタンとの関係とも明らかに違っていた。チベット社会内部では、ダライラマを頂点とする固有の宗教的権威体制が維持され、ラサに駐在する清朝側代表により監督されてはいたが、きわめて高度な自治的状態にあった。しかし、十九世紀に在位した、九世から十二世までの四人のダライラマがいずれも成人を待たず世を去ったことからも推察されるように、中世的ともいえる宮廷政治の暗黒が、ダライラマ政権を取り巻いていた。チベットにとって、北からの脅威は清朝により除去され、その庇護下で安定をえたが、かわってヒマラヤ山脈の彼方に位置する、ネパールさらにはインドの動向が、大きな不安要因となっていった。

一七六八年、ネパールにグルカ王朝が成立し近隣地域に膨張政策をおこなっていたが、チベットにたいしてはチベット・インド間貿易をネパール経由に限ること、およびネパール貨幣を、ネパールにとり有利な条件でチベットが引き受けることなど、強引な要求を突きつけた。このことに端を発して二度にわたるグルカ軍のチベット侵攻が起こったが、一七九一年から翌九二年にかけて、清軍が軍事介入をおこないグルカ軍を押し返し、ネパールは清朝の「朝貢国」となった。ところが一八一四年にイギリスとネパールのあいだで、境界紛争からいわゆるグルカ戦争が起こり、ネパールは敗北し、ネパールにイギリスの駐在官がおかれることになり、さらに一七年にはチベット仏教圏に属するシッキムが、イギリスの保護下にはいることになった。イギリスの影響力はしだいにヒマラヤ周辺へと浸透していった。グルカ王朝自体も複雑な内部事情をかかえていたが、清朝との提携ないしは清朝を利用して、イギリスのインド当局に対抗しようとする動きもみられた。さらにラダックをめぐり紛争が起こったが、いずれの場合でも、清朝は現状への認識を欠き、なんらの行動にもでなかった。一八五七年にインド大反乱が起こると、グルカ王朝はイギリス側に協力することで、自らの独立性を守ろうと試みた。

　シッキムでのイギリス人逮捕事件をきっかけに、イギリス軍は軍事行動を起こし、一八六一年にシッキム条約が結ばれて、シッキムはイギリスの支配下にはいり、イギリスはチベット進出のための拠点をえた。この十九世紀中ごろの時点までに、ヒマラヤ周辺地域への清朝の影響力はすでに消失していた。一方、イギリスは清朝にたいして積極的な攻勢にでていたが、イギリスの進出拠点となったのは、広東、香港ついで上海といった、海洋沿岸部の都市であり、チベットには経済的な市場としての価値はいうまでもなく、戦略的な意義もほとんど認めていなかった。ところが十九世紀も末に近づくと、ユーラシア大陸全体を舞台として、大英帝国とロシア帝国とのあいだで、勢力拡大をめぐる緊張関係・抗争が生じた。チベットは両帝国の影響力がおよばない、いわば辺境の真空地帯であったが、とくにイギリスにとってはインドおよびヒマラヤ周辺地域の安全保障という観点から、ここにロシアの影響力がはいりこむことは看過できなかった。そのようなところに、ロシア臣民であるブリヤート・モンゴル人の仏教僧、アグワン・ドルジエフが登場する。

ドルジエフ　清朝崩壊後は，ともに独立を宣言したチベットとモンゴルのあいだで，相互承認条約の締結へも尽力した。

ドルジエフのチベットにおける活動は、一八八五年ころから開始されたといわれるが、九五年に実権を掌握したダライラマ十三世より信任を受け、ロシアとチベットのあいだの橋渡しをおこなうこととなる。イギリスのインド政庁は、このようなドルジエフ、およびその背後にあるとみなしたロシアの行動にたいし警戒感をつのらせたが、ドルジエフ自身はチベット仏教を基盤とした一種の汎仏教主義を構想し、その運動にロシアの後援をえようとしていたようである。一方、ロシア側はチベットにおける影響力拡大のために、ドルジエフを利用しようとしたとみられる。ちなみに、このドルジエフという特異な人物は、サンクト・ペテルブルグに仏教寺院を建立したり、ロシア帝室へも一定の影響力をもち、さらに彼の活動は、一九一七年のロシア革命に続く内戦期のブリヤートにおいても続いている。

インド総督カーゾンは、ロシアの行動を阻止するため、ヤングハズバンドに指揮される代表団を派遣、一九〇四年にラサにいたったが、ダライラマ十三世はドルジエフとともに外モンゴルへと逃亡した。ヤングハズバンドは、首長であるダライラマ不在のチベット政権とのあいだでラサ条約を結び、イギリスのチベットにおける優越的地位を認めさせた。同年、東北アジアでの日露間の利害対立により、東三省を戦場として、日露戦争が勃発していたが、イギリスは日本と同盟を結び、日本を援助していた。これらのイギリスの行動は、東アジアにおける対抗勢力であるロシア帝国の膨張を抑止するという、一貫した外交指針に基づいており、清朝を崩壊させることを意図したものではなかった。チベットについては、イギリスの保護国あるいは植民地にすることをめざしたわけではなく、ほとんど現実上の価値を認めず、ただ植民地インド経営にとって安全保障上の戦略的位置を重視していたにすぎない。イギリスはこのような立場に立つゆえに、清朝政府とのあいだで、一九〇六年にチベット政権と締結した条約の主旨を確認・補足する協定を結んだ。これにより、イギリスはチベットにたいする清朝の「宗主権」を確認することになるが、このことが重大な意味をもつ。もともと清朝とチベットの関係は、国際法でいう「宗主権 suzerainty」とは、はなはだ異質な原理により支えられていた。ところが、清朝の国際関係は、ヨーロッパ列強の侵略によって、いやおうなく「条約体制」へと移行せざるをえなくなった。この過程のなかで、チベットへの帝国清の法的権利が、「宗主権」であることが、かえって明確化されてしまったのである。

清朝末期のモンゴルとチベットの情勢

二十世紀にはいり、満洲人皇帝を頂点に戴く清朝は、外からの列強の侵略、内からの漢人勢力の台頭によって、その衰退は明らかになっていた。ただし列強そして政権内部で実権を握った漢人官僚も、清朝という体制を崩壊させるのではなくて、維持させることで、それぞれの利益を維持しようという点では、大局的にみれば一致していた。モンゴルで進行しつつあった状況は、清朝がその初期に掲げたモンゴル支配の理念からみれば、はなはだかけ離れた事態であった。一九〇六年から始まる、清朝の官制改革は、まさに清朝の生き残りをかけた、大きな政治行政改革であり、その一環として対モンゴル政策の抜本的変更が検討された。そのなかで、行政機構・制度の改革、新制度の導入、とくに新式軍隊の配備、学校・保健衛生施設の設置など、多方面にわたる施策が予定された。注目すべきは、この新政策検討過程で、清朝側責任者であった粛親王善耆《ぜんき》が、内モンゴル有力王侯のもとをまわり意見を聴取した際、ほとんどの王侯が支持を表明していることである。これは内モンゴルでも漢人入殖の進んだ地域では、モンゴル王侯が在地封建領主化しているがゆえに、その存在も清朝の命運と一体化していた事実を示している。

ところが、このような内モンゴル王侯の動向にたいして、外モンゴルのハルハ地方では、清朝の対モンゴル新政策にたいして大きな懸念と反発が、当時の指導層であった王侯・仏教界を中心に起こった。彼らは、もしこのまま新政策が実施されれば、いずれモンゴルは中国本土の「省」と変わりなくなる、すでに内モンゴルの一部ではそのような危険な徴候があらわれているとみなし、さらに清朝政権の実権が漢人官僚の手に握られ、彼らによって新政策が進められていることに不安をいだいていた。つまりモンゴルの伝統的な社会構造と生活環境を防衛するために、立ち上がろうとしており、清朝政権自体への不信が芽生えていたのであった。清朝政権にたいして新政策を断念させる交渉は、新設された資政院(国会)議員に選ばれたハルハ・モンゴルの王侯によりおこなわれたが、清朝は新政策実施の方針を撤回せず、ついには一九〇八年、あらたに庫倫辦事大臣に任命されたサンド(三多)により、新政策はモンゴル側の反対を押しきり、強行されることになった。

サンドは着任以降、矢継ぎ早に新政策に基づく施策を実行したが、しだいにサンドを頂点とする北京より派遣されてきた清朝当局とハルハの現地王侯・仏教界との対立という構図になった。モンゴル側は事態の打開に展望をみいだせず、一九一一年夏、フレーでの法会を機会に協議し、ロシアへ密かに代表を送り援助を求めることが決められた。密使に選ばれたのは、モンゴル最有力王侯のひとりハンダドルジ、フレーの活仏《かつぶつ》でハルハ地方のみならず、広くモンゴル全域の人々により崇敬されていた、ジェブツンダムバ・

ホトクト(八世)側近の高僧、ツェレンチメド、さらに内モンゴル出身のハイサンらであったが、いずれも反清的傾向が強く、モンゴル独立をめざす人物であった。彼らは、ジェブツンダムバ・ホトクトとハルハ四部ハン連名の、ロシア皇帝宛の密書を携えていたが、この時点でモンゴル側がロシアになにを求めていたかが問題となる。

近年になり大幅に公開されたロシア帝国外務省文書に基づけば、ほぼ以下のようにいえる。まずロシア皇帝宛密書の内容は、新政策により惹起された問題点をあげ、ロシアの介入を抽象的に求めているにすぎない。これは代表団を派遣したモンゴル側内部で、新政策をなんとかロシアの介入により停止させたいという点までは意見が一致していたものの、それをこえたモンゴルの将来像にかんしては合意ができていなかったことを示す。ところが、この密書をもちロシアへ赴いた人物たちは、いずれもモンゴル独立を宿願とし、さらに国禁をおかして生命をかけロシアへいったのであり、サンクト・ペテルブルグでは、モンゴルの独立にたいするロシアの援助を要請したのであった。さらにフレー駐在ロシア領事館は、必ずしも正確に代表団派遣の意図を理解

ツェレンチメド　ジェブツンダムバ・ホトクト側近の高僧であったが，世俗主義的傾向をもち，モンゴルの独立へ情熱を傾けた。ボグド・ハーン政権では内務大臣に就任する。

していなかったし、本国外務省への連絡には齟齬《そご》があったことも、ロシア外務省文書から明らかになった。

ともあれ、興味深いことは、長年にわたる清朝統治のもとで、たしかにモンゴル社会は変容していたが、外モンゴル・ハルハ地方については、まだ一定の地域的統合ないしは紐帯が存在していたことであり、危機への統一認識が、ロシアへの密使派遣という行動へと導いたのであった。また代表のなかに内モンゴル人が参加していることは、内モンゴルにも共感する者がいることを示そうとしたのであった。このような代表団を受け入れたロシア政府は困惑をきたすことになったが、清朝がモンゴルで進める新政策によって、従来の露清国境における力の均衡がくずれることを、むしろ警戒していた。結局、ロシア側は代表団へは「独立」が不可能であることを説得するとともに、北京駐在ロシア公使を通じて、清朝政府にたいしてモンゴルにおける新政策の停止を要求することを決定した。一九一一年九月、ロシアの外交圧力によって、清朝政府は新政策停止を声明したが、それからほどなく、十月十日に、いわゆる武昌蜂起が起こって清朝は崩壊し、帰国したモンゴル代表団メンバーらが中心となり、モンゴルは独立へと歩み出すこととなる。

一方、清朝最末期のチベットに眼を転じると、一九〇四年にイギリス軍の侵攻を逃れて外モンゴルへと向かったダライラマへロシアは援助するはずもなく、結局彼は〇八年に北京へといたる。日露戦争終結以降、東アジアをめぐる国際関係も急激に変化しつつあった。日露協商、英露協商があいついで成立して、主要列強間での「大協商」が完成し、おたがいの勢力範囲の維持と協調関係が確認された。したがって、かつてイギリスが危惧したような、チベットをめぐる英露対立というような状況は幻影となる。一方、このようななかで、ともあれイギリスからチベットにおける宗主権の確認を受けた清朝政府は、逆にチベットにたいして攻勢にでる。清朝側の行動の中心人物は趙爾豊《ちょうじほう》であり、チベット東部の四川省と隣接するカム地方を攻略して、まず清朝の拠点を築き、ついで一〇年にはラサへ四川軍を進軍させた。先のグルカ軍のチベット侵入に際しても、四川が清朝軍の出撃基地であったが、このときの清朝軍とは八旗軍主体であったのにたいし、今回動員された軍隊は清末期に組織された新軍であった。その意味では、四川軍の進駐をみたチベット人は、中国軍の襲来と理解したであろう。ダライラマは前年末にラサに戻っていたが、今度は一転してインドへと難を逃れ、ここでほどなく、清朝崩壊の報を聞くのであった。

清朝末期の段階で、清朝統治下の外モンゴル、そしてイギリスも帝国清の「宗主権」下にあると認めたチベットは、ゆるやかなかたちであれ、それぞれロシア、イギリスの勢力圏にあることが列強間では認識されるにいたった。ところが清朝政府は、「辺彊の再編」あるいは支配の再構築という目的から、強硬な政策にでた。それを推進した清朝政府とは、すでに漢人官僚の台頭により変質したものであり、昔日の面影はなかった。まさにこのような清朝政府の行動は、つぎなる大波乱をうみだすが、そのとき帝国自体が倒壊したのである。

2 東トルキスタン

モグーリスタン・ハーン国

一三四七～四八年、当時東西に分裂していたチャガタイ・ウルスの東半のハーンにトゥグルク・ティムールが即位した。彼が再建したチャガタイ・ウルスをモグール・ウルスあるいはモグーリスタン・ハーン国と呼ぶ。トゥグルク・ティムール・ハーンのイスラームへの改宗とその後の活動についてはすでに第四章に述べられている。十五世紀のなかば、モグーリスタン・ハーン国は、西方はタシュケントとトルキスタン(ヤス)両市を含むシル川右岸からフェルガナをへて東は東部天山(ボグド連山)北麓のバルス・キョル(現在の漢字表記では巴里坤)、北はイルティシュ川から南はホタンまでをその領域としていたと伝えられ、その中心は古代から遊牧民族の最重要の根拠地のひとつであるイリ川谷にあった。

しかし、十五世紀の後半には中央ユーラシアにあらたな遊牧勢力が台頭し、モグーリスタンは退勢をよぎなくされた。すなわち、タシュケント方面はキプチャク草原から南下したウズベク集団の支配下にはいり、またウズベクから分離したカザフはステップ地帯を東に進んでイルティシュ川にいたり、モグーリスタン・ハーン国の有力部族であったドグラト部の一部はカザフに合流した。こうした状況のもとで、ハーン国はその中心を天山の南のオアシス地帯に移して東方への進出をはかり、同時にイスラームへの傾斜の度を強めていった。

トゥグルク・ティムール・ハーンの時代、トゥルファン盆地には、西ウイグル国の王号であったイドゥククトを名乗る土着の支配者が存在し、ハーンの権威に服していた。この人物と一二八三年ころに甘粛の永昌に移住した西ウイグル国の本来の王家との関係は今のところ不明である。この地に一四二〇年には、仏寺が存在していたことは第三章ですでに述べた。しかし、その後スルタン・アフマド・ハーン(一四八五年頃即位)とその子のマンスール・ハーン(一五〇二～〇三年即位)はトゥルファンを根拠地とし、この地方は完全にイスラーム化された。

イリ川北岸，アルマリク故城付近に現存するトゥグルク・ティムール・ハーンのマザール(墓廟)　故城自体は完全に破壊され，農地となっている。

その過程で重要な役割を演じたのが、ホージャ・タージュッディーンという人物である。彼は先述のトゥグルク・ティムール・ハーンを改宗させた聖者アルシャドゥッディーンの子孫であるとされ、若いときにマー・ワラー・アンナフルに赴いてナクシュバンディー教団の中興の祖、ホージャ・アフラールの教えを受け、師の命によってアフマド・ハーンのもとへ遣わされて以来、五〇年にわたってアフマド、マンスール父子の宗教的指導者であった。

トゥルファンの勢力がハミを占領し明朝が立てたハミの王を拉致したため、ハミの仏教徒は一五一三年に明の支配下の粛州へと亡命し、その地に住み着いた。彼ら仏教徒のコロニーが少なくとも康熙二六(一六八七)年には存在していたことは、この年にウイグル文の金光明経が粛州の東関(城壁の東側に増築された部分)にあった仏寺で写されていることから明らかである。

ハミ王の送還を求め、トゥルファンからの「通貢」を禁止した明にたいし、マンスールは甘粛への軍事侵入でむくいた。モグーリスタン側の史料はこの侵入を、異教徒ヒターイにたいするイスラームのジハード(聖戦)であると述べている。ヒターイは契丹に由来する名称であり、中国本土およびその住民をさして用いられる。一五二四年マンスール・ハーンは二万の軍勢とともに粛州を包囲し、その際の戦闘で高齢のホージャ・タージュッディーンは陣没した。しかし、トゥルファンの軍事攻勢はやまず、一五二九年にいたって明朝はハミ王家の再建を断念しマンスールの通貢を認めた。明朝からすれば「通貢」は番夷にほどこす「国恩」にほかならなかったが、一方マンスールの側からみれば、いわば武力行使なしのガザー(不信者にたいする略奪行為)であり、状況に応じて軍事行動、すなわち聖戦に転換されるものであった。

マンスールが東方で明にたいする「聖戦」をおこなっていたとき、彼の弟のスルタン・サイードは、自らの従弟でありのちにムガル帝国の建国者となるバーブルの庇護のもとで三年をカーブルで過ごしたのち、東トルキスタンにはいり、その西部を支配していたドグラト部のミールザー・アバー・バクルを追放して一五一四年にハーンに即位した。マンスールとサイードは初めたがいの権威を認めず抗争したが、やがて和解が成立し、東西にハーンが並立した。サイードは息子のアブドゥッラシード・スルタン(のちのハーン、一五三七〜三八年頃即位)とともに草原地帯を確保しようとしたが、ウズベクとカザフの攻勢を前にして、

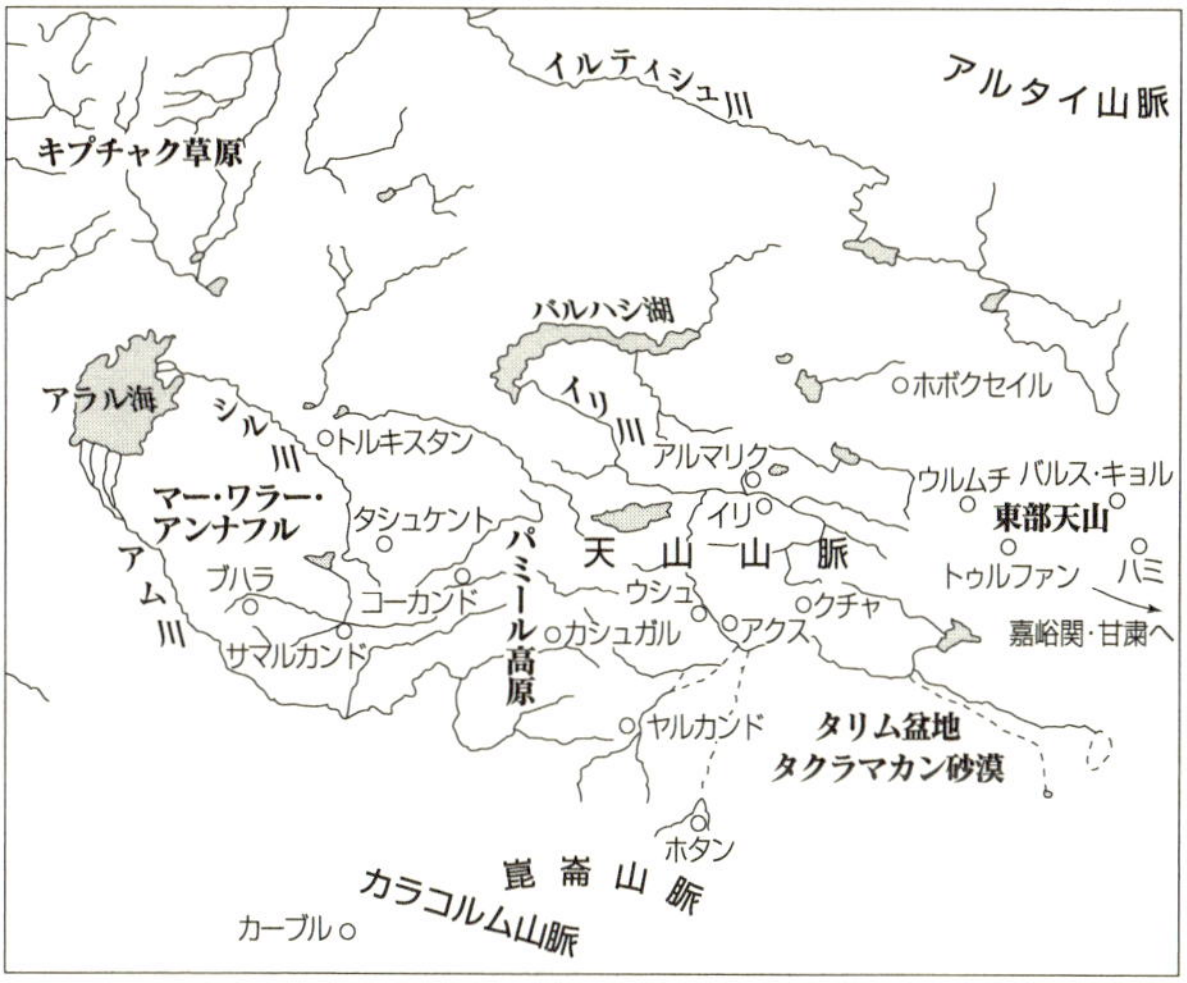

東・西トルキスタン地勢図

カシュガル、ヤルカンドを中心とするタリム盆地西部のオアシス地帯を支配下におきえたのみであった。サイードとその子孫の王朝をカシュガル・ハーン国とかヤルカンド・ハーン国とか呼ぶのはこのためである。

　モグーリスタン・ハーン国は本来遊牧国家であり、その構成要素である遊牧部族を左右の両翼に組織していた。この体制は十六世紀の終わりころまでは維持されていたと思われるが、その後はしだいに曖昧になっていった。その原因のひとつは、スルタンの称号を有するハーン家の王子たちがタリム盆地の各オアシスに割拠して、統一的な軍事行動が困難になったことに求められるが、より基本的には戦士である遊牧モグールが定住して武力装置としての部族の機能が低下したためである。家畜群、とりわけ馬群の維持は武力集団としての遊牧部族に不可欠であるが、ユルドゥズ渓谷を除き、タリム盆地の周辺には大規模な牧地は存在しない。部族の軍事力の低下は、彼らが草原を失い定住化したことの必然的な結果であった。

軍事力の弱体化を補完するために、あらたな遊牧集団がハーン国に組み入れられた。すでにサイード・ハーンの時代、オイラトに圧されてアルタイ方面から南下してきたクルグズ(キルギス)がハーンの権威に服していたが、アブドゥッラー・ハーン(一六三八～三九年即位)のもとでは、宮廷と地方の要職の多くがクルグズによって占められるという事態になっていた。また、十七世紀の中ごろには、カラヤンチュクと呼ばれるオイラトの集団がいわば傭兵としてハーンに従っていたことが記録されている。武力にまさる新参の勢力が実権を掌握することは当然の成り行きであり、モグール部族の衰頽はいやがうえにも加速された。

スーフィズムの影響

アフマド・ハーン、マンスール・ハーンが父子二代にわたって、ナクシュバンディー教団のホージャ・アフラールのもとから派遣されてきたホージャ・タージュッディーンに師事したことは前項で述べたが、サイード・ハーンの治世以後、マー・ワラー・アンナフルからスーフィーたちがつぎつぎと東トルキスタンに巡錫《じゅんしゃく》するようになった。一五二四～二五年にカシュガルに姿をあらわしたシハーブッディーン・マフムード(マフドゥーミ・ヌーラーという別号で知られる)はそのもっとも早い例である。彼はホージャ・アフラールの孫にあたり、ペルシア、アナトリア、エジプトを遍歴した経験をもっていた。サイード・ハーンは彼の弟子となり、「彼の足許に頭をおいて、完璧な悔悟をとげ」積年の悪習であった飲酒をやめたという。サイード・ハーンの息子アブドゥッラシード・ハーンは、ホージャ・ムハンマド・シャリーフというスーフィーに帰依した。ハーンは軍事行動を起こすに際して、ホージャの援助に頼り、彼を通じて幽冥界の聖者たちの霊魂に許可と加護を求めたと伝えられている。ハーンの次子で父の位を継いだアブドゥルカリーム・ハーン(一五五九〜六〇年即位)と彼の宰相は、ムハンマド・シャリーフの後継者であるムハンマド・ワリー・スーフィーの弟子であった。

正確な年次は不明であるが、このアブドゥルカリーム・ハーンの治世にホージャ・イスハークがサマルカンドからカシュガルにやってきた。この人物は、ホージャ・アフラールの二代あとのナクシュバンディー教団の指導者でマフドゥーミ・アーザム(偉大なる尊師)の称号で知られるアフマド・カーサーニーの息子である。彼はハーンの帰依を受けることができなかったため、ホタン、アクス、クチャに滞在し、ハーンの弟のムハンマドに道統を伝えてサマルカンドに帰還し一五九九年に死去した。彼の系統は、カシュガル・ホージャ家のイスハーキーヤ(のちにはカラタグルク、すなわち黒山党)として知られる。

一五九一年にアブドゥルカリーム・ハーンが死去すると、弟のムハンマドが即位した。彼は君主であるとともにスーフィーでもあり、東トルキスタンにおけるイスハークの筆頭弟子であった。イスハークの子ホージャ・ムハンマド・ヤフヤー(別名ホージャ・シャーディー)は、ハーンを頼ってカシュガルにきて、父の道統をハーンを経由して受け継いだ。彼はムハンマド・ハーンを含む七代のハーンにたいして指導者となり、その継承問題にも容喙《ようかい》し、一六四五〜四六年に死去した。

ホージャ・ヤフヤーの従弟にあたるムハンマド・ユースフは、カシュガルに来到したがヤフヤーと反目し、粛州さらには西寧のサラール族のもとにまで布教した。彼の息子が、ホージャ・アーファークとして知られるヒダーヤット・アッラーである。マフドゥーミ・アーザムのこの系統の子孫は、アーファーキーヤ、もしくはイーシャーニーヤ、さらにはアクタグルク(白山党)と呼ばれる。アーファークもまたイスハーキーヤとの対立抗争に敗北し、イスハーキーヤの支持者であったイスマーイール・ハーンによって東トルキスタンから追放され、一六七一〜七二年に西寧へ向かった。ここでは彼は布教に成功し、多くの中国ムスリムの弟子を獲得した。門宦と呼ばれる中国西北地区の神秘主義教団のなかには、彼の道統を受け継ぐものがある。

アーファークに敵対するイスハーキーヤの一文献は、彼がカシミールからチベットにいき、ダライラマの親書をえてジュンガルのガルダンのもとへ赴いて援助を求めたと伝えているが、その真偽はほかの史料からは確認されていない。しかし、いずれにせよガルダンは一六七八年にはハミ、トゥルファンを、ついで二年後にはカシュガル、ヤルカンドを占領し、イスマーイールを退位させてイリに拉致し、傍系のアブドゥッラシードを傀儡《かいらい》のハーンに立てた。彼はほどなくイリへ連れ去られたが、一六九六年ガルダンが康熙帝に敗北した際に清軍にくだった。アブドゥッラシードのあとにはその兄弟があいついでハーンに立てられたが、いずれもアーファーキーヤによって殺害され、アブドゥッラシードの子孫が北京に存続したのを除き、モグーリスタンのハーン家は消滅し、母方でハーン家の血を引くアーファークの孫のアフマドがハーンを称した。

ガルダンの敗死ののちジュンガルのホンタイジとなったツェワンラプタンは、アフマドとイスハーキーヤのホージャ・ダーニヤールをともにイリに幽閉し、ついで一七二〇年にはダーニヤールのみを帰還させて、ガルダンがアーファークに課したと同額の一〇万テンゲ(テンゲは名目貨幣、プルという銅銭五〇枚が一テンゲにあたる)の貢納を義務づけた。こうした状況は清朝の東トルキスタン征服にいたるまで継続した。

清朝の東トルキスタン征服

一七四五年、ホンタイジであったガルダンツェリンが死去すると、ジュンガルはたちまち内紛にみまわれた。乾隆帝はこれを利用して一七五五年、父祖三代七〇年以上におよぶ宿敵に最終的に勝利した。その際、イリに拘留されていた先述のアフマドの二人の息子、ブルハーヌッディーンとホージャ・ジャハーンは解放され、前者は清軍とともにタリム盆地にいってその地の収攬にあたり、後者はイリにあってムスリム住民を管理するよう命じられた。二人は最初これに従ったがやがて反抗に転じたため、一七五八年清軍はタリム盆地に侵攻し、翌年にはタリム盆地の全域を占領した。

これより先、一六三六年に後金のホンタイジ(のちの太宗)が満洲、モンゴル、漢族に推戴されて大清皇帝となり、モンゴルの王侯からはボグド・セチェン・ハーンの称号をたてまつられたとき以来、清朝の国制は皇帝が等しくこれらの民族の上に君臨するというものであった。モンゴルによってハーンに推戴されたからには、元朝の「臣僕」であったジュンガルの服属を要求するのは清朝の当然の権利であり、そのジュンガルに征服され、しかもその征服まではチャガタイ・ハーンの系譜に連なるハーン家の領域であったタリム盆地を版図に加えることもまた同様の権利もしくは義務と考えられていたのである。こうして一七五九年、東トルキスタンはあらたな境域という意味で新疆と呼ばれ、大清国の版図に組み入れられた。

恵遠城の鐘鼓楼　もとの恵遠城は19世紀の反乱で破壊されたため，再征服後旧城の西に再建された。

清朝の東トルキスタン統治には、多くの点でジュンガルの政策が踏襲された。すなわち支配の中枢をイリ川谷に定めたこと、南路とも回部とも称された天山の南のオアシス地帯には比較的小規模な軍事力を駐屯させたのみで、民政と徴税には現地人の有力者を官吏としてあたらせたこと、オアシス農民をイリ川谷に移住させ、農奴的待遇のもとで駐屯軍のための農業生産をおこなわせたこと（彼らはタランチ人と呼ばれた）、などがその実例である。その統治体制は、天山以北の軍事的に優勢な遊牧勢力が以南の農耕地帯を統制する、有史以来のこの地の特性をそのままに継承したものであったといいうる。

清朝はまた征服時のジュンガルの境域をこえて版図を拡大しようとはせず、カザフ、クルグズの遊牧集団と、近隣のコーカンド、タシュケント、ブハラ、バダフシャン、アフガニスタンなどを「藩属」とみなしてその朝貢を許す政策をとった。

新疆の最高権力者は、総統伊犁等処将軍（略して伊犁《イリ》将軍）であり、代々宗室を含む満洲族の有力者のみが任命され、イリ河畔の恵遠城に駐劄《ちゅうさつ》した。将軍の下には三名の参賛大臣があり、それぞれイリ、タルバガタイ、カシュガル(一時ウシュに移り、一八三一年以降はヤルカンド)に駐屯した。南路八城と呼ばれたタリム盆地のおもなオアシスには、領隊、弁事などの大臣がおかれたが、彼らも例外なく旗人であった。駐屯基地は本来のオアシスの城市の外に設けられ、現地人との接触を避けることが原則とされた。また東路と呼ばれたウルムチ以東はイリ将軍の指揮を受けるウルムチ都統の統制下にあった。

清朝の軍事組織は本来、満営(八旗軍)と緑営(漢人部隊)の二系統に截然と分かたれ命令系統もそれぞれ独立していたが、新疆では陝西、甘粛から輪番で駐屯する緑営は上述の大臣たちの指揮下に属した。満営、緑営のほかイリ将軍の麾下には、満洲人と同じツングース系であるため新満洲と称され、遥か奉天、黒龍江から移住させられたソロン、シボ、ダグール、および張家口から移されたチャハル、清朝に降伏して熱河に移動させられたのち帰還したジュンガル(清ではオーロトと呼ばれた)の諸集団があった。新疆に駐留した兵員の総数は、およそ二万六〇〇〇〜七〇〇〇であった。

民政と現地支配層

新疆の統治には三種の制度が並行しておこなわれた。すなわち、すでに内地から漢人が入植を開始していた東路には、内地と同じく州県をおき陝甘総督に管轄させた。また、元来はモンゴル貴族を編成・統制するための制度であったジャサク制を新疆の一部にも適用し、後述するハミとトゥルファンの支配者と、一七七一年にヴォルガ川の下流域から、いまや新疆となった故地に帰還してきたトルグート四集団の長、および天山山中に牧地を与えられたホシュート盟の長にジャサクを授与した。彼らは自らの「王府」を通じて所属民を支配した。南路のオアシスでは、新疆の独自の制度であるいわゆるベグ官人制がおこなわれた。この制度は、民政には清朝の駐屯軍を直接に関与させず、これを現地の有力者に委ねるものであり、各オアシスの最高位の民政官はハーキム・ベグであり、その下僚には、次席にあたるイシク・アガ・ベグ以下、租税、水利などを司る多くの役職があった。

民政を委ねられた現地支配層は、征服以前からすでに各地の有力者であり、征服に際して清軍に協力した者とその子孫からなっていた。しかし、彼らがモグールの系譜につながる者であったか否かは明らかではない。一六九七年に最初に清朝に服属したハミのウバイドゥッラーの出自は不明である。一七三二年にジュンガルの攻勢を逃れ、清朝の保護を求めて瓜州に移住したアミーン・ホージャは、前項に言及したホージャ・ムハンマド・シャリーフの教団となんらかのつながりをもっていたと思われる。さらに、最後のジュンガルのハーン、ダワチを捕縛して清軍に引き渡したウシュのホージャ・シベグの子孫は、彼らの系譜がトゥグルク・ティムール・ハーンを改宗させた聖者にさかのぼると称していた。少なくともモグール部族につながる系譜を主張する者はみいだされない。

これが、ジュンガルの占領期を通じて東トルキスタンの支配層に実際に変動が生じたことを意味するのか、あるいは支配層が自分たちの力の正統性の源を宗教的権威に由来すると主張するようになった結果なのか、現段階ではいずれとも決しがたい。彼ら有力者たちはその勲功に応じて、郡王、ベイレ、ベイセ、公など宗室と同様の爵位を与えられ、子孫はそれを継承した。彼らは先述のとおり、各オアシスのハーキム・ベグに任じられたが、任命に際しては出身地を避ける回避の制が遵守されていた。

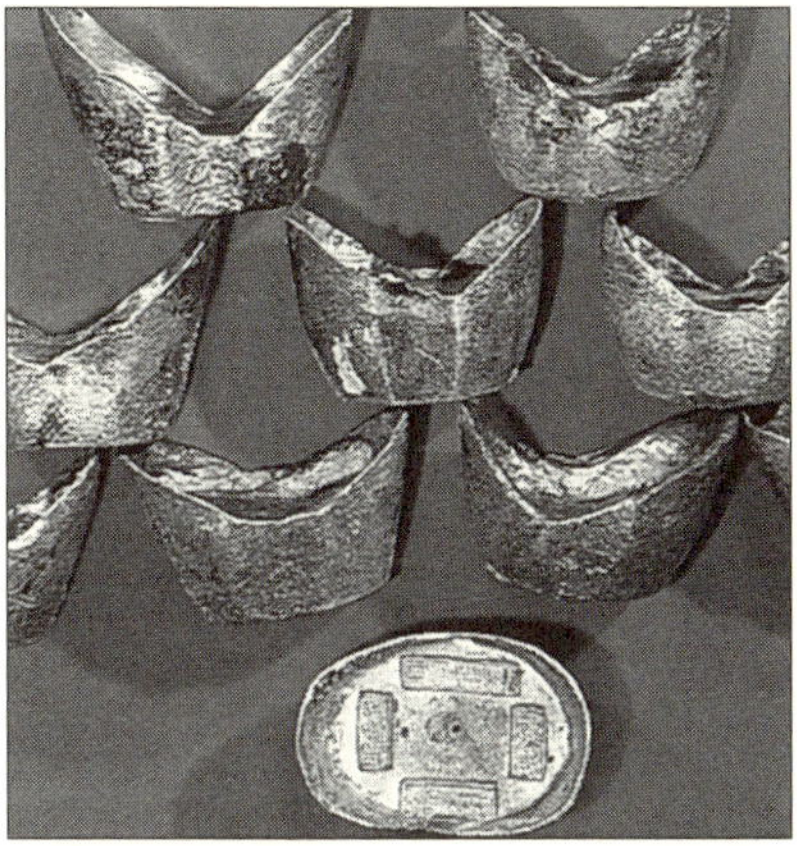
新疆でヤンブーと称された馬蹄銀　形は同じながら，大・中・小の３種があった。

新疆駐屯軍を現地の徴税のみによって維持することはまったく不可能であり、平時で年額およそ三〇〇万両が皇室の経費(内帑金《ないどきん》)から送られた。駐屯経費は、現地語でヤンブー(漢語・元宝の借用)と呼ばれた馬蹄銀と、現地産の銅を鋳造したプル銭の流通を通じて、新疆の経済を潤した。十八世紀から十九世紀にかけて、農業生産の拡大と人口の増加がみられ、前時代には存在しなかった安定がひとまずは出現した。

各オアシスのハーキム・ベグは自らの小宮廷を営み、スルタン、パーディシャー(君主の意)、本来はカリフの称号であった「信徒の長」などと自称していたが、一面では特権として認められた辮髪《べんぱつ》をつけ(内地と異なり、新疆では一般人が弁髪にすることは禁止されていた)、清朝の官服をまとい、駐屯軍の司令である旗人の大臣たちに服属していた。彼らはモスクや聖者廟の修復、マドラサの建設などをおこない、その維持のためにワクフ(寄進財産)を設定し、また時には街道沿いに植樹したり、灌漑水路を整備した例もある。彼らはまた文化的活動のパトロンの役割もはたした。東トルキスタンでは十七世紀の初頭から、チャガタイ語(中央アジアのテュルク語文章語)がペルシア語にかわって公的文書に用いられるようになっていたが、十八世紀には、ハーキム・ベグたちの指示や援助によって多くのペルシア語の作品がチャガタイ語に翻訳され、同時にこの言語を使用する「宮廷詩人」たちも輩出した。

ホージャたちの聖戦とコーカンド

このような新疆の安定は、十九世紀の二〇年代からゆらぎ始めた。その根本的な原因は清朝の国力の減退にほかならないが、新疆ではまずコーカンドとの関係から発生した。

新疆征服に際して、アーファーキーヤのブルハーヌッディーンとホージャ・ジャハーンは殺害され、その一族はほとんど捕えられたが、幼児であったブルハーヌッディーンの子サームサークは逃れて各地に流寓しながらも、東トルキスタンの帰依者たちとの連絡を維持していた。サームサークの子であるジャハーンギールは、一八一四年来フェルガナ方面から武力侵入を繰り返していたが、二六年にいたって、コーカンドのムハンマド・アリー・ハーンの援助を受けてカシュガルを占領し、タリム盆地の西半から清軍を一掃した。清朝は内地からも増援部隊を派遣して、一八二八年にはジャハーンギールを捕縛し北京で処刑したが、財政困難のためにコーカンドにたいする懲罰行動をおこなうことは不可能であった。したがって、サームサークの子孫たちは六〇年代にいたるまで、新疆への侵入を散発的に繰り返した。

コーカンドのハーン家はウズベク集団に属するミング部族の出自である。その長はビー（ベグ）を称号としていたが、しだいに勢力を増大させ十八世紀末葉、ナルブタ・ビーが全フェルガナを支配下に統一すると、その息子はハーンを称するようになった。コーカンドの隆盛の原因のひとつは、まぎれもなく新疆を経由しての清との交易であった。有利な交易条件を求めて、時には清の要求を容れてホージャたちを拘留し、また逆に彼らを使嗾《しそう》してカシュガルに侵入させるなどして清朝を翻弄した。

ジャハーンギールの侵入後、清朝が禁輸の強弁手段をとると、コーカンドは一八三〇年にカシュガルを一時的に占領した。清軍は今回も懲罰行動をとることができず、逆に禁輸令を緩和した。一八三二年、ムハンマド・アリー・ハーンはイリ将軍に親書を送り、ジャハーンギールに荷担して逃亡したカシュガルの住民の赦免と帰還、彼らの没収財産の返還、新疆へ入境する外国人にたいするコーカンドのハーンの支配権の承認、新疆におけるコーカンド商人にたいするコーカンドの徴税権の承認を求めた。道光帝は激怒したといわれるが、要求を受け入れた。上記の内容を含む条約が一八三五年に北京で締結され、これが中国の最初の不平等条約であるとする説があるが、条約の存在は確認できない。むしろ口頭の了解と考えるほうがあたっているであろう。

これ以後コーカンドは新疆在留の自国の商人のみならず、全ムスリムの庇護者のように振る舞ったことは、たとえば、北京の文書館に所蔵されるコーカンドからの外交文書からもうかがえる。そのなかには一八四六年の、清朝の官憲が新疆とコーカンドのあいだを行き来する商人からアヘンを没収、焼却したことに強硬に抗議し、賠償を請求する書簡が存在し、新疆においてもアヘンの禁令が実行されていたことが確認される。

ムスリムの反乱

アヘン戦争(一八四〇〜四二年)の結果、清朝の国力はますます衰えた。新疆の駐屯経費はすでに内帑金ではなく、内地の各省の税収から送られる協餉《きょうしょう》により支えられていたが、一八五〇年代にはこれも完全に途絶し、衣服をととのえられぬので兵は調練にもでることができぬという駐屯軍からの悲惨な報告にたいしても、北京からは現地でなんとかせよとの返事しか届かぬ状況になった。かくして、現地の住民とコーカンド商人にたいする臨時課税、人頭税、強制寄付の割りあて、貨幣の改鋳などがおこなわれ、これに反抗する蜂起が散発し始めた。まさにそのとき、内地のムスリム反乱が波及したのである。ウルムチ以東にはすでに多くの回民(漢語を話すムスリム)が移住しており、南路への移住は一応禁止されてはいたが遵守されず、緑営の兵丁には多くの回民が含まれていた。

一八六二年春、四川から陝西に侵入しようとした太平天国軍に備えるために動員された回民の団練(民間武装組織)が漢人の団練と衝突した事件をきっかけに、渭水盆地の全域は漢・回の相互殺戮に巻き込まれた。「洗回」と称する、平穏を保っていた回民にたいする虐殺事件があちこちで発生し、逆に回民の側が、洗回がおこなわれようとしているという噂を流して先に蜂起した場合もあった。回民の反乱は、翌年には甘粛、さらにその翌年には新疆におよんだ。新疆でも洗回の噂が広がり、しかもそれは清朝皇帝の命令によると信じられていた。

一八六四年六月初め、クチャの回民が一部の現地のムスリムと協同して官署を襲撃したのをきっかけに、反乱はごく短期間のうちに新疆全土におよんだ。イリの恵遠城とカシュガルの満城の籠城はやや長期におよんだが、各地の駐屯軍は数カ月をでないうちに壊滅した。クチャの蜂起者たちは、トゥグルク・ティムール・ハーンを改宗させた聖者の子孫であると信じられていたラーシディーン・ホージャをハーンに推戴した。彼は祖先の聖者の霊魂と交流する能力の持ち主であるとも信じられており、現地のテュルク系ムスリムのみならず、回民をも弟子としていた。彼はその霊的能力を宣伝し教団組織を動員して人員と物資を集め、ほかのオアシスへの遠征軍を組織した。その軍勢は、東はハミ、西ではヤルカンドにまで到達したが、これらの地方を完全に掌握するにはいたらなかった。

ウルムチでは緑営の回民の将校が反乱を指導し、内地からやってきた妥得璘というスーフィーが清真王と称して宗教指導者となった。ヤルカンドでも一スーフィーが有力となったが、反乱勢力を統合することはできなかった。ホタンの反乱指導者ハビーブ・アッラーはスーフィーであると同時にムフティー（イスラーム法官）であった。イリでは最初アブド・ラスール・ベグが蜂起を指揮したが、最後にはアラー・ハーンが権力を握った。さらに北方のタルバガタイでも蜂起が発生し、カザフを主とする反乱集団はアルタイ山脈をこえてモンゴル高原のコブドにまで侵入した。このように反乱指導者のほとんどはスーフィーであった。彼らは不信者である清朝にたいするジハードを鼓吹し、民衆にたいしてはイスラーム法の遵守を要求した。

カシュガルの反乱軍は状況を掌握することができず、コーカンドの実力者アーリム・クリにカシュガル・ホージャ家の一員を派遣するよう要請した。アーリム・クリはこれに応じて、ジャハーンギールの息子ブズルグ・ハーンをカシュガルへと送り、コーカンドの軍人ヤークーブ・ベグを副官として同行させた。一行は一八六五年の初めにカシュガルに到着した。

ヤークーブ・ベグ政権

ほどなくしてヤークーブ・ベグはブズルグから実権を奪い、ヤルカンド、ホタン、クチャ、ウルムチの勢力を順次征服して、一八七〇年には天山以南のほぼ全域を支配下においた。これをみたロシアは、翌一八七一年イリに侵入し、この地方を軍事占領し、アラー・ハーンをロシア領に拉致した。

これより先、一八六五年六月、ロシア軍はタシュケントを占領した。アーリム・クリは戦死し、アーリム・クリに従っていた武装勢力のかなりの部分が東トルキスタンに流入した。ヤークーブ・ベグの政権の中枢を担ったのは主としてこれらコーカンド出身者であり、各オアシスのハーキムのポストもほとんどが彼らによって占められた。ヤークーブ・ベグは民衆にイスラーム法を遵守させ、宗教施設の建築・修復、街道の整備など、イスラーム的君主にふさわしいとされる施策をおこなったが、彼の政権の存在それ自体が中国内地との交易の断絶の原因であったから、かつてのコーカンドのように貿易による利益を期待することができず、ひたすら住民からの収奪をおこなうほかなかった。

ヤークーブ・ベグの妻の甥にあたるサイイド・ヤークーブ・ハーンは、ロシアのタシュケント占領に先立ち、アーリム・クリにより援助要請のためオスマン帝国に派遣されていたが、一八七〇年にカシュガルに姿をあらわした。彼の手引きによりヤークーブ・ベグはオスマン帝国の宗主権を認め、軍事援助を受けた。イスタンブルからは、二度にわたって大砲、小銃などの援助物資とともに軍事顧問団が派遣され、ヤークーブ・ベグ麾下の軍隊にフランス式の教練をほどこした。イギリスとロシアはともに使節団を派遣して、ヤークーブ・ベグのカシュガル国家と通商条約を締結し、これを影響下におこうと試みた。

ヤークーブ・ベグの像　おそらくはイギリスの使節団の団員により撮影されたものと思われる。

清朝の再征服と省制の施行

一八七〇年代にはいり、清朝政府内部では李鴻章《りこうしょう》を代表とする「海防」派と、左宗棠《さそうとう》の率いる「塞防」派との論争がおこなわれた。海軍力の建設を優先し、そのためにはヤークーブ・ベグが清朝の宗主権を認めるならばその自立を許すこともやむをえぬとする前者にたいし、左宗棠は新疆を失えばモンゴルが危うく、モンゴルを失えば北京が危ういと反論し、一八七五年には新疆遠征の総司令に任命された。

清軍はまずウルムチを占領し、ついで一八七七年四月にはウルムチから南路への関門にあたるダバンチェンの峠で敵に壊滅的打撃を与えた。そのおよそ一カ月後ヤークーブ・ベグはコルラにおいて急死し、その国家はあっけなく瓦解した。ヤークーブ・ベグの霊柩を守ってカシュガルへ向かった弟のハック・クリ・ベグを、兄のベグ・クリ・ベグは襲殺して柩を奪い、清軍が迫ると父をアーファーク・ホージャの霊廟に埋葬してコーカンドへ逃亡した。陝西での蜂起以来、白彦虎《びゃくげんこ》に率いられて清軍と戦いつづけ、ヤークーブ・ベグのもとに逃れてきていた回民部隊もロシア領に逃れた。現在カザフスタンと一部クルグズスタンに住む少数民族ドゥンガンは彼らの子孫である。一八七八年末までには、ロシアに占領されたイリ川谷を除く全新疆が回復され、八一年には露清間に「イリ条約」が締結されて九〇〇万ルーブルの賠償金とひきかえに占領地が清に返還された。その際、もとの清朝統治下で農業労働に従事していた多くのタランチ人が、清朝の復帰をきらってロシア領に移住した。

　新疆に改めて樹立された清朝の統治は、旗人軍政官ではなく漢人官僚に委ねられた。一八八四年には省制が施行され、再征服後全土で実施された検地も八六年には完了し、これに基づいて税量が定められた。イリ将軍は名目的存在となり、ウルムチに駐在する新疆巡撫が最高権力者となった。あらたな体制は直接統治を原則とし、ベグ官人制を廃止したが、現地の有力者の介在なしに支配を実行することは不可能であった。一方で現地人の子弟に漢語の学習を強制するなどの同化政策の推進は、逆に住民のあいだに民族主義的覚醒をうながす契機となった。

　ロシア帝国の臣民は、「イリ条約」によって新疆における免税の特権を与えられていたから、新疆とロシアのあいだの貿易は急速に発展し、二十世紀初め新疆に在住するロシア籍の人口は一万をこえた。その多くはタタール人とウズベク人で、イリをはじめとする北路に居住していた。彼らは、ロシアおよびオスマン帝国のムスリムの新しい民族主義的な思想・政治運動にかんする情報をもたらし、その影響下に新疆からの留学生が、ロシアへ、ついで汎トルコ主義、汎イスラーム主義の中心地であったイスタンブルへ送られるようになった。留学生の多くは、露清貿易によって台頭してきた商業資本家の子弟であり、新疆における近代的知識人階級の第一世代であった。

3　西トルキスタン

タタール人の征服

一五五二年十月二日、モスクワ大公イワン四世(在位一五三三～八四)は、ヴォルガ川中流域の要地カザンを攻略し、ジョチ・ウルス(ロシアでは金帳汗国と呼ばれた)の系譜に連なる隣国カザン・ハーン国を滅ぼした。これは長くモンゴルの支配に服した過去をもつロシアにとっては画期的な勝利であり、同系のクリミア・ハーン国を介してイスラーム世界の大国、オスマン帝国の影響力がこの地におよぶことを未然に防ぐためにも大きな意味をもっていた。イワン四世がこの勝利を記念して、今も赤の広場を彩る華麗な聖堂、ワシーリー大聖堂を建立したのも頷ける。十三～十五世紀のあいだ「タタールのくびき」に甘んじたロシアは、いまやそのタタール人を従え、ヴォルガの通商路をおさえて東方に拡大する足場を築いたからである。一五五六年、ヴォルガ川下流域にあって、やはりジョチ・ウルスの末裔にあたるアストラハン・ハーン国もまたロシアの軍門にくだった。

カザンの陥落は、テュルク系ムスリムにとっても重大な事件であった。ロシアによる中央ユーラシアの征服は、これが始発点となったからである。この事件の記憶をもっとも鮮明に伝える作品に英雄叙事詩『チョラ・バトゥル』がある。これは遠くカザンの救援にはせ参じた英雄の活躍と死を描いた劇的な叙事詩であり、西はクリミア半島から東はカザフ草原にいたる広大な地域で口承の叙事詩として伝えられてきた。それは必ずしも史実を反映しているわけではなく、物語の展開は伝承によって多分に異なっている。しかし、ロシアとの戦いを連想させる叙事詩が広く受け継がれてきたことは事実であり、のちのソ連時代にそれが民族間の対立をあおる作品として迫害の対象となったのもそのためであった。

ところで、ロシア人はカザン・ハーン国の遺民をタタール人と呼び、さらにそのあとに征服したテュルク系ムスリム集団も長くにわたってこの名で通称した。タタールという名称は、かつてモンゴルの来襲におびえた中世ヨーロッパの知識人が、彼らの伝説にあったタルタロス(ギリシア語で「地獄の民」)とモンゴルの有名な一部族の名前タタルとを同一視して、モンゴル全体に与えた異名であり、ロシア人もこの用法を踏襲した結果である。こうしてヴォルガ＝ウラル地方のテュルク系ムスリムは、以後もタタール人と呼ばれつづけたが、このことばにはつねにロシアを苦しめた「蛮族」のイメージがつきまとうことになった。

ロシア統治の最初の二世紀、タタール人貴族の一部はムスリムのままロシアの官職に就くことを許されており、ツァーリはテュルク系遊牧国家の理念に従って「偉大なるベク、白いハーン」ともみなされていた。しかし、全体としてみると、タタール・ムスリムは過酷な抑圧のもとにおかれていた。彼らは都市や交通の要地における居住や職業を制限され、ヴォルガ川流域の肥沃な土地はロシアの貴族や修道院、あるいは中央ロシアからの逃亡農民に分与された。彼らは流入するロシア人のために自らの郷土において少数者の地位に陥ったのである。十八世紀末までに現在のタタールスタンにあたる地域ではロシア人がすでに人口の五二％を占め、タタール人は四〇％にすぎなくなっていた。タタール人は社会・経済的な自由を喪失し、十世紀のヴォルガ・ブルガール以来のイスラーム文化の発展も阻害された。

一方、「不信仰」の臣民の正教化を国家の理念とするロシアは、タタール人を征服した直後からロシア正教の布教に着手した。イワン四世から特権を与えられてカザンに赴任した大主教グーリーは、数千人の改宗者(クリャシェン)をえたといい、彼らの後裔は「古参改宗者」と呼ばれた。しかしムスリムの改宗は遅々として進まず、十八世紀には免税や罪の赦免などの特典と引き替えに改宗を迫る方策がとられた。改宗者が免じられた税や賦役はムスリムに転嫁され、わずかでも改宗者が居住する村では、たとえムスリムが多数派であってもモスクを保持することは許されなかったのである。

反イスラーム政策が強化された十八世紀なかばには、カザン県にあった五三六のモスクのうちじつに四一八が破壊された。この時期に改宗した人々は「新規改宗者」と呼ばれたが、正教会の指導や監督も不徹底であったため、新旧いずれの改宗者も信仰堅固とはいえず、機会をとらえてイスラームに回帰するクリャシェンはあとをたたなかった。十九世紀の中ごろには「新規改宗者」の多くは「狂信的なムスリム」に、「古参改宗者」たちは「キリスト教とイスラームとのあいだを揺れ動く中途半端な」状態になっていたという。

このような抑圧と同化の政策は、タタール・ムスリムの不満と反感とを呼び起こさずにはおかなかった。ステパン・ラージンの率いた農民・コサックの反乱(一六七〇〜七一年)やプガチョフの反乱(一七七三〜七五年)にタタール人をはじめとする多くの「異族人」(中央アジアやシベリアの非スラヴ系諸民族の呼称)が参加したのはその一例である。一方、タタール人のあいだにはロシアの内地と化したヴォルガ＝ウラル地方を離れ、同じテュルク系ムスリムの居住するカザフ草原やトルキスタンに新天地を求めて移住する動きが始まった。それはやがて中央ユーラシアのほぼ全域に展開するタタール人のディアスポラ(離散)の第一波であった。

タタール商人の雄飛

十八世紀の末、ロシアの対イスラーム政策は大きな転機をむかえた。時の女帝エカテリナ二世(在位一七六二〜九六)は、ロシア領内のムスリムの地位に関心をもつオスマン帝国に配慮するとともに、東方領土の安定と東方貿易の振興とをはかる見地から、これまでのムスリムにたいする抑圧政策を緩和する一連の改革に着手する。女帝は、いたずらな反イスラーム政策はプガチョフの反乱のように危険な騒擾を拡大することを憂慮し、むしろ有能なタタール商人に活動の自由を与えることによって、ロシアの東方貿易の拡大を期待したのである。さらにイスラームを「進んだ宗教」と考えた啓蒙思想家ヴォルテールの感化を受けた啓蒙専制君主によれば、東方の「未開な」遊牧民をタタール・ムスリムをとおしてイスラーム化することは、彼らの「文明化」と辺境の安定とに寄与するはずであった。

エカテリナ二世の治世にロシア領内のムスリムは信教の自由を認められ、一七八九年ウラル山麓のウファに開設された「オレンブルグ・ムスリム宗務協議会」は、イマームなどのムスリム聖職者の資格審査と監督およびイスラーム法による裁判業務を開始した。ここにロシア領内のムスリム共同体ははじめて合法的な組織を手にしたことになる。もっとも、イスラームにたいする女帝の寛容な政策は、あくまでもそのプラグマティズムの所産であった。二度にわたる露土戦争(一七六八～七四年、八七～九二年)によってオスマン帝国の宗主権下にあったクリミア・ハーン国を併合し、オスマン帝国を深刻な危機におとしいれたのも同じ女帝にほかならない。

　しかし、中央ユーラシアに目を戻せば、エカテリナ二世の改革は、ロシアの東方貿易を飛躍的に拡大させることになった。そして、これを担ったのが社会・経済的な制約から解き放されたタタール人であった。タタール商人は、東方の隣人との言語・文化的な親近性を武器として、まだロシア商人のはいりにくかったカザフ草原やトルキスタンに商圏を広げていった。草原をめぐる雑貨商から大規模な隊商貿易を営む豪商までを含むタタール商人は、東方からは羊毛、皮革、綿糸など、ロシアからは織物、金貨、金属製品などをもたらしながら、ロシアと中央ユーラシアとを結ぶ通商のネットワークを築き上げていく。

(単位：ルーブル銀貨)

	中央アジアからロシアへの輸出額	ロシアから中央アジアへの輸出額
1758～60年	250,000	288,000
1768～72年	275,000	245,000
1792年	1,400,000	1,130,000
1830年代	2,500,000	2,000,000
19世紀中期	4,000,000	3,000,000

中央アジア・ロシア間の貿易額の推移

「中央アジア・ロシア間の貿易額の推移」(表)を見ると、両者間の貿易は一七七〇年代から九〇年代、すなわちエカテリナ二世の改革がおこなわれた時期に激増していることがわかる。カザフ草原の西北に位置するオレンブルグは、このような通商の拠点として発展をとげた都市の典型であった。十九世紀末になると、タタール商人のあいだにはここを拠点にモスクワやニージニー・ノヴゴロド、ベルリンにも支店をもち、四〇〇〇万ルーブルもの巨額の資本をたくわえたフサイノフ兄弟商会のような豪商もあらわれた。

タタール・ムスリムの復興

ここで注目されるのは、東方貿易で財産を築いたタタール商人が、その財産の一部をワクフ(宗教的寄進財)として郷土のモスクやマドラサの建設・維持費にあてることにより、豊かな富をムスリム社会に還元したことである。そして同じ十八世紀末以降、ヴォルガ゠ウラル地方からは東方に雄飛したタタール商人のあとを追うかのように、若いタタール人留学生がトルキスタン、とりわけイスラーム教学の中心地ブハラに向けて旅立っていった。彼らの目的はそこで正統的な学問を修得し、二世紀をこえるロシア統治のもとで衰退したイスラーム文化を再興することにあった。彼らは帰郷すると、新興のタタール商人によって整備されたマドラサやモスクでタタール・ムスリムの文化的な復興を担う新世代を育成することになる。

ブハラから将来された学問は、たしかにタタールのイスラーム復興に大きく貢献した。しかし、ブハラのイスラーム教学は、タタール人留学生クルサヴィーが十九世紀初めに看破していたように、すでに伝統の権威に依存した形式主義におかされており、クリャシェンの集団再改宗に直面したロシア当局が採用した新しい改宗と同化の政策、すなわち『バーブル・ナーマ』の校訂でも名高い東洋学者イリミンスキーの考案にかかる、「異族人」の母語を用いた学校教育による教化に対抗する力はなかった。ロシア文明の挑戦に応えてムスリム社会の発展をはかるには、もはや旧態依然としたイスラームの解釈に安住することは許されなかったのである。

このような課題に取り組んだ指導的なウラマーがメルジャニーであった。彼はコーランとスンナ(預言者の言行)という原典に立ち返って、イスラーム法を柔軟に解釈し直すことを提唱し、ムスリムも近代科学やロシア語を積極的に学ぶことを奨励した。彼はまたはじめてタタール人の民族史を書いた歴史家でもあり、タタール人の祖先をモンゴル人ではなく、ヴォルガ・ブルガールに求めた彼の学説は、近代タタール人の民族的なアイデンティティの形成に大きく貢献した。

十九世紀以降のカザンやオレンブルグは、ロシア人の都市であるとともに、復興と覚醒をとげたタタール人の経済・文化的な中心地でもあった。彼らの出版文化は同時代のイスラーム世界でも群をぬいていた。ここに生まれた改革の潮流は、新興のタタール・ブルジョワジーの支持を受け、テュルク系ムスリム世界のほぼ全域に展開するタタール人をとおして各地のムスリムに文化的な影響を与えることになる。タタール人は、ロシアの東方進出において先兵の役割をはたすとともに、イスラーム復興の旗手となったのである。

カザフ草原の併合

カザン・ハーン国の征服ののち、ロシアはウラル山脈をこえてシベリアに進出し、十六世紀末にはやはりジョチ裔のムスリム君主を戴くシビル・ハーン国を滅ぼして、その領土を帝国に編入した。十八世紀の初頭からは広大なカザフ草原を北から覆うように、コサック要塞線の建設に着手した。点々と連なる要塞は、ロシアの辺境防衛と通商の拠点であり、カザフ遊牧民にロシア帝国の国境線を誇示していた。コサック(ロシア語ではカザーク)は、カザフ草原にロシアの覇権を打ち立てる先兵の役割をはたしたが、その語源はカザフと同じく「冒険者」「独立不羈《ふき》の民」を意味するテュルク語であった。ロシア人が両者の混同を避けるためにカザフ人に「キルギス」の名前を与えた結果、カザフ人は革命後の一九二五年までこの名前で呼ばれ、それはカザフと本来のキルギス(クルグズ)との混同を招くことにもなった。

ロシアの勢力がカザフ草原の北辺におよんできたころ、遊牧のカザフはすでに政治的な統一を失い、西から順に小ジュズ、中ジュズ、大ジュズと呼ばれる三つの部族連合体に分れて集団を形成していた。しかし、カザフにとっての最大の脅威は、東方のチベット仏教を信奉するモンゴル系遊牧集団、ジュンガル部のたび重なる攻撃と略奪であった。とりわけ一七二三年来のジュンガルの侵攻は、彼らの口碑に「おおいなる災厄」(アクタバン・シュブルンドゥ)として伝えられるほどの大打撃を与え、飢えと疲労に苛まれたカザフ人は地に倒れ、シル川の彼方に身をよせたと伝えられる。ジュンガルはさらにタシュケント、トルキスタン、サイラムなどカザフ人の拠点となる都市を劫略し、大量の難民はサマルカンドやブハラ、フェルガナ地方などの諸都市をも恐慌におとしいれた。

一七三〇年、小ジュズのアブルハイル・ハーン(在位一七一六〜四八)が、使者を送ってロシア帝国への服属を願い出たのを皮切りに、ほかのジュズのハーンたちもこれにならったのは、このようなジュンガルの破壊的な攻撃から身を守るための外交的な戦略であった。ロシア・カザフ間の正式な外交関係はこのときに始まるが、カザフの理解する臣属関係はロシアの考えるほど厳格なものではなかった。中ジュズの英主アブライ・ハーンが、ロシアのみならず、一七五七年にはジュンガルを征服した直後の清朝にも臣服を誓ってはばからなかったように、カザフのハーンたちの帰順とは安全保障や通商の拡大のための臣属にほかならなかった。のちのソ連史学は、個々のハーンたちのロシアへの帰順を根拠に、ロシアによるカザフ草原の併合をカザフ人の「自発的な帰順」と解釈したが、それは「諸民族の友好」をうたった政治的なイデオロギーから自由ではない。

一八二〇年代にはいると、ロシアはカザフ草原の安定をはかるために、すでに権威を喪失していた小ジュズと中ジュズのハーンにかわり、ここにロシアの直接統治を導入した。同じころ、草原の東南に展開する大ジュズのハーンたちも、続々とロシア統治を受け入れた。その背景には一八〇九年にタシュケント、一四年にはトルキスタンを占領して、南のオアシス地域からカザフ草原をうかがう新興のコーカンド・ハーン国の脅威があった。こうして順次ロシアの統治下に組み込まれたカザフ草原は、アクモリンスク、セミパラチンスク、セミレチエ、ウラリスク、トルガイ、シルダリアの六州に区分され、その東半は一八九一年北方のオムスクに所在するステップ総督府の管理下におかれた。

しかし、この間のロシアによる土地の収奪や遊牧民の季節的移動ルートの切断、またコサックによる威嚇的な軍事偵察行は、カザフ人の不満や反感をかった。すでに、プガチョフの農民反乱には多くのカザフ人が加わっていたが、その後もロシア統治にたいするカザフの反乱はあいつぎ、なかでもアブライの血を引くケネサル・サドゥク父子は四〇年(一八三七~七七年)におよぶ果敢な闘争を展開したことで知られている。北からのロシア、南からのコーカンド・ハーン国の攻勢にたいして、カザフの統一をめざした彼らの闘争は未完に終わったが、カザフの英雄を称える叙事詩や詩句は民の記憶にきざまれた。

一方、このケネサルの反乱を契機として、ロシアはカザフ人に兵役を課すことを断念した。帝国への忠誠に疑念のある「異族人」に軍事の知識や技術を与えることはむしろ有害とみなされたからである。この原則はのちにトルキスタンにも適用され、当局はこれをムスリム臣民にたいする恩恵と説明することにつとめた。このような政策は、のちのロシア革命期に中央アジアのムスリム民族運動が軍事力に劣り、ボリシェヴィキに敗北する一因ともなった。

カザフ草原の変容

ロシアとの関係が深まるにつれて草原の遊牧社会にはいくつもの顕著な変容があらわれた。その第一は、イスラーム化の進展である。それまでイスラームの浸透はほぼカザフの支配者層にとどまり、遊牧民のあいだでは古来のシャーマニズムや祖先崇拝の伝統が濃厚に保持されていた。しかし、ロシアの後援を受けたタタール人が草原に分け入ってモスクやマドラサを建設し、南のトルキスタン地方からはイシャーン(スーフィズムの導師)やムスリム商人がカザフ人のあいだにイスラームを広めた結果、十九世紀をとおし

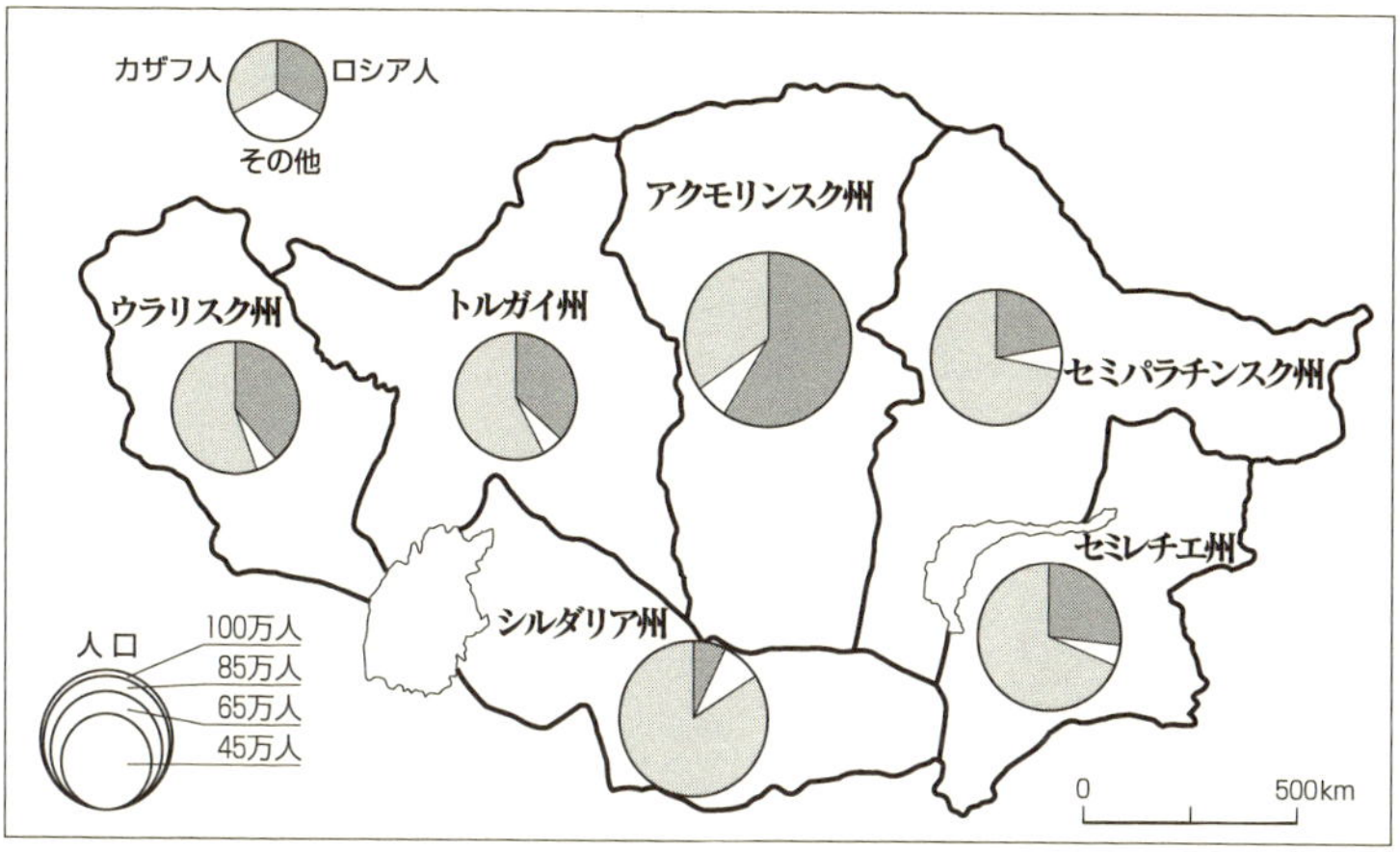

1916年のカザフ草原における民族別人口比（シルダリア州とセミレチエ州はトルキスタン総督府の管轄）

てカザフ人のイスラーム化は急速に進展あるいは深化した。中央ユーラシアのイスラーム化は十九世紀においてもなお進行していたのである。

しかし、こうしたタタールやサルト（一般にトルキスタンの定住民をさす呼称）の布教・商業活動が、遊牧カザフの定住民にたいする伝統的な優越感を傷つけたことも事実であった。ロシア産の安価な雑貨と交換に大量の皮革や家畜を持ち去るタタール商人や、毎年家畜の肥えるころ草原のムリード（イシャーンの信徒）をおとずれては法外な寄進を要求するイシャーンたちの姿は、カザフの民話や諺に残されている。一方、ロシア当局は、タタール人によるカザフ人のイスラーム化がここに狂信や排外的傾向などの「悪しき要素」をもたらす危険を憂慮し始めた。一八六〇年代からロシア当局は長く草原の行政に関与してきたタタール人の書記官や通訳官の数を削減し、カザフ文章語の育成などカザフ人の文化的な自立を助長する政策を採用することになる。

第二の変容は、十九世紀後半に世俗的なカザフ知識人の第一世代が誕生し、のちのカザフ・ナショナリストに連なる潮流が生まれたことである。彼らはカザフ文化の独自性を認めながら、伝統的な生活様式や慣習の悪弊を批判して、定住化の道を説き、ロシア・西欧文明の摂取によってカザフ人の自立と発展とを実現しようと考えた。このような知的エリートを代表するのは、幼年からロシア式の教育を受けて陸軍特務将校となり、東洋学者としても名をなしたワリハノフであろう。彼は、カザフ文化をイスラーム文明の影響から守りぬき、ロシア・西欧文明の受容によってカザフの文明化をはかろうとした。また、アルトゥンサリンはカザフ文章語の確立に貢献し、アバイは多数の著作によってカザフ人の啓蒙につくしたことで知られている。彼らは、ロシア統治がはからずももたらしたカザフ草原の再統一という条件のもとで、カザフ人の民族的な統合を構想したが、個々のジュズや部族への強い帰属意識はカザフ・アイデンティティの形成に大きな障害となっていた。

草原にあらわれた第三の変容は、一八九〇年代以降、ロシア・ウクライナ人農民の草原への入植が本格化し、草原の民族構成を一変させたことである。農奴解放後の農民対策や大規模な飢饉の発生、帝国辺境のロシア化の促進などさまざまな理由から、ロシア革命前にヨーロッパ＝ロシアからシベリアや中央アジアへ移住した人々はおよそ六五〇万人を数えたが、そのうちほぼ三分の一がこのカザフ草原に入植したと推定されている。この未曾有の大移住の結果、宇山智彦の算出によれば、一九一一年にステップ諸州の人口の約四〇％はスラヴ系移民によって占められ、主要な都市ではいずれもロシア人が過半を占めるにいたった。このように急激な民族構成の変化は、草原の各地に社会・経済的な緊張の要因をつくりだすとともに、新世代のカザフ・ナショナリストに重い課題を与えることになった。

トルキスタンの三ハーン国

一五九九年にシャイバーン朝が滅亡したあと、マー・ワラー・アンナフルの政権はジョチ裔のジャーン朝(アストラハン朝ともいう)の手に移行した。この王朝は、先のシャイバーン朝と同じくブハラに首都をおき、やはりここを拠点としたのちのウズベク政権マンギト朝とあわせてブハラ・ハーン国とも通称される。十七世紀サマルカンドのレギスタン広場を囲む壮麗なシェルダールとティッラカリの両マドラサの偉容が物語るように、この時代の文化はなお活力を維持していたが、政権は王族による領土の分封や実力にまさるウズベク諸部族の台頭と割拠のためにしだいに弱体化し、栄光のチンギス裔の権威も名目にすぎなくなっていった。これは十六世紀初めにジョチ・シバン裔のハーンを戴いてアム川下流域のホラズム地方に成立していたヒヴァ・ハーン国においても同様であった。ヒヴァのハーン、アブルガーズィー(在位一六四四～六三)は、『テュルクの系譜』や『トルクメンの系譜』などのチャガタイ語の史書を書いたことで知られているが、ハーン国の現実の歴史はウズベク諸部族間の対立やウズベク対トルクメンの激しい抗争に満ちていた。

十八世紀にはいると、ここトルキスタンでは傀儡《かいらい》のハーンを押し立てたウズベク諸部族の抗争に加え、東からのジュンガルの侵攻とサファヴィー朝崩壊後のイランに一代で統一政権を築き上げたナーディル・シャーの侵攻があいつぎ、政治的な秩序の解体と社会・経済的な荒廃とが進んだ。一七四〇年にナーディ

ヒヴァの景観

ル・シャーが侵攻したとき、サマルカンドはおよそ一〇〇〇世帯の住む城塞を除いて住民は皆無であったという。

しかし、十八世紀の後半になるとトルキスタンの各地には新しい政権が成立し始める。まず、ブハラではナーディル・シャーに服属したマンギト部族が頭角をあらわし、領袖のムハンマド・ラヒームは、ほかのウズベク諸部族をおさえるとともに、名ばかりとなったジャーン朝のハーンを廃して、一七五六年マンギト朝を開いた。初期の君主は時にハーン位を名乗ることを躊躇したが、十八世紀末の君主シャームラードは、あえてハーンを名乗らず、歴代カリフの称号「アミール・アル・ムウミニーン(信徒の長)」という意味でのアミールを自称した。それは明らかにイスラーム国家の理念を掲げるものであり、後続の君主も皆アミールを称した。したがって、これ以降のマンギト朝はブハラ・アミール国と呼ぶのが適切であろう。

ヒヴァでは、ウズベクおよびトルクメン諸部族の長い流血の闘争の末に、一八〇四年コングラト部族のエルテュゼル(在位一八〇四〜〇六)がハーンを宣言して新しい王朝を開いた。ヒヴァのハーンは、カスピ海の東に展開するトルクメン諸部族を巧みに操縦しながら権力を維持することにつとめたが、配下のトルクメンがイラン東北部のホラーサーン地方を劫略したために、しばしばガージャール朝とのあいだに緊張関係をつくりだし、また隣接するブハラとの抗争もやむことはなかった。しかし、十九世紀ヒヴァの経済・文化的な活力は、今に残る歴史都市ヒヴァの景観にしのぶことができる。

一方トルキスタン東部のタシュケントやフェルガナ地方では、十七世紀末からウズベクおよびカザフ諸勢力間の抗争の間隙をついて、貴顕な出自を誇るホージャたちが統治の実権を握った。彼らはときに預言者の子孫を名乗ったが、実際にはナクシュバンディー教団の有力な導師の一族であった。十八世紀の後半タシュケントではこのホージャ層が商人や手工業者の支持をえて事実上の自治をおこなったが、フェルガナでは十八世紀の初めにホージャの権力はウズベクのミング部族によって打倒されたと伝えられる。やがて、この部族の領袖ナルブタ・ビー(在位一七七〇～九八)はフェルガナ地方(盆地)を統一し、その息子アーリム(在位一七九八～一八一〇)ははじめてハーンを名乗った。これがコーカンド・ハーン国の成立であり、その背景には東はパミールをこえての清朝、西はタシュケントを介してのカザフ草原およびロシアとの通商の利益があった。

こうして、十九世紀初頭のトルキスタンには、個々のウズベク部族が権力を握るブハラ、ヒヴァ、そして新興のコーカンドという、いわゆる三ハーン国が並び立つことになった。これらはザラフシャン、アム、シル水系に依存する豊かな農業生産とロシア、カザフ草原、インド、東トルキスタンを結ぶ活発な国際商業とを基盤に成立していた。十八世紀の末からフェルガナ地方やホラズム地方では灌漑水路の建設や復興がおこなわれ、農業生産に大きな進展がみられた。ウズベク諸部族の定住化もこの十八・十九世紀に急速

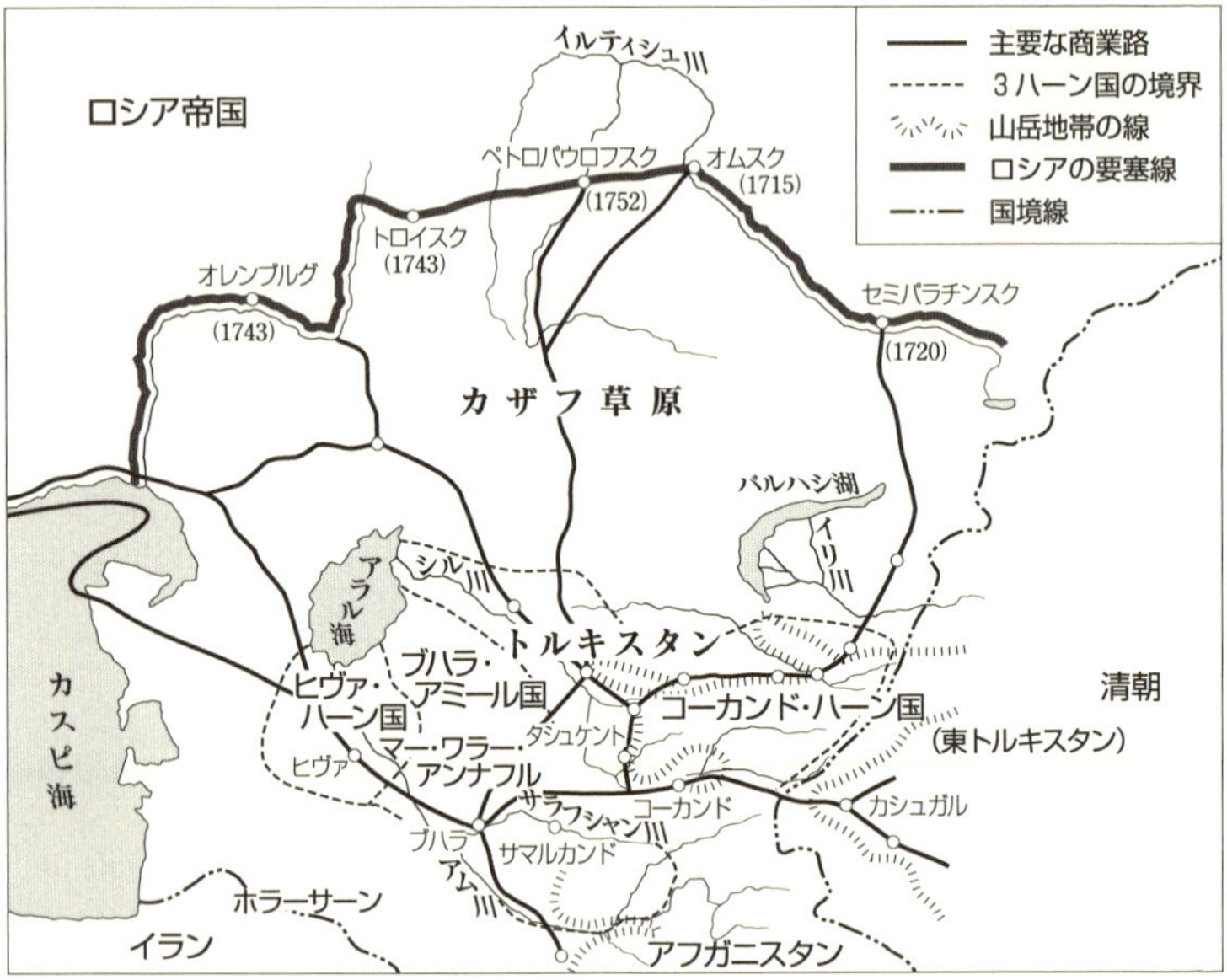

19世紀初頭の中央アジア

に進行し、それはこの地のテュルク化の最終局面であったともいえる。もうひとつの顕著な変化は、国際商業の発展にともなう都市人口の増大とコーカンド、ナマンガン、チムケントなどの新興都市の急速な成長であった。コーカンドやヒヴァの宮廷でチャガタイ文学の掉尾を飾る作品群が書かれたのも、この時代のことである。これにたいしてブハラではマンギト朝の最後にいたるまでペルシア語が行政においても文学においても第一の地位を占めつづけた。

三ハーン国では、都市の商人や手工業者の支持もえて、中央集権的な国家体制の再編が進められた。マンギト、コングラト、ミングなど、いずれの支配部族ももはやチンギス・ハンの血統を誇示することはできなかったが、かわってイスラーム的な権威が用いられた。

カザフ草原をこえてロシアの影響力が強まるに従い、三国の君主たちはイスラーム世界の盟主たるオスマン帝国のスルタン＝カリフと厚誼を結ぶことにつとめ、スルタンに富国強兵への支援を求めた例もまれではない。しかし、いずれも国内に割拠したウズベク諸部族あるいはトルクメン、クルグズなどの遊牧民の反抗を根絶するにはいたらず、さらに三国間の抗争はトルキスタンの政治・社会的な安定をたえずそこねていた。ロシア軍の侵攻を直前にしても、こうした状況に変化はなかったのである。一八三九年冬、ロシア軍は、カザフの反乱を後援し、また多数のロシア人奴隷を保有するヒヴァ・ハーン国にたいする遠征を敢行した。この遠征は厳寒に阻まれて失敗に終わったが、それはまだ大規模な攻勢の序幕にすぎなかった。

トルキスタンの征服

十九世紀のなかば、バルカン半島から中央アジアにおよぶ広大な地域を舞台にイギリスとの「グレートゲーム」を展開していたロシアは、トルキスタンの戦略的な重要性を十分に認識していた。豊かなインド植民地を拠点に中央アジアへの浸透をはかるイギリスに対抗するには、トルキスタンにロシアの影響力を確立することが不可欠であったからである。すでに一八五三年シル川下流に位置するコーカンド領のアク・メスジド要塞を占領し、翌年にはカザフ草原の南端にヴェルノエ要塞（現在のアルマトゥ）を築いていたロシア軍は、クリミア戦争（一八五三〜五六年）と北カフカースの戦争をへた一八六四年、コーカンド・ハーン国にたいする本格的な軍事行動を開始し、シル川沿岸のコーカンド側の拠点をつぎつぎと攻略すると、翌六五年には中央アジア有数の商業都市タシュケントを占領した。

帝政ロシア統治下の中央アジア

ロシアによるトルキスタン征服の要因には、この地域の戦略的な重要性とならんで経済的な動機があった。アメリカ南北戦争(一八六一~六五年)による原料綿花の輸入停止は、すでにロシア木綿工業にとってのトルキスタン綿花の重要性を決定的なものとしており、発展しつつあるロシアの工業は人口稠密《ちゅうみつ》なトルキスタンに有望な新市場を期待していたのである。その後も続く一連の征服は、奴隷売買の禁止をはじめとする「文明化の使命」という大義のもとに正当化された。コーカンド・ハーン国は、オスマン帝国やイギリスへの支援要請もむなしく、ロシア軍の攻勢についでブハラ軍による首都コーカンドの攻撃、さらには領内のクルグズ遊牧民の反乱によって一八七六年ついに滅亡し、肥沃なフェルガナ地方はロシアの領有に帰した。

ロシア軍は続いてブハラ、ヒヴァ両国の領土にも侵攻し、圧倒的な軍事力でサマルカンド(一八六八年)やヒヴァ(一八七三年)を占領すると、両国を保護国として帝国に編入した。軍事的な優勢にもかかわらず、両国に内政上の自治を認めたのは、直接統治をおこなった場合にかかる膨大な経費をまかなう用意が、ロシアにはなかったからであった。そして一八八一年、近代装備のロシア遠征軍が剽悍《ひょうかん》な遊牧トルクメンの抵抗をギョクデペの戦いで粉砕し、一万五〇〇〇にものぼるトルクメン人を虐殺したとき、ロシア領トルキスタンは事実上その完成をみた。このときにイラン、アフガニスタンそして清朝とのあいだに確定された国境線は、ほぼそのままのちのソ連邦に継承されることになる。

ロシアは植民地統治のために一八六七年タシュケントにトルキスタン総督府をおき、初代総督カウフマン将軍以来、ロシア陸軍の将官が総督に就任し、その指揮下で陸軍将校が州や県の軍事と行政を統括する軍政が施行された。十九世紀の末、ロシア領トルキスタンは、セミレチエ州、シルダリア州、フェルガナ州、サマルカンド州、ザカスピ州の五州とアム川下流域右岸のアムダリア管区から構成されていた。トルキスタンは、ロシア人総督の威令がおよぶという意味でこのときはじめて明確な境界線をもつことになったともいえる。治安と徴税に徹した総督府は概してムスリム社会への干渉をひかえる放置政策をとり、ロシア正教会の宣教もおこなわれなかったが、辺境の植民地行政はおびただしい腐敗におかされていった。

トルキスタンの植民地化

トルキスタンにおけるロシアの経済政策の基本は、まず綿花の生産を拡大し、これを中央ロシアの工業地域に確実に結びつけることであった。一九一五年になると、トルキスタンはすでにロシアの原料綿花の六八％を供給していた。その意味で、トルキスタンをロシア内地およびカフカースと連結させた中央アジア鉄道の建設(一八八一〜一九〇六年)は重要な意義をもっている。このような経済開発は、トルキスタンの経済統合やブハラ・ユダヤ人などの現地ブルジョワジーの成長をうながしたが、その一方で綿花栽培の無秩序な拡大は地方の食糧自給度を弱め、しばしば飢饉を引き起こした。経済開発の進展につれて、中央ロシアやカフカースからはロシア人やアルメニア人などの企業家、商人、技術者、労働者がトルキスタンの諸都市に移り住んだ。彼らは在来のムスリム都市に隣接して建設されたヨーロッパ型の新市街に居住し、新旧の両市街は二つの異なった文明を象徴することになった。

カザフ草原に比べるとムスリム人口の稠密なトルキスタンへのスラヴ系農民の入植ははるかに少なかったが、カザフ草原に連なる肥沃なセミレチエ地方やクルグズ人地域では、農業移民の入植が進展し、民族間の緊張や対立の要因をつくりだしていった。一九一六年の段階でトルキスタンのロシア人人口はまだ全体の七・五％、およそ五四万人にすぎなかったが、彼らは来るべき革命において決定的な役割をはたすことになる。

ロシア統治は、たしかにハーン国時代の抗争に終止符を打ち、トルキスタンに政治・社会的な安定をもたらした。ロシア側の認識もまさにそのとおりであった。たとえば、一九〇四年、トルキスタンのロシア軍政官で地域研究者でもあったルィコシンは、「ロシア人と原住民との接近の諸結果」と題する論説を書き、このなかでロシア統治がもたらした経済発展や生活文化、福祉の向上の実例を列挙し、「原住民」のロシア認識の変化、すなわちその平等な法や住民の信仰および慣行に干渉しない寛容な統治への信頼の成熟を指摘している。そして結びにあたって、ロシア統治の「来るべき半世紀が原住民社会に一層の変容をもたらす」ことは疑いもなく、偏見のない「原住民」は「ロシア統治の最初の半世紀を好意をもって回顧するに違いない」と予見したのである。

しかし、ロシアの植民地統治はその一方で深刻な矛盾を生み出し、ムスリムの反乱を呼び起こす要因となった。一八九八年五月十八日未明、アンディジャンのロシア軍兵営にたいしてドゥクチ・イシャーンの指揮するおよそ二〇〇〇名のムスリムが夜襲を敢行した事件は、その代表的なものである。彼はフェルガナ地方の定住民と山岳のクルグズ遊牧民とのあいだにおよそ二万のムリードを擁したナクシュバンディー教団の導師であり、この高名なイシャーンがイスラーム社会の浄化と農業移民の駆逐とを目標に聖戦の旗

トルキスタンの覇者の碑銘　サマルカンド・タシュケント間のサンザル峠には，ティムール朝のウルグ・ベク，シャイバーン朝のアブドゥッラー２世，およびここに鉄道線の敷設を命じたニコライ２世の碑銘がみえる。

を掲げたとき、彼のムリードたちは戦いに決起した。その前夜、彼らは突厥以来の即位儀礼さながらにイシャーンを白いフエルトのうえに乗せて持ち上げ、彼を自分たちのハーンと認めたのであった。

アンディジャン蜂起そのものはただちに鎮圧されたが、綿花栽培の先進地域で起こった予期せぬ反乱は、植民地統治に自信を深めていたロシア当局に衝撃を与えた。時の総督ドゥホフスコイ大将は、ムスリム「原住民」のロシアにたいする宗教的、民族的な敵意の存在を認め、「きわめて堅固にして、無条件に敵対的である」イスラームを放置することなく、帝国規模の体系的な対イスラーム政策を早急に策定すべきことをニコライ二世に建議した。しかし、二十世紀初頭の帝国にその余裕はなく、それが実行に移されるのはロシア革命以後のことである。

イスラーム改革運動の展開

さて、前述のメルジャーニーらのタタール人ウラマーが切り開いたイスラーム改革主義の潮流は、一八八〇年代から教育の革新という具体的なかたちをとってロシア領内のムスリム地域に波及していくことになった。その創始者はクリミア・タタール人、イスマイル・ガスプリンスキーであった。モスクワ、パリ、イスタンブルに留学して見聞を広めた彼は、一八八一年『ロシアのイスラーム』というロシア語の小著を書き、つぎのように提言した。

ロシアは中央アジアの併合によって巨大なムスリム人口をかかえる国家となるだろうが、現実にはロシア人とムスリムとは相互の無知と不信のために隔絶されている。ロシア人はこの理由をイスラームに内在する他宗教への敵対性に求めるが、問題はイスラームにはない。強制的な同化政策はムスリム社会の反発を招くばかりであり、問題の解決には民族の平等や自治の原則に立った協同のシステムが必要である。そのためには、ムスリムが母語による普通教育をとおして現在の無知や偏見から解放され、知的な覚醒をとげることが条件となる。ロシアはこれを許容し、支援すべきである、と。

このガスプリンスキーの提言は楽観的にすぎたかもしれないが、ムスリムの文化的な再生と発展の要は教育改革にあることを確信した彼は、一八八四年、口語教育の採用とロシア語を含む世俗科目の導入とを特徴とする近代的な小学校を創立した。「新方式」と呼ばれたこの模範校は、旧来の寺子屋式のマクタブに比べて格段の教育効果を発揮し、これを支持するタタール・ブルジョワジーの商業ネットワークを媒介として、二十世紀の初頭にはトルキスタンの諸都市、さらにはカシュガルやクルジャのような東トルキスタンの都市にも普及した。そして、最初はタタール人によって開校、運営された「新方式学校」も、まもなく現地のムスリムによって受容され、その数をさらに増すことになった。トルキスタンではタシュケントの改革主義者ムナッヴァル・カリが、一九〇五年にトルキスタン人子弟のための最初の「新方式学校」を開設している。これらは、ロシア当局が設立した「ロシア・原住民学校」を質量ともに凌駕していった。

「新方式学校」のもうひとつの特徴は、ロシア領内のムスリムのあいだに「共通の母語」を普及させようとしたことである。それはもはや伝統的なチャガタイ語でもペルシア語でもなく、近代的なオスマン・トルコ語をさらに簡素化した「共通トルコ語」であった。この「カシュガルのラクダ引きからボスフォラスの船頭まで」あらゆる「トルコ人」が理解できるとされた「共通トルコ語」は、同じガスプリンスキー

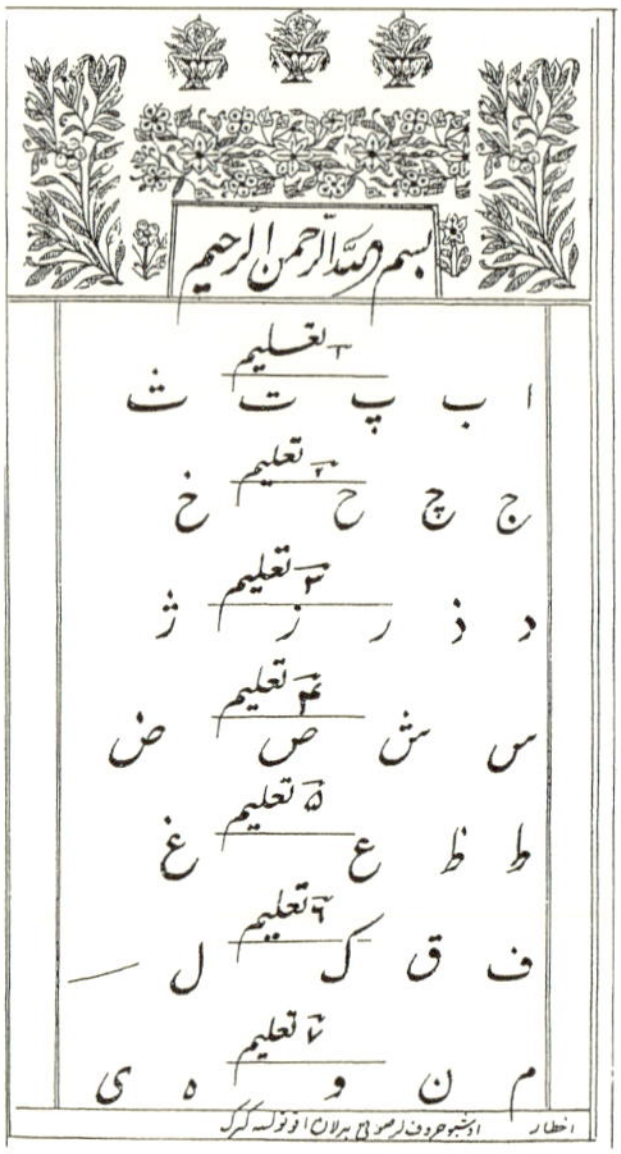

「新方式学校」の教科書

の創刊した新聞『テルジュマン（翻訳者）』でも用いられ、ロシア領内のムスリムに新しい文章語の規範を提供するとともに、テュルク人意識の覚醒に貢献した。しかし、この時代にはすでにタタール語やカザフ語など個々の地域の口語に即した新しい文章語が成熟しつつあり、文章語の問題は民族的なアイデンティティのあり方ともからんで、しばしば論争の種となった。

このような論争はさておき、「新方式学校」の周辺に集まった改革主義者たちは、一般に「新方式」（ウスーリ・ジャディード）の名にちなんで「ジャディード」と呼ばれた。彼らの目標は啓蒙されたムスリムの新世代を創出することによって、無知と因習に束縛されたイスラーム社会を変革し、ロシア帝国におけるムスリムの地位の向上と権利の獲得とをはかることにあった。彼らはロシア文化の感化とともに、オスマン帝国やイランにおける改革・立憲運動からも多大の影響を受けており、若いトルキスタン人のあいだにはオレンブルグやカザン、イスタンブルなどに留学する者もあらわれた。それはかつてブハラに向かった留学生の流れとは別の方向であった。

しかし、ジャディードの改革運動はたえざる抑圧と妨害にさらされた。まず、ロシア当局の観点からすれば、ジャディードの活動は帝国の統合と安全を脅かす危険な「汎イスラーム主義」「汎トルコ主義」にほかならず、「新方式学校」の開設や出版の認可をとりつけることは容易ではなかった。一方、保守的なウラマーたちは、教育改革の進展がこれまで教育を独占してきた彼らの地位と権威を脅かすことを恐れ、「新方式学校」をイスラーム法からの逸脱と断じてこれに対抗した。そして、帝国内に革命の予兆があらわれるにつれて、ジャディードを敵視する官憲とムスリム保守派との連携はしだいに強まっていった。

それにもかかわらず、ムスリム保守派の牙城であったブハラにおいても「青年ブハラ人」を自称する改革派の組織が形成されたように、ジャディードの運動は一九一〇年代にかけて確実な発展をとげた。来るべきロシア革命以後、中央アジアの政治と文化の領域で活躍するムスリム活動家たちの多くは、ここから育っていくことになるのである。

第七章　革命と民族

1　モンゴル、チベット

モンゴル独立宣言と国際関係

　近代的な意味での「ナショナリズム」の萌芽の時期を、モンゴル族の場合、いつに求めうるか、これは答えるのが意外にむずかしい問題である。清朝の巧妙な統治のもとで、モンゴル族の再統合は抑止されていた。ところがアヘン戦争以降、欧米列強の清朝領域への侵略と清朝支配体制自体の変容、漢人勢力のモンゴル高原への拡大とモンゴル遊牧社会の退嬰《たいえい》、このような状況のなかで二十世紀にはいると、しだいにモンゴル人のあいだで、固有の社会と文化、ひいては「民族」への危機意識が醸成され、伝統的な価値体系を守るために、「反清」ないしは「反漢」の動きが起こっていた。ところが、モンゴル人は分裂した状況にあり、なにを基盤にして、どの地域的範囲で、ふたたび、ないしはあらたに統合を進め、「モンゴル民族」の内容を定義づけ、独立した政治体制を樹立するかが、近代世界におけるモンゴル人の「ナショナリズム」にとっての命題となった。

清末のハルハ地方における反清運動の高揚は、辛亥革命により清朝体制が動揺するなかで、一気に独立へ向けて動き出し、ハルハ地方の中心であり清朝によるモンゴル支配の拠点であったフレーでは清朝官僚が追放され、一九一一年十二月一日にモンゴルは独立を宣言した。この動きを推進したのは、ハルハ地方の王侯・上層仏教僧であり、彼らによって政権（いわゆるボグド・ハーン政権、「ボグド・ハーン」とはモンゴル語で皇帝の意味）が樹立され、フレーの活仏であるジェブツンダムバ・ホトクト（八世）が皇帝に推戴された。ボグド・ハーン政権が当初めざしたのは、旧清朝領域下にあったモンゴル人の再統合と独立国家の形成であり、したがってロシア領内にいたブリヤート・モンゴル人などは、対象外とされた。

モンゴル側が独立を宣言するにいたった論理は、清朝の崩壊によって、これまで存在していた清朝皇帝とモンゴル王侯、ひいてはモンゴル人とのあいだの主従関係は消滅し、モンゴル人は政治的独立性を回復したというものであった。つまり、いかに「漢化」が政権内部で進行していたとしても、清朝とはモンゴル人の認識においては、満洲人皇帝を頂点とする体制なのであって、清朝を中華王朝とみなす視点や、「中国」という観念そのものが存在していなかった。それゆえに、あらたに中国本土で成立した中華民国とは、漢人の政権にすぎず、自分たちとは無縁の存在であり、清朝のモンゴルにたいする統治権を中華民国が継承を主張することなどは、認めがたいものであった。ちなみにジェブツンダムバ・ホトクトはチベット人の出自であり、独立モンゴルの皇帝としてはふさわしくないように思われるが、チベット仏教がモンゴル社会内部に深く浸透していた当時にあっては、モンゴル大衆の尊崇を広く集める彼こそが、チンギス・ハンの血統をひくどのモンゴル貴族よりも、モンゴル統合のシンボルにふさわしいと考えられた。ボグド・ハーン政権は、まず内務、外務、大蔵、司法、軍事の五省、および仏教界を統括する宗務院、ついで総理大臣のポストおよび総理府、上下両院を設置して、政権陣容をととのえた。政権初期において主導権を握ったのは、先に密使としてロシアへ赴いたツェレンチメド内務大臣であり、内モンゴルをも含む「大モンゴル国家」建設を宿願とし、また内モンゴル各地より多数のモンゴル人がフレーにきて、ボグド・ハーン政権に参画していた。ボグド・ハーン政権は一九一二年までに、ハルハ地方からホブド、オリヤスタイ地区など清朝時代の外モンゴル全域を実効支配下にいれて、さらには内モンゴルへも勢力を拡大しようとしていた。

ボグド・ハーン政権は、清朝崩壊という予期せぬ事態がもたらした混乱のなかで成立した政権であり、その存立基盤は脆弱《ぜいじゃく》であったため、外部勢力、具体的にはロシア帝国からの援助が期待された。ごく最近までの欧米の研究書、また現在でも中国・台湾の研究者は、この一九一一年のモンゴル独立宣言をロシアの煽動によるものとしているが、これは事実と反する。ロシア側はモンゴルの「独立」を望みもしなかったし、事態の展開はロシアの予想をこえたものであった。ロシアははじめ自らの仲介によりボグド・ハーン政権と北京政権とを交渉させることで、モンゴル独立問題を収拾しようとし、清朝時代の外モンゴル領域にたいする「中国の主権」を承認する余地もあった。ところがボグド・ハーン政権が着々と実効支配を拡大させ、体制を整備していくなかで方針を再検討せざるをえなくなった。

このようなモンゴルで進行しつつある事態を注視していたのは、すでに「南満洲」を勢力範囲とし、さらに内モンゴル東部へも勢力を拡大しようとねらっていた日本である。日本は外モンゴルがロシア帝国の勢力範囲であることを認めていたが、内モンゴルにかんしては日露間に取決めはなく、ボグド・ハーン政権を介してロシアの影響力が内モンゴルに波及することを警戒していた。一方ロシアは、日露戦争終結以降、東アジアにおいては従来の強引な勢力拡大政策をやめ、ほかの帝国主義列強、とくに日本との協調を望んでいた。さらにアメリカは、清朝崩壊のなかで日本とロシアが領土的な野心をもつことを牽制し、「中国領土の保全」を強く訴えていた。

このような状況のなかでは、ロシア帝国としては、あえてボグド・ハーン政権の掲げる内モンゴルをも含む全モンゴルの独立などを支援することはありえず、一九一二年五月の関係実務者会議で、中華民国「宗主権」下での外モンゴルに限定した領域において、ボグド・ハーン政権による高度自治実現を問題解決目標とした。そしてロシアが外モンゴルでの経済権益を獲得することも同時に決定した。ロシアはまず日本とのあいだに第三次日露協商を締結し、これによって内モンゴルにおける日露それぞれの勢力範囲を決めた。つぎに北京政権のモンゴル問題にたいする姿勢がいぜんとして強硬なのをみて、まずボグド・ハーン政権とのあいだに、一二年十一月露蒙協定を結び、ボグド・ハーン政権の自治を承認するとともに、広範なロシアの経済権益を認めさせた。この露蒙協定の成立によって、北京政権もロシアとの協議に応じざるをえない状況に追い込まれ、一三年十一月外モンゴル自治にかんする露中宣言が交わされ、中華民国の外モンゴルにたいする宗主権が認められるかわりに、ボグド・ハーン政権の自治を北京政権はロシアに保証した。

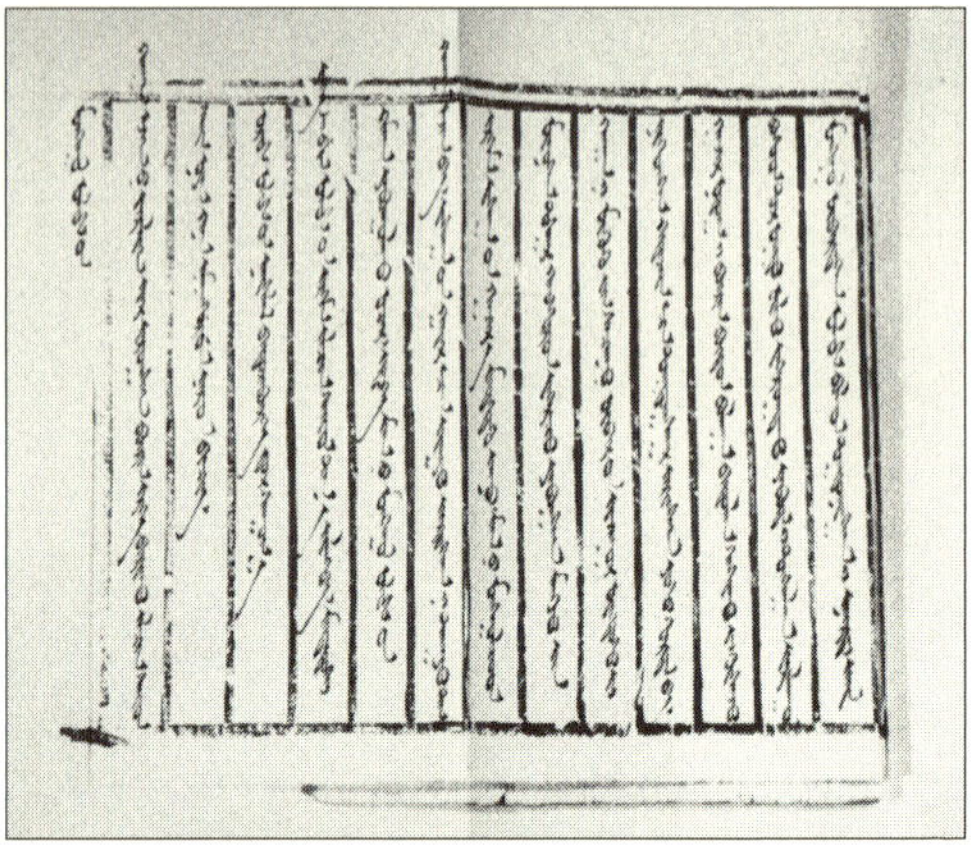

ボグド・ハーン政権の総理大臣ナムナンスレン名義のロシア駐在日本大使宛て書簡（1913年12月21日付）　ボグド・ハーン政権は日本をはじめ列強ともさかんに外交交渉をしようとした。書簡では露中宣言にたいするボクド・ハーン政権の立場を表明している。外務省外交史料館蔵。

問題の最終的な解決の場として、一九一四年九月より、キャフタでロシア、ボグド・ハーン政権、北京政権による三者会議が開催されて、翌一五年六月にキャフタ協定が締結され、モンゴル独立問題はロシアの周到な根回しのもとで結末をむかえることになった。ボグド・ハーン政権としては、全モンゴルの独立という当初の期待からみれば、大幅な後退ではあったものの、ロシアの設定した方針に従う以外に選択肢はなかった。一方、北京政権は「宗主権」という多分に名目的な法的権利を承認されただけで、外モンゴルは実質的には政治的コントロールのおよばない地域となってしまった。しかし、それでも最悪の事態、つまりモンゴルの独立国化を回避できただけでもよしとせざるをえなかった。

このような政治過程をへて、清朝滅亡後のモンゴルにかんする地域秩序の再構築がおこなわれた。キャフタ協定で認められたボグド・ハーン政権の領域は、正確にいえば清朝時代の外モンゴルとダリガンガ地方からなるが、これが現在のモンゴル国領土の起源となっている。内モンゴルが、ボグド・

ハーン政権による自治体制から除外されたことについては、必ずしも当時のロシアの政策や国際関係だけが原因ではない。フレーでの独立宣言からほどなく、内モンゴルからは多数のモンゴル人がボグド・ハーン政権へ参加し、また内モンゴル全四九旗のうち三九旗までが、ボグド・ハーン政権への合流を望んでいたといわれる。しかし、外モンゴルと内モンゴルのあいだには、客観条件の大きな相違があった。

ハルハ地方では長い清朝統治のなかでも、一定の地域的な連帯と統合は保持されていた。それゆえに、清朝崩壊後の短期間のうちに、現地のモンゴル人政治指導者たちは、ジェブツンダムバ・ホトクトを頂点とする、あらたな政治体制を樹立することに成功した。ところが内モンゴルはほとんど分裂状態であり、しかもかなりの旗では多数の漢人入殖者をかかえ、牧地の農地化も進んでおり、伝統的な遊牧地帯からなる外モンゴルとは状況を異にしていたのである。したがって、内モンゴル側は統一的な行動をとれず、各旗ばらばらの状況で情勢の変化に対応せざるをえず、北京政府からの強圧に屈することになった。このような内モンゴルの分断状況をどのように克服し、どの範囲でふたたび「内モンゴル」という領域を再構成するかが、二十世紀の内モンゴルにとっての課題となる。内モンゴルのなかでも、とくに積極的にボグド・ハーン政権への合流をめざしたのがバルガ(フルン・ブイル)地方であった。しかし、その領域内を中東鉄道が走っていることなどから、ロシアの外交的考慮により、ボグド・ハーン政権の領域からはずされ、別個に区域自治を保障する協定が、ロシアと北京政権のあいだで結ばれた。このバルガの自治は、外モンゴル自治が中国軍閥により停止される一九一九年まで存続した。

チベットの「独立」

ダライラマ十三世が清朝崩壊の報を聞いたのは、亡命先のインドであった。清末時点でのチベットの政治形態をモンゴルと比較すると、チベットではダライラマを頂点とする政権がともあれ存在し、またイギリスもチベットにたいする清朝の「宗主権」をすでに承認しているなど、むしろ一九一五年のキャフタ協定によってボグド・ハーン政権がかろうじて手にすることができた権利をすでに保持していた。その意味では、清朝末年においても、チベットはモンゴルよりも、表面的形態では遥かに高度自治的状況にあった。チベットとモンゴルそれぞれの地位を規制、あるいは規定していた、清朝という政治体制が突如として崩壊して以降の時期については、両者がおかれていた客観状況は、きわめて類似しているようにみえるが、もたらされた結果は両者の命運を分けた。

一九一三年一月までにチベットに駐在していた清朝官兵は退去し、ダライラマがラサへ戻ると、チベットの「独立」へ向けた行動を開始した。ところが、モンゴルの場合と比較すると、チベットの「独立」はきわめて曖昧とした状況のもとでおこなわれた。同年三月にダライラマは「五カ条宣言」を発布し、旧清朝時代の対チベット関係を継承しようとする北京政府を牽制したが、これが事実上の独立宣言とみなされる。もともと相対的にみれば、かなりの高度自治的組織を備えていたがゆえに、あらたに政府機構を編成することなく、「独立」的状況が出現したのであった。また同年一月には、ボグド・ハーン政権とダライラマ政権とのあいだで、相互承認をしたチベット・モンゴル条約も締結されている。

モンゴル問題処理におけるロシア帝国と同じ立場にあったのが、チベット問題ではイギリスであった。

ダライラマ13世　インド亡命中，ダージリンで撮影されたという。おそらく1910〜12年ころの写真か。アメリカ合衆国ニューアーク博物館の写真コレクションより。

もともとイギリスは清朝のチベットにたいする宗主権を認めており、問題は「チベット」の地理的範囲であり、あらたに当事者間で合意を形成する必要があった。一九一三年十月より、シムラにおいてダライラマ政権、北京政権、そして英領インド政庁のあいだで会談がおこなわれた。中華民国宗主権下での高度自治の確認という点では、イギリスのチベット問題解決への方針は、モンゴル問題でのロシアと同じであった。ところがシムラ会議では、最終局面で中国代表が調印を拒否することで、会議は失敗に終わった。

清朝崩壊後の地域秩序の再構築という点で、キャフタ会議（モンゴル問題）は合意形成に成功したのにたいして、なぜシムラ会議（チベット問題）は挫折したかについては、調停者の立場にあったロシアとイギリスとの外交交渉能力の優劣があげられよう。ロシアの場合、慎重に情勢を分析した結果、一括交渉が不可能であるとみたがゆえに、まずモンゴルとのあいだで合意をつくり、ついでその成果を梃に中国を交渉の場に引き出して露中間の合意を形成し、最後に三者のあいだで調整をおこなうという、三段階解決策をとった。ところがイギリスは最初から一括交渉の場を設定し、慎重な根回しを欠いて臨んだゆえに、土壇場で中国代表の離脱を招いてしまった。

さらに国際情勢への認識という点では、モンゴルとチベットとのあいだでは、対応に大きな差があった。なるほど、「独立」の獲得という最高目標の達成にはモンゴルは失敗したが、キャフタ会議の席上では、自らが手にする法的権利の中身を繰り返し問うており、モンゴル代表はロシア代表のコントロールのもとにあったわけではなく、自主的姿勢を保った。「独立」という行為への理解にも両者のあいだには決定的な隔たりがあった。

長い目でみると、このときチベットをめぐる地域秩序の合意形成に失敗したことは、チベット人自身にとって大きな失策であった。会議のおこなわれた一九一〇年代前半は、結果的にみれば合意形成の最後の機会でもあった。一〇年代後半になると、「五四運動」に象徴されるように、中国では「反帝国主義」ナショナリズムが高揚する。チベット側にいかなる事情があるにせよ、イギリスが問題に介入することは、帝国主義列強の干渉と中国民衆は考えたであろうし、どの中国政権であっても妥協の余地は乏しかった。実際に、一〇年代後半にチベットと中国地方軍とのあいだで衝突が起こり、停戦ののち協議がおこなわれるものの、中国側の拒絶により頓挫した。チベットの地位は曖昧としたままで、時間のみが経過していった。

モンゴルにおける人民革命

ボグド・ハーン政権は、その存在自体がロシア主導による露中合意により保証されており、その基盤は脆弱なものであった。ところがロシア帝国が一九一七年に革命により崩壊すると、混乱はモンゴルへも波及し、ボグド・ハーン政権は危機に追い込まれる。

これよりまえ、一九一四年に第一次世界大戦が勃発すると、ヨーロッパ列強は戦争に忙殺され、東アジア問題に介入する余裕はなく、日本のみが影響力を強化した。日本は当時の呼称では「南満洲」と「東部内蒙古」を勢力範囲として欧米列強から承認を受けており、日本人のあいだでは、日本が特殊な利益をもつ地域として「満蒙」という地域概念が形成されていた。しかも革命によって、それまでの最大対抗勢力であったロシア帝国が消滅すると、日本は「北満洲」へも勢力拡大をねらい、さらにロシアにおける内戦がシベリアへも拡大すると、欧米諸国とも連携しながら、反ボリシェヴィキ派支援のため軍事干渉をおこなうことになる。

このころ、中国では地方軍閥間の抗争が激化していたが、このなかで北京政権を手中におさめていたのが「安福派」といわれる軍閥であった。日本の寺内正毅《てらうちまさたけ》内閣は、この安福派を支援し、日中軍事協定を結び、「北満洲」を日本軍の、外モンゴルは中国軍の行動範囲とした。外モンゴルではロシア革命によってロシアの影響力は急速に低下していたが、中国側はモンゴルでの勢力回復、キャフタ協定で認められていた外モンゴル自治の廃棄をめざした。強まる中国の圧力に孤立無援のボグド・ハーン政権はやむなく、一九一九年末、外モンゴル自治撤廃を宣言したが、シベリアではあらたな事態が展開していた。

内戦の混乱が続くシベリアでは、従来の抑圧が消滅すると同時にさまざまな政治勢力が活動をおこなっていた。このなかで特異な行動をとったのが、バイカル湖周辺にいたブリヤート・モンゴル人である。彼

最初につくられたモンゴル人民党の印章

らは「大モンゴル主義」を掲げ、全モンゴル族の団結をめざした。ボグド・ハーン政権初期に出現した「大モンゴル主義」は、旧清朝領域内のモンゴル族の統合をめざしていたのに比べ、この動きは旧ロシア帝国内のブリヤート・モンゴル人に、内モンゴルのバルガ地方などのモンゴル人が加わったものである。その運動を、コサック出身で母親がブリヤート・モンゴル人の出自で、日本陸軍の一部から援助をえていた、反ボリシェヴィキ派のG・M・セミョーノフが支援していた。

シベリアの政治状況は混沌としていたが、干渉した列強の支持がしだいにオムスクのコルチャーク政権に集まるなかで、セミョーノフは「大モンゴル主義」を利用することにより、自らの存在を示そうとはかった。一九一九年春にはダウリヤに全モンゴル臨時政府なるものが成立したが、実体をともなうものではなく、内部抗争により消滅する。シベリアにおける戦況はしだいにボリシェヴィキ派の優位へと傾き、コルチャーク政権が崩壊し、ついでセミョーノフも失脚するなかで、セミョーノフの兵力を引き継ぐのが、彼の部下で「バルト海の気違い男爵」と恐れられていた、ウンゲルン・シュテルンベルグであった。

一方、モンゴルでは、中国軍閥による自治取消しの前後から、いくつかのグループがモンゴルの政治的主権回復のための活動を始めていた。これらが合同し一九二〇年六月ころにはモンゴル人民党が結成されたが、はじめはきわめて小規模な秘密組織であった。中国軍閥の抑圧を排除し、ふたたび自治を回復しようと試み、外部世界からの援助を受けようとするとき、現実問題としてなんらかの可能性があったのは、ただソヴィエト政府だけである。

シベリアではブリヤート・モンゴル人で、一時は先の「大モンゴル主義」運動にも関与していたリンチノの努力により、ソヴィエト側にもモンゴル問題を担当するセクションが、イルクーツクにすでに成立していた。人民党はダンザンらの代表をまず極東共和国首都のヴェルフネウディンスクに送り、ついでイルクーツクで協議ののち、モスクワへ赴いた。そして同年十月には、ロシア共産党政治局はモンゴルを支援することを決定したが、同じくカルムィク、ブリヤートなど旧ロシア帝国内のモンゴル系「民族」にも、自治を認める決議が採択された。

この時期、一九二〇年七月にはロシア共産党の綱領がモンゴル語訳され、またロシア人共産党員とモンゴル人活動家とのあいだで接触はおこなわれていたが、モンゴルでは共産主義思想はほとんど浸透していなかった。なにゆえ十月の段階で、ソヴィエト側はモンゴル支援を決定したのだろうか。全般的情勢をみれば、日本軍のロシア国内からの撤退方針は明確となり、すでに同年五月には、緩衝国である極東共和国が成立していた。ところが旧セミョーノフ軍を引き継いだウンゲルンがモンゴルを反ボリシェヴィキ派の活動拠点とすべく、同じ十月に外モンゴルに侵入していた。ついでウンゲルン軍は、翌二一年二月にはフレーに入城し、ボグド・ハーン政権を復興させた。いったんは中国軍閥によりつぶされ、ふたたびウンゲルンによりよみがえったボグド・ハーン政権ではあったが、ウンゲルンおよび彼の軍隊のあまりに残虐な行為に、モンゴル国内は恐慌状態となっていた。ソヴィエト側は日本と中国の反応を考慮しつつ、慎重に情勢を分析しながら、ウンゲルン軍侵入を契機として、モンゴルにたいする軍事介入の準備を開始した。

一九二一年一月、イルクーツクにコミンテルン極東書記局が設立され、そのチベット・モンゴル部が、以後、モンゴルにたいする政治指導を担当することとなった。三月初め、モンゴル人民党の第一回党大会がロシア・モンゴル国境のロシア側の町、デード・シベーで開催され、臨時人民政府を樹立した。第一回党大会の綱領的文書をみると、長期的には全モンゴル族の統一と独立国化を展望していたが、当面の課題としては自治の復興をめざしていた。

臨時人民政府により募集された軍隊により、まずキャフタが攻略され、駐屯していた中国軍が排除された。ついでモンゴル軍は多数のソヴィエト赤軍、極東共和国軍とともにフレーを攻略し、ウンゲルン軍を破り、七月十一日に正式にモンゴル人民政府を設立した。これがモンゴルの「人民革命」の経過であるが、情勢を決定づけたのは、ソヴィエトおよび極東共和国による軍事介入であり、その活動はキャフタ協定で承認されたボグド・ハーン政権の領域に限られていた。同年十一月には、モンゴル人民政権とソヴィエトとのあいだで友好条約が締結され、両国は独立国家として相互承認した。

初期モンゴル人民政権と中ソ関係

モンゴルでは「人民革命」によって、人民政権が成立したものの、国家元首はいぜんとしてジェブツンダムバ・ホトクトであった。しかも政権の内部をみれば、革命家というよりは、ナショナリストの寄合い所帯とでもいうべき性格だった。これを指導していたのが、コミンテルンから派遣されていた要員であったが、はじめはリンチノの発言権が強かった。旧特権層にたいする制限など、社会改革はゆっくりとしたスピードで開始されたが、ジェブツンダムバ・ホトクトが死ぬと、一九二四年十一月に国号はモンゴル人民共和国とされ、さらに人民党も人民革命党と改称され、社会主義国家をめざす方向が明らかにされた。この二四年という年は、モンゴルの国際政治上の位置にとって重要な意味をもつ。

もともと、レーニンの世界革命戦略では、「革命」が達成された地域は、いずれ従来の国家類型とは異なる連邦のなかに収斂《しゅうれん》されるはずであった。実際、二二年から二四年にかけてのソヴィエト連邦結成に、中央アジア諸地域も参加している。その意味では、モンゴルもソ連邦に加入する可能性もありえたのだが、そのようにはならなかった。中央アジアの場合、いずれにせよ旧ロシア帝国属領であったが、外モンゴルにたいしては中華民国の宗主権が存在することを、ロシア帝国も認めていた。ソヴィエト政権がモンゴルに軍事介入した際に、もっとも警戒したのが、中国そして日本の反応であった。ソヴィエトが憂慮したごとく、モンゴル問題は中国との国交回復交渉にとって最大の懸案となった。国家対国家の交渉は、北京政権を相手としておこなわれたが、同じ二四年五月、中ソ大綱協定が締結され、外モンゴルにたいする中華民国の「主権」が承認されたのである。

一方二〇年代になると、レーニンが期待していたようなロシア革命に続くヨーロッパでの「革命」の可能性は完全に消えていた。そこでソヴィエト側が期待したのが、アジア地域、とくに中国における「革命」的機運の高揚であった。しかも帝国主義・封建勢力以外の広範なナショナリストとの連合戦線構築が模索された。この路線を提起したのは、コミンテルンであったが、二四年一月の中国国民党一全大会以降、

「国共合作」が国民党と中国共産党のあいだで開始された。つまり二四年に起こった出来事を順番にいえば、中国本土では「国共合作」が始まり、コミンテルンのエージェントも多数これに参加し、ついで中ソ国家間では国交が回復し、中国の外モンゴルへの「主権」をソ連が承認したが、モンゴルではコミンテルンの指導のもと人民共和国が成立しているのである。ソ連は、対中国政策との関連で、どのようにモンゴルの現状を位置づけていたのだろうか。

おそらくソ連ないしはコミンテルン側としては、モンゴルの状況を過渡期ととらえ、はっきりとした将来像を描くまでにはいたっていなかったと思われる。したがって、もしも中国における「国共合作」が成功し、「中華連邦」のような政治体制ができるのであれば、そこへモンゴル人民共和国が加盟する可能性もあながち否定されてはいなかった。じっさいに当時のモンゴル指導者であったダムバドルジからも、同様な発言がみられるのである。そのような判断の背景には、当時のモンゴルの社会状態、すなわち社会改革は端緒についたばかりで、社会主義はいぜんとして浸透していない、という状況が存在していた。ソヴィエトは二一年にはモンゴルにたいして、独立主権国家であることを承認しておきながら、二四年には中国の主権を認めるなど、明らかに外交上、矛盾した行動をとっていた。だがモンゴルの位置を、あるいは東アジア情勢自体そのものを過渡期的状況ととらえていたとすれば、さほどソ連およびコミンテルン当局者は矛盾とは考えていなかったと考えられる。

このような中ソ関係とモンゴルの微妙な関係は、内モンゴルにも当然あらわれている。内モンゴルは一九一一年の独立宣言のときは、ボグド・ハーン政権へ参加をする動きがあったものの、結局、キャフタ協定からは除外され、やがて特別区域に分割・再編され中国側からの圧力が加えられていた。内モンゴルのバルガ地方は、前述したように、モンゴル・ナショナリズムの強い地方であったが、メルセら青年層はモンゴル人民共和国、コミンテルンとも連絡をとり、さらにセリンドンロブ(白雲梯《はくうんてい》)ら国民党系モンゴル人も加わることにより、二五年に張家口で内モンゴル人民革命党が結成された。この党が積極的に活動を展開できた背景には、「国共合作」を支持していた軍閥馮玉祥《ひょうぎょくしょう》の存在があった。また当時のモンゴル人民共和国首脳部が、「大モンゴル主義」的傾向、つまり内外モンゴル族の統合に熱意をもっていたことも示している。

内外モンゴル統合はボグド・ハーン政権の夢であったし、また人民党の最初の綱領にも長期的展望として語られていた。とりわけ政治状況が過渡期的性格であればこそ、「モンゴル」の範囲をできるかぎり拡大しておくことこそ、将来的にも有利であったはずだ。このため内モンゴルで進行した「国共合作」とは、中国本土のような国民党と中国共産党の協力ではなく、国民党とモンゴル人民革命党に連携した内モンゴル人民革命党とのあいだの協調という、特異な形態をもつこととなった。

しかし一九二七年の蔣介石による反共クーデタは、結果的に「国共合作」を崩壊させ、内モンゴル人民革命党をも分裂・消滅させた。メルセらはコミンテルンの指令で武装蜂起をおこなうが失敗し、セリンドンロブらは内モンゴル人民革命党と訣別する。このようにして従来のコミンテルンの指導方針は破綻し、モンゴル人民共和国でも「極左路線」が採用され、ダムバドルジら「民族主義」的傾向をもつ指導部は更迭され、モスクワ留学組の若手に交替させられた。このとき以降、コミンテルンは中国革命への展望が消

ツェレンドルジ　清朝時代は庫倫辦事大臣衙門の書記，ついでボグド・ハーン政権外務省首脳として外交交渉にあたり，人民政権にも参画して，人民共和国の初代総理大臣となった。その履歴から，有能な実務家であったことがわかる。

滅したゆえに、モンゴル人民共和国を外モンゴルに限定した領域のなかで、中国情勢とは切り離し、そして中国とは統合されることがないよう、明確に別個の国家として維持するため、急激な社会主義的改造を強行した。

モンゴル国内では粛清がおこなわれ、旧王侯勢力、仏教界にたいする財産没収、牧民の強制集団化が始まり、ある程度までは活動が認められてきた外国商館および漢人商人も国外へと追放された。しかし集団化は牧民の反発を招き、各地で反乱が発生し、三二年にいたり集団化を中止し緩和政策に転換することで、ようやく国内の動揺を鎮静化させた。やがてモンゴルにたいする政治指導の役割もコミンテルンからソ連共産党へと移るが、革命に初期より参加し、ついで内務省および軍部に基盤をもったチョイバルサンが、しだいに独裁者としての地位を固め、「モンゴルのスターリン」と呼ばれる。

三〇年代初頭のソ連の政策を模倣した集団化はあえなく失敗したが、むしろ注目すべきは漢人商人のモンゴル市場からの追放である。清朝時代以降、漢人商人は急速に活動範囲を拡大して、中国本土からモンゴル、ロシア極東、東トルキスタン、さらには東南アジアまでもおよんだ。東南アジアでは現在でも、経済市場の実権を握るのは「華僑」であり、しばしば健全な「国民経済」の成長を阻害していると指摘される。モンゴルの場合は、二〇年代末までに、政治の力により商業網から漢人商人を強制的に排除し、かわって、ソ連モデルの流通システムと計画経済に基づく物資の国家調達方式を導入した。その意味では、経済的な「国民統合」に成功したといえなくもないが、むしろモンゴル産品の輸出先はソ連に限定され、一方ソ連のみがモンゴルに消費・生産物資を供給することになり、経済面でもソ連への従属が強化された。

このような過程をへて、ソ連はモンゴルを、ロシア帝国時代の「勢力圏」から、自らの「支配圏」へと変え、のちに述べるように「衛星国」化しようとした。近年のモンゴルの民主化によって、歴史の再検討が進行しつつある。モンゴル人のあいだからは、ソヴィエトの政策と行動について激しい批判の声があがり、モンゴル人が自由にものを考える意志さえも消そうとしたという意見までもでている。しかし「民族」としてのいわば崩壊寸前のモンゴルへ手を差し延べたのはソヴィエトで、また前途をうれうるモンゴル人ナショナリストの懸命の努力があったがゆえにソヴィエトは介入し、結果的であるにせよ意図的であるにせよ、モンゴル独立への道筋につながったのも事実である。いずれにせよ、二〇年代以降の時期にかんする本格的な研究は始まったばかりであり、モンゴル人の手により、歴史の実像が明らかにされることを期待したい。

東アジアにおける政治緊張とモンゴル人

蔣介石は共産党およびソ連の勢力を排除しながら北伐を完成させ、中国東北地方およびチベットを除く、ほぼ中国全域に国民党の支配を広げ、特異な「宗族論」により中華民国における国家統合の理念を説明しようとした。しかし、モンゴル人やチベット人からみれば、それは彼ら独自の文化や伝統への理解を欠いており、国民党への反感は強まるとともに、自治拡大への機運が広がっていた。

一方、中国東北地域を中心として帝国主義的権益を維持しようとする日本は、中国のナショナリズムと全面対決することとなる。日本の関東軍は、一九三一年、いわゆる「満洲事変」を起こし、翌年には「満洲国」を樹立し、日本は国際的な孤立化と軍国主義への道を歩むことになる。満洲国の本質は日本の傀儡《かいらい》国家であったが、多民族国家としての性格をもつため、関東軍は領域内のモンゴル系住民の存在を考慮し、興安省を設置して限定的な自治を認めた。

また内モンゴル西部でも、満洲国の成立、中華民国政権の弱体化をみて、モンゴル王侯層を中心に、南京政府への高度自治要求が高まっていた。このような動きの中心人物となったのがスニット旗のデムチュグドンロブ(徳王)で、彼の存在に注目したのが華北地方への進出をめざす関東軍であった。デムチュグドンロブらの運動は、はじめ成果をえられなかったが、日中戦争が始まると、進撃してきた関東軍の支援のもと、三七年に蒙古連盟自治政府が組織された。

さらに三九年には、同じく日本の傀儡政権であった察南(チャハル省南部)、晋北(山西省北部)両自治政府と、蒙古連盟自治政府は日本の意向により合体させられ、蒙古連合自治政府が成立した。デムチュグドン

スニットの王府でラジオを聴くデムチュグドンロブ（徳王）　ラジオ，新聞など，あらたなメディアは情報をモンゴルの奥地まで伝えた。ちなみに辮髪であることに注意。徳王はモンゴルが独立するまで辮髪を残すと誓い，1946年に中華民国がモンゴル人民共和国の独立を承認したとき，辮髪を切ったと伝えられる。“ナショナリスト”としての彼の気概を示すエピソードである。

ロブらは内モンゴルの統一と高度自治をめざし、「蒙古連合自治政府」と称したものの、晋北自治政府が加わることによって、構成人口の圧倒的多数は漢族となり、また満洲国に編入されている内モンゴル東部の併合は日本軍に拒絶されるなど、実態は日本軍人が実権を握り、日本の対中軍事戦略のもとにつくられた傀儡政権にほかならなかった。

このような日本の侵略攻勢にたいして危機感をいだいたのが、モンゴル人民共和国とソ連である。ソヴィエト軍は人民革命ののち、いったんはモンゴルから撤兵していたが、三六年にソ連・モンゴル相互援助議定書に基づき、ふたたび駐留した。もともとモンゴル人民共和国の「国境」なるものは、キャフタ協定で承認された自治外モンゴルの領域を起源とするが、細部については画定されていなかった。さらに二〇年代をとおし、中国の政府はモンゴル人民共和国の存在を認めていなかったので、モンゴルと中国とのあいだには「国境問題」は起こりえなかった。

ところが満洲国が成立し、ソ連は満洲国を、日本はモンゴル人民共和国にたいして、外交上の「暗黙の承認」を与える関係となったため、ここにモンゴル・満洲国間に「国境問題」が生ずることになった。関東軍は国境紛争にかんして強硬な対処要綱を策定していたが、ソ連側も日本の挑発行為に応戦する態勢を固めていた。このような状況のなかで、三九年にモンゴル・満洲国国境ハルハ河周辺で武力衝突が発生し、ソ連と日本とのあいだの代理戦争となったが、装備のうえで近代化されたソ連軍により日本軍は撃破された。これが日本側でいう「ノモンハン事件」で、ソ連およびモンゴルは「ハルハ河戦争」と呼んでいる。ついで翌四〇年に開催されたモンゴル人民革命党の党大会および国会において、モンゴル人民共和国では「革命」の段階が終了し、「社会主義建設」の段階へと移行したことが確認された。

第二次世界大戦の終結とモンゴル人の命運

一九四五年八月、第二次世界大戦の終結と日本の敗北は、モンゴル民族の命運にもあらたな活路を開くものであったはずだ。戦後国際関係の主導権を握ったのが、超大国として登場した米国とソ連であり、すでに大戦終了前のヤルタ会議において、戦後国際政治のおおまかな枠組みは決定されていた。このなかでモンゴル人民共和国にかんしては「現状」のままとする合意がなされた。実際問題として、戦前期にモンゴル人民共和国を承認する国家はソ連以外には存在せず、中華民国はモンゴルの独立を否定していた。ソ連は二〇年代後半以降、一貫してモンゴル人民共和国をソ連とは別個の独立国家として、しかもどのような状況となっても中国との再接合が不可能なようなかたちで、社会主義国家建設へと指導してきた。超大国として東アジア政治へも発言力を増したソ連の後援により、モンゴル人民共和国の「現状」を、中国も認めざるをえない方向へと進んでいった。

モンゴルはソ連とともに対日参戦を宣言し、モンゴル軍も内モンゴルへ進駐したが、内モンゴルのモンゴル人たちは宿願とする内外モンゴル統一の好機が到来したとして、さまざまな政治運動が活発化した。これより以前、日本の敗色が濃くなるころ、モンゴル人のハーフンガは満洲国大使館員として東京に駐在していたが、東京に留学するモンゴル人青年を集め、いずれ日本は敗北し、ソ連の援助のもとに独立「大モンゴル」が出現する見通しを語るとともに、青年たちにそのときまでの自重を求めていたという。ところがソ連の戦後構想は、このハーフンガや多くのモンゴル人の期待を打ちくだくものであった。つまりモンゴル人民共和国の「現状」とは、独立国家としてのモンゴルの承認ではあったものの、その領域も「現状」にとどまるものであった。公的な手続きとしては、一九四五年十月にモンゴル人民共和国で「独立」を問う国民投票がおこなわれ、反対票零で独立への意志が確認された。中華民国もこの結果を認め、モンゴル人民共和国をいったんは承認するが、やがて発生した国境紛争により、承認を撤回するという奇妙な対応をとった。

ハーフンガら内モンゴルの政治活動家はオラーンバートルに赴き、内外モンゴル統一への援助を訴えるが、チョイバルサンにより拒絶されていた。やがて中国では国民党と共産党とのあいだで内戦が勃発し、内モンゴルへも中国共産党の影響力が浸透した。モンゴル族出身の中国共産党員であるオラーンフー（漢語表記では烏蘭夫《ウランフ》）を中心として、ハーフンガらも加わることで、内モンゴルの自治運動は統合され、四七年に内モンゴル自治政府が樹立される。このようにして成立した内モンゴル自治区は、新中国における「民族区域自治」の先駆けとなったが、中国共産党の政治指導により、内モンゴル人が宿願としていた、「内モンゴル」という地域の統合が実現したという意味をもつ。

チベットの不安定な地位

一方チベットにたいしては、第二次世界大戦後、国際政治の構造変動はなにをもたらしたか。二〇年代から三〇年代にかけて、中国本土では政治抗争と戦乱が続いていたが、中央政権の求心力が低いために、その余波はチベット本土へはほとんど及んでいない。ただ長年にわたる係争地であったカム地方を三九年には西康省へと改編したものの、じっさいの支配は南京政府が思うように進まなかった。一方、イギリスにとってチベットは、植民地インドの後背地として、安全保障の観点からの戦略的意味はあったものの、それをこえたなんらかの積極的な意義をみいだしていたわけではなかった。これゆえに、表面上は政治的静寂が保たれていた。このようななかで三三年、帝国主義の時代におけるチベットの転変を文字どおり象徴する人物であった、ダライラマ十三世が入寂した。彼自身は改革を試みたといわれるが、チベット独特の保守的宗教界に囲まれ、なんらの成果をあげずに終わっている。

中国共産党は国民党との内戦に打ち勝ち、中国全土に支配を拡大していった。内モンゴルについては、旧政治指導層との関係、さらに政治イデオロギーの浸透という点でも、比較的順調に社会主義建設事業は進んだ。なによりも、オラーンフーに代表されるような「民族幹部」の存在が重要な役割を担っていた。

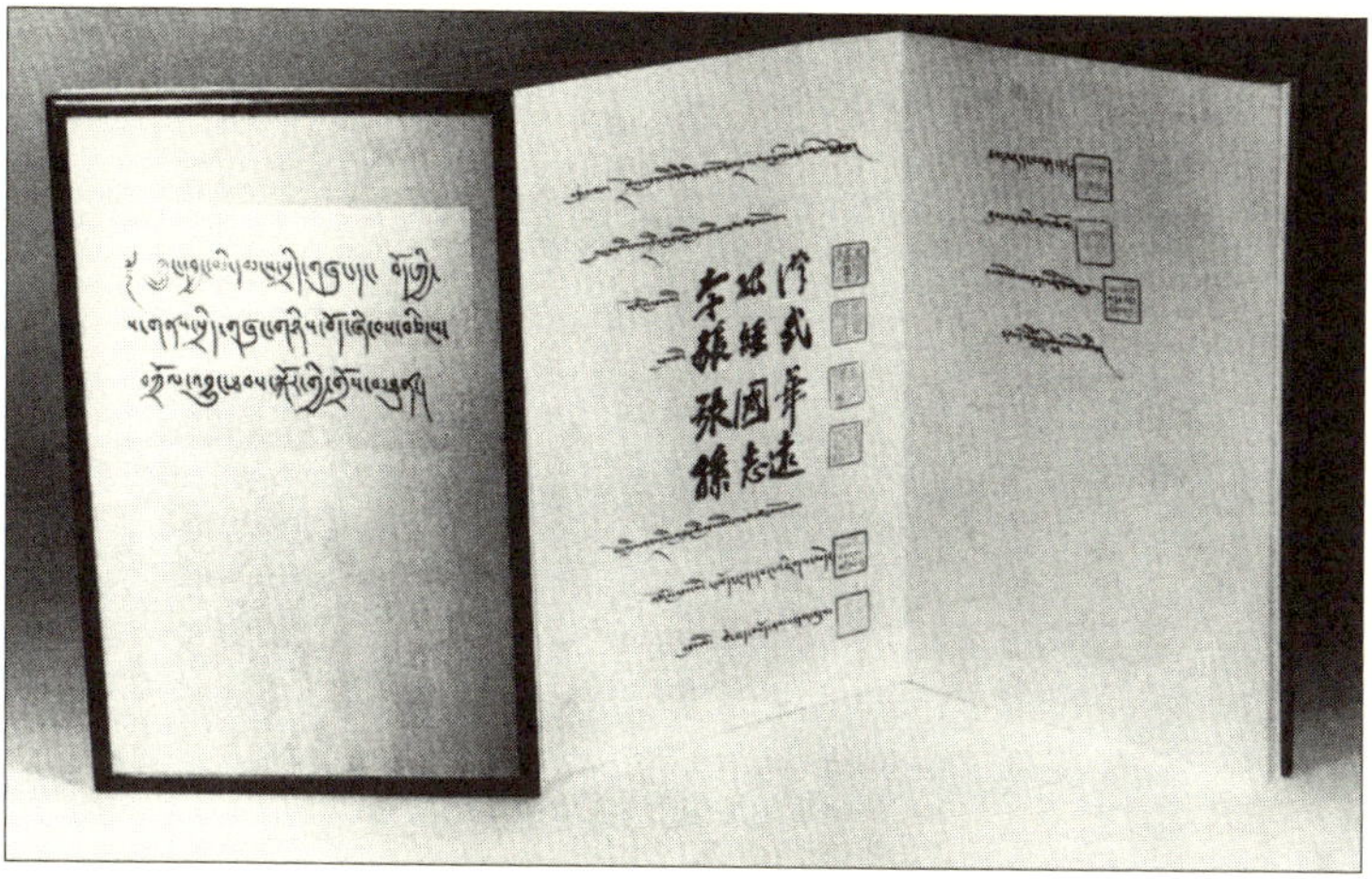

「チベット平和解放にかんする17条協議」のチベット語調印書

ところが中国共産党とダライラマ政権とのあいだにはなんらの接触点も存在せず、また両者の基盤とする国家観や思想はあまりにかけ離れていた。チベット側にすれば、歴史的にみても、独自の社会構造と文化・伝統をもち、国際社会で公的には承認されていないとしても、独立に近い自治を享受していたという自負があった。一方、中国共産党側は、チベットの社会体制そのものが旧社会の残滓《ざんし》であり、新中国の国家形成にチベットも参加することは論議するまでもない前提と考えていた。いずれにせよ衝突は不可避な情勢であった。

中華人民共和国成立の翌五〇年、中国軍はチベットに進撃を開始した。若年のダライラマ十四世はインド国境まで避難したが、五一年にはチベットと中国とのあいだに「チベット平和解放にかんする一七条協議」ができ、政治的には一時的な小康状態がおとずれ、ダライラマ十四世はラサに戻った。この「一七条協議」によって、中国側はチベット固有の政治社会制度、あるいはダライラマの地位を保障する一方で、チベットが中国の一部であり、外交・軍事権をもたないことを、チベット側も認めたのであった。

それまで積極的ではないまでも、チベット問題に影響力を行使してきたのは、インドにおけるイギリスの存在であった。しかしインドはイギリスから一九四七年に独立を達成し、イギリスは撤退していた。インドは旧英領インド政庁が保持していたチベットへの発言権は継承したものの、中国とならんで新興アジア諸国の代表的存在となりつつあった。そのような立場のインドにとって、旧宗主国が帝国主義の時代に獲得した影響力を引き継ぐことは、むしろ負の遺産の相続と思われた。インドは中国との友好・平和共存を望み、チベット問題にかんして中国との衝突を慎重に回避しようとした。もとはといえば、国際社会のなかで自らの法的地位を明確化する努力をおこたってきたチベットの責任でもあるのだが、チベットはしだいに孤立無援の状態に追い込まれていた。

一方、中国側は着々と支配強化をめざす施策をおこない、五六年にはチベット自治区準備委員会を発足させた。やがて中国全土では「反右派闘争」が始まり、社会主義改造が推進されたが、チベットにおいても中国軍の増強と改革が強行され、チベット人の反乱が各地に発生した。北京の中国共産党中央で、チベット問題について直接指揮をとっていたのは、毛沢東であったと伝えられるが、彼は軍事力を発動しても一気にダライラマ政権を倒し、社会主義改造、そしてチベットの中国への完全な統合を実現しようとねらっていた。

このような状況にダライラマ周辺は危機感をつのらせ、ラサでは緊張が高まったが、一九五九年三月十七日、ダライラマはインドに逃れ、ついでダラムサラに亡命政府を樹立した。中国軍はチベット側の抵抗を粉砕し、蜂起を鎮圧した。この「チベット動乱」により十数万といわれるチベット難民が発生した。結果的にみるならば、四九年以降、チベットと中国のあいだには、本当の意味での対話はついぞ成り立たず、中国側はチベットの中国への統合と改革を強行しようとした。このような動きにチベット人は強く反発したが、中国側は軍事力でこれをおさえたのであった。

東西対立、中ソ対立とモンゴル

かつて「東西対立」が激しいなかで、ソ連の「衛星国」と呼ばれる国家群が存在した。「冷戦構造」の終焉とともに、今では歴史的概念となり、しかも必ずしも価値中立的な概念とはいえないが、もとはといえば、アメリカのアジア研究者オーエン・ラティモアがモンゴルを念頭に考えたと伝えられる。衛星国の定義は明確ではないが、衛星国とは独立主権国家の形態をとってはいるものの、それと近接して主導国(ソ連)があり、主導国の政治軍事介入により衛星国の政治体制は成立し、国家の存立も主導国に依存する。主導国と衛星国の関係は独立国間の条約形式で規定されてはいるが、安全保障をはじめ、あらゆる点で主導国の意向に左右され、衛星国の独自の行動を束縛する。国際社会の場にあっては、衛星国は主導国に指導され、つねに同一歩調をとることをよぎなくされる。衛星国の政治エリート層は、おおむね主導国で教育を受けたもので、主導国の指導部と価値体系と利害を共有しており、国内の政治社会体制・組織も主導国のそれを模倣してつくられている。これゆえに、主導国での政治社会変動は、つねに衛星国に直接反映する。衛星国は、ほぼ以上のように概括できよう。

モンゴルは、前述したように、帝国主義の時代においては、ロシア帝国の「勢力圏」のなかにあったが、ソヴィエトの軍事介入により「人民革命」が起こり、とくに二〇年代後半以降は、ソ連をモデルとした社会主義建設がおこなわれ、モンゴルの位相はソ連の「支配圏」のなかの衛星国となったのである。じっさいに三〇年代からあと、モンゴル人民共和国の主要な政策は、モンゴル人民革命党の政治局ではなくて、ソ連共産党の中央委員会で方向が決められていた。

ただ第二次世界大戦を挟んでモンゴルをめぐる国際環境の大きな違いは、戦前期ではソ連の唯一の衛星国で国際的にも孤立した状況にあったが、戦後世界にはいくつかの類似衛星国が出現したことである。モンゴルははじめ東欧のソ連型社会主義諸国、ついでアジア・アフリカ諸国と外交関係を樹立することで、国際社会にゆるやかに船出し、ソ連・東欧諸国からの援助により、国家建設が進められた。首都オラーンバートルの施設をみても、本格的な建設が開始されたのは戦後のことであることがわかる。はじめ中国東北地方から連行された日本人捕虜の強制労働により主要建築がつくられ、ついでソ連・東欧諸国そして中国からの援助によりしだいに近代的都市空間が形成されていった。

社会主義体制下のモンゴルにおいて、社会主義経済実現のメルクマールとなったのが牧畜業の「集団化」実績であった。すでにいったんは強制的な集団化をおこなおうとして失敗していたが、三〇年代後半よりゆるやかな速度で集団化がおこなわれていた。結果的に五九年にいたり、牧民の九九・六％が農牧業協同組合(ネグデル)に加入し、集団化の完成が宣言された。じつは、世界の社会主義諸国において、この年をめざし競って集団化がおこなわれていたのであり、モンゴルも歩調をあわせたにすぎない。これと同時に憲法も改正され、モンゴル人民共和国は「社会主義国家」と規定された。さらにつぎの段階として、「農牧・工業国家」から「工業・農牧国家」への転換がめざされた。ただ、ここで注意すべきは、「集団化」の実態である。農業生産を主体とするソ連においては、生産形態および経営形態双方での「集団化」がおこなわれたが、農業労働者の勤労意欲を高めることはできず、私的所有部分を残さざるをえなかった。さらに、農業生産の不振がソ連経済の弱点となっていたことは周知のとおりである。

ところがモンゴル牧畜業の場合、もともと最末端部分では、小規模家族単位で俗にいう「遊牧」がおこなわれており、それがモンゴルの風土に適した土地利用方法でもあった。ただ従来は親族共同体とでもいうべき「ホト・アイル」が複数種の家畜の共同管理をしていたが、ネグデルでは「ソーリ」と呼ばれる小規模家族を基盤としたグループが形成され、特定種・年齢の家畜の飼育をおこなうことになった。したがってモンゴル牧畜業の「集団化」という場合、最末端での家族単位を基盤とした「遊牧」による生産(飼育)形態は変わらず、それを統合したネグデルという組織がつくられ、家畜の所有がネグデルに移行し、ネグデルによる経営形態が「集団化」を意味した。またネグデルは機能面ではソ連の「コルホーズ」をモデルとしていたが、それ自身が同時に地方行政最小単位でもあり、この点では中国の「人民公社」と同じであった。このようなところに、モンゴルにおける「集団化」の特異性があったが、それでも家畜総数の増大へとはつながらず、一定数の個人所有を認めることで、生産意欲を刺激せざるをえなかった。ともあれ、このような「集団化」であったがゆえに、九〇年代にいたりモンゴルの民主化とともに、ネグデルが解体されたとき、牧畜業では混乱が大幅に広がることはなく、「ホト・アイル」の復興がめざされた。

一方、工業化は五〇年代以降に開始されたが、はじめ食品業、ついで七〇年代には鉱業に特化していた。しかも開発資本、技術ともに、ソ連・東欧諸国と中国に依存していた。中国との関係は、五〇年代の「中ソ友好時代」においては安定したもので、中国からもモンゴルにたいして経済援助がおこなわれたが、やがて中ソ両国間にイデオロギー対立が生じると、モンゴルは一貫してソ連支持にまわり、さらに対立が激化し武力衝突の危機も予測されると、多数のソ連軍部隊がモンゴルに駐留し、対中国戦略の最前線基地ともなり、モンゴルと中国との国交は、事実上の断絶状態となった。経済的にはアジア地域でただ一国、コメコン(ソ連・東欧経済相互援助会議)へ六二年に加盟し、ソ連を中心とする経済圏にはいることで、社会主義国際分業の一端に組み込まれ、ソ連・東欧諸国との経済的な統合が強化された。このように、ほぼ八〇年代まで、政治・経済・文化のあらゆる面で、モンゴル人民共和国におけるソ連の地位と影響力は圧倒的なものであった。

2 東トルキスタン

辛亥革命と新疆

省制が施行された結果、新疆にはあらたな官僚のポストが新設されたが、その多くは左宗棠《さそうとう》の麾下《きか》の湘軍の関係者、すなわち湖南省の出身者によって占められた。彼らは多くの場合新疆を発財の場所と考え、離任と同時に内地へ帰還した。戦乱によって人口が減少したため植民が奨励され、前代には禁止されていた南路への農業移民も認められたが、実効は上がらなかった。また天津商人、山西商人は内地との通商を掌握することはできたが、ロシア、英領インドとの交易は、ロシア籍、イギリス国籍を有するムスリム商人と現地の商業資本の手中にあった。こうした状況下で、漢人の人口増加は比較的ゆるやかであった。

二十世紀にはいり内地の革命運動が活発化すると、その影響は新疆にもおよんだ。新式軍隊のなかにも革命派が潜入し、彼らはすでに新疆で隠然たる勢力を有していた哥老会《かろうかい》を味方につけることに成功した。哥老会は、湘軍の将士として新疆にはいって以来、あらゆる階層の漢人、とくに軍隊に広まっていた。一九一二年一月イリの革命派は蜂起し、先のイリ将軍でモンゴル旗人の広福《こうふく》を臨時都督とする政府を樹立した。その政府のメンバーには回民が一人含まれているだけで、もちろん現地のムスリムは皆無である。このことは、新疆における辛亥革命が、漢族のあいだの権力争い以上のものではなかったことを如実に示している。

宣統帝の退位が伝わると、ウルムチの省政府首脳は政権を放棄した。ウルムチ地区の知事であった楊増新は巧みに競争者を排除して、新疆省長兼督軍となり政権と兵権を一手に掌握した。彼は雲南出身の科挙官僚(進士)であり、清朝の支配体制を大きく改変することなく、新疆を自らの独立王国にしようとつとめた。袁世凱政府の名によって、清代には爵位を保持していなかったカザフの部族長たちにあらたに郡王以下、ベイセ、タイジなどの称号を与えたことは、前代の体制をそのまま継承しようとする彼の施策の典型であるといえる。楊増新は新疆を外部から遮断することに細心の注意をはらい、第一次世界大戦前、オス

楊増新　殺害される数カ月前にスウェン・ヘディンの調査隊の一員によって撮影された写真。

マン帝国の使節団の新疆訪問を断固拒絶し、また大戦中には、在カシュガルのイギリス領事館関係者が、メッカのシャリーフが公布したオスマン帝国からの独立宣言の写しを大量にもちこんで、オスマン帝国の汎トルコ・汎イスラーム主義宣伝にたいする反宣伝をおこなおうとした際に、イギリスの「善意」は了解するといいつつも、東トルキスタンの住民のあいだに独立の機運を煽る恐れがあるとして、この宣伝文書をすべて没収させた。

にもかかわらず、この遮断を完全におこなうことは不可能であった。オスマン帝国は、アブデュルハミト二世も、青年トルコ人革命によって彼にかわった「統一と進歩」の政府もともに汎トルコ主義の宣伝を中央ユーラシアの全域に広めることに熱心であった。一九一三年末、イスタンブルをおとずれたカシュガルからのメッカ巡礼者の一グループにたいし、「統一と進歩」政府の指導者の一人であったタラート・パシャは、オスマン帝国からカシュガルへトルコ人教師を派遣することを提案した。その結果、当時イスタンブルに留学中であったカシュガル出身の一青年にともなわれて、アフメト・ケマルという若いトルコ人がロシア領中央アジアをへて新疆にいたり、カシュガルの東北のアルトゥシュの町に現地の有力者の支持をえて、師範学校を開設した。

この学校はカシュガルにおける民族主義的教育運動の中核となったが、オスマン帝国がドイツの側に立って参戦すると、アフメト・ケマルは活動を停止させられ、ついでウルムチで軟禁状態におかれた。カシュガルとウルムチでアフメト・ケマルとかかわりのあった人々は、それ以後もさまざまな潮流の民族主義的な活動に参加した。のちにウイグル人として最初の新疆省主席となったマスード・サブリや、新疆「解放」当時の主席であったブルハンもアフメト・ケマルと親交があった。第一次世界大戦期に、オスマン帝国の汎トルコ・汎イスラーム主義宣伝が東トルキスタンである程度の反響をみたことは、この地のあるムフティー(イスラーム法官)が、オスマン朝のカリフに従って参戦することは東トルキスタンのムスリムの義務であるとのファトワー(教旨)をだしたという事件からも推測される。

「東トルキスタン・イスラーム共和国」

楊増新はその権謀術数によって、一七年間の奇妙な安定を新疆にもたらした。それは、先に述べたとおり、新疆を可能なかぎり外部から切り離して、清代と同様の統治をおこなうことによってえられた安定ではあったが、近年では楊増新の政治手腕を改めて再評価する研究もみられる。

楊増新の退嬰《たいえい》的な政策にあきたらない一部の進歩派は、一九二八年七月七日、楊を暗殺したが逆にその夜のうちに鎮定され、楊の腹心であった金樹仁が省主席兼軍司令となって権力を掌握した。彼は前任者に比して遥かに凡庸であり、楊増新が注意深く対応していたムスリム住民の宗教と習慣にたいする配慮を欠いていた。彼は就任早々、犠牲《いけにえ》として家畜を屠《ほふ》ることはムスリムの義務であるという事実を無視して屠畜税を新設したり、新疆からの財貨の流出を抑止するためにメッカへの巡礼を禁止したりして、ムスリム住民の反感をかった。一九三一年のハミの回土帰流(郡王制を廃止して、その封土を剝奪する)問題の発生は、金樹仁の現地住民にたいする無理解の結果であった。

第六章で述べたように、ハミの郡王家は東トルキスタンの土着の支配者として最初に康熙帝に服属し、ジャサクを与えられたウバイドゥッラーを始祖として、以後ハミの地に小王国を維持してきた。郡王シャー・マクスードの死去を機に、金樹仁はこの小王国を消滅させる決定をくだした。時あたかも、ハミ北方の村落、小堡において現地の少女を無理やり娶《めと》ろうとした漢族の将校とその部下が婚礼の当夜に殺害されるという事件が発生し、回土帰流問題で緊張状態にあったハミでは大規模な武装反乱が発生した。反乱軍は漢族の住区であるハミの旧城を包囲したが、省軍の増強を前にして、甘粛のムスリム軍閥馬仲英に援助を求めた。馬仲英の軍勢はハミの新旧城を包囲し、天山の東部支脈の北麓に位置するバルクルにまで進出したが、イリ方面から優勢な新疆省政府軍が接近すると甘粛に引き揚げた。農民と牧民を主とするハミの反乱軍は北の山地へと撤退した。

馬仲英の一支隊が侵入したことに触発されて、一九三二年の末にはトゥルファンでも反乱が開始された。反乱の指導者たちは、一〇年代以来革新的教育運動を進めてきた知識階級を組織した秘密結社のメンバーであり、彼らの目的とするところは、政治的・社会的改革であった。それと同時に一部の宗教指導者たちも行動をともにしており、彼らのなかには、反乱への参加を地域のムスリムの絶対義務であるとする布告を発する者もあったといわれている。反乱軍は一時的にトゥルファンの全市を掌握したが、新疆に逃亡してきていたロシアの白軍の残党(帰化軍と称されていた)を含む盛世才麾下の省政府軍に追われて、西方へ撤退し、多くの指導者を戦闘で失った。盛世才は三月中旬には兵を返したが、トゥルファンは馬仲英の軍勢により占領され、トゥルファンの反乱がそれ以上の展開をみることはなかった。

一方、甘粛の回族軍の侵入の影響がおよばなかったタリム盆地南辺のホタンでは、マドラサの教師であったムハンマド・アミーン・ブグラが、一九三三年二月、前年より秘密裏に組織していた革命グループを動員して蜂起し、漢人官僚を一掃して新政府を樹立した。この政府は、ホタンの一宗教指導者を「王」に戴き、イリの出身者でソ連やトルコ、インドでの滞在経験をもつサービト・ダーモッラーがシャイフ・アル・イスラーム(イスラームの長の意)、ムハンマド・アミーン・ブグラがアミール・アル・イスラーム(イスラームの将軍の意)となったことからも明らかなように、きわめてイスラーム的色彩の濃い政権であり、イスラーム法に基づく統治を実施しようとした。ホタンの勢力はヤルカンド、カシュガルへ進軍し、サービト・ダーモッラーは、一〇年代以来カシュガルで民族主義的近代化運動を継続してきた人々やトゥルファンの蜂起指導者でカシュガル方面へ逃亡してきた者などを糾合し、一九三三年の十一月に、「東トルキスタン・イスラーム共和国」の成立を宣言し、共和国の総統にはハミの反乱指導者として令名のあったホージャ・ニヤーズを、当時カシュガルには不在のまま推戴し、自らは首相に就任した。共和国は内部では若干の教育、社会改革を含み込んだ厳格なイスラーム主義を採用し、対外的にはイギリスやトルコの公式承認を受けようとしたが、ロンドンもアンカラもこれには応えなかった。

これより先、馬仲英麾下の回族軍がウルムチに迫る勢いを示すと、ウルムチでは四月十二日にクーデタが発生し、やがて盛世才が実権を掌握した。彼は戦局を一挙に打開するためにソ連軍の介入を要請し、これを受けたかたちでソ連の正規軍は翌三四年一月に新疆に進軍し、馬仲英軍を敗走させた。馬仲英は今回は甘粛へ退却せずに西方へ向かい、「東トルキスタン共和国」を壊滅させたのち、ソ連と交渉してソ連に亡命した。「共和国」の総統、ホージャ・ニヤーズはソ連の使者と接触し自らが省の副主席に就任するとの約束とひきかえに、共和国の事実上の最高責任者であったサービト・ダーモッラーを捕縛して省政府に引き渡した。こうして、一九三一年から三四年にかけて高揚した反乱と独立運動は、統一的指導部を創出することなく、すべて中途に挫折したのである。

反乱参加者の政治的主張には、自治権の獲得から、中国からの分離独立にいたるさまざまな段階が含まれ、統一綱領のごときものは存在しなかったが、漢族の支配を制限もしくは一掃してイスラーム法が施行されるイスラーム社会の建設をめざす点では、思想的基盤を共有していた。ただし、同宗者でありながら漢語を話す回族は、おおむね漢族とともに排除の対象とされており、彼らの追求するイスラーム社会の構成員はトルコ系言語を話す東トルキスタンの本来の住民に限られていた。

元来タリム盆地のオアシス定住民は、固有の民族名称をもたず、異教徒にたいしてはムスリム、異邦人にたいしてはイェルリク(土地者)と自己を呼称し、カシュガル、ホタンなどのオアシス名を名乗りの一部としていた。しかし、ソ連において「民族・共和国境界画定」のために、民族としての認定とその自治領の確定が強行されると、ソ連に移住していた東トルキスタンの出身者(その大部分は、一八八一年にイリがロシアから清朝に返還された際、移住した者とその子孫)は、一九二一年のアルマ・アタでの会議の際に、ロシアのトルコ学者セルゲイ・マローフの提言に従って、古代のウイグルという民族名を自らの民俗名称とすることを決定した。この名称は以後、しだいに新疆でも知られるようになり、一九三五年には以下に述べるように「民族平等」を標榜した盛世才の政府により公式に採用され、その際に「維吾爾」という漢字表記も定められた。このウイグルという民族名称は、タリム盆地の諸オアシスに住む人々の民族意識が結晶していく核となった。

盛世才の独裁

盛世才は中国東北地方の出身で、日本の明治大学や陸軍大学に通算三度の留学経験をもち、国民革命総司令部の参謀であった。彼は、一九三〇年にウルムチの省政府に職をえていたが、前述の経緯によって実権を掌握すると、「民族平等」「反帝」「親ソ」の「進歩的政策」を標榜した。「民族平等」の政策は具体的には、ホージャ・ニヤーズを省副主席に任命したのをはじめ、若干のウイグルおよびカザフの有力者を省政府と地方行政機関の要職に就けることを意味していた。

盛世才はまた日本帝国主義の侵略から新疆を守るという名目により、新疆への出入りにヴィザを要求し、国民党政府の影響から脱することをもくろむと同時に、ソ連からはソ連人の顧問とコミンテルンの中国人要員の派遣を受けた。彼らは各政府機関と秘密警察を直接に掌握し、新疆はソ連の衛星国、もしくは植民地の状態にあった。盛世才は情勢を自らに有利に展開させるため、一九三七年にはコミンテルン要員をトロツキストであると告発して逮捕・追放し、その後任には延安から招いた中国共産党員を任命したが、自らはモスクワに赴いて直接スターリンにソ連共産党への入党を申請し、ソ連との関係を巧みに維持した。

彼は一九四〇年には二度目の大粛清を開始し、少数民族出身の高級幹部をつぎつぎと逮捕・拘禁したが、独ソ戦が勃発してドイツが優位を示すと一挙に反共に転じ、四二年自分の弟盛世騏が暗殺された事件(この暗殺は盛世才自身が計画したものであると考えられている)をきっかけにして、国民党政府の権威のもとに復帰し、新疆にいたソ連人顧問と赤軍を送り返し、毛沢東の弟、毛沢民を含む中国共産党員を逮捕・殺害した。

第二次世界大戦でのソ連の勝利が確実になるとふたたび親ソ政策を唱えて自らの地位を維持しようとしたが、一九四四年九月には国民党政府から解任されて重慶へと去り、後任には辛亥革命に参加して以来の国民党員で、長年辺境地帯の統治にかかわってきた呉忠信が任命された。

「三区革命」と「東トルキスタン共和国」

アルタイ地区のカザフ族遊牧民は、盛世才の在任時代からすでに、省政府に抵抗して蜂起を繰り返していたが、ケレイ部族出身のオスマンは一九四一年の冬以降、ゲリラ部隊を組織し、モンゴル人民共和国とソ連の援助を受け、ソ連で訓練を受けた同じくカザフ族のダリール・ハーンのグループと合流して、四四年十月には「アルタイ民族革命臨時政府」を樹立した。イリ地区ではすでに民族解放をめざす秘密組織が成立していたが、四四年の十月と十一月、イリ渓谷のニルカの町とクルジャ市内で蜂起が発生し、十一月十二日には「東トルキスタン共和国」の成立が宣言された。最近の研究は、これらの蜂起はソ連赤軍の直接の参加のもとに実行されたものであったことを明らかにしている。翌年には、前述のアルタイのカザフ族と、同じくソ連の影響下に組織されたタルバガダイのゲリラ部隊もイリの勢力に合流した。現在の中国では分離主義を思わせる「東トルキスタン共和国」の名称を用いることは回避され、イリ、アルタイ、タルバガダイの「三区革命」と呼ばれている。

「共和国」の臨時主席にはウズベク人の宗教学者アリー・ハーン・トラが就任し、政権の内部では、最初の蜂起の指導者であった親ソ連派のウイグル人知識人アブドカリーム・アッバーソフが有力であった。「共和国」は総兵力一万五〇〇〇からなる民族軍を編成し、タルバガダイ、アルタイ地区の革命勢力と合流し、一部は天山の南部地域にも進出し、さらに一九四五年九月にはウルムチの西方のマナス川で省政府の軍隊と対峙する状況になった。

重慶政府から派遣された張治中は、ウルムチでソ連総領事に面会して調停を要請し、翌月からウルムチで和平交渉が開始された。当初「東トルキスタン共和国」側は、交渉が国家間のものであることを主張したが、ソ連総領事の斡旋により、「新疆民衆代表」という資格に甘んじさせられたという。交渉は断続的に継続され、一九四六年六月には、ソ連が共和国主席のアリー・ハーン・トラをソ連に拉致し、共和国は自主的な解散を決議した。翌七月には、新疆省連合政府が発足し、共和国の実力者アフマドジャンが副主席、アッバーソフが副秘書長に就任した。

しかし、およそ一年後連合は事実上崩壊し、旧共和国側は全員イリに退去する一方で、もとの領域を実力で維持しつづけた。張治中は省主席の地位を、イリ出身の民族主義者でありかつ国民党の最右翼グループであったCC団と関係のあったマスード・サブリにゆずり、やがて彼がイリ側との交渉の障害であることを悟ると、ブルハンをこれにかえて主席とした。ブルハンは現在のタタールスタン共和国のカザン市近

マスード・サブリが省主席であった当時の省政府要人たち　中央列左から３人目の黒い服の人物がブルハン。その右隣がマスード・サブリで，その右がムハンマド・アミーン・ブグラ。

くの出身であるが、中国ではウイグル人であるとされている。

一九四九年、中国人民解放軍が長江を渡川し国共内戦が終わりに近づくと、毛沢東は劉少奇を団長とする代表団をソ連に派遣し、スターリンとのあいだで中ソ間の諸問題の整理をおこなわせた。おそらくはこの会談において、イリの処遇について中ソ間に合意が成立したと考えられる。劉少奇に同道していた鄧《とう》力群《りきぐん》はモスクワから直接イリに赴きアフマドジャンらとの交渉にあたった。

八月毛沢東はイリの首脳たちに書簡を送り、北京で開催される政治協商会議への出席をうながすとともに、「諸君の多年来の奮闘は、わが全中国の人民民主革命運動の一部分である」と述べて、東トルキスタン共和国と三区革命を中国の革命運動のなかに取り込んでしまった。アフマドジャン、アッバーソフ、ダリール・ハーンたちは、ソ連領内シベリアを経由して北京に向かったが、八月二十七日、彼らの乗機はバイカル湖近くで墜落し、東トルキスタン共和国の有力者のほとんど全員が物理的に消滅してしまった（この事故が公式に報道されたのは、三カ月後になってからである)。旧共和国の首脳のうち一人行をともにせず難をまぬがれたセイフディンは、急遽政治協商会議への代表として北京へいき、中国共産党の指導に服することを表明した。

新疆の解放と新疆ウイグル自治区の成立

アフマドジャンたちの「消滅」ののち、鄧力群はふたたびウルムチに赴き、省主席のブルハンおよび国民党軍の司令陶峙岳《とうじがく》と会談して新疆の「和平解放」を受け入れさせた。一九三〇年代の反乱の指導者の一人であったムハンマド・アミーン・ブグラは、その後アフガニスタンへの亡命と重慶での活動をへて、四六年の連合政府のメンバーになっていたが、中国共産党の支配下にはいることを拒否して、同調する者たちとともにウルムチを去り、パキスタン(ついでトルコ)に亡命した。

中華人民共和国成立の寸前の九月二十六日、新疆省政府は毛沢東宛に電報を発し、国民党政府との関係を断絶し、中央の人民政府の命令に従うことを通告した。すでに蘭州、西寧のラインにまで進軍していた解放軍はただちにウルムチに向かい、同年十二月にはイリにまで進駐した。解放軍の進駐後も、三区革命の一翼を担い、のちに東トルキスタン共和国と袂を分かったカザフ族のオスマンや、国民党との関係がとくに深かったハミのヨルバルスなどは武力による抵抗を継続した。しかし、ヨルバルスは一九五〇〜五一年の冬にチベットをこえて最終的には台湾に亡命し、オスマンも五一年四月に捕縛、処刑されて武装抵抗はおおむね終息した。前省主席のマスード・サブリは逮捕拘禁中に獄死した。

一九五二年秋には、人民共和国の最重要政策のひとつである土地制度の改革が開始され、封建的土地所有制を廃止するとともに、従来モスクや聖者廟が保有していたワクフ(寄進財産)を没収した。国民党支配時代には部分的に存続を認められ、軽犯罪および民事事件を扱っていたイスラーム法廷などの「前近代的制度」も廃止され、一方あらたな統治体制が整備された。新体制がおおむね確立した五五年十月新疆ウイグル自治区が成立した。

新疆ウイグル自治区には漢族を除き一二の少数民族が住むという表現は、多民族の新疆を語る際の決まり文句となっているが、これは解放時に公的に認定された「少数民族」の数が一二であったことをいっているにすぎず、たとえばアルタイ地区のトゥヴァ人のように公的には「少数民族」としての扱いを受けていない「少数民族」も存在する。ともあれ、公式の認定に基づいて、自治区成立の前年から、これら少数民族の自治州、自治県、民族郷が設定された。これらの州や県は「新疆ウイグル自治区」という名称と同様、地名プラス民族名の構造をもち、地理的にみればきわめて複雑な入れ子の状態を呈している。

たとえば、「新疆ウイグル自治区」のモンゴル族は、ボロタラ・モンゴル自治州とバインゴル・モンゴル自治州の二つの自治州をもつが、バインゴルには焉耆《えんき》回族自治県が含まれ、しかも当初は自治州政府はこの回族自治県におかれていた(現在はコルラが州政府の所在地である)。同様にイリ・カザフ自治州の領域にはチャプチャル・シボ自治県やホボクサル・モンゴル自治県が含まれる。民族名が付せられた自治単位であっても、その民族の人口が必ずしも多数を占めるわけではなく、むしろ少数の場合もある。ただし、その自治単位の政府の長には、自治単位に付せられた民族名の籍をもつ者が任命されるのが常である。しかし、各単位の共産党書記のポストにはほぼ例外なく漢族が就いており、同じく漢族が圧倒的に優位を占める解放軍とともに、党と軍が新疆の支配の根幹を掌握する体制が成立した。

漢族人口の増大と「文化大革命」

自治区成立当時、新疆の漢族人口はまだ三〇万程度にすぎなかった。しかし、その数は着実に増加しつづけ、一九八〇年代には五〇〇万をこえた。このめざましい増加の原因のひとつが、主として退役軍人を組織した新疆軍区生産建設兵団である。兵団は天山北麓の伏流水を利用し荒蕪地を開拓して、八九年時点で人口五〇万を突破した石河子市を建設し(現在、日本の某ビール会社は石河子の農場からホップを輸入している)、また各地で大規模な開拓事業を推進した。そのために第一級国家文物保護単位とされていた、イリ川北岸のアルマリク故城は跡形もなく消滅した。さらに「さまよえる湖」として知られたロプ湖が完全に干上がったのも、これに流入するコンチェ・ダリヤの水が農業用水として利用されつくしたからだともいわれている。

また、地下資源の探査、開発も精力的におこなわれ、とくに一九五五年にジュンガル盆地の砂漠で石油が発見されると、埋蔵地域をカラマイ市(カラマイは黒い油、すなわち石油の意味である)という省政府直轄の特別市とし、石油精製設備を備える産業都市を建設した。

中国政府は対外的には、「民族自決、民族独立」のスローガンを掲げ、一九五五年にはインドネシアのバンドンで開催された「アジア・アフリカ会議」において周恩来は、インドのネルー、エジプトのナセルとならんで主導的役割を演じた。しかし、中国のいう「民族自決、民族独立」は帝国主義国家の植民地支配からの独立、解放のみをさすものであり、すでに帝国主義の支配から解放されて社会主義の道を進みつつある中国からの「自立、独立」を主張することは、帝国主義を利する反動であるとされた。

したがって、いわゆる「百家争鳴、百花斉放」運動が新疆におよび、少数民族幹部のあいだから、新疆の名を拒絶して、かわりに「東トルキスタン」や「ウイグリスタン」を名乗ることの要求や、より明確な分離独立の主張が出現すると、新疆における「反右派闘争」が本格的に展開され、「地方民族主義者」とされた少数民族幹部が大量に粛清された。この粛清のあと一九五八年以降、漢族の入植はいちだんと活発に進められ、カザフの遊牧民を定住化させてその牧地をあらたな入植者のための農場に変える政策が実行された。

「大躍進」政策の失敗が明らかになった一九五九年から、新疆のカザフ族が集団でソ連に越境する事態が発生しはじめた。中国側はソ連の秘密工作員の策謀であると主張したが、内地から大量の飢えた漢族が新疆に流入してくるという流言がこの事件の原因のひとつであったといわれている。六二年四、五月には六万のカザフ族が国境をこえ、五〇年代末から七〇年までのあいだにソ連に逃亡したトルコ系少数民族の数は一説によると二〇万に達したという。

一九六六年、「文化大革命」が開始されると、早くも八月には北京の紅衛兵グループはウルムチに赴き、「四旧(旧思想・旧文化・旧風俗・旧習慣)」の打破のスローガンに従い、モスクなどの宗教施設を破壊し、コーランを焼却し、宗教指導者を拘束して引き回すなどの活動を開始した。新疆の共産党第一書記であった王恩茂は、ソ連と国境を接するこの地域で少数民族を文革に巻き込むことの危険性を認識し、新疆の党委員会の指令に従う自前の紅衛兵組織を設けたが、この組織と北京からきたグループの対立は、やがて多くの死者をだす武力衝突にまで発展した。

紅衛兵とは別に、新疆の農村、とくに生産建設兵団に下放された都市出身の青年たちの生活条件は極度に劣悪であり、彼らは上海のような内地の都市に逃げ帰ったり、暴動を起こしたりした。一九六七年初頭、石河子市で発生した暴動には、主として上海出身の下放青年一〇万が参加し、解放軍による武力制圧の結果、死者数十人、行方不明五〇〇人以上がでたといわれている。同年七月、保守派がカザフの牧民を煽動し武闘に動員して、造反派から数千人の死傷者がでた事件を契機にして、少数民族を武闘に巻き込むことは党中央と国務院の通知によって厳禁された。人民共和国の領土としての新疆を保全することが最優先の課題とされたのである。文革のあいだに少数民族がこうむった被害とそれにたいする彼らの反応についてはいぜん不明の点が多い。しかし、彼らのこうむった打撃が小さなものではなかったことは、次章でも述べるように、文革後中央の権力がある程度の「和解政策」を採用することをよぎなくされたことからも推測可能である。

3　中央アジア

一九〇五年革命とムスリム民族運動

日露戦争に続く一九〇五年のロシア革命が帝政に動揺をもたらすと、ロシア領内のムスリム民族運動は最初の昂揚期をむかえた。「十月十七日以来、人々はこぞって政治にかかわり、ほかのことは忘れてしまうほどであった」。タタール人のあるジャディード知識人は、立憲制の導入と政治的な自由の付与をうたった十月詔書発布後のムスリムの政治的な覚醒の模様をこのように記している。

この革命は多くのムスリムにとって突然の出来事であり、政治参加への準備もほとんどできてはいなかったが、たとえ一時的ではあれ、言論と出版の自由化はムスリムの政治・社会運動の活性化をもたらした。それは、これまでガスプリンスキーの『テルジュマン』などわずか数紙にすぎなかったムスリムの新聞・雑誌が、一九〇五年以降はバクー、カザン、オレンブルグ、タシュケントなどムスリムの経済・文化的な中心都市で続々と創刊されたことからもわかる。なかでもタタール人の富裕な鉱山家ラミーエフ兄弟の出資によりオレンブルグで創刊された新聞『ワクト(時)』と雑誌『シューラー(協議)』は、ロシア領内はもとより新疆でも流布してムスリムの政治的な覚醒に貢献した。

この時期のムスリム政治運動を指導したのは、ロシアやオスマン帝国の政治動向に明るかったアクチュラやイブラヒム、ガスプリンスキーなどのタタール知識人であった。その最大の成果は、三度にわたるロシア・ムスリム大会の開催(その第一回と第三回は、例年多数のムスリム商人の参加する大定期市で有名なニジニー・ノヴゴロドで開催)であった。代表の過半はタタール人が占め、ブルジョワジー、地主、ウラマー、ジャーナリストらが自主的に集まった大会は、さながらムスリム名士の集会となったが、全ロシア規模でムスリムの宗教・文化的な自治の問題が討議されたのは、これがはじめての機会であった。第二回大会はロシ(ペテルブルグ)では「ロシア・ムスリム連盟」の結成を決議し、八〇〇人の参加をえた第三回大会はロシ

第１回ロシア・ムスリム大会（1905年８月15日）ニージニー・ノヴゴロドのオカ川に浮かぶ汽船の船上で，非合法集会として開かれた。

アの立憲民主党に近い七二カ条の連盟綱領を採択した。ムスリム連盟の成立は、一九〇七年の第二ドゥーマ(ロシア国会)におけるムスリム会派結成の要因ともなった。タタール知識人のあいだには、カザフ草原やトルキスタン、カフカースのムスリムを想定した領土的な自治、あるいはロシア内地で少数民族となったタタール人やバシュコルト人を想定した、領土をともなわない文化的な自治などの将来構想を描く者もあらわれた。

しかし、ムスリム連盟は歴史・文化的な背景や生活様式をそれぞれ異にするロシア領内のムスリム諸民族をすべて統合できたわけではない。じっさい、イスラーム文明よりはヨーロッパ＝ロシア文明の受容をめざしたカザフ・ナショナリストは、ムスリム連盟には与《くみ》せず、独自の民族運動を展開していた。カザフの知識人や部族の長老たちは、一九〇五年にはカザフ草原への植民の制限や司法・行政におけるカザフ語使用の許可を請願しており、第二ドゥーマに選出されたカザフ議員は、カザフ遊牧民の生存を脅かしている植民の停止と収奪された土地の返還を求めた。ムスリム連盟やロシアのリベラル諸党はカザフ人の要求を支持したが、政府は問題の検討を拒否した。カザフ草原への入植は、ロシアの穀物を確保し、農村の過密な人口問題を解決するにはすでに不可欠のものとなっていたからである。ちなみにここで頭角をあらわした新世代のカザフ・ナショナリストは、まもなくオレンブルグの新聞『カザク』(一九一三〜一八年)の周辺に結集し、二月革命後には民族政党アラシュを設立することになる。

トルキスタンでは、「新方式学校」や新聞・雑誌の周辺にジャディード知識人のゆるやかな結社がつくられ、第二ドゥーマには少数ながらトルキスタン選出のムスリム議員が送られた。トルキスタンのムスリム知識人は、政治活動では経験豊かなタタール人の後塵を拝していたが、一九一〇年代にはいると自分たちの民族名称をめぐって、ロシア人やタタール人と論争を展開した。トルキスタンの征服以来、ロシア人はこの地のテュルク系定住民を慣用にならってサルトと呼んでいた。ロシアの東洋学者バルトリドが証明したように、これはたしかに歴史的な呼称であった。しかし、それは必ずしも自覚的な民族名称ではなく、カザフなどの遊牧民がこの語を用いるときには定住民にたいする侮辱のニュアンスがこめられていた。トルキスタンの知識人は、ロシア人やタタール人がこの語を用いるときにも侮辱のニュアンスを感じとり、この用語の不明確さを指摘して、かわりにトルキスタン人やテュルク＝ウズベク人という呼称の使用を求めたのである。『シューラー』やサマルカンドのジャディード知識人ベフブーディーの創刊した雑誌『アーイナ(鏡)』などで展開された論争は、おそらく当局の圧力によって中断されたが、この論争はこれまでのサマルカンド人やタシュケント人というオアシス都市を中心とした帰属意識にかわる、トルキスタン人という新しいアイデンティティの成長を明示していた。

一方、帝政ロシアの保護国ブハラとヒヴァにおいても、ロシアの革命とそれに続いたイランやオスマン帝国における立憲革命は、都市の知識人の政治的な覚醒をうながし、青年ブハラ人や青年ヒヴァ人を自称する若いジャディード知識人の結社が組織された。彼らの目標は帝政の保護下に旧来の専制的な統治体制が温存されているブハラ・アミール国やヒヴァ・ハーン国の改革、その前提としての教育改革におかれていた。一例をあげれば、一九一一年ブハラ人フィトラトは留学先のイスタンブルで『争論』と題するペルシア語の文学作品を発表した。それは、ブハラの保守的なムダッリス（マドラサの教授）とヨーロッパ人旅行者との対話をとおして「新方式学校」の正当性と有効性を明快に示したジャディード文学の傑作であり、イスラーム再生の意欲と熱烈な祖国愛に貫かれたこの作品は、ウズベク語にも翻訳されて広くトルキスタンに読者をえた。

しかし、一九〇七年に始まった帝政の反動は、ムスリム民族運動の展開に強い制約を加え、アクチュラやイブラヒムら指導者の多くは国外に亡命した。このときイブラヒムは、カザンからシベリア、日本、朝鮮、中国、東南アジア、インドを経由してメッカ、メディナへの巡礼をおこない、イスタンブルにいたるユーラシア一周の大旅行を敢行したが、その目的のひとつは日露戦争に勝利した日本の活力をイスラーム世界の解放と発展に役立てる戦略を編み出すことにあった。ロシア国内の状況は厳しさを増したが、ムスリムの改革運動は、政治的には穏健さを保ったメディアや「新方式学校」、演劇による啓蒙活動あるいは秘密結社などを介して、そのすそ野を広げていった。また、個々の新聞・雑誌の多くは短命に終わったとはいえ、新しい文章語への関心が民族的な覚醒に道を開いた点は重要である。

一九一六年反乱

一九一四年八月第一次世界大戦が始まり、ロシアがこれに参戦すると、それは中央アジアのムスリムにも影響を与えずにはおかなかった。トルキスタンでは、ムスリム臣民が兵役に就かない代償として、戦時税の負担のほか、食料や家畜の徴発がおこなわれ、義援金の納入が強要された。しかも、このような戦時の賦課の多くは、トルキスタン総督府から地方行政の末端を担うムスリム官吏にいたるまで、腐敗した行政機構の着服するところとなり、民衆の負担は増大するばかりであった。一方、この戦争でロシアとオスマン帝国が交戦状態にはいった結果、ロシア当局はジャディード知識人の「汎イスラーム主義」や「汎トルコ主義」にたいする警戒を強め、オスマン帝国のトルコ人に親近感をいだいていたジャディード知識人は、「同宗同族」を敵とする戦争に当惑せざるをえなかった。ベフブーディーはこれをあくまでも国家間の戦いととらえ、ロシアへの忠誠を表明しながら、トルキスタン人には平静を呼びかけた。これにたいして、カザフ知識人のあいだにはむしろ兵役の負担など戦争に協力することによって、異族人という差別された身分から脱却しようという議論もあらわれた。

このようななかで一九一六年六月二十五日、ニコライ二世は戦時労働力の不足を補うために、中央アジアの異族人、すなわちトルキスタンから二五万人、カザフ草原諸州からは一四万人の成年男子(十九～四十三歳)を前線後方の労働へ動員する勅令を発した。しかし、満足な戸口調査や事前の準備を欠いたまま突然発布された勅令は、植民地統治のもとで蓄積されてきた民衆の不満に火をつけることになった。さまざまの流言や憶測をともなった動員令の情報にたいして、おりから綿花の収穫やラマダン(断食月)をむか

1916年反乱で中国領のクルジャに避難したカザフ人とクルグズ人

えていたムスリム民衆はいまだかつてない大規模な抗議行動を展開した。サマルカンド州やセミレチエ州、トルガイ州などでは流血の民衆反乱に発展し、時にはハーンを選出して自前の政権を樹立する動きもあらわれた。決起した民衆は、地方の官公吏や農業移民を襲い、通信施設や鉄道線を破壊してロシア軍の懲罰部隊と衝突した。とりわけセミレチエ州のように多くの農業移民が入植していた地方では入植者と地元の住民との対立が激化し、ここでは二〇〇〇人以上のロシア人移民が殺害された。

これにたいしてロシア当局は戒厳令をしくとともに、強力な部隊を派遣して反乱の鎮圧と懲罰にあたらせた。トルキスタンでは、歩兵一四個大隊、騎兵三三個大隊、大砲四二門、重機関銃六九門もの軍事力が投入され、大規模な殺戮と破壊、略奪ののちに土地の没収がおこなわれた。懲罰を恐れたサマルカンド州のムスリムはブハラ領内へ、またセミレチエ州のカザフ・クルグズ遊牧民は大挙して中国領の東トルキスタンに避難した。一説によれば、セミレチエ州からの難民は一〇万帳を数えたという。革命後トルキスタンの各地を視察したある共産党員は、こう記している。「鎮圧された諸県では破壊された壁が今も専制の生ける記念物として残っている。一九一六年反乱の記憶は現在もムスリム貧民の記憶のなかに鮮明に生きているのだ」と。

組織性を欠き、武器にも事欠いた反乱は、一九一六年の末までに各個に鎮圧された。しかし、この反乱のためにロシア政府が動員することのできた異族人は、予定の半数にも満たず、さらにこのような植民地の動揺は戦時下の帝国の政治・社会的な不安を増幅させずにはおかなかった。その意味で、この中央アジアの反乱は、翌年のロシア革命に道を開いたともいえる。動員されたムスリムのあいだでは「暴君をば、こらしめ、打ちすえ、玉座より引きずり下ろすまで、われは帰らず、トルキスタンへ」のような歌もつくられた。また、この反乱に荷担して逮捕、流刑された者のなかには、革命後に郷土へ戻り、革命派あるいは反革命派の闘士として活動した人々も少なくない。反乱は、ムスリムの政治的な覚醒の契機ともなったのである。

翌年のロシア二月革命によって帝政が崩壊すると、東トルキスタンに避難していた遊牧民は故郷への帰還を開始した。しかし、一九一七年五月、モスクワで開かれた全ロシア・ムスリム大会の席上、セミレチエ州の代表は現地の実状をつぎのように報告している。

ロシアで革命が勃発して自由が宣言されると、多くのクルグズとカザフは今やかつての抑圧は終わり、解放のときがおとずれたと判断して、故郷への帰還を始めた。自由の太陽におおいなる期待をいだき、かつての平安が戻ってくるものと考えていたのである。しかし、彼らの期待は見事に裏切られた。彼らを出迎えたのは(武装したロシア人移民の)小銃と矢であった。

この報告は聴衆の悲憤を誘い、大会は臨時政府、ペトログラード労働者・兵士代表ソヴィエトをはじめとする執行機関に抗議と支援の電報を打電した。しかし、このようなムスリムのアピールにもかかわらず、旧来の植民地体制に変化はなかった。中央アジアは、一九一六年反乱がもたらした深刻な民族間の不信と対立を内包したまま、革命と内戦のなかに突入していくことになるのである。それはまた、中央アジアの革命が、植民地構造の変革と民族間関係の再編成という重い課題を背負っていたことを意味していた。

二月革命と自治運動の展開

一九一七年二月、中央ユーラシアに君臨してきた帝政ロシアは、パンと平和を求める民衆を背景に決起した労働者と兵士の前に崩壊した。このロシア二月革命は、帝国内のムスリム諸民族にも大きな期待をいだかせ、彼らの政治・社会運動はふたたび活力を取り戻した。バクー、カザン、タシュケント、オレンブルグなどの都市ではつぎつぎと新聞・雑誌が創刊され、ムスリムの政治組織が各地に生まれた。このようななかで同年五月、ロシアの内地、アゼルバイジャン、ヴォルガ＝ウラル地方、カザフ草原、トルキスタンなどからの女性を含むおよそ八〇〇人のムスリム代表はモスクワに会して全ロシア・ムスリム大会を開催し、彼らの直面していた諸問題を自由に議論した。

大会は、初め帝政の三五〇年間にわたる抑圧からの解放感にあふれていた。しかし、議論が進むにつれてムスリム共同体のなかの多様性や対立関係があらわとなった。大会の言語にしても適切な共通語はみあ

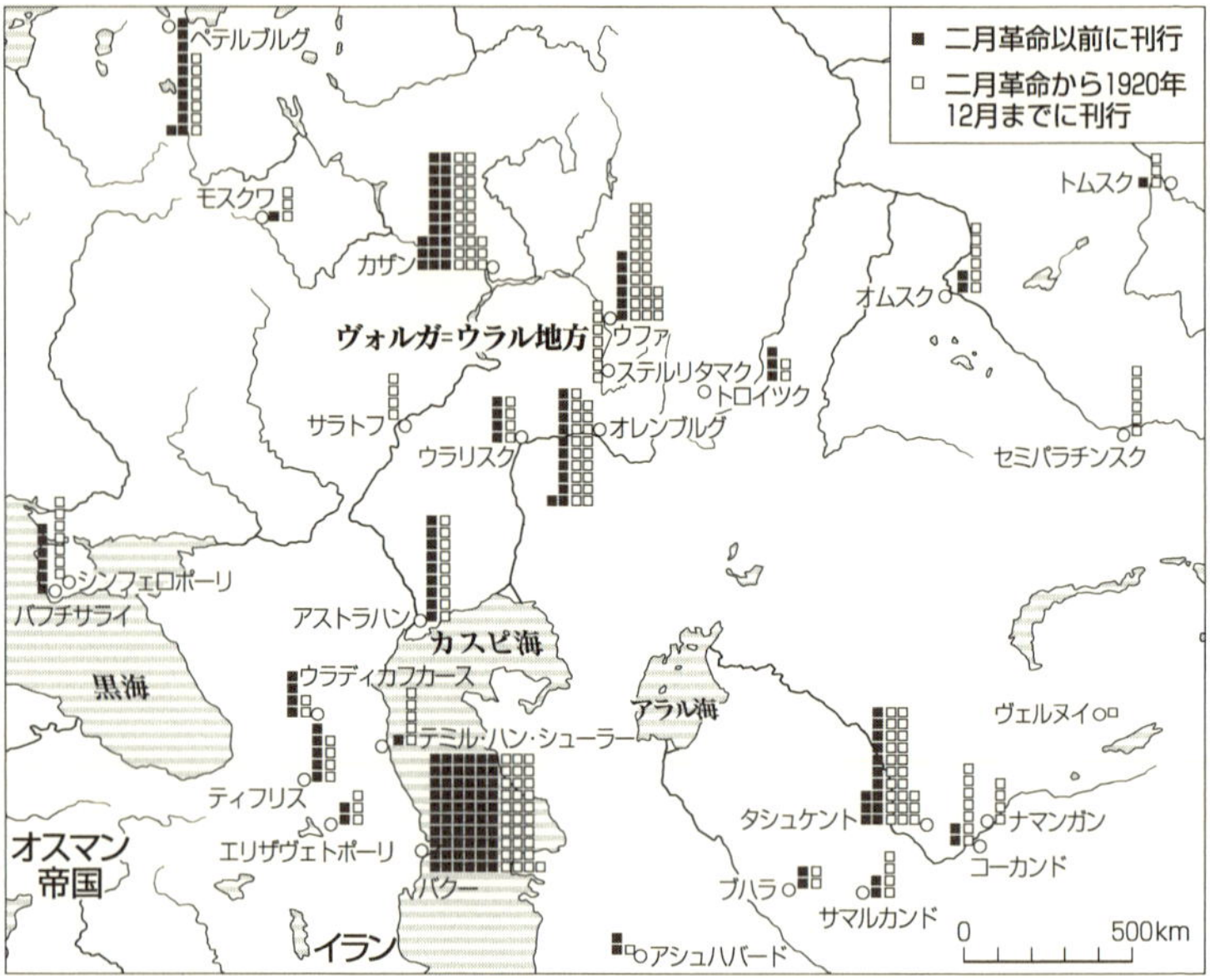

ロシア革命期に刊行されたムスリムの新聞・雑誌の地域分布図

たらず、発言はしばしばロシア語でおこなわれた。激論が交わされたのは、将来のロシア国家の政治体制にかかわる問題であった。ロシアからの分離独立を主張する声がなかったのは注目に値する。ここではいわゆる中央集権派と連邦派とが対立した。

中央集権派は、単一の民主的なロシア共和国を想定し、国民は宗教・民族の区別なく平等の権利を与えられ、教育や宗教、言語などの民族文化の領域で自治を享受すればよいと主張した。彼らは領土的な自治ではなく文化的な自治を志向し、ロシア領内のテュルク系ムスリム集団の一体性を強調した。この考え方は、ロシア領内に広く散開して、自身が多数を占める民族的な領域をもたないタタール人に多かった。彼らによれば、ロシアの民主的な政治制度や共通の法律は、トルキスタンなどの保守的なムスリム社会の変革にも寄与するはずであった。

これにたいして、連邦派は地域的な自治に基づいたゆるやかな連邦制のロシアを想定し、中央政府の役割はできるだけ限定しようとした。これはまだ自分たちが多数を占める民族的な領域をもっていたアゼルバイジャン人やトルキスタン人、カザフ人などの代表によって支持された。単一のムスリム民族の存在を否定した連邦派の主張は、ロシア統治のもとで成長してきた民族・地域的なアイデンティティに基づいていたが、ここにはタタール人の経済・文化的なヘゲモニーにたいする彼らの警戒や反感をみいだすこともできる。票決は、連邦派が四四六対二七一で勝利をおさめたが、それはタタール人らの文化的な自治の構想を否定したわけではなく、結果として領域的な自治と文化的な自治の双方を容認することになった。

大会の代表たちはナショナリズムとともに、社会変革への志向も明確に示していた。少壮のムスリム社会主義者たちは、しばしば鋭い問題提起をおこなった。土地改革と農民への土地の分与、男女の政治的権利の平等、多妻婚や十六歳以下の少女の結婚の禁止、八時間労働制などにかんする大会の決議は、同時代のイスラーム世界においては画期的な成果であり、女性参政権にいたってはアメリカ合衆国の先をいくものであった。もっともタタール人やアゼルバイジャン人など経済・文化的な先進地域の代表はこれらの決議を支持したが、保守的なトルキスタンの代表は、イスラーム法に照らした慎重な協議を口実として議決には加わらなかった。

この全ロシア・ムスリム大会と相前後して中央アジアの各地にムスリムの政治組織が生まれた。たとえば、トルキスタンでは、革命直後の一九一七年三月にムナッヴァル・カリや弁護士のウバイドゥッラ・ホ

ロシア二月革命後の解放を祝うシューラーイ・イスラーミーヤのメンバー

ジャエフらジャディード知識人の主導により、タシュケントに「シューラーイ・イスラーミーヤ(イスラーム評議会)」が組織された。これはロシア人の労働者・兵士ソヴィエトを範としてつくられたムスリムの代表組織であり、四月からはトルキスタンのほかの諸都市にも支部を開設して、将来のロシア連邦共和国におけるトルキスタンの自治の実現に向けて宣伝・組織活動を展開した。しかし、彼らの自治運動の前にはムスリムへの不信を隠さないロシア人植民者の政治勢力が立ちはだかっていたばかりか、同じムスリムのあいだでもジャディードとウラマー協会に結集したムスリム保守派との対立が激化して運動の進展を妨げた。それでも八月にはトルキスタンの自治をめざすはじめてのムスリム政党「テュルク連邦主義者党」が、アゼルバイジャンのムスリム政党「ムサヴァト(平等)」の綱領を取り入れて結成され、自治運動の組織化に貢献した。

カザフ草原では、ブケイハノフ、バイトゥルスノフ、ドゥラトフら、新聞『カザク』に結集していた知識人たちの主導で四月から各地でカザフ人の政治集会が開催され、七月の全カザフ大会の決議によってカザフ人の自治をめざす「アラシュ党」が結成された。この党は一九一七年の冬におこなわれたロシア憲法制定会議の選挙で、カザフ人の圧倒的な支持を集めたのみならず、在住ロシア人からも少なからぬ支持を取りつけてその存在を誇示した。

二月革命は帝国の保護国ブハラとヒヴァにも動揺をもたらした。アミールやハーンの専制は、帝政というその強力なうしろだてを失ったからである。この動揺を突いて、青年ヒヴァ人は議会の開設を求め、またフィトラトやファイズッラ・ホジャエフに率いられた青年ブハラ人はロシア臨時政府に支援を要請しつつ、アミールに政治改革を要求した。このように二月革命以降、中央アジアのムスリムは自治や改革に向けてその政治運動を活性化させたが、それはまだ大衆的な基盤を欠き、ロシア臨時政府もまた中央アジアの変革に関心を向ける余裕はなかった。そして、なによりも革命ロシアの政治状況は、急速に展開しつつあった。十月革命は彼らの予測をこえて突然にあらわれたのである。

十月革命と内戦──トルキスタンの事例

十月革命で首都の権力を握った直後の十一月二十日、レーニンとスターリンは、ロシアと東方の全ムスリム勤労者にあてて歴史的なアピールをだした。

ロシアのムスリム、ヴォルガ沿岸とクリミアのタタール人、シベリアとトルキスタンのキルギス人とサルト人、ザカフカースのチェチェン人と山岳人、そのモスクが破壊され、その信仰と慣行をロシアのツァーリと抑圧者によって踏みにじられたすべてのムスリム諸君！　いまや諸君の信仰と慣行、民族、文化的な制度は自由にして不可侵と宣言する。自らの民族生活を自由かつ支障なく営みたまえ。

諸君はこの権利をもっているのだ。諸君の権利は、ロシアのあらゆる民族の権利と同じく、革命とその機関、すなわち労働者と兵士、農民代表ソヴィエトの全力によって保護されていることを承知されたい。

革命政権は、明らかに旧帝国内のムスリム諸民族を味方につけることを意図していた。しかし、バクーやカザンのように早くからムスリム労働者組織が活動していた大都市を除くと、社会民主党(ボリシェヴィキ)はムスリムのあいだにほとんど支持基盤をもたず、旧帝国の各地に成立した労働者や兵士によるソヴィエト政権は事実上ロシア人のものであった。二月革命以来のムスリム自治運動は、ソヴィエト政権の出現を前にして、これとどのような関係を結ぶべきか、大きな決断を迫られることになった。そして一九一八年一月、ソヴィエト政権は、招集されたばかりの憲法制定会議を解散させて「ブルジョワ共和国」への道を閉ざし、社会主義ソヴィエト共和国を宣言した。しかも、この夏以降、国内では反革命派の白軍と赤軍との熾烈な内戦が始まり、食料や物資の生産・輸送システムの解体とともにロシアの全土は混沌のなかに陥った。このような状況のなかで、軍事力の弱体なムスリム自治運動が生き残るのは至難のことであった。ここではトルキスタンの事例をみておこう。

一九一七年十一月、タシュケントをはじめとするトルキスタンの諸都市ではつぎつぎとソヴィエト権力が樹立され、臨時政府の統治機構にとってかわった。しかし、この植民地に成立した初期のソヴィエト政権(一九一八年四月トルキスタン自治ソヴィエト共和国を宣言してロシア連邦に加盟)を構成したのは、基本的にロシア人をはじめとする来住の民族であり、ムスリムからみれば植民地の体制に変化はなかった。ムスリムは人口の九二％以上を占めていたにもかかわらず、労働者や兵士をほとんどもたない土着のムスリムは、政権から疎外されていたからである。一方、十月革命当時、ムスリム社会自体も政治的には分裂していた。都市のジャディードは、革命をムスリム社会を変革する好機と考えたのにたいして、民衆への影響力にまさる保守的なウラマーは、ジャディードの政治運動に冷淡であったのみならず、敵対すらした。各地にみられた部族主義や地方主義もまたトルキスタン人としての連帯を阻害していた。

それでも、トルキスタンのジャディードは保守派との微妙な妥協のうえに、十一月二十七日コーカンドで開催された第四回トルキスタン・ムスリム大会でトルキスタンの自治を宣言することに成功した。この大会にはロシア人やユダヤ人の代表も参加し、将来の議会における議席の三分の一はヨーロッパ系の住民に割り当てられていた。この自治政府は、タシュケントのソヴィエト政権にたいしてその正当性を主張することができたが、軍事力はもとより、組織・財政的な基盤を欠き、翌一八年二月孤立無援のなか、赤衛隊とアルメニア人部隊の攻撃によって壊滅した。ソヴィエト政権からみれば、この自治政府は階級的な基盤をもたない「ブルジョワ民族主義者」の政府にほかならなかったのである。

こうしてムスリムの自治政府は消滅したが、ムスリムの政治・文化運動はむしろこれ以降、つぎの三つの方向であらたな展開をとげることになった。第一はバスマチ運動である。おびただしいムスリム住民を犠牲にしたコーカンドの惨劇は、政治・社会不安の広がりとあいまって、フェルガナ地方一帯に「バスマチ（襲撃者）」（これはソヴィエト側のつけた名称で、自称は司令官を意味するコルバシ）の名で知られる反ソヴィエト抵抗運動を呼び起こした。それは内戦のために極度に悪化した食糧事情、地方の実情を考慮しないソヴィエト政権の施策、さらには地方のソヴィエト権力に服属したムスリム無頼集団の無法行為によって急速に拡大し、一九一九年二月までにムスリム武装勢力の数は二万に達してソヴィエト政権を脅かした。バスマチ勢力には都市の知識人から山岳の部族まで、きわめて多様な社会集団が参画しており、政治・軍事的な統合を実現することはついになかったが、二二年四月この運動に連なる諸勢力の代表はサマルカンドに非合法のムスリム大会を開催し、「トルキスタン・テュルク独立イスラーム共和国」の樹立を決議している。それは明らかに先のトルキスタン自治政府をこえる構想であった。

第二は、ジャディード知識人がソヴィエト政権下で展開した教育・文化運動である。彼らは「抑圧された東方」の解放を標榜するソヴィエト政権の欠陥や矛盾を知りながら、ソヴィエト共和国の枠組みのなかで、漸進的にではあれトルキスタン人による自治の前提と内実をつくりだしていくことをめざしていた。ジャディードの立場からすれば、ソヴィエト政権との連携は、ムスリム保守派の反動や干渉に抗してムスリム社会の変革をはかるには有効な戦略でもあった。

たとえば一九一九年初め、フィトラトがタシュケントに設立した文芸サークル「チャガタイ談話会」は、アラビア文字表記の改革や若い作家・詩人の養成、口承文芸の収集など多彩な活動を展開するとともに、トルキスタン人のための新しい文章語の創出につとめた。それは二十世紀の初頭以来サルト語(総督府が採用したいわば官製の文章語)、タタール語、オスマン語、共通トルコ語などが混在していた文章語のカオスにたいして、チャガタイ語の伝統に基づき、アラビア語、ペルシア語さらにはロシア語などの要素から浄化された新しい文章語の創造をめざした運動であった。フィトラトらがチャガタイ語とチャガタイ文学

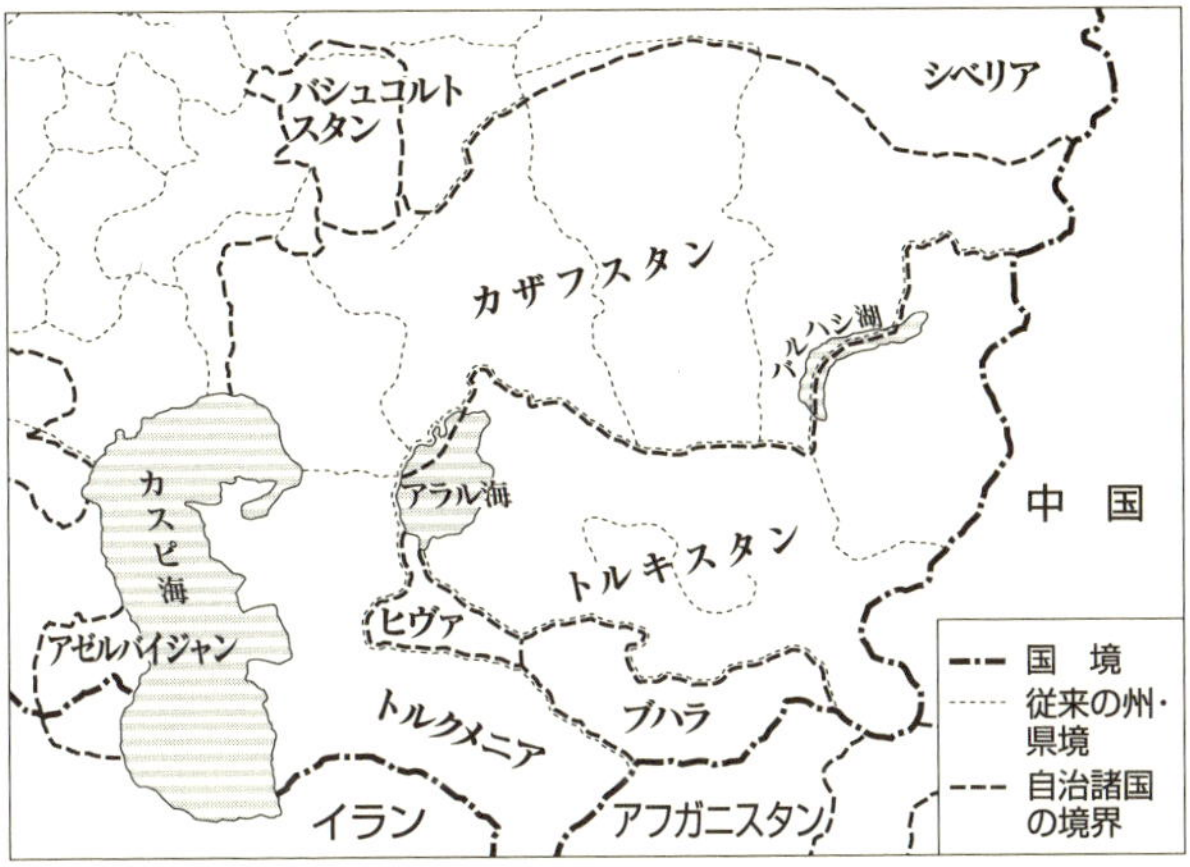

ロシア革命期の自治ムスリム諸国連盟の構想

に与えた高い評価は、トルキスタンの文化的な復興を企図する彼らの意欲の表れであった。彼らは独自の文章語をとおしてトルキスタン共和国の国民の創造を試みていたといえるであろう。

第三は、ソヴィエト政権による現地要員の積極的な登用、いわゆるコレニザーツィヤ(現地民化)政策のもとで、しだいにトルキスタン共産党のなかで頭角をあらわしたムスリム・コムニストの活動であった。初期のソヴィエト政権は、かつての植民者ロシア人の政権という性格を強くもっており、その「大ロシア主義」や厳しい徴発をともなう戦時共産主義、あからさまな反イスラーム政策は、ムスリム民衆の反感をかい、バスマチ勢力の拡大を招いていた。トルキスタンにおける内戦の激化を憂慮したレーニン以下の共産党中央が、トルキスタンにおけるソヴィエト政権とムスリム住民とのあいだの疎隔を埋めるためにコレニザーツィヤの政策を推進したのも無理はなかった。一九一九年三月トルキスタン共産党内に創設されたムスリム・コムニストの公的組織、トルキスタン

レーニンの胸像を前に，バスマチへ死刑宣告をおこなうソヴィエト裁判官

地方ムスリム・ビューローは、その成果のひとつであった。

彼らは、トルキスタンのムスリム社会にはなじみの薄い階級闘争よりは民族の解放、植民地の遺制からの脱却に重要性を認めて、アジアに広がる植民地革命への独自の道を進もうとした。このような革命戦略をはじめて構想したのは、ロシア共産党中央でムスリム組織を統轄していたタタール人のスルタンガリエフであり、彼の構想は多くのテュルク系ムスリム・コムニストによって支持されていた。そして一九二〇年一月、共和国中央執行委員会議長兼ムスリム・ビューロー議長の要職にあったカザフ人ルスクロフらは、党と国家の名称を「テュルク諸民族共産党」と「テュルク・ソヴィエト共和国」に改め、独自の戦略を明示しようとした。彼らによれば、「トルキスタン共和国は民族的なソヴィエト共和国であり、そこで自決をおこなう原住の民族はテュルク民族」なのであった。この共和国には、いずれその旧体制が打倒されたあとのブハラとヒヴァ(ホラズム)の両国、およびバシュコルトスタンなども加わることが想定されていた。ここにいう「テュルク」とは、イラン系を含むトルキスタンの土着諸民族の総称にほかならない。

しかし、このようなムスリム・コムニストの行動は、ただちに共産党中央の介入を招いた。民族別の独立した党組織は、共産党という単一不可分の組織の原理に反するばかりか、その主張は新装の「汎トルコ主義」「汎イスラーム主義」とみなされたからである。これにたいして党中央が示した対案は、トルキスタンを将来的にウズベキスタン、カザフスタン、トルクメニスタンの三つの民族地域(民族共和国)に分割する案であった。これが二四年の中央アジアにおける「民族・共和国境界画定」の始発点となったことはほぼ疑いない。そして、スターリン指揮下の民族政策を批判したスルタンガリエフが、一九二三年五月「反党・反ソヴィエト分子」として逮捕、除名されたのち、自立的なムスリム・コムニストにたいする党中央の統制は厳しさを増していった。

一方、ロシア革命の衝撃は、ブハラとヒヴァの両保護国にもおよび、一九一八年三月青年ブハラ人組織はソヴィエト政権と協同してアミール政権にたいする武装クーデタを企てた。クーデタは失敗に終わり、ブハラとヒヴァは内戦期の中央アジアにあって事実上の独立を維持したが、二〇年にはいずれの旧体制もトルキスタン赤軍の介入したソヴィエト革命によって打倒され、ブハラおよびホラズムの両ソヴィエト共和国が誕生した。青年ブハラ人や青年ヒヴァ人は新生の共和国の指導にあたったが、ソヴィエト政権の圧力の前にしだいにその自立性を奪われていった。

さらに、外からもちこまれた革命にたいする反発は、ブハラやヒヴァでもバスマチ運動の激化を招き、それはまた多様なエスニック集団間の対立と抗争を増幅して、共和国の統合を脅かした。トルクメンのジュネイト・ハンの率いたヒヴァのバスマチ勢力やバシュコルト民族運動の指導者ヴァリドフ、元オスマン帝国陸軍大臣エンヴェル・パシャらの加わったブハラのバスマチ勢力は赤軍との激戦の末に敗北したが、この内戦と飢餓の中央アジアからは多くのムスリムが中国、アフガニスタン北部、中東諸国へ難民あるいは亡命者として流出していった。ブハラやヒヴァの革命と相前後して、カザフ人の自治政府アラシュ・オルダもまた白軍と赤軍との狭間で苦闘した末に解体をとげていた。

民族・共和国境界画定

主要なバスマチ勢力が制圧されたあとの一九二四年、中央アジアではロシア共産党中央委員会の主導のもとに「民族・共和国境界画定」がおこなわれた。それは革命後も、帝政時代の行政区分に基づいていたトルキスタン自治ソヴィエト共和国とブハラ・ホラズムの両人民ソヴィエト共和国をすべて解体し、ここに中央アジア史上はじめて一民族に一国家という国民国家の擬制を打ち立てる画期的な事業であった。同年十月に成立したウズベク、トルクメンの両ソヴィエト社会主義共和国をはじめとして、現在の共和国システムの原型はこのときにできあがった。トルキスタン北部(シルダリアとセミレチエの二州)のカザフ人地域がキルギス自治共和国に編入されてカザフ人の統合が実現し、のちにカザフスタンとなるカザク自治共和国が成立(一九二五年)したのもこのときのことである。

中央アジア地域を民族別の国家に分割したこの政策は、ムスリム・コムニストやジャディード知識人の「汎トルコ主義」をおさえこむだけではなく、革命と内戦のなかで増幅されたエスニック集団間の敵対関係を除去し、諸民族の発展を保障することを意図していた。民族別の共和国(そのなかには自治共和国や自治州が含まれる）の建設は、ソヴィエト連邦の構成原理にもかなっていた。しかし、これを「民族」の実体がまだ明確ではなく、多様なエスニック集団の混在がむしろ普通であった中央アジアにおいて実現することは容易ではなかった。独自の系譜意識や部族的な伝統を保持していたカザフ、クルグズ、トルクメンなどの遊牧系の集団を個々の民族に編成することは比較的容易であったが、定住系のウズベクとタジクの場合、その区別はたぶんに恣意的なものとならざるをえなかった。

ちなみに、このときに生まれたウズベク人という民族は、遊牧ウズベク諸部族をはじめとして部族組織の伝統を保持した遊牧・半遊牧のテュルク系諸集団と彼らが来住する遥か以前からマー・ワラー・アンナフルとフェルガナ地方に居住していたテュルク系の定住民（いわゆるサルト）とからなっており、後者は社会・文化的には前者よりも、むしろイラン系の言語を話すタジク人に近かった。

フェルガナ地方をはじめ、多様なエスニック集団が混じり合っていた地域では、国境線を引くこと自体が容易ではなく、程度の差こそあれいずれの共和国も多民族国家とならざるをえなかった。しかし、いったん民族別の共和国が成立すると、そこではマイノリティにたいする同化の力が働いた。たとえば、ウズベク領となったブハラやサマルカンドのタジク語住民の多くがウズベク人とされたことは、のちに深刻な民族問題を生み出すことになった。また国境線を引くにあたって、地域の社会・経済的な統合度と言語の共通性のいずれを優先するべきか、これもまた難題であり、とりわけ中央アジアの中心都市タシュケントの帰属をめぐってはカザフ・ウズベク間で激論が戦わされた。

じっさい、この境界画定はさまざまな議論を呼んでいた。たとえば、境界画定の討議に参加したカザフ

中央アジアの民族・共和国境界画定　タジク共和国は，1929年まではウズベク共和国に属する自治共和国，キルギス共和国は，はじめロシア連邦共和国に属するカラ・キルギス自治州として発足，1926年にキルギス自治共和国に昇格したのち，1936年ソ連邦構成共和国の一つとなった。

(キルギス自治共和国)の一代表は、「中央アジアは地域的にも、経済的にも、さらには民族学的にも一体であり」、この「境界画定は、あたかも一個の生体を切断し、頭と手足、胴体を個々ばらばらに生かそうとするに等しい」と指摘して原案に反対した。ホラズムの代表も、それが歴史的な基盤をもった主権国家たりえることを主張して共和国の存続を主張した。境界画定を原則的に支持したムスリム・コムニストのあいだでも、中央アジア連邦の結成によってその政治・経済的な統合をはかる構想は幅広い支持を集めていた。しかし、共産党中央は一九二〇年のときと同じく、中央アジアの統合構想を冷淡に拒否した。境界画定は、中央アジアを個々の民族別共和国に分割し、これらをソ連邦の中央集権的な政治・経済システムのなかに組み入れるための前提となったともいえよう。

このような政策は、文化の領域にも反映された。新しい共和国は、個別の文章語の制定や歴史の編纂をとおして「国民統合」を進めることになった。新しい「国語」はかつてのチャガタイ語や共通トルコ語とは異なり、個々の民族の口語を基にした文章語であった。しかし、これらの新しい民族語の地位はけっして安泰ではなかった。連邦の共通語としてのロシア語の優越はまもなく決定的なものとなったからである。そして、中央アジア諸言語のアラビア文字が一時的なラテン文字の使用をへて、一九四〇年以降すべてキリル文字に転換されるとともに、おびただしい数のロシア語の単語が民族語のなかに流れ込んでいった。

革命期から一九二〇年代初頭にかけて、ティムールやチャガタイ語をシンボルとしてトルキスタンの歴史・文化的な一体性を主張したフィトラトのような作家や詩人たちは「汎トルコ主義者」「民族主義者」として断罪され、活動の自由を奪われた。二五年五月スターリンが提示した「形式において民族的、内容においてプロレタリア的」というソヴィエト文化の基本原則を中央アジアに定着させるには、内容においても民族的であろうとしたムスリム知識人に攻撃を加えることが必要であったのである。「トルキスタン」ということばもまたソ連邦の実用語彙からは姿を消し、かわって「中央アジアとカザフスタン」という新しい地域名称が定着した。

社会主義建設

ソヴィエト政権のつぎの課題は、中央アジアの「封建的な」社会と「おくれた」経済を社会主義の実現によって発展に導くことであった。中央アジア南部の農業地域では、一九二〇年代後半に土地・水利改革がおこなわれ、ワクフを含む地主・富農層の土地や水利権、生産手段が国有化され、貧農に分配された。これに続いて全面的な集団化が断行され、自立的な個人経営はほとんど消滅するにいたった。集団化にたいする反発はバスマチ運動の再発を招いたが、それはソヴィエト政権にとってもはや重大な脅威ではなかった。そして、農業経営のコルホーズへの転換とともに、綿花の単作栽培が確立し、以後この地域は連邦経済のなかで、「白い金」と名づけられた安価な原料綿花の供給地としての役割を担った。農業の革命はたしかに農村社会における貧富の差を激減させたが、それはローカルな部族主義を打破したわけではなく、むしろこれをコルホーズの名のもとで温存させた場合が少なくない。また、綿花至上主義は不動の低賃金や児童労働、労働力確保のための強制移住、水資源と農薬の濫用による環境破壊など、のちに顕在化する社会問題の要因を蓄積させることになった。

農業の集団化はカザフスタンでもおこなわれたが、一九三〇年代初めの性急で強制的な遊牧民の定住化、牧畜の集団化政策は、カザフ遊牧民の抵抗と経営の混乱、極度の飢饉をもたらし、カザフ人は当時の人口の約四〇％にあたる一四五万〜一七五万人を失う悲劇にみまわれた。さらに第二次世界大戦後には、カザフスタン北部の農地開墾（「処女地開拓計画」）と工業化促進のために大量のスラヴ系ソ連人がこの地へ移住した結果、カザフ人は長く自らの共和国において人口第二の地位に甘んじなければならなかった。

さらに中央アジアの民族構成は、スターリン時代におこなわれた「敵性民族」の強制的な集団移住のために、一層複雑なものとなった。第二次世界大戦中にクリミア・タタール人、ヴォルガ・ドイツ人、カルムィク人、チェチェン人、メスヘティア・トルコ人、朝鮮人など数百万の少数民族が移住させられた中央アジアは、さながら「民族の流刑地」の様相を呈することになった。中央アジアの各地には満洲方面でソ連軍の捕虜となった日本軍兵士の姿もあった。

中央アジアの工業化は、第二次世界大戦中にヨーロッパ・ロシア方面から大量の工場施設と労働者が疎開したことを契機として、大戦後に進展をみせた。しかし、綿花や地下資源などの大部分は中央アジアで加工されることはなく、中央アジアは以後も工業製品のほとんどを北部の共和国からの輸入に頼らねばならなかった。加えて、工業部門で働く技術者、労働者の大半は、ロシア人など来住の民族であり、中央アジア土着の人々は伝統的な農業部門にとどまる傾向が強かった。これは顕著な人口増加とあいまって、満足な職をえられない若年「失業者」の数を確実に増大させたことを意味している。一九七〇年、中央アジアの大都市ではどこでもスラヴ系の人口が中央アジア系のそれを上回っていた。

いずれにせよ、ソ連中央アジアの経済は農業が主体であり、連邦の経済システムは連邦のなかでの南北格差を確実に広げていった。その一方で、連邦内における国民所得のランクではつねに最低辺に位置した中央アジア諸国には、相当量の連邦補助金が与えられ、たとえば一九九一年のタジキスタンでは、それは歳入の四六・六％にも相当した。このようなかたちで中央アジア諸国の経済は連邦経済に強く依存していたのである。

民族とイスラーム

一方、共産党員はもとより、政府機関のメンバーや各種の専門家を現地の民族から養成することは、新しい共和国の成立とともにますます重要な課題となった。この任務を担ったのは新設のソヴィエト学校であり、それは一面ではかつてのジャディードの理想を見事に実現したともいえる。さらに、ソヴィエト政権が一九二七年から開始したムスリム女性の解放運動(フジュム)は、抑圧されたムスリム女性をムスリム社会の潜在的な「プロレタリアート」と認め、彼女らのなかにソヴィエト政権に忠実な新しい要員を開拓する目的をもっていた。それはたしかにムスリム女性のヴェールを取りさり、女性たちの社会進出に道を開いたが、ムスリム社会の伝統を一掃するにはいたらなかった。

スターリン時代の一九三〇年代後半に始まった大粛清は、中央アジアにおいても猛威をふるった。それは革命以来、中央アジアの政治と社会、文化などの領域で指導的な役割をはたしてきたジャディードや旧アラシュ派の知識人、ムスリム・コムニストなどの民族エリートとその若い予備軍のほとんどを「反革命活動家」や「民族主義者」の名のもとに抹殺して、中央アジアの発展にはかりしれない打撃を与えた。党と政府機関の要職への民族エリートの登用が再開されるのは、スターリン批判をへたのちのことである。たとえばウズベク共和国では、五〇年代に要職の四分の三はロシア人などの非ウズベク人によって占められていたが、六六年にその比率は完全に逆転するにいたった。

彼ら新しい民族エリートは、ソヴィエト体制の申し子ではあったが、その多くは強固な土着性をもち、体制のイデオロギーを支持しながらも、イスラームや民族文化との回路を断つことはなかった。民族エリートの代表はカザフのクナエフやウズベクのラシドフのように、一九六〇年代から二〇年以上にわたって各共和国に党の第一書記として君臨したリーダーたちであり、綿花生産など連邦にたいする中央アジアの責務を忠実にはたす一方で、国内では権威主義的な政治を実践する自由を享受していた。彼らは、その特権を行使して、自らの出身地方や部族、ジュズなどに依拠した民族エリートの強固な権力ネットワークを構築した。このようなソ連時代に培われた政治の伝統は、現代の中央アジアにおいても継承されている。この間、政治参加への道を閉ざされ、体制の保護にも恵まれなかった民衆もまた、相互扶助の伝統を保つ地縁・血縁組織に頼らざるをえなかった。ソヴィエト体制は中央アジアにおける「封建制」の根絶をうたいながら、じっさいには古い社会制度を再編、強化したともいえるであろう。

前述のように、ロシア十月革命の直後、レーニンとスターリンはムスリム諸民族に宛てて、彼らの宗教・文化的な自由を保証するアピールをだしたが、このアピールはついに実践されることはなかった。世俗主義と無神論の徹底をはかるソヴィエト政権は、一九二〇年代後半からイスラームにたいする正面攻撃を開始した。「イスラーム聖職者」とみなされた人々は公職を追われ、イスラーム法とカーディー裁判所は一掃されて、ソヴィエト法制度が中央アジアの全域を覆った。モスク、マドラサ、そのほかの宗教・教育施設もほとんどすべて閉鎖され、歴史的なアラビア文字の使用もまた廃止された。反宗教宣伝と無神論教育が公権力のもとで強力に展開された中央アジアの経験は、トルコ共和国における世俗化政策の比ではなかった。

こうして、中央アジアのイスラームはその制度的な支柱を失った。中央アジアのムスリムも多数動員された「大祖国戦争」中の一九四三年、タシュケントには「中央アジア・カザフスタン・ムスリム宗務局」が創設されたが、それは中央アジアのムスリムを管理・統制し、ソ連邦の対中東政策に協力する政府機関に等しかった。しかし、割礼、婚礼、葬儀などの通過儀礼やマザール参詣のようにすでに民族的な伝統のなかに織り込まれていたイスラーム的な慣行や倫理を根絶することは不可能であった。イスラームの伝統はひそやかに生き残り、のちに「真のイスラーム」への回帰を説く運動の生まれる一契機となった。

以上のように、一九二四年以後に成立した中央アジア諸国は、あらゆる意味で中央集権的な連邦システムに統合されていく一方で、かつてこの地域が所属していたイスラーム世界からは、ほぼ完全に隔離されることになった。イスラーム文明の伝統は、「進歩的な」ソヴィエト文明にいたる発展を阻害するものとして攻撃と破壊の対象となった。このような破壊と並行して進められたのが社会主義建設の大事業であった。たしかに、綿花をはじめとする農業生産の増大は顕著であり、第二次世界大戦後の工業化の進展も注目に値する。さらに、教育の普及や科学技術の発展、女性の社会参加、保健衛生や物質文化の向上、都市や灌漑・道路網の整備など、中央アジアがソヴィエト文明のなかで享受したものはけっして少なくはなかった。しかし、中央アジアの社会主義化がもたらした負の要素もまた甚大であった。やがてペレストロイカの時代に連邦システムの構造的な矛盾が露わになると、中央アジア諸国は連邦からの離脱の道を歩み始めることになる。

第八章　現代の選択

1　モンゴル

ソ連東欧諸国における民主化とモンゴル

一九八〇年代にはいり、ソ連共産党書記長であったブレジネフが死去したとき、誰の目にもソ連・東欧圏諸国の社会的停滞は明らかであった。短期間で終わったアンドロポフ、チェルネンコ両書記長のあとを受けて、ゴルバチョフがソ連共産党書記長に就任すると、めざしたのは社会主義の否定ではなく、大胆な手法によるソ連社会の活性化であった。国際関係においては、ブレジネフ時代の米国との軍拡競争を終わらせ、相互の対話と信頼醸成をおこない、ついで中国との関係改善へと向かった。経済改革においては、資本主義的手法を取り入れることにより競争原理を導入し、非効率な国営企業を改革しようとした。また情報公開をおこなうことで、改革を妨げる保守的機構として肥大していた共産党・政府官僚組織の弊害を打破しようとした。

だがゴルバチョフによって推進された、このような「ペレストロイカ」政策は、本人の意図と予測をこえたかたちで波及効果を生み出し、結果的にソ連・東欧諸国そしてモンゴルの民主化、ついにはソ連自体の崩壊をもたらした。八〇年代末、東ヨーロッパに端を発する民主化運動の国際的波及についてみれば、アジア諸国にも社会主義体制国家は存在しており、多かれ少なかれ影響を受けたものの、ただ一国、モンゴル人民共和国のみが完全に社会主義を放棄し、政治的民主化と市場経済への移行をめざした。たしかにモンゴルは世界地理のうえではアジアに属してはいたが、政治・経済・軍事的にはソ連・東欧圏と直結していたのであり、主導国であるソ連の変動の直撃を受け、いやおうなく自己再生の途を模索せざるをえなかったのである。

ゴルバチョフによる「ペレストロイカ」路線は、東側同盟国にたいしては、経済面では援助の削減と自助努力増大要求となってあらわれた。これまでモンゴルでは、開発資本と技術のすべてはコメコン諸国より供与されており、輸出入の赤字額も経済援助の名目で処理されていた。一九八七年からはモンゴルにおいても「ペレストロイカ」のモンゴル版というべき「シネチレル」政策が実施され、また西側諸国との関係拡大をめざした。さらにゴルバチョフは、中国との関係改善に取り組み、モンゴル駐留ソ連軍の段階的撤退を決めた。ここにいたって、モンゴルは自国の安全保障の観点からも、中国との関係、さらには国際関係全般の見直しへと向かわざるをえなかった。

そして一九八九年十二月より、東欧諸国における民主化運動はモンゴルにも波及してモンゴル民主化同盟が結成され、ついで翌九〇年一月になると運動は一気に加速化し、ついには人民革命党（共産党）の一党

モンゴルの民主化　オラーンバートルの中心，スフバートル広場で集会を開くモンゴル民主同盟の指導者（1990年１月21日）。

独裁放棄、市場経済への移行、自由選挙の実施など、国家体制を転換する動きへとつながった。九二年には国号もモンゴル人民共和国からモンゴル国へとかわり、憲法も改正された。

ではモンゴルにおける「民主化」の特色は、東欧諸国と比べてどこにみいだされるのであろうか。もともとモンゴルでは、たとえばチェコ、ポーランド、ハンガリーのように共産党一党支配に反対する潜在的対抗勢力があったわけではない。人民革命党の組織と統制が、広大な国土に比して極端に人口の少ないモンゴル社会の末端まで広がり、政治エリートは人民革命党のなかで育成されていた。この人民革命党のもとの政治エリート層が分解することにより、民主化運動は加速化し、ついには人民革命党自らが一党独裁を放棄するという過程をたどった。

したがって、今日までの政治的展開をみても、民主党派とマルクス・レーニン主義を放棄した人民革命党とのあいだに、路線をめぐる大きな対立はなく、むしろ人脈による対抗関係となっている。またソ連共産党のようにいったんは非合法化されることがなかったために、人民革命党は組織をある程度まで維持することができた。九〇年代になり国会議員ついで大統領の公選が開始されたが、民主党派系が一度は躍進したものの、人々のあいだで経済改革への幻滅が広がるにつれ、人民革命党がふたたび政権の奪取に成功しているのもこのためである。

つぎに民主化運動の原動力が、都市部住民であったことがあげられる。モンゴルでは六〇年代以降、産業構造の変化が起こり、総人口の約四〇%がオラーンバートルを中心とする都市部に集中するという現象が起こっていた。モンゴルというと、「牧畜業」あるいは「遊牧」を日本では連想するが、それは正しい理解ではない。総就労人口のなかで、「牧畜業」は半数以下、また国民総生産では二位にすぎない。八九年末から九〇年にかけての民主化集会に参加したのは都市部住民で、彼らの不満の声が社会主義体制を転覆させた。経済状況の悪化、膨張する都市と生活環境の未整備などの問題、それ以上に自由にたいする渇望が根底にはあった。都市部住民と牧地住民のあいだに、政治意識の相違があったことは事実であり、民主党派は都市部住民の支持を吸収することで、一度は大統領の座と議会多数派を制したものの、市場経済移行にともなう混乱の直撃をもっとも受けたのも都市部住民であり、彼らが離反することで、民主党派はやがて政権を失うことになる。

また、モンゴルにおける「民主化運動」の動きのなかで注目すべきは、一連の改革の過程で、国内のほとんどの組織で大幅な世代交替がおこなわれたことである。さらに「民主化運動」のリーダーの多くも、ソ連・東欧留学帰りの若手であった。多くの職場では、古参党員の管理職が退き、かわって若手が任命されたり、ある場合は選挙によって選出された。したがって全体としてみるならば、「民主化運動」が一面では世代間闘争の側面ももっていた。さらに政府・国営企業、さらには大学、研究機関から専門職が他業種へ流出する現象も起こった。長年にわたる社会主義体制のもとで、もっとも誇るべき成果のひとつは教育の普及であったが、そもそも人口が過少のモンゴルにおいて、専門知識をもつ人材を各業種にわたり広範に養成し、配置するまでにはいたっていなかった。ところが市場経済移行にともなう混乱のなかで、主として生計を維持するため、あるいは投機的利益を求めて、人材の移動が起こり、ただでさえ少ない人的資源の活用という点では問題が生じた。

「民主化」実現の制度的側面としては、憲法の改正、直接選挙制度の導入、政府組織の改編、民法・商法の整備があり、市場経済移行への具体的措置としては、国営企業の民営化、ネグデルの廃止、銀行・株式市場の開設などが実施された。国営企業の民営化については、バウチャー方式が採用された。具体的には、国有財産のほぼ三分の二相当を証券化して、国民に均等に分配したのであった。ところが、国営企業のほとんどが赤字不良経営であり、国営企業は民営化されるよりも閉鎖清算され、バウチャーの価値は低減した。バウチャー方式は国家資本の公正な分割という点では意義があっても、モンゴルでは民間資本の形成へと誘導することができなかった。一方、ネグデルの解体も同じくバウチャー方式でおこなわれたが、そのまま株式会社に移行するネグデルもあれば、組合員のあいだで家畜が分割私有化されるケースもあった。国家調達制度は廃止され、畜産物の価格自由化と配給制度撤廃により、市場メカニズムを機能させようと試みた。

ところが市場経済への移行は、結果的におおいなる混乱と失業を発生させた。経済危機にたいしては、日本、アメリカ、韓国、ドイツなどの諸国、あるいは世界銀行など国際機関による支援がおこなわれた。民主化と市場経済への移行によって、従来存在していた社会システムはほとんど崩壊した。長年にわたる社会主義体制下において、コメコンの枠内で、モンゴルは限定された資源の輸出国の役割を課せられており、インフラストラクチャーの整備がほとんどおこなわれず、人的資源(人口)も極度に乏しいことが欠陥として指摘された。だが二十一世紀にはいり、未開発の鉱業資源に注目が集まるようになった。しかし国外の開発資本と手を組んだ一部のモンゴル人のみに利益が集中し、一部の富裕層がうまれるとともに、取り残された大多数の貧困層という社会構造が生じ、国民間の軋轢《あつれき》が高まっている。

モンゴルにおける「国民」意識の創成

民主化によってモンゴル人の政治意識、国家や「民族」にたいする考え方も変化している。かつて社会主義時代においては、「封建社会」段階から「資本主義」の過程を経過することなく「社会主義」段階へと移行した、「非資本主義的発展」がモンゴルにおける近代化の特色として強調されていた。一九一一年のモンゴル独立宣言により、モンゴル人のあいだではナショナリズムの高揚がみられたが、ボグド・ハーン政権下においては「国民」という意識は形成されていない。二一年の人民革命ついでモンゴル人民共和国の成立で、モンゴル人はともあれ自分の国家をもつことになったが、ソヴィエトないしはコミンテルンが誘導しようとしたのは、「国民」の形成ではなくて、階級意識にめざめた「人民」の創造であった。これゆえに「民族」の枠をこえた「人民」の連帯が強調され、ソヴィエト人民とモンゴル人民の共同事業としての、モンゴルでの社会主義建設がめざされ、ナショナリズムは反動思想として警戒された。

ところが民主化をへることにより、はじめて公式にモンゴル人のあいだにナショナリズムおよび「国民」という意識が定着しつつある。のみならず社会主義時代には否定されていたチンギス・ハンは「民族」の英雄として評価され、ボグド・ハーン政権あるいは初期人民政権で活動し、従来の歴史書では「ナショナリスト」として否定されていた人物にたいする再評価も進んでいる。チベット系仏教の復興、ウイグル系モンゴル文字の公用化への動きなど、伝統への回帰現象もみられた。総じていえることは、従来の政治的束縛から解き放たれて、モンゴル人のあいだで、改めて「モンゴル人」とはなにか、そして今後自らの進むべき方向性、さらには文化の問題が議論されているのである。

現在のモンゴル国がめざしている国家像は、従来の国家領域の範囲内でのモンゴル人を主体とした国民国家である。それゆえに「国民」という概念が重要性をもつ。しかし広義でのモンゴル族の生活空間は、モンゴル国のみならず、ロシア連邦、中国にも広がっている。これらのモンゴル人のあいだでの文化的連帯意識が共有されていることは事実であり、実際に民主化以降、モンゴル国においても「大モンゴル主義」的傾向が強まっている。ただ政治的色彩が強まれば、不可避的に中国、ロシアとのあいだで軋轢を生む危険性を人々は熟知している。モンゴル国は中国、ロシアという巨大な多民族国家に挟まれ存在している。どのように独自の文化と伝統を維持発展させながら、国際社会のなかで自己の存在を主張するか、これこそがモンゴル国民にとっての永遠の課題でもある。

2　中国辺疆

(1)　内モンゴル

「内モンゴル」の形成と「文化大革命」下の内モンゴル

一九四七年五月に、中国共産党の政治指導により、内モンゴル自治政府が樹立されて、内モンゴルのモンゴル人が多年の宿願としていた、「内モンゴル」の再統合がおこなわれたことは先にふれた。ただし自治政府がスタートした段階でその統治下にはいったのは、当時の呼称に基づけば、チャハル、シリン・ゴル、興安など五盟三〇旗、一県、三〇市であり、それ以外のジリム盟は遼北省、ゾスト盟およびゾー・オダ盟は熱河省、オラーンチャブ盟は綏蒙《すいもう》政府の管轄にあり、イフ・ゾー盟およびアラシャ、エジナ両旗にたいしては中共中央西北局が政治工作を担当していた。第二次世界大戦が終わり、日本の敗北とソ連・モンゴル軍の進駐、満洲国および蒙古連合自治政府の消滅といった混乱した状況のなかで、さまざまなモンゴル人による政治運動が展開されていたが、内モンゴル自治政府は、そのような諸勢力をモンゴル族出身の中国共産党員であるオラーンフーらが巧みな政治指導で吸収し統合することにより成立したものである。

中国共産党は、「中国」という枠組みのなかでのモンゴル族の「区域自治」は認めたが、モンゴル族の自決権や「中国」からの分離権は明確に否定しており、内モンゴル自治政府は、中華人民共和国における「民族区域自治」の原型となった。自治政府主席にはオラーンフーが、副主席には内モンゴル人民革命党の創設者メルセの弟子で、満洲国官吏の経験もあり、一時は内外モンゴル合併に奔走したハーフンガが就任している。自治政府創立当初の構成および領域をみると、モンゴル人の自治政府といった色彩が強かったが、やがて中国共産党の勢力拡大とともに、四九年五月に、ゾー・オダ盟とジリム盟が編入され、また名称も内モンゴル自治区人民政府と改称された。ついで五〇年八月にチャハル省内三県が自治区に移管され、五三年十一月に綏遠省人民政府と内モンゴル自治区人民政府が合併し、五六年四月にいたり、ほぼ内モンゴル自治区の領域が完成したのであった。

このようにして内モンゴル自治区は形成されたのであるが、自治区住民の多数派は漢人であり、モンゴル族は少数派にすぎなかった。区域の画定とともに「民族」の確定、いわゆる「民族識別工作」もおこなわれ、モンゴル系では六四年に「ダゴール族」が「モンゴル族」とは別個の「民族」として「識別」された。

内モンゴルにおける「社会主義的改造」は比較的順調に進行した。その理由は、たとえば内モンゴルの東部、満洲国に編入されていた地域では、満洲国時代に「蒙地奉上」というかたちで、すでに土地自体が旧王侯勢力の手を離れており、また内モンゴル自治区が成立する過程で、旧勢力は吸収されるか撲滅されていた。さらに「民族区域自治」の実践部分ともいうべき、「民族幹部」の養成という点でも、オラーンフーをあげるまでもなく、中国モンゴル族の場合、ほかの中国少数民族のケースと比較すれば遥かに進んでいた。新疆ウイグル自治区やチベットと異なり、好むと好まざるとにかかわらず、かなり早い段階から漢族との接触・共生が進み、一方ではモンゴル人固有の社会は解体していた。また日本人、ロシア人、またモンゴル人民共和国のモンゴル人との交流もあり、政治的な意識や国際認識、さらに教育程度も高い、という背景的な事情も存在した。

中国という枠組みを受け入れて、そのなかでの「区域自治」を許された内モンゴルは、順調に社会主義建設を進めていくかにみられた。六〇年代初頭までは、モンゴル人民共和国との往来もおこなわれていたし、牧畜業の改良、モンゴル語による出版事業、モンゴル史・文化の研究なども奨励されていた。ところが「反右派闘争」が始まると、まずモンゴル人知識層の一部が失脚、ついで「文化大革命」が起こると、モンゴル族系、漢族系を問わず、従来の指導層、知識分子のほとんどは「文革派」により攻撃を受けることになった。

さらに「文革」にともなう混乱のなかで、内モンゴル、というより正確にいえば、当時の中国全体、とくに少数民族地区では伝統的ないしは「民族的」文化が消滅の危機に瀕した。モンゴル語教育は停止され、多数の文化財が破壊された。また中ソ対立が深刻なものになると、軍事的な考慮から、一時的に内モンゴル自治区の領域は大幅に縮小されたし、モンゴル人民共和国との交流もまったく途絶した。一方、六〇年代より大量の漢人住民が自治区に移入してきた。内モンゴル自治区の状況は、七〇年代後半になるまで、ほとんど海外には伝わることはなかった。

「開放・改革」体制下での内モンゴル

中国が「文革」を終了し、「開放・改革」政策に転換し、また民族政策全体が柔軟化するとともに、内モンゴルでも急速に政府・党組織の再建がおこなわれ、ついで八〇年代にはいると、外国との交流も再開された。インフラストラクチャーの整備は、このとき以降におこなわれることになったが、豊かな資源を背景に、牧畜業・林業はさかんである一方、鉱業開発にも力をいれている。エネルギー資源、重化学工業、羊毛紡織工業などは、中国における有力拠点となっている。

民族自治区であるがゆえに、経済発展と対外開放については、独自の優遇措置がとられている。本格的な海外との経済・文化交流が再開されたのは八〇年代にはいってからであるが、はじめは日本、米国、西ヨーロッパ諸国が主体であった。モンゴル人民共和国との交流の本格的再開は遅れて、八〇年代後半からである。中国での、いわゆる「民主化運動」がおこなわれた時期は、モンゴル人民共和国における民主化時期とも重なり、内モンゴルでも一部では「大モンゴル主義」的な傾向がみられたという。ただ内モンゴル自治区という現在の体制が成立したこと自体、中国のなかでの「民族区域自治」を、モンゴル人が受け入れたことを意味しており、国境をこえたモンゴル人への心情的ないしは文化的な共通意識はあるものの、それが政治的な運動に転化した場合、いかに危険な結果をもたらすかを、人々はよく知っている。この点は、前述したように、現在のモンゴル国のモンゴル人も同じである。むしろ内モンゴル自治区に限らず、中国のモンゴル人にとっての最大の問題は、モンゴル人としてのアイデンティティはあったとしても、その実体があやふやなものとなっていることであろう。

中国全土で「モンゴル族」という「民族籍」をもつ人々は、現在は六〇〇万人弱と推定される。そのうち、内モンゴル自治区には約四〇〇万のモンゴル人が生活しているが、一方漢族人口は二〇〇〇万におよぶ。ところが、この「モンゴル人」のなかで、モンゴル語を解するものは、とくに都市部では少数であり、生活様式も漢族のそれと異ならない。そういう人々は、自分が「モンゴル族」であるという意識はあっても、それとともに「中国人」という認識をもっている場合が多い。心のどこかにモンゴル人というアイデンティティはあるものの、モンゴル国のモンゴル人、いや内モンゴルでもいぜんとして「モンゴル」的生活パターンを維持している牧区のモンゴル人とのあいだでさえ、語り合うべき共通の「文化」はほとんど存在しない。漢族との同化が一部の区域では急速に進行するなかで、内モンゴルのモンゴル人、中国のモンゴル人が次世代に継承すべき「文化」とはなにか。

(2)　チベット

現代中央ユーラシアの選択

一九一二年に中華民国が成立すると、ダライラマ十三世はチベットが中国と別個の政体に属することを正式に表明するために、中国人を国境外に放逐し、一九一三年には独立を宣言した。これ以後の四〇年間、チベットは国際的な承認こそえようとしなかったものの、事実上の独立国家であった。しかし、一九四九年に中華人民共和国が成立すると、中国軍は東チベットに侵攻し、一九五一年にはラサに到達した。中国軍のラサでの駐留は、もともと貧しかったチベットの経済を圧迫したため、中国軍とチベットの民衆との対立が深まり、ついに一九五九年に「チベット動乱」が勃発、ダライラマ十四世はインドに亡命し、チベットは中国に併合された。その後、中国はチベットの社会主義化を急速に進め、僧院を破壊し、漢族の移住を奨励したため、改革をきらうチベット人がダライラマ十四世の後を追って多数ヒマラヤをこえた。

一方、ダライラマは六〇年にインドのヒマーチャルプラデーシュ州のダラムサラに亡命政権を建立し、仏教文化の保存を第一目標に掲げた。僧侶は北インド国境近くにあるバクサドアルの難民キャンプに集められ、老僧から幼年僧へ精力的な伝法活動がおこなわれた。当時の印刷物は、キャンプの周囲で手にはいる石を版木がわりにして出版されており、その読みにくい文字は亡命当初のチベット仏教の苦難を物語っている。その後、インドのカルナタカ州や西欧に移住した俗人たちの資金援助により、インドの各地にチベットの主要な僧院が再建されていった。

かつてチベットは、ヒマラヤという天然の要害に阻まれて外部者がその実態をうかがい知る機会も少なかったが、インドに再建されたチベット人の亡命社会は、外部世界と容易に接触をもてるようになったため、チベットの文化は広く世界に知られるようになった。若い世代のチベット僧は西洋に渡り法を説き、逆に西洋からはチベット仏教を学ぶためにたくさんの若者が再建された僧院をおとずれた。

一九七〇年代にはいると世界の主要都市のほとんどにはチベット仏教の主要な宗派の拠点が確立され、それらを統轄する国際的な組織が生まれた。代表的なものをあげると、七四年にゲルク派のトゥプテンイェーシェーが設立した大乗仏教伝統維持財団、七〇年にカギュ派のチョギャムトゥルンパが設立したヴァジラダート・インターナショナル、その他にもニンマ派のナムカイノルブが設立したコミニュタ・ゾクチエンなどがある。

このように西欧社会においてチベット仏教思想にたいする理解が深まっていくにつれて、チベットの独立問題にたいする関心も世界的に高まってきた。八五年にアメリカで設立されたチベットの独立支援組織、チベットハウスは、各界の名士をメンバーに連ねてチベットの独立運動に追い風を送っている。九〇年代にハリウッドでチベットの独立喪失や文化を題材にした映画が数多く封切られた背景にはこのような組織の活動がある。

一方、中国共産党治下のチベット本土においては、文化大革命でほとんどの僧院が程度の差こそあれ被害を受けたこと、僧侶の人数制限をはじめとするさまざまな規制が存在したことなどから、チベット仏教は壊滅的状態にあった。

亡命政府によると、断続的に中国から亡命してくるチベット人は、中国政府による僧侶にたいする拷問、チベット女性にたいする強制的避妊手術などを証言しているといい、亡命政府は、中国政府はチベット問題をチベット人の消滅をもって解決しようとしていると非難した。これを受けて中国政府は一九七九年から八〇年にかけて、三回にわたってチベット本土にダライラマの視察団を受け入れたが、ダライラマの親族を含むこの視察団はチベット人に熱狂的に受け入れられ、チベット人のダライラマにたいする信仰がいぜん健在であることが判明したため、中国当局は亡命政府との対話を打ち切った。その後、外貨獲得を急務とする中国政府は八七年からチベットを外国人観光客に開放し、その結果チベットの現況は海外に伝えられるようになり、逆にチベットへはダライラマの西欧での活躍が伝えられ、チベット本土の民族意識は高揚しつづけた。

一九八九年一月、座牀寺であるシガツェのタシルンポ寺に帰還していたパンチェンラマ十世が、「心臓病」によって急逝した。パンチェンラマはダライラマが亡命したあと、中国支配下のチベット人の信仰のよりどころとなっていたため、この化身僧の急死はチベット社会に大きな動揺をもたらした。さらに、開放経済による経済の悪化がチベット人の不満を増大させていたこともあり、八九年三月に大昭寺の門前で僧侶による大規模なデモが発生した。中国当局はラサに戒厳令をしき、関係した僧侶を一斉に逮捕し投獄した。このラサ暴動に続き、同年六月に起きたいわゆる天安門事件は、国際社会に中国政府の人権軽視を強く印象づけた。同じ年の十月におこなわれた、ダライラマにたいするノーベル平和賞の授与には、国際社会がデモを軍隊によって鎮圧した中国政府を非難し、チベットを支配されても一貫して非暴力の姿勢をとりつづけるダライラマ十四世を評価するという意味合いがこめられていた。

授賞後、ダライラマ十四世の国際的地位は高まり、中国政府はダライラマにたいする姿勢をさらに硬化させた。両者は正式に対話の席に着くことはなかったが、歴史のある化身僧の認定をめぐって、水面下で活発なかけひきをおこなった。まず、問題となったのは、一九八一年に亡命先のアメリカで逝去したカルマ・カギュ派の主宰者ゲルワカルマパ十六世の転生者の認定であった。カルマ派の化身僧は全員が海外に亡命中であったが、カルマパ十六世の遺書をもつという同派のシトゥ化身僧の主張により、チベット本土で発見されたティンレードルジェが九二年にカルマパ十七世として座牀寺のツゥルプ寺で即位した。この中国国内でのカルマパの認定は、中国政府としてはパンチェンラマ亡きあと急速にダライラマに傾斜しつつあるチベット社会にあらたな求心力をえたという意味と、ダライラマとは異なる宗派の主宰者を支持することにより、ダライラマの権威を相対化させる意味とがあった。

翌一九九三年、中国政府は国庫から六四〇六元を支出して、パンチェンラマの遺体をおさめる仏塔殿を建立した。この仏塔の建築にあたって中国政府は、五穀、薬、珍宝などをつめた宝瓶を埋蔵する着工儀礼から、遺体を塔に奉納する儀礼にいたるまですべてを忠実に伝統にのっとっておこない、チベット仏教文化の尊重を内外にアピールした。

そして、一九九五年五月、ダライラマ十四世がパンチェンラマ十一世の転生者としてゲンドゥンチュキニマという名の六歳の童子の名を発表すると、その直後にこの童子は何者かに拉致され、この少年の認定に関係した僧侶は処罰された。そして、九五年十一月、中国政府はこのゲンドゥンチュキニマを除く複数の候補者をラサの大昭寺に集めて金瓶儀礼をおこない、この結果に基づきゲルツェンノルブという童子をパンチェンラマ十一世に決定した。さらに、同日午後におこなわれた即位式では、新パンチェンラマに国務院から金印金冊が送られた。これは、歴代中国皇帝が内外の家臣に冊印を授与(冊封)することにより象徴的な上下関係を構築する中国の外交儀礼の再現であり、このような王朝時代の儀

ダライラマ14世

礼までをもちだして中国政府が内外に示したかったことは、「中国によるチベット支配は歴史的なものである」ことであろう。

しかし、中国王朝によってかたちづくられていた象徴的な上下関係(冊封体制)は、五九年以後に中国政府がおこなっている実態的なチベット支配と同一に論じることはできない。さらにいえば、「宗教は阿片である」と唱える共産主義政権が、過去の儀礼までもちだして転生相続制というチベット仏教独自の文化の維持に励んでいる姿は、中国によるチベット支配の歪みを物語る以外のなにものでもあるまい。

歴史的にみても、清皇帝やモンゴル王などの外部勢力が選定した化身僧が歴史的に正統として残った例はまったくなく、この金瓶儀礼も文殊菩薩の化身と呼ばれた清皇帝ですら機能させえなかったものであることを考え合わせると、金瓶儀礼の結果選出されたこの少年が将来も正統なパンチェンラマとして人々に受け入れられる可能性は薄いものと思われる。ダライラマ十四世に公認されたあと、ゆくえをたったゲンドゥンチュキニマは現在「世界最年少の政治犯」としてそのゆくえが懸念されており、パンチェンラマ問題も今(二〇〇〇年)にいたるまで決着がついていない。

中国のチベット政策の破綻を示す事件は一九九九年の十二月にも起きた。当時十四歳になっていたゲルワカルマパ十七世が、儀式用の黒帽子を取りにいくことを理由にヒマラヤをこえてインドに亡命したのである。黒帽子とはカルマ派の主宰者に代々伝えられる、いわばカルマパの伝統を象徴する法具であり、これを取りにいくためとは、つまりは、宗派の教学を学ぶために亡命をしたことを意味する。つまり、この亡命劇は、いかに中国政府がチベット仏教文化を維持、興隆させていると主張しようとも、肝心の伝統を担う高僧たちがすべて海外にいる現状では、その内容は形骸化せざるをえないことを露呈したものといえよう。

中国にとってチベットの独立とは共和国内の行政区域中第三位の面積を有する広大な領土を失うこと、他の少数民族の独立運動を連鎖的に刺激することを意味するため、国の威信にかけてゆずれない問題となっている。しかし、国際社会での評価も無視できないことから、中国政府はチベット人を経済的、文化的に優遇する政策を打ち出すことによって、諸外国に理解を求めようとしている。チベット自治区では主要な僧院の復興に中央政府から多額の予算がつき、北京においてもチベット「平和解放」の四〇周年を記念して一九九一年に蔵学研究中心、蔵医院などが設立され、チベットの文化を保護する旨が対外的にアピールされている。チベット文書籍の出版活動も他の少数民族の書籍に比べて圧倒的多数におよんでいる。このような優遇政策に恩恵を受けるチベット人のなかには、独立を望まない層が生まれてきていることもまた事実である。中国政府の懐柔政策が功を奏してチベット人が現在の位置にあまんじるか、支援者の声に押されてチベットが独立を獲得するかは、ひとえに多民族国家中国の、今後の政治運営のゆくえにかかっているといえよう。

(3)　新疆ウイグル

八〇年代の状況

周恩来、朱徳、毛沢東があいついで死去した一九七六年以降、それまで外国人にたいしほとんど完全に閉ざされていた新疆は、徐々に解放され始め、日本からも若干の作家や文化人がこの地をおとずれ、断片的ではあっても直接目撃した状況を伝えるようになった。八二年四月には、国家民族委員会拡大会議が開催され、宗教問題と民族主義の問題が集中的に議論された。ついで九月には、中国共産党第一二期全国代表大会で、胡耀邦が党総書記に、鄧小平が党中央軍事委員会主席に選出され、「開放政策」が公式に採択された。中央におけるこの変化は、少数民族の側からは、民族的文化の多様性を主張することは、中国という国家にたいする忠誠と矛盾しないことを党と政府が承認したサインであると受け取られた。

新疆においては、宗教活動はほぼ全面的に復活し、文革中に破壊をこうむったモスクやチベット仏教寺院が、時には党と地方政府の公的な援助によって再建された。新疆で使用されるテュルク系言語であるウイグル語、カザフ語、クルグズ語の文字には、一時漢語の拼音《ピンイン》に基づくローマ字アルファベットが用いられていたが、これらはアラビア文字に手を加えた各民族言語に固有の文字体系にきりかえられた。

しかし、こうした「和解政策」にもかかわらず、報道管制のため事実関係は必ずしも明白ではないものの、新疆の各地で東トルキスタンの独立とそのためのジハード(聖戦)を呼号する蜂起や暴動が散発していることが報じられている。一九八九年、天安門事件と同じころ、イスラームとムスリムを誹謗した出版物にたいする抗議行動に端を発して、数千のウイグル族と回族のデモ隊がウルムチの政府公署と党機関を襲撃した事件や九八年のイリにおける衝突事件は大規模なものであったが、ウルムチやカシュガルなどでは、時に都市ゲリラ的な爆弾テロも発生している。

一方では、開放政策はいちだんと加速され、ウルムチの町ではホリデー・インなどの外資系のホテルが営業し、一九八八年以降発見された世界最大規模の埋蔵量があるとされるタリム盆地の油田の開発にも外資の導入がはかられている。

現在の新疆――政治権力、漢族、少数民族

中国政府の民族問題への対処は、基本的に文化的保護・経済的優遇と分離・独立運動の監視と徹底的弾圧の二面から構成されている。最近の新疆ウイグル自治区の例に則してみれば、文化的保護にはウイグル族の「文化英雄」とされるマフムード・アル・カーシュガリーやユースフ・ハース・ハージブなどのあらたに「発見」された墓の大規模な改修や、民族古典文学の出版を自治区政府が援助することなどが含まれる。中央からの投融資を優先的におこなうほか、漢族には厳格に適用される「一人っ子政策」を少数民族にはおよぼさないとか、民族学院などの高等教育機関への進学を一定程度保障する、地方の自治単位の政府では少数民族の幹部を登用するなどというのは経済的な優遇政策の一環である。

一方、実際の武装蜂起や暴動が徹底的に弾圧されることはいうまでもないが、分離主義にたいする日常的監視の具体相は当然のことながら明らかではない。しかし、東トルキスタンという名称自体の使用を公式に禁止するなど、当局は神経質なまでに分離主義にたいする警戒感を示している。最近の探査によって、新疆の地下資源の豊かさが明らかになった結果(新疆の石油、天然ガス、石炭の埋蔵量は、中国全体の、それぞれ四分の一、三分の一、三分の一とされている)、エネルギー問題をかかえる中国にとっての新疆の重要性はますます増大していることが、当局のこうした態度の背景にあると思われる。

分離主義を封殺する最善の政策は、新疆の漢族の人口を増大させることである。漢唐の両帝国が試み、清朝も成功できなかった東トルキスタンの内地化に人民共和国はすでにある程度の成功をおさめた。極端な例ではあるが、イリの新源県では五〇年代の終わりに二〇〇人足らずであった漢族人口が九〇年代の初めには、五万を遥かにこえている。現在の公的に発表される人口統計では、ウイグル族は漢族をしのいでいるが、生産建設兵団の人口には一部伏せられている部分があり、じっさいの漢族人口はすでにウイグル族を上回っていると推定する専門家もある。

このほか、盲流と呼ばれる非合法な移動人口は、ウルムチ市の北に三〇万の「新都市」を出現させたともいわれている。こうした大量の流入は、少数民族の危機意識を刺激するばかりではなく、老新疆人と呼ばれる古くからの漢族移住者のあいだにも、大量の新来者のために自分たちの権益がおかされることにたいする憂慮を生んでいる。

新疆における漢族人口の問題の今ひとつの側面には、若く優秀な人材は「辺境」へ移住することを望まないという問題がある。大学卒業生の職場が国家配当によって決められていた当時から、大学生のあいだには「ニュージーランドには行きたくない」という冗談が流行していた。ニュージーランドは漢語では新西蘭、すなわち新疆、西蔵(チベット)、蘭州は嫌だという意味である。新疆の南部のオアシスではウイグル族の比率が圧倒的に高く、漢族人口は少数であり、あらたに移住を希望する漢族も少ない。それゆえ、この地域で居住登録されている漢族は、たとえばウルムチなどへの転出を希望してもその実現は困難であるという事情も存在する。

八〇年代以降もジハードを標榜する蜂起や暴動が散発していることは先にも述べたが、その実状、ましてその背後の組織などは不明である。現在トルコ共和国には、新疆からのウイグルとカザフの亡命者とその第二、第三世代数万人が暮らしており、彼らのあいだには新疆の解放をめざす組織も存在するが、これが新疆における蜂起を外部から指導している証拠はない。また、すでに六〇年代から当時のソ連のカザフ共和国には「東トルキスタン解放委員会」および「解放軍」が存在し、新疆への宣伝活動などをおこなっていたとされるが、九八年に、江沢民はソ連崩壊後のカザフスタン大統領ナザルバエフと会談し、分離主義者を保護しないことを約束させた。

漢族人口の増大と彼らによって進められる資源開発が少数民族の目にはにがにがしいものとして映ることは不可避であるとしても、だからといってすべての少数民族が分離主義者であるわけではない。むしろ大多数は現在の体制を承認し、そのもとで生きることを選択していると思われる。社会的上昇をはたすためには、漢語は必須であるため、子弟の進学に際して、民族語学校より漢語学校を選択する人も多い。こうして、漢語は堪能であっても民族語の読み書きが不自由なエリートが輩出しているが、彼らは民族学校出身者にたいし一種の優越感をもつ一方で、内部には文化的なトラウマをかかえざるをえない。こうした事情はテュルク系少数民族の社会に亀裂と分化を生じさせている。また八〇年代からはっきりと姿をあらわしたイスラーム原理主義運動も、とくにウイグル族の内部に対立を生じさせる原因となっている。

新疆解放当時、一三の民族が国家による民族としての認定を受け、それぞれの名を冠した自治的領域が定められたことは第七章で述べたが、このことは現在までさまざまな問題を惹起することになった。

そもそも歴史的にみれば、民族集団の形成と融合、変容と消滅はきわめてありふれた事象である。タリム盆地のオアシス地帯はいわば民族融合の溶鉱炉であり、イスラームはその融合を促進する触媒の役割をはたしてきた。遊牧モグールがイスラームを受容し、オアシス社会のなかに融消してしまった例は、第六章に述べたとおりである。現在にいたってもこの融合の過程を部分的には観察することが可能であり、言語と生活習慣においてウイグル化したクルグズ、同じくウイグル化しつつあるモンゴル、家庭生活でもカザフ語を使用するモンゴルなどの集団の存在が知られている。また個人的なレヴェルでは、少数民族の女性と結婚し、妻方の社会に所属するようになった漢族男性もまれではない。

しかし、政治権力によって、ある個人がある民族籍を有すると認定されることは、個人がその民族への忠誠を同族からも他の民族集団からも期待される結果になり、近代国家以前の段階では「自然的に」進行した民族の融合と変容の過程は、民族籍という近代的制度によって押しとどめられることになった。いわば新疆ウイグル自治区には一三の民族主義(漢族のそれを含めれば一四)が存在する潜在的可能性があり、「より小さな」少数民族からすれば、大漢民族主義も「大ウイグル民族主義」もともに自民族の桎梏《しっこく》とみなされることは必至である。

一世紀前にはより普遍的な「人類」のうちに消滅することさえ予想された「民族」というものがかつてないほどに複雑・深刻な問題となった二十世紀の末、新疆ウイグル自治区はこの問題を深く洞察するための鍵となる事例を提示しているといわねばならない。

3　中央アジア

ペレストロイカと中央アジア

ゴルバチョフ政権の始めたペレストロイカは、積年の政治・経済的な停滞を打破してソ連社会の活性化をはかることを意図していた。じっさい、「停滞の時代」と形容されるブレジネフ時代から経済の不振は深刻化しており、一九七九年十二月以来のアフガニスタンへの軍事侵攻は、その泥沼化によってソ連にとっても重い負担となっていた。とりわけイスラーム世界と直接境界を接する中央アジア地域では、アフガニスタンのムジャーヒディーンの「聖戦」と同じ七九年二月のイラン・イスラーム革命の衝撃が波及し、過激な「イスラーム原理主義」の生まれることが懸念されていた。連邦中央からみれば、中央アジア諸国の指導部に蔓延していた停滞や腐敗を看過するわけにはいかなかった。

一九八六年十二月、党中央は二五年間にわたってカザフ共産党第一書記を務めてきたクナエフを解任し、かわりにロシア人を後任とした。これにたいして、十二月十七日首都のアルマ・アタでは、この突然の解任に抗議するカザフ人主体のデモが組織された。このような大衆的な抗議行動はソ連中央アジアではきわめて異例のことであり、そこには党と政府の失政にたいする不満と政治意識の高揚を読みとることができる。それは、連邦中央の指令‐行政的なシステムにたいする中央アジアにおける最初の異議申し立てであったともいえる。しかし、治安当局はこのデモを暴力を用いて解散させ、衝突のなかで一七〇〇人以上の死傷者をだす結果となった。当局はこの事件をクナエフ周辺の腐敗分子の扇動した民族主義暴動と決めつけ、カザフ人の感情に深い傷跡を残した。

同じ年、ウズベク共和国ではブレジネフ時代にさかのぼる綿花汚職の告発が最終局面におよんでいた。それは一九七八～八三年のあいだ、生産されもしなかった架空の綿花にたいして一〇億ルーブルもの巨額の国費が支払われていたという連邦中央を巻き込んだ構造汚職であり、その結果ウズベク共産党中央委員の九割が更迭され、綿花生産にかかわる多数の実務責任者が逮捕、摘発された。これは、ソヴィエト体制の腐敗を明示する事件にほかならなかったが、「ウズベク事件」というかたちで告発キャンペーンがおこなわれた結果、これもまたウズベク人の感情を深く傷つけ、むしろ中央に反発するウズベク・ナショナリズムの台頭をうながすことになった。

また連邦指導部は、中央アジアのめざましい人口増加を抑制するための産児制限や中央アジアの豊かな余剰労働力を連邦各地に送り出す指示をだし、さらにはゴルバチョフ自身が一九八六年十一月タシュケントでイスラームにたいする「非妥協的な闘い」を指令した。しかし、これらの中央からの指令は、中央アジアではいずれも冷淡に受け止められた。連邦中央と中央アジアとのあいだには明らかな齟齬《そご》が生じていたのである。中央は中央アジア開発のための予算支出を削減し、むしろ中央アジア諸国の連邦にたいするさらなる貢献を要求したが、中央アジア諸国にその余裕はなかった。

ペレストロイカの後期にはいると、流血の民族紛争が中央アジアの各地で続発した。トルクメニスタンのアシュハバード(一九八九年五月、アルメニア人の商店・工場への襲撃)、ウズベキスタンのフェルガナ州

(同年六月、ウズベク人とメスヘティア・トルコ人の衝突)、カザフスタンのノーヴィ・ウゼニ(同年六月、カザフ人と北カフカース出身者との衝突)、タジキスタンのドゥシャンベ(一九九〇年二月、都市争乱)、クルグズスタンのオシュ(同年六月、クルグズ人とウズベク人の衝突)などで起こった争乱のなかで、三五〇人が死亡し、およそ二〇〇〇人の負傷者がでたと伝えられる。とりわけフェルガナ州での集団虐殺の結果、一万七〇〇〇人ものメスヘティア・トルコ人がウズベキスタンから難民となって連邦各地へ離散した。これらの争乱の真相はいまだに不明であるが、中央アジア各地に鬱積していた社会経済的な不満を背景として起こったことは疑いない。これらは民族間関係に鋭い緊張をもたらすとともに、現地当局の無能さを明るみにだし、共産党の支配体制をゆるがすことになった。

知識人のナショナリズム

しかし、このような混乱の一方で、ペレストロイカとグラースノスチ(情報公開)の政策が進展するにつれて、ソヴィエト体制の深刻な病弊は、中央アジア人の目にもあらわとなった。そして、経済の停滞と極度の貧困に象徴される低開発の実態、連邦による共和国の経済的な搾取(不変の低価格による綿花の提供や、金・ウランなどの貴重な鉱物資源の供出など)、大量の実質的な失業者の存在、綿花の増産がもたらしたアラル海消滅の危機やセミパラチンスク核実験場などに代表される大規模な環境破壊、党や政府高官の腐敗、アフガニスタン干渉戦争の悲惨、ソヴィエト軍内の民族差別の実態などが公然と議論されるなかで、政治的には保守的であった中央アジアにおいても連邦中央の指令‐行政的なシステムにたいする異議申し立てが始まった。

この異議申し立ての運動を担ったのは、おもに作家や研究者などの知識人であった。ウズベキスタンのビルリク(統一)やタジキスタンのラスターヒーズ(再生)などの人民戦線運動を組織した彼らは、共産党の一党独裁や連邦内の南北格差を批判し、共和国の完全な主権、さらには独立、ロシア語に従属してきた民族語の地位の回復、キリル文字からラテン文字、ときにはアラビア文字への変更や回帰の要求、イスラームをはじめとする民族文化の復権、環境破壊の防止などを求めて、自主的な政治・社会運動を展開した。

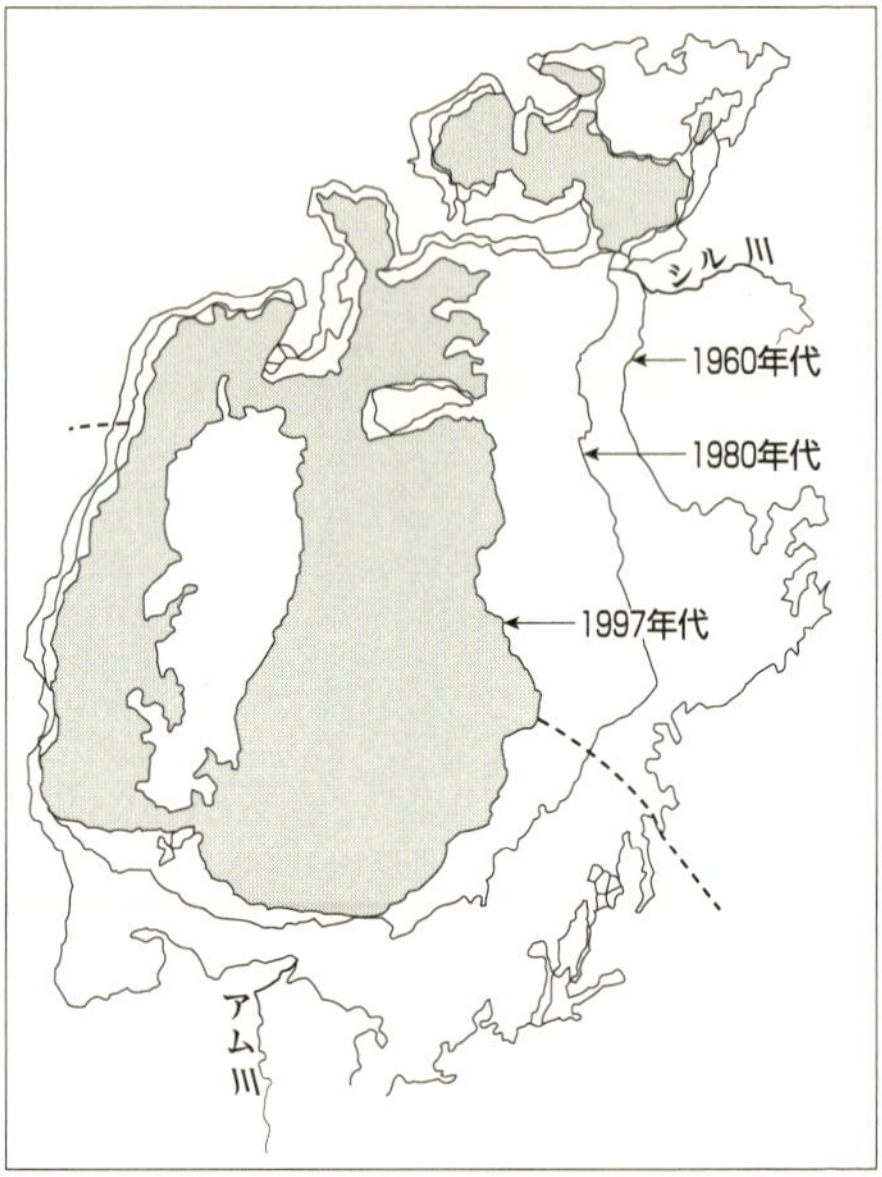

アラル海の危機　綿花増産のためにアム川とシル川の水量は激減してアラル海は死滅しつつあり，蓄積された農薬中の有毒化学物質や周辺地域の乾燥化も環境を破壊している。

彼らは、帝政ロシアによる中央アジアの「併合」を正当化し、ロシア革命の勝利を称えてきたこれまでのソ連史学の方法と解釈にも鋭い批判を加えた。歴史の見直しのなかで、これまで「残忍な侵略者」や「人民の搾取者」として断罪されてきたティムールなどの歴史上の人物が、民族の偉人や英雄としてよみがえり、個々の民族の悠久の歴史と文化が強調されるようになった。これら歴史上の人物は、やがて独立後の国民統合のシンボルとなっていく。一九三〇年代に「民族主義者」や「人民の敵」として粛清された知識人の名誉回復も急速に進められた。全体として中央アジア知識人の主張の根底には共和国別のナショナリズムがあり、タジクの知識人グループがゴルバチョフにウズベク領のブハラ州とサマルカンド州をタジキスタンに編入するよう求めたのも、八九年三月のことであった。

詩人チョルパンの胸像（ウズベキスタンのアンディジャン）　スターリン時代に粛清された詩人は，いまや民族の詩人として復権をはたした。

彼ら自身、作家同盟や科学アカデミー付属研究所などソヴィエト体制によって保護されてきた組織のメンバーであり、ロシア革命以来自由な政治・社会運動が許されなかった中央アジアの環境では、彼らの運動はバルト諸国の民主化運動ほどの規模や広がりはもちえなかった。しかし、彼らの運動が、共産党にたいする批判勢力として、のちの独立への流れをつくりだしたことは重要である。少なくとも、このペレストロイカ後期の時代、中央アジアの知識人は、その後よりも遥かに高い政治的な自由を享受していたようにみえる。

イスラームの復興

ゴルバチョフ政権はペレストロイカの後期にいたってようやくイスラームとの和解をはたした。一九八九年三月、第四回中央アジア・カザフスタン・ムスリム大会(タシュケント)に出席したソ連政府代表は、先に引用した(三九七ページ)七〇年余り前のレーニンとスターリンのムスリム諸民族へのアピールを読み上げ、ソ連国家とイスラームとの新しい協調関係を約束した。それは、歴史的なアピールが実際には紙のうえの約束であったことを示すとともに、ソヴィエト政権による反イスラーム政策の終焉を告げるものであった。「第三代カリフ＝ウスマーンのコーラン」と伝えられる聖典の古写本がふたたびムスリム組織に返還されたのもこのときのことである。

このような対イスラーム政策の大転換と相前後して、中央アジア・カザフスタン・ムスリム宗務局もその自立性を強め、一九八九年二月には政府の任命ではなく、はじめてムスリムによって新ムフティー(宗務局長)ムハンマド・サーディク・ムハンマド・ユースフが選出され、彼はソ連人民代議員にも選ばれた。ウラマーが政治の場に登場するのは、革命以来たえてなかったことである。マスメディアをとおして伝えられる指導的なウラマーの言動は、連邦末期の混乱に揺れる中央アジアの政治や社会にも一定の影響力を発揮した。しかし、中央アジア諸国の独立とともにムスリム宗務局は各国別の宗務局に分解し、いずれも共和国政府の強い統制下におかれることになった。

一方、一般の人々のあいだでもイスラームの社会復帰というべき現象が顕著となった。その実例としては、政府やイスラーム諸国の支援のみならず、人々の発意や寄付による多数のモスクやマドラサの修復と建設、マザールの再生、児童のためのコーラン学校の開設、メッカ巡礼者の急増、初歩的なイスラーム紹介パンフレットを含む宗教文献の流布などをあげることができる。その背景には、共産主義イデオロギーやソヴィエト文明への失望感や違和感に加えて、固有の文化を回復しようとする幅広い潮流があった。

このようなイスラームの復興とともに、ウズベキスタンやタジキスタンなど、かつてのイスラーム文明の中核地域であったマー・ワラー・アンナフルとその周縁にあたる地域では、しだいにイスラームの政治化がみられるようになった。すでに一九七〇年代の末からこの中央アジアの南部地域では、草の根のイスラーム復興運動が始まっていた。

それは体制に順応したハナフィー派の教説や習俗と化したイスラームの現状を批判して、純粋なイスラームへの回帰を主張する若いウラマーたちの運動であった。コーランとスンナに基づいた社会と国家の再生を説いた彼らは、政権の弾圧を受けるとともに、ムスリム宗務局とも鋭く対立した。彼らは十八世紀のアラビア半島に生まれた厳格なイスラーム復古主義者、ワッハーブ派の名前にちなんで「ワッハービー」の名を与えられ、それはまもなく中央アジアにおけるイスラーム過激派、あるいは「イスラーム原理主義者」の別称となった。

ペレストロイカの後期に各地で結成が試みられたイスラーム復興党は、この系譜に連なると考えられる。これらの試みは、イスラームの政治化を警戒する共和国政府によって抑圧されたが、唯一タジキスタンで

コーラン学校の子供たち　ソ連解体直前の1991年7月，ウズベキスタンのアンディジャンにて。

は一九九〇年十月イスラーム復興党が結成された。続いてウズベキスタンのフェルガナ地方では九一年の夏から、イスラーム法に反する行為を摘発する復興主義団体、アダーレトが活動を開始した。しかし、このようなイスラーム的な自治組織の成長は、世俗主義を掲げる政権には大きな脅威となり、翌年にはアダーレトにたいする弾圧がおこなわれた。

同様な事例は中央アジア諸国の独立後も繰り返され、政権とイスラーム復興主義勢力との対抗関係は、悪化する社会・経済的な条件を背景としてしだいに激化していった。一九九九年二月、ウズベキスタンの首都タシュケントでは大統領イスラム・カリモフを標的としたとされる爆弾テロ事件が発生し、当局はこれを過激派組織「ウズベキスタン・イスラーム運動」によるテロ行為と断定した。復興するイスラームにどのようにたいするか、それは現代中央アジアにとって最重要の選択のひとつである。

独立後の中央アジア諸国

こうしたなかで、ペレストロイカに翻弄され、あるいは一九八〇年代末にあいついだ流血の民族紛争で権威を傷つけられた中央アジア各国の共産党エリート、とくにその若い世代は、しだいに共和国単位のナショナリズムへの傾斜を強めていった。九〇年中央アジア諸国はあいついで主権宣言をおこなった。おそらくそれ以外に権力を保持しながら事態を乗りきる道はなかったであろう。そして彼らの新しい方針は、九一年八月のクーデタを契機としたソ連邦からの独立宣言によって示された。

ロシア統治が始まって以来の歴史を振り返るならば、この独立が中央アジア史上画期的な意義をもつことは明らかであろう。中央アジア諸国は、ソ連邦からの負の遺産を継承しながらも、その進路を自らの意志に従って決定することになり、新独立国として国際社会への仲間入りもはたしたからである。しかし、中央アジア諸国の独立は、大衆的な独立運動の成果として達成されたものではなく、また十分な準備を整えたうえで連邦からの自立を実現したものでもなかった。それはむしろソ連邦の自壊の結果であった。

独立後の政治を担ったのは、クルグズスタンのアカーエフを除いて、初代の大統領がみなかつての共和国共産党第一書記であったことが示すとおり、事実上かつての共産党勢力であった。共産主義のイデオロギーは破綻しても、独立の当初、政治や経済の実務を担えるエリートは共産党以外にはいなかった。独立後共産党は解体され(タジキスタンでは独立後もしばらく共産党が存続した)、形式上は多党制が生まれたが、新しい政権は、程度の差こそあれ、開発独裁型の統治を開始した。社会主義経済から市場経済への移行という巨大な転換を実現しつつ、低開発からの脱却をはかるには強力な指導力が必要であり、また国際機関や外国からの支援や投資を獲得するには国内の秩序と安定を保持することが不可欠だという論理に基づき、大統領には強大な権力が付与されることになった。独立は必ずしも民主化をもたらさず、反対派にたいする弾圧や言論の統制、人権の侵害が容認される状況はなお続いている。開発と民主化とのバランスをどのようにとるのか、これもまた重要な選択である。

新しい政権の重要な課題のひとつは、国民の統合である。ソ連人というアイデンティティが意味を失った以上、共和国の統合と秩序を維持するには、新しい国民意識が必要となった。しかし、多様な民族構成をもつ中央アジア諸国にとって、この国民意識を創出することは容易ではない。主体となる民族のナショナリズムを喚起するだけでは多くのマイノリティを統合することはできず、またカザフスタン北部のロシア人やクルグズスタン南部のウズベク人のように、マイノリティの背後にはその巨大な母集団がひかえているからである。

たとえば、国内に多数のロシア系住民(カザフ人四六%にたいしてロシア人三五%)をかかえ、ロシアとの長大な国境線をもつカザフスタンは、国内のロシア人に配慮せざるをえないが、それでも一部ロシア人のあいだには分離主義の主張が根強く続いている。ちなみにカザフスタンは一九九七年に首都を南部のアルマトゥから北部のアスタナ(旧アクモリンスク)に移したが、この遷都の理由のひとつは北部に多いロシア系住民を統合するためであったともいう。ロシア系住民に限らず、どのようにして安定した民族間関係を築いていくか、それは中央アジア諸国にとって共通の課題である。

独立後の中央アジアに起こった大きな変化のひとつは、このロシア系住民のロシアへの大量帰還であっ

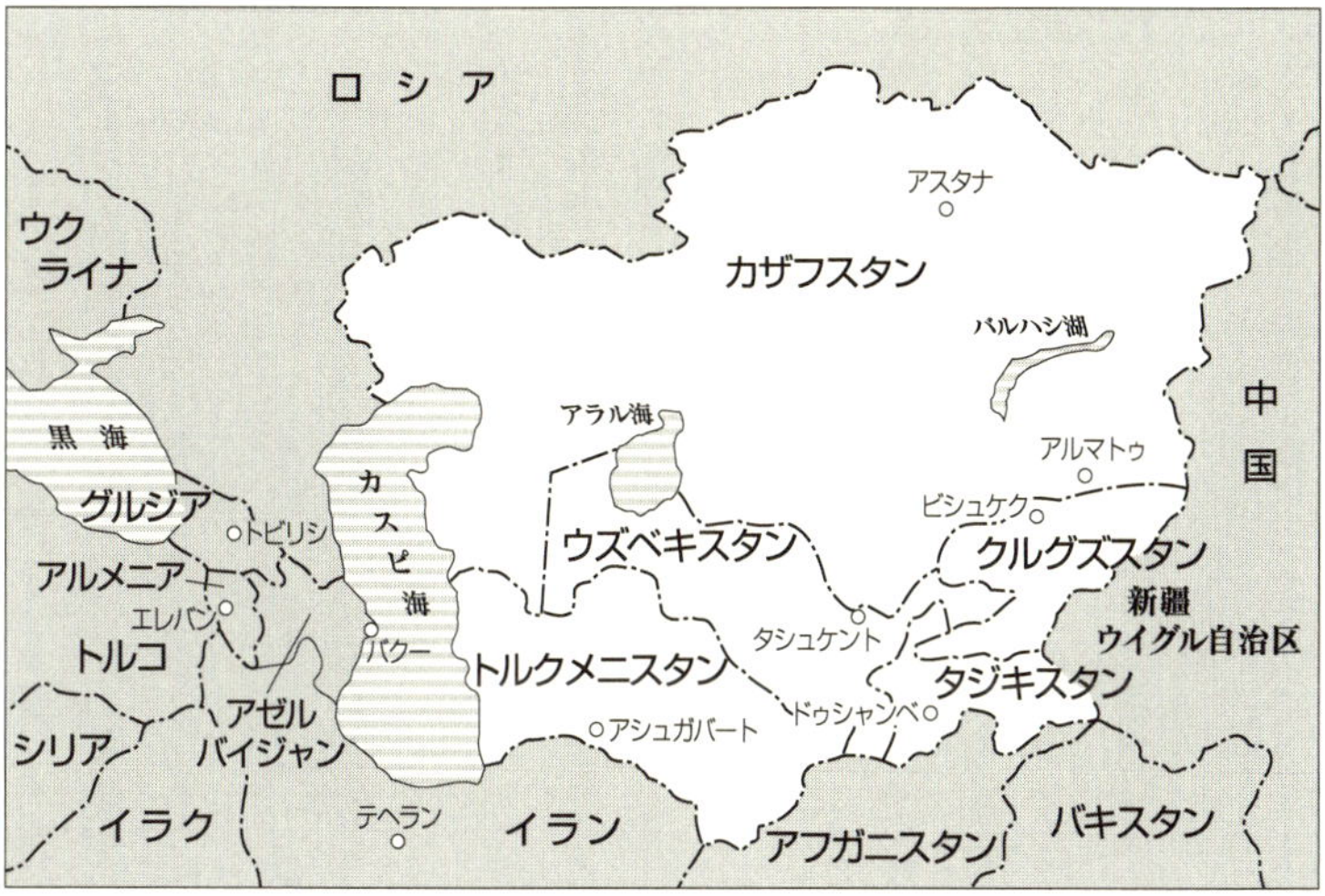

現在の中央アジア地域

国　名	カザフスタン	クルグズスタン	タジキスタン	トルクメニスタン	ウズベキスタン
面　積	2,717,300km²	198,500km²	143,100km²	488,100km²	447,400km²
総人口	16,733,227	4,685,230	6,440,732	4,518,268	24,755,519
人口増加率	−0.05%	1.43%	2.12%	1.87%	1.6%
民族構成	カザフ人 46% ロシア人 34.7% ウクライナ人 4.9% ドイツ人 3.1% ウズベク人 2.3% タタール人 1.9%	クルグズ人 52.4% ロシア人 18% ウズベク人 12.9% ウクライナ人 2.5% ドイツ人 2.4%	タジク人 64.9% ウズベク人 25% ロシア人 3.5% (移住により激減)	トルクメン人 77% ウズベク人 9.2% ロシア人 6.7% カザフ人 2%	ウズベク人 80% ロシア人 5.5% タジク人 5% カザフ人 3% カラカルパク人 2.5% タタール人 1.5%

現代の中央アジア諸国　人口は2000年7月の推計，民族構成は1995～96年の推計。

た。あいつぐ民族紛争やタジキスタン内戦の脅威、台頭するナショナリズムとイスラームへの不安、さらにはロシア語の地位の低下などへの不満から、一九八九年から九七年までのあいだに中央アジア諸国からは、およそ三五〇万人もの人々がロシアに移住した。その大半はロシア人であるが、タタール人やウクライナ人も少なくはない。帰還しても職をえられず、ふたたび中央アジアに帰る人々もあとをたたないが、ロシア系の専門家や技術者、熟練労働者の大量流出は、中央アジア諸国の生産・管理部門に深刻な人材難を生み出した。

大変革の時代をむかえた中央アジア諸国にとって、新しい人材の育成は急務の課題となっている。かつてソ連圏のなかで完結していた留学先は、今や欧米、トルコ、日本などにかわり、内外の支援を受けた留学生の数は確実に増加している。それはかつての革命前後のジャディード知識人の理想を実現しているかのようである。中央アジア社会に深層からの変革をもたらすのは、このような新世代の成長であろう。

タジキスタン内戦

独立後の中央アジアを襲った最大の悲劇は、タジキスタンの内戦であった。タジキスタンではペレストロイカの末期から保守的な共産党勢力とこれに反対するラスターヒーズなどの民族主義組織や民主党、そしてイスラーム復興党などの政治勢力(反対派連合)との対立が深刻化していた。この対立は独立後も激化の一途をたどり、両者の抗争は一九九二年六月になるとタジキスタンを内戦状態におとしいれた。この内戦は一面ではイデオロギーに基づいた抗争であったが、その背景には共和国内の政治・経済的な格差にた

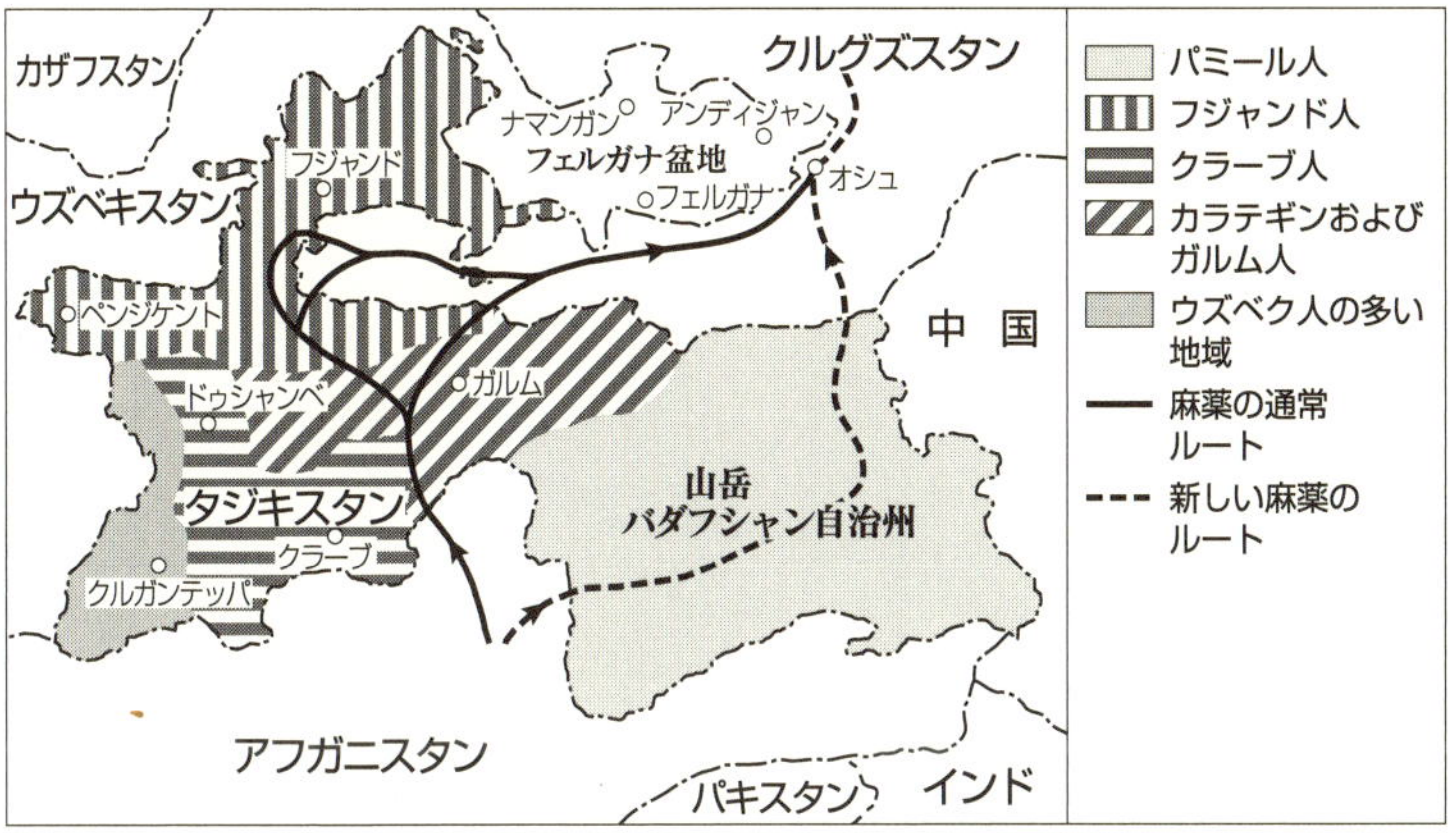

タジキスタンの地方勢力と麻薬ルート

いする蓄積された不満があった。

タジキスタンもまた一九二四年の民族・共和国境界画定によってその原型がつくられたが、領土がいくつもの山脈によって分断されるという地理的な条件もあって、国内には一連の地方閥が成立していた。すなわち北部のフジャンド州と南部のクラーブ州の閥が長く共産党と政府を支配して特権を享受し、これにたいして中部のガルム州と五〇年代から六〇年代にかけてガルム州から強引に移住させられた人々の多い南西部のクルガンテッパ州の閥は不満をつのらせ、宗教・民族的な独自性をもつ東南部のバダフシャン閥は権力拡大の機をうかがうという構造ができあがっていたのである。

内戦は独立後の経済崩壊を背景として、このような地方閥間の権力闘争を軸に展開し、一九九三年三月ロシアとウズベキスタンに支援された共産党勢力が反対派を制圧することによってほぼ終息したが、この間に死者は五万をこえ、五〇万人もの国内難民に加えて、七万をこす難民が同じく内戦下のアフガニスタンに逃れた。このタジキスタン内戦は二四年以来ソヴィエト政権が志向した「単一の社会主義民族」としてのタジク人の形成はなお未完であることを証明するとともに、ソ連のなかでも極貧であった共和国に物心両面にわたって深刻な打撃を与えた。

内戦は新独立国タジキスタンを疲弊させたのみならず、中央アジア地域の安全保障にも重大な脅威をもたらした。反対派の中核を占めたイスラーム復興党の勢力が、一九九三年内戦に敗れて本拠地をアフガニスタン北部(アフガン・トルキスタン)に移し、アフガニスタンの武装勢力と提携して以来、アフガニスタンの内戦がタジキスタンに波及する危険性がにわかに増したからである。しかも、まもなくアフガニスタンでは「イスラーム原理主義」勢力として知られるターリバーンが内戦に打ち勝ち、九六年九月には首都カーブルを占領して、さらに北部に向かって勢力を拡大するというあらたな事態が生まれた。

タジキスタンの和平は、周辺諸国と国連にとっても焦眉の課題となった。共産党系のラフマーノフ政権と反対派連合とは、これらの仲介をえて、一九九四年四月のモスクワ会談から三年以上にわたる和解交渉を積み重ね、九七年六月ようやく国民和解協定の締結にいたった。これにより、反対派連合と難民は国内に帰還し、あらたに国民和解政府を形成することになった。しかし、秩序の失われた国内ではなお多数の武装勢力が活動を続け、九八年七月二十日国連による和平監視にあたっていた政務官、秋野豊が武装勢力によって殺害された事件は、われわれの記憶にも新しい。

一九九九年十一月、タジキスタンでは公認されたイスラーム復興党も参加して大統領選挙がおこなわれた。結果はラフマーノフ大統領の圧勝に終わり、惨敗したイスラーム復興党は分裂して、穏健な現実主義をめざす傾向が強まったとも伝えられる。しかし、タジキスタンの社会・経済的な苦境は克服されてはおらず、その安定はなお予断を許さない。また、九〇年代の末からタジキスタンを含む中央アジアの南部地域では、イスラーム主義を標榜する武装勢力の活動がしだいに活発化しつつある。この間、アフガニスタン国境にCIS軍としての警備部隊を配備し、内戦の収拾にも貢献したロシアは、中央アジアにおける軍事・政治的なプレゼンスを強化した。そして、「イスラーム原理主義との闘い」は、現代中央アジア諸国の内政と外交の最重要の課題となっている。

新中央アジア圏の成立と課題

独立と同時に中央アジア諸国の指導者は、深刻な事態に直面していた。多くの矛盾はかかえながらも一個の有機体として機能してきた連邦の経済システムから一挙に切り離されれば、各国の経済はただちに破綻をきたし、安全保障のシステムもまた解体することは目にみえていたからである。中央アジア諸国はいずれもCIS（独立国家共同体、一九九一年十二月に成立）に加盟する道を選んだ。連邦に多くを依存していた中央アジア諸国にとって、これは必然的な選択であった。

しかし、CISは期待された調整機能を発揮するよりも、むしろ加盟各国の利害対立のために機能不全があらわとなり、これを補完するものとして中央アジア地域協力が模索されることになった。すでに独立前の一九九〇年六月アルマ・アタ会談で「偉大な祖先たち」と「歴史的な紐帯」とを想起しながら、刷新されたソ連邦のなかに新しい中央アジア圏を形成する構想を議論していた中央アジア五カ国の首脳は、九三年一月のタシュケント会談で改めてこの問題を討議した。

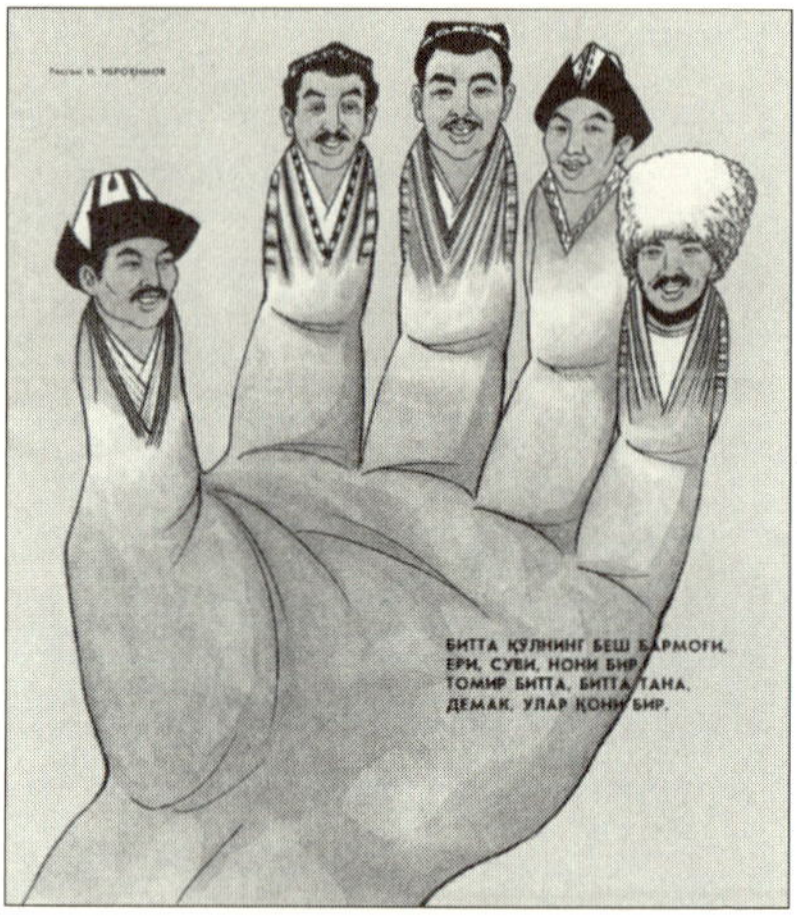

5本の指　1990年8月，中央アジア5カ国の連帯を呼びかけるウズベク風刺雑誌のアピール。

この会談で注目されるのは五カ国の首脳が新しい地域名称「中央アジア(ツェントラーリナヤ・アージヤ)」の使用を提案したことである。これは日本語にするとなにも変哲がないようにみえるが、この「中央アジア」はそれまでソ連邦で使われていた地域名称(従来はモンゴル、東トルキスタン、チベットなどソ連以外の内陸アジアをさした)とは意味を異にしている。ソ連邦時代の「中央アジア(スレードニャヤ・アージヤ)」とはカザフスタンを除く四カ国をさしたが、この新しい「中央アジア」はカザフスタンを含めた五カ国のすべてを意味しているからである。それは「中央アジアとカザフスタン」という古い地域名称にかわるものであり、そこには新しく生まれた中央アジア圏が想定されているのである。この地域名称は今や広く定着している。

タシュケント会談では、中央アジア地域協力に向けて、石油・電力・綿花・穀物などの資源の有効な共同利用、内戦に苦しむタジキスタンの「憲法的な権力」への精神的な支援と疲弊した国民への人道的な支援、アラル海救済のための基金の創設、中央アジア共通情報圏の形成などについて合意がなされ、国際社会のなかである程度の共同歩調をとることの必要性も議論された。このような会談の成果は、中央アジアの統合、あるいは歴史的なトルキスタンの復活と解釈されることもあったが、このときの合意事項は結果としてはほとんど紙のうえの合意に終わった。各国は、中央アジア域内の協力よりはＣＩＳの機能強化を優先したからである。

この後も中央アジア地域協力の実現はおりにふれて提起され、一九九四年にはカザフスタン、ウズベキスタン、クルグズスタン三国の経済同盟が発足することになった。このような地域協力の試みは、新しい中央アジア圏をいわば内側からつくりあげていく要因であり、最近の国際関係論でいう下位地域協力の一例ともいえる。しかし、ソ連崩壊からほぼ一〇年をへた現在でも中央アジアの地域協力はなお未熟であり、むしろ各国の利害の対立による分離の傾向のほうが目立つほどである。

ともに中央アジアの大国を自認するカザフスタンとウズベキスタンは、それぞれ「ユーラシア同盟」と「トルキスタンの統合」という異なった戦略を掲げて対立し、国際通貨基金などの指導を受けて急速な経済改革を進めるクルグズスタンと市場経済への移行に慎重なウズベキスタンとの経済システムの違いは広がる一方である。また豊富な天然ガスと石油資源を保有して、独自の経済発展を志向するトルクメニスタンは、中央アジアの地域協力には関心を示さない。トルクメニスタンにとっては南接するイラン経由のパイプラインや鉄道線を介して世界市場に参入することのほうが重要なのである。そして激しい内戦によって疲弊したタジキスタンの最大の課題は、なによりも国の再建である。

しかし、長期的な展望に立てば中央アジアの地域協力は、その安定と発展にとって不可欠であろう。たとえば、中央アジア東部のフェルガナ地方を例にとってみよう。かつてコーカンド・ハーン国の領土であ

フェルガナ地方およびウズベキスタンとタジキスタン，クルグズスタン３国の国境付近

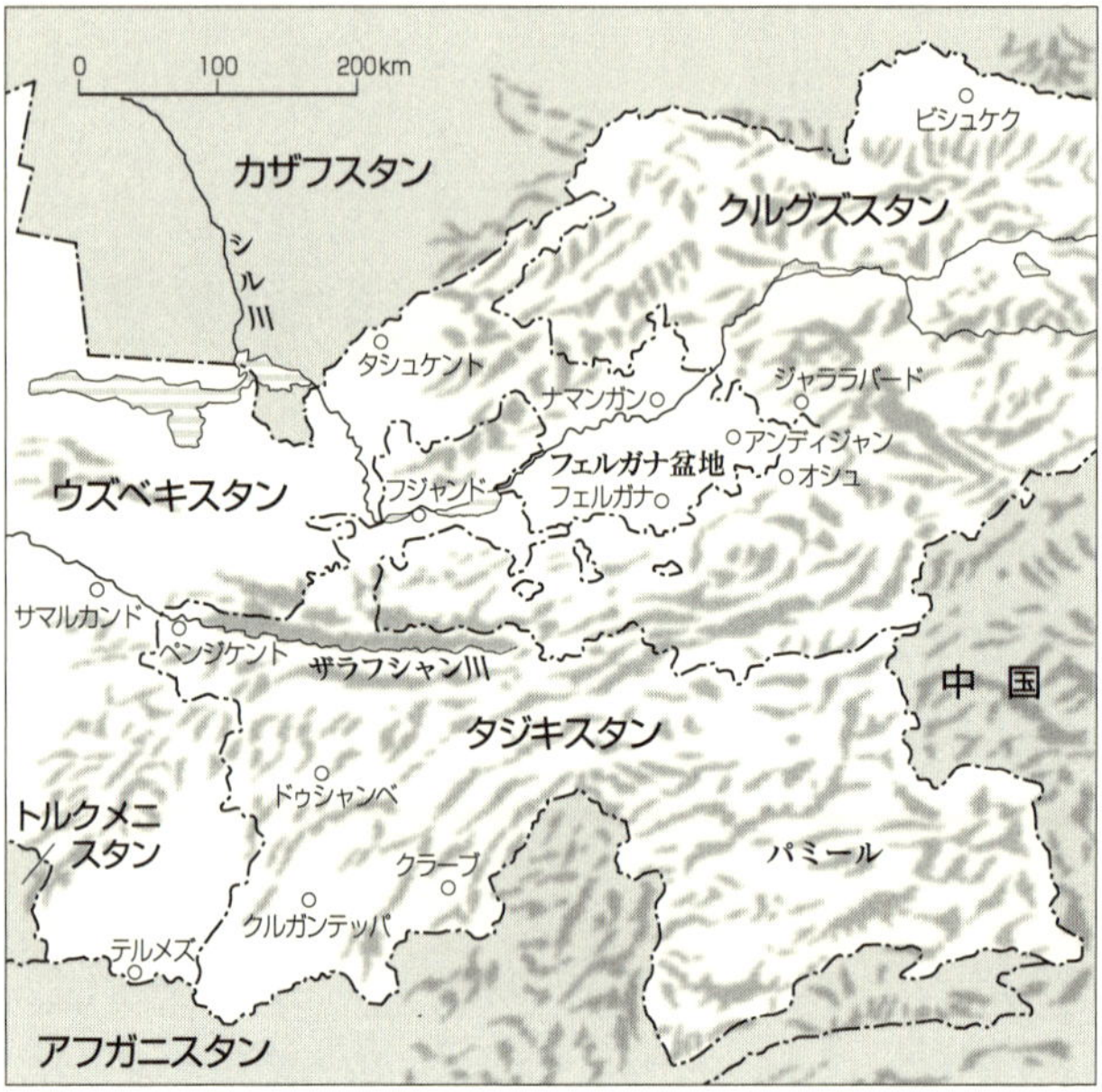

ったこの地域は、三方を山岳に囲まれた盆地の地形をしており、盆地とその周辺には多様な民族が混ざり合って居住している。ここは歴史的にはひとつのまとまった地域であったが、一九二四年以降はウズベキスタン、タジキスタン、クルグズスタン三国の国境線が複雑に交わり、独立とともに国境は名目的なものから実質的なものへと変わった。しかも、面積では中央アジア全土の五％にすぎないこの地方に、全人口の二〇％が集中するというもっとも人口の過密な地域である。独立後の経済事情の悪化とともに、満足な職に就けない若者たちの数も増えている。

先にも述べたようにペレストロイカの後期、ここではフェルガナ事件やオシュ事件など流血の民族紛争が続発し、またイスラーム復興運動がめざましく進展した。一九九七年末にはウズベキスタンのナマンガンで凄惨な暗殺や銃撃事

件が続発し、これをワッハービーの仕業とみなした当局は一〇〇〇人をこす一斉検挙をおこなって、復興主義者を弾圧した。アフガニスタンからタジキスタン経由で流入する武器や麻薬も増大しつつあるといわれる。九九年と二〇〇〇年の夏には、いわゆる「イスラーム武装勢力」が、南のタジキスタン領内からこの地域への浸透をはかった。とりわけ九九年の侵入事件は、中央アジア諸国への最大の支援国のひとつ、日本の鉱山技師を人質にしたことから、わが国でも大きな関心を呼んだ。

この緊張をはらんだ地域に重大な紛争が生起すれば、それは中央アジア全体の安定をゆるがすことになるだろう。これを未然に防ぐには、この地域の社会・経済的な諸問題が解決されなければならない。そのためには限られた水資源の利用、人と物資の国境をこえての円滑な移動、交通・運輸網の整備、安定したエネルギー供給、恒常的な情報の公開と提供、環境汚染の防止、民族間関係の調停、共同の治安維持など広範な地域協力が求められている。この地域ではすでに国連やNGOも活動を開始しているが、三国の実効ある地域協力は不可欠である。

一方、独立を宣言した中央アジア諸国は、トルコやイランなどの中東イスラーム諸国といち早く外交関係を樹立し、一九九二年には経済協力機構(ECO)にも加盟した。この巨大な地域協力機構は、従来のトルコ、イラン、パキスタン三国の地域協力機構に中央アジア諸国、アフガニスタン、アゼルバイジャンが加盟して成立したものであり、中央アジアと中東との急接近が注目された。しかし、アフガニスタン内戦による機能不全もあって実効を発揮するにはいたっていない。トルコの強力な主導で始まったテュルク系諸国の協力関係も、サミットの開催を除けばほとんど通常の二国間関係にとどまっている。

最後に現代中央アジアの国際関係にもう一度目を向けると、そこには先に述べた「イスラーム原理主義」の脅威とならんで、中央アジアの豊かな地下資源にたいする世界各国の強い関心が働いていることがわかる。とりわけカスピ海周辺、すなわちカザフスタンとトルクメニスタンの天然ガスと石油資源の開発と輸送ルートは、欧米、ロシア、トルコ、イラン、パキスタンなど各国の利害がせめぎ合う場として注目を集めている。中央アジアの今後は、このような資源をめぐる国際関係によっても大きく左右されることになるだろう。そして、日本の経済支援のあり方も、中央アジアの将来ともはや無縁ではない。

以上、本節ではペレストロイカ以後の中央アジアの動向を概観してきた。現代中央アジア諸国は、多くの共通の課題をかかえながらも、独立後は個々の条件と戦略にそって別個の歴史を刻みつつある。したがって、現代中央アジアについていえば、近い将来、各国史の記述は可能であり、かつ書かれなければならない。しかし、現代の民族や国家の枠組みを前提としてその悠久の歴史を裁断することには慎重でなければならないだろう。そこには本書に述べられているような、あまりにも分厚い歴史の基層が存在するからである。

90°
100°
110°
120°
130°
50°
40°
30°
20°
ア 連 邦
イェニセイ川
ブリヤート共和国
バイカル湖
スク
イルクーツク
トゥヴァ共和国
セレンゲ川
ウラーンバートル
モンゴル
内モンゴル(蒙古)自治区
ウルムチ
ハミ
トゥルファン
維吾爾)自治区
安西
玉門関
嘉峪関
敦煌
酒泉(粛州)
張掖(甘州)
武威(涼州)
ロプノール湖
ャルクリク
青海
蘭州
包頭
オルドス
黄河
北京
天津
煙台
黄河
徐州
南京
西安
華人民共和国
長江
武漢
自治区
成都
重慶
金沙江
怒江
ジリンツォ湖
ナムツォ湖
シーカツェ
ラサ
シッキム
ティンプー
ブータン
アッサム
バングラデシュ
ダッカ
ミャンマー
ヴェトナム
ラオス
香港
90°
100°
110°

新版 世界各国史 全28巻

全巻完結

新版《しんぱん》 世界各国史《せかいかっこくし》 4
中央《ちゅうおう》ユーラシア史《し》

2000年10月25日　1版1刷　発行
2019年12月31日　1版5刷　発行

編　者　小松《こまつ》 久男《ひさお》
発行者　野澤伸平
発行所　株式会社 山川出版社
〒101-0047　東京都千代田区内神田 1-13-13
電話　03(3293)8131(営業)　8134(編集)
https://www.yamakawa.co.jp/
振替　00120-9-43993
印刷所　図書印刷株式会社
製本所　株式会社 ブロケード
装　幀　菊地信義

ISBN 978-4-634-41340-5

執筆者紹介（執筆順）

小松 久男　こまつ ひさお
1951年生まれ。東京大学大学院人文科学研究科博士課程中退
東京大学名誉教授，公益財団法人東洋文庫研究員
主要著書・訳書：『イスラム都市研究』（共著，東京大学出版会，1991），『革命の中央アジア――あるジャディードの肖像』（東京大学出版会，1996），『激動の中のイスラーム――中央アジア近現代史』（イスラームを知る18，山川出版社，2014）
執筆担当：序章，第６章３節，第７章３節，第８章３節

林 俊雄　はやし としお
1949年生まれ。東京大学大学院人文科学研究科博士課程単位取得退学
創価大学名誉教授
主要著書：『講座文明と環境５』（共編著，朝倉書店，1996），『岩波講座世界歴史３』（共著，岩波書店，1998），『中央ユーラシアの考古学』（共著，同成社，1999）
執筆担当：第１章

梅村 坦　うめむら ひろし
1946年生まれ。東京教育大学大学院博士課程単位取得退学
中央大学名誉教授，公益財団法人東洋文庫研究員
主要著書・論文：『世界史リブレット11　内陸アジア史の展開』（山川出版社，1997），『世界の歴史７　宋と中央ユーラシア』（共著，中央公論社，1997），『アジアの歴史と文化８　中央アジア史』（共著，同朋舎，1999），「増補　天山ウイグル王の肖像をめぐって」（『鎌倉仏教の様相』吉川弘文館，1999）
執筆担当：第２章

濱田 正美　はまだ まさみ
1946年生まれ。京都大学大学院修士課程修了
京都大学名誉教授
主要論文：「サトク・ボグラ・ハンの墓廟をめぐって」（『西南アジア研究』No.34 1991），「『塩の義務』と『聖戦』との間で」（『東洋史研究』52-2 1993），Le sufisme et “ses opposants” au Turkestan oriental (*Islamic Mysticism Contested*, Fr. de Jong & B. Radtke ed., Leiden, 1999)
執筆担当：第３章，第６章２節，第７章２節，第８章２節(3)

堀川 徹　ほりかわ とおる
1950年生まれ。京都大学大学院文学研究科博士課程中退
現在，京都外国語大学国際言語平和研究所特別研究員
主要著書：『パクス・イスラミカの世紀』（共著，講談社現代新書，1993），『講座イスラーム世界３　世界に広がるイスラーム』（編著，栄光教育文化研究所，1995），『アジアの歴史と文化８　中央アジア史』（共著，同朋舎，1999）
執筆担当：第４章

石濱 裕美子　いしはま ゆみこ
1962年生まれ。早稲田大学大学院文学研究科後期課程修了
現在，早稲田大学教育・総合科学学術院教授

主要著書・訳書：『チベット仏教世界の歴史的研究』(東方書店，2001)，『西藏仏教宗義研究　第4巻』(東洋文庫，1974)，『図説　チベット歴史紀行』(河出書房新社，1999)，『ダライ・ラマの仏教入門』(訳，ダライ・ラマ14世，光文社，1995)
執筆担当：第5章，第8章2節(2)

中見 立夫《なかみ たつお》
1952年生まれ。一橋大学大学院法学研究科博士課程中退
東京外国語大学名誉教授
主要著書・論文：『地域からの世界史6　内陸アジア』(共著，朝日新聞社，1992)，*Mongolia in the Twentieth Century, Landlocked Cosmopolitan* (共著，M. E. Sharpe, 1999)，“New Trends in the Study of Modern Mongolian History” (*Acta Asiatica*, No.76, 1999)
執筆担当：第6章1節，第7章1節，第8章1節・2節(1)

付　　　録

■索　引

人名索引

●アーオ

アカーエフ　445
Askar Akaev　1944-
アクチュラ　386
Yusuf Akçura　1876-1935
アサド　155
Asad　9世紀
アサン(ハサン)　194
Ḥasan　12～13世紀
阿史徳元珍──→トゥニュクク
阿史那賀魯　110, 128
位650-657
アショーカ王　107, 116
Aśoka　位前268頃-前237頃
アシンラマ　255
Asing lam-a　16世紀
アスパルフ　78
Asparukh　位681-700頃
アッティラ　59
Attila　位434頃-453
阿那瓌　57, 64
位520-552
アヌシュ・テギン　171, 179
Anush Tegin　位1077-97
アバイ　329
Abay Qŭnanbaev　1845-1904
アバガ　190, 191, 198
Abagha　位1265-81
アーファーク・ホージャ──→ホージャ・アーファーク
アブー・アリー・イブン・スィーナー(アヴィセンナ)　160, 161
Abū ʻAlī ibn Sīnā (Avicenna)　980-1037
阿伏至羅　56
5世紀末-6世紀初
アブー・サイード(フレグ・ウルス)　199, 216
Abū Saʻīd　位1316-35
アブー・サイード(ティムール朝)　225, 226, 230, 239
Abū Saʻīd　位1451-69
アブー・サイード(ジャイバーン朝)　233
Abū Saʻīd　位1530-33
アブデュルハミト2世　372
Abdülhamid II　1842-1918(位1876-1909)
アブドゥッラー　156
ʻAbd Allāh　9世紀半ば
アブドゥッラー1世　233
ʻAbd Allāh I　位1540
アブドゥッラー2世　233-235, 239, 243
ʻAbd Allāh II　位1583-98
アブドゥッラシード・スルタン(ハーン)　300, 302
ʻAbd al-Rashīd Sulṭān (Khān)　位1537/8頃-59
アブドゥッラシード・ハーン　304
ʻAbd al-Rashīd Khān　位1670-96
アブドゥッラティーフ(ティムール朝)　225
ʻAbd al-Laṭīf　位1449-50
アブドゥッラティーフ(シャイバーン朝)　233
ʻAbd al-Laṭīf　位1549-52
アブドゥッラー・ハーン　302
ʻAbd Allah Khān　位1638/9-
アブドゥッラフマーン　147
ʻAbd al-Raḥmān
アブドゥルアズィーズ　233
ʻAbd al-ʻAzīz　位1540-49
アブドゥルカリーム(サトゥク)　164
ʻAbd al-Karīm
アブドゥルカリーム・ハーン　303
ʻAbd al-Karīm Khān　位1559/60-91
アブドゥルマリク　146
ʻAbd al-Malik　位685-705
アブドゥル・ムウミン　235
ʻAbd al-Muʼmin　位1598
アブドカリーム・アッバーソフ　379, 380

'Abd al-Karim Abbasov ?-1949
アブド・ラスール・ベグ 313
'Abd Rasūl Beg
アフマド 155
Aḥmad ?-864?
アフマド 195
Aḥmad ?-1282
アフマド(ジャライル朝) 217, 218
Sulṭān Aḥmad 位1382-1410
アフマド(ティムール朝) 226
Sulṭān Aḥmad 位1469-94
アフマド・カーサーニー 303
Aḥmad Kāsānī 1461-1542
アフマドジャン 379-381
Aḥmadjān Qāsim 1912-49
アフマド・ハーン 299, 302
Sulṭān Aḥmad Khān 位1485頃-1503
アフマド・ヤサヴィー 168, 218, 238
Aḥmad Yasavī ?-1166
アフマド・ユクナキー 167
Aḥmad Yuknakī
アブー・ムザーヒム(蘇禄) 148, 149
Abū Muzāhim ?-737
アブー・ムスリム 149
Abū Muslim ?-755
アフメト・ケマル 372, 373
Ahmet Kemal
アブライ・ハーン 325
Abïlay Khān 1712-81
アブー・ライハーン・アル・ビールーニー 161
Abū Rayḥān al-Bīrūnī 937-1050以降
アブルガーズィー 329
Abū'l-Ghāzī Bahādur Khān 1603-63
アブル・ハイル・ハーン 198, 225, 229-232, 236, 238
Abū'l-Khayr Khān 位1428-68
アミーン・ホージャ 308
Amīn Khwāja
アラー・ハーン 313, 314
'Alā Khān
アリー 164
'Alī 位?-998
アリー・クシュチ 241
'Alī Qushchi 1402頃-74
アリク・ブケ 141, 189, 191
Arïq Böke ?-1266
アリー・シール・ナヴァーイー 227, 241
Mīr 'Alī Shīr Navā'ī 1440/1-1501
アリストテレス 161
Aristoteles 前384-前322
アリー・ハーン・トラ 379
'Alī khān Tora
アリー・ベグ 195
'Alī Beg 13世紀後半
アーリム 331
'Ālim Khān 位1798-1810
アーリム・クリ 313, 314
'Ālim Quli ?-1865
アルグ 189, 190
Alghu 位1260-66
アルクタイ・タイシ 209
Arughtai Tayìshi ?-1434
アルグン・ハーン 206
Arghun Khan 位1284-91
アルサケス 101
Arsaces 位前250頃-前248頃
アルシャドゥッディーン 202, 299
Arshad al-Dīn
アルスラン・ハーン 164
Arslan Khān
アルタン・ハーン 210, 253-257, 275
Altan qaγan 1507/8-83(位1542-83)
アルチダイ 177
Alchidai
アルトゥンサリン 328
Ïbray Altïnsarin 1841-89
アルプテギン 157
Alptegin ?-963
アレクサンドロス 97-101, 108, 145
Alexandros 前356-前323(位前336-前323)
アンティオコス1世 99
Antiochos I 位前281-前261
アンティオコス2世 100
Antiochos II 位前261-前246頃
アンドロポフ 414
Yuri Vladimirovich Andropov 1914-84

安禄山　250
705-757
イェスゲイ・バアトル　175
Yesügei Ba'atur　12世紀後半
イェスデル　209
Yesüder　位1388-91
イシュパカー　31
Ishpakai　前7世紀前半
イスカンダル　234
Iskandar　位1561-83
イスタフリー　79, 81, 162
al-Iṣṭakhrī　10世紀中頃
イスマーイール　155
Ismā'īl　位892-907
イスマーイール・ハーン　304
Ismā'īl Khān　位？-1680
イナルチュク　179
Inalchuq　？-1220
夷男　67
位629-645
イブヌルアスィール　164
Ibn al-Athīr　1160-1234
イブラヒム　386
Abdürreşid İbrahim　1857-1944
イブン・バットゥータ　206
Ibn Baṭṭūta　1304-68/9
イブン・ハルドゥーン　202, 219
Ibn Khaldūn　1332-1406
イブン・フルダーズビフ　156
Ibn Khurdādhbih　？-848頃
イブン・ルスタ　81
Ibn Rustah　10世紀初
イブン・ルーズビハーン　236
Ibn Rūzbihān　1456-1521
イリミンスキー　323
Nikolai Ivanovich Il'minskii　1822-91
イルリグ(頡利)可汗　67
位619-630
イワン4世　317, 319
Ivan Ⅳ　1530-84
ヴァリドフ(トガン)　403
Ahmed Zeki Velidi Togan　1890-1970
ウァレンス帝　58
Valens　位364-378
ヴォルテール　320
Voltaire　1694-1778
ウズベク・ハーン　197, 203, 204
Özbeg Khān　位1313-41
ウズン・ハサン　226
Uzun Ḥasan　1427-78(位1453-78)
ウバイドゥッラー　145
'Ubayd Allāh　？-686
ウバイドゥッラー・ハーン　233, 236
'Ubayd Allāh Khān　位1533-40
ウバイドゥッラ・ホジャエフ　395
Ubäydullä Khojäev　1880-1938
ウマル　151, 152
'Umar　位717-720
ウマル・シャイフ　217
'Umar Shaykh　1354/7-94
ウリャンカダイ　188, 189
Uriyangqadai　13世紀
ウルグ・ベク　224, 225, 230, 240
Ulugh Beg　1394-1449(位1447-49)
ウンゲルン・シュテルンベルグ　352, 353
R. F. Ungern-Shternberg (Sternberg)
1885-1921
衛青　43
？-前106
永楽帝〈明〉　170
位1402-24
エカテリナ2世　320-322
Ekaterina II　1729-96(位1762-96)
エサルハッドン　31
Asarhaddon　位前680-前669
エジェイ　210
Ejei　位1634-36
エセン　209, 210
Esen　位1452-54
エセン・ブカ　200, 206, 209, 210
Esen Buqa　位1310-18
恵琳　82
6世紀後半
エルデニエルケトクトネー　267
Er te ni er khe tog tho nas
エルテュゼル　330
Eltüzer Khān　位1804-06
エンヴェル・パシャ　404
Enver Paşa　1881-1922
袁世凱　371
1859-1916

王延徳　136
939-1006
王恩茂　384
王昭君　42
前１世紀後半
王莽　44, 52
位後８-23
オゴデイ　177, 181-185
Ögödei　位1229-41
オスマン　378, 381
ʻOthman　1899-1959
オチルトセチェン・ハーン　262-264
Ochir tu se chen rgyal po　位1666-76
オラーンフー(烏蘭夫)　363, 364, 422
Ulaγankegüü　1906-88
オルクナ　185, 189
Orqïna　1251-60
オルジェイト　199
Öljeitü　位1304-16
オロス　199, 200
Oros　13世紀末～14世紀初
オロス・ハーン　215
Oros Khān　?-1377
オン・ハン　176, 194
Ong Khan　?-1203

●カ―コ

カイドゥ　141, 145, 190-192, 199, 205, 208
Qaidu　位1269-1301
ガウハル・シャード　224
Gauhar Shād　?-1457
カウフマン　335
Konstantin Petrovich Kaufman 1818-82
霍去病　122
前140頃-前117
郭守敬　207
1231-1316
カザガン　211, 212
Amīr Qazaghan　?-1358
カザン・ハーン　211, 213
Qazan Khān　?-1346
ガザン・ハーン　199, 202, 204, 238
Ghazan Khān　位1295-1304
カーシム・ハーン　231
Qāsim Khān　位1511-18
ガスプリンスキー　338, 339, 386
Ismail bey Gasprinsky　1851-1914
カーゾン　292
George Curzon　1859-1925
カチウン　177
Qachi'un　12世紀後半
カーディーザーダ・ルーミー　240
Qāḍīzāda Rūmī　?-1436
カニシカ王(１世)　106-108
Kanishka I　２世紀
軻比能　53-55
２世紀末-３世紀初
カプガン(黙啜)(可汗)　68, 69
Qapghan　位691-716
カラ・フレグ　185
Qara Hülegü　位1242-46
カラ・ユースフ　224
Qara Yūsuf　位1385-1420
カリモフ　444
Islam Kärimov　1938-
カール大帝　77
Karl　位768-814
ガルダンツェリン　305
Galdan Tsering　位1727-45
ガルダンテンジンボショクト・ハーン　261-264, 267, 268, 278, 281, 304, 305
dGa' ldan bstan 'dzin sbo shog thu khan　1644-97
カルピニ　206
Plano Carpini　1182?-1252
カール・マルテル　78, 80
Karl Martell　689-741
闞伯周　126
Tshe rig don grub　５世紀
麴嘉　126
位501頃-521
麴伯雅　127
位601-623
麴文泰　127, 129
位623-640
麴寶茂　127
位554-560
岐国公主　179
義浄　137
635-715
キト・ブカ　187

Kit Buqa　?-1260
キュロス2世　96
Kyros II　位前558-前530
キョルクズ　142
Körküz　13世紀
キョル・テギン(闕特勤)　69, 70
Kyol-Tegin　685-731
キョル・ビルゲ可汗(懐仁可汗)──→クトゥルグ・ボイラ
金樹仁　373, 374
金城公主　130
?-739
クウラト　78
Kuvrat　位635頃-642
グシ・ハーン──→テンジンチューキ・ゲルポ
クジュラ・カドフィセス(丘就卻)　106, 108
Kujula Kadphises　1世紀
クタイバ・イブン・ムスリム　146-148, 151
Qutayba ibn Muslim　669/70-715
クチュ　184, 188
Küchü　?-1236
クチュクンジ　233
Küchkünji Khān　位1512-30
クチュルク　172, 178
Küchlüg　位1211/2-18
クトゥルグ(骨咄禄)イルテリシュ可汗　68, 69
Qutlug [Ilterish]　位682-691
クトゥルグ・テムル　197
Qutlug Temür
クトゥルグ・ボイラ(骨力裴羅)　71
Kyol-Bilge　位744-747
クナエフ　411, 437, 438
Dĭnmŭkhamed Qonaev　1912-
クビライ(世祖)　124, 185, 187-192, 194-196, 204, 205, 208, 209, 251, 255-257, 269, 270
Qubilai　1215-94(位1260-94)
グユク　184, 185, 186
Güyük　位1246-48
グーラク(烏勒伽)　147, 148, 149
Ghūrak
グーリー　319
Arkhiepiskop Gurii
クルサウィー　322
Abū al-Naṣr al-Qūrsāwī　1776/7-1812
ケネサル　326
Kenesarī Qasīmulī　?-1847
ケベク　200, 201
Kebeg　位1318-26
ゲルワカルマパ16世　428
Rang byung rig pa'i rdo rje　1924-81
ゲルワカルマパ17世　428, 430
Phrin las rdo rje
ケレイ(ギレイ)・ハーン　230, 231
Kerei (Girei) Khān
玄奘　110-113, 117, 119, 121, 123, 129
602-664
憲宗〈元〉──→モンケ
玄宗　69
位712-756
ゲンドゥンドゥプ　255
dGe'dun grub　1391-1474
乾隆帝　269-276, 278
1711-99(位1735-95)
康熙帝　249, 265, 268, 275, 278
1654-1722(位1661-1722)
高仙芝　149
?-755
高祖〈漢〉劉邦　41, 43
位前202-前195
高祖〈唐〉李淵　66
位618-626
江沢民　435
1926-
広福　371
呼韓邪単于　44, 46
位前58-前31
呉三桂　265
1612-78
コチガル　141
Qochgar　位1266-?
呉忠信　378
コトラグ　78
Kotrag　7世紀後半
胡耀邦　432
1913-89
ゴルバチョフ　414, 415, 438, 441
Mikhail Sergeevich Gorbachyov

1931-
コンチェク　200
Köncheg　位1306-08

●サ－ソ

サアド　239
Sa'd　?-1589
サアーリビー　158
Thaālibī　?-1038
サイイド・アジャッル　195
Sayyid Ajall
サイイド・バラカ　213
Sayyid Baraka
サイイド・ヤークーブ・ハーン　314
Sayyid Ya'qūb Khān　?-1910
サイード・ハーン(スルタン・サイード)
300, 302
Sulṭān Sa'īd Khān　位1514-33
サイフッディーン・バーハルズィー
202
Sayf al-Dīn Bākharzī　?-1261
蔡邕　53
133-192
左宗棠　315, 370
1812-85
サトゥク・ボグラ・ハーン　163, 164
Satuq Bughra Khān　位?-955
サドルッディーン・ハマヴィー　202
Ṣadr al-Dīn Hamavī　13世紀末頃
沙鉢略大可汗　66
位581-587
サービト・ダーモッラー　375, 376
Sābit Dāmullā　?-1934
サーマーン・フダー　155
Sāmān Khudā
サムヴァ　121
サームサーク　310
Sāmsāq　1755-98頃
サライ・ムルク・ハヌム　213
Saray Mulk Khanīm　14世紀後半
サルゴン2世　30
Sargon　位前722-前705
サルジダイ　197
Saljidai
サンゲギャムツォ　266
Sangs rgyas rgya mtsho　1653-1705
サンド(三多)　294
San dowa　1875-1940
ジェブツンダムパ1世(ジニャーナヴァジュラ)　258, 263, 264, 266-269, 275
rJe btsun dam pa　1635-1722
ジェブツンダムバ・ホトクト(8世)
294, 295, 343, 347, 354, 355
J̌ebčundamba qutuγtu　1870-1924
ジェベ　181
Jebe　?-1225
史思明　250
?-761
シシュピール(世失畢)　110
Shyshpyr　位?～605/7頃
郅支単于　44
位前56-前36
室点蜜(西面可汗)瑟帝米, イステミ, ディザブロス, シルジブロス, シンジブー
65, 66
Istemi, Dizaboulos, Silziboulos, Sinzibou　?-576
司馬遷　45
前145頃-前86頃
シハーブッディーン・マフムード(マフドゥーミ・ヌーラー)　302
Shihāb al-Dīn Maḥmūd (Makhdūm-i Nūrā)　16世紀
シバン　198, 229
Shiban　13世紀
始畢可汗　67
位609-619
シャー・イスマーイール　232
Shāh Ismā'īl　位1501-24
シャイバーニー　173, 227, 231, 232, 236, 239
Shaybānī Khān　1451-1510(位1500-10)
射匱可汗　109
位611-617頃
闍那崛多　82
6世紀後半
ジャーニー・ベグ　198
Jānī Beg　位1342-57
ジャーニー・ベク・ハーン　230, 231
Jānī Beg Khān　15世紀
ジャーニー・ムハンマド　235
Jānī Muḥammad　16世紀後半-17

世紀初
ジャハーンギール　214
Jahāngīr　1356頃-76
ジャハーンギール　310, 311
Jahāngīr　1790-1828
ジャハーン・シャー　225
Jahānshāh　位1434-67
シャー・マクスード　374
Shāh Maqṣūd
シャー・マリク　224
Shāh Malik　14世紀後半-15世紀初
ジャマールッディーン(札馬児丁)　206
Jamāl al-Dīn　13世紀
ジャマールッディーン　202
Jamāl al-Dīn　14世紀
シャームラード　330
Shāh Murād　位1785-1800
ジャラールッディーン(礼馬児丁)　181
Jalāl al-Dīn　位1220-31
シャー・ルフ　170, 223-225, 230
Shāh Rukh　位1409-47
社崙(丘豆伐可汗)　55, 56
位402-410
周恩来　383, 431
1896-1976
朱元璋　209
位1368-98
朱徳　431
1886-1976
ジュナイド　149
Junayd
ジュネイト・ハン　403
Jüneyit Khan　?-1938
順治帝〈清〉　278
1638-61(位1643-61)
順帝〈元〉──→ドゴン・テムル
蔣介石　357, 360
1887-1975
沮渠安周　126
5世紀
沮渠無諱　126
5世紀
ジョチ　142, 177, 178, 181, 184, 197, 198, 235
Jöchi　1172-1225頃
ジョチ・カサル　177
Jöchi Qasar　?-1213頃
シリギ　191
Shirigi　13世紀
ズィヤード・イブン・アビーヒ　144, 145
Ziyād ibn Abīhi
ズィヤード・イブン・サーリフ　149
Ziyād ibn Ṣāliḥ　?-675
スヴァルナデーヴァ　127
Svarnadeva　7世紀
スヴャトスラフ大公　82
Svyatoslav　?-972
スターリン　377, 380, 407, 411, 442
Iosif Vissarionovich Stalin　1879-1953
ストラボ　102, 105
Strabo　前63頃-後21頃
スピタメネス　99
Spitamenes　前4世紀
スベデイ　181, 184, 188
Sübe'edei
スュンギュリュグ・カガン(獅子王)　134, 136
Süngülüg　10世紀
スライマーン　148
Sulaymān　位715-717
スルタンガリエフ　402, 403
Mirsaid Sultan-Galiev　1892-1940
盛世騏　378
?-1942
盛世才　374, 375, 377, 378
1864-1930
世祖〈元〉──→クビライ
成宗〈元〉──→テムル
セイフディン　381
Sayf al-Dīn 'Azīz　1914頃-
セミョーノフ　352
G. M. Semenov　1890-1946
セリンドンロブ(白雲梯)　357
Seringdonrub　1894-1980
セレウコス1世(セレウコス・ニカトール)　99
Seleukos Nicator　位前312-前280
善耆(粛親王)　293
1866-1922
宣宗〈金〉　179
位1213-23
宣統帝　371

1906-67(位1908-12〈清〉)
則天武后　68
位690-705
ソユルガトミシュ　213
Soyurghatmish　位1370-84
ソンツェンガムポ　129, 249-251, 253, 255, 256, 259, 260, 275
Srong btsan sgam po　位593-638, 643-649

●タート

太祖〈北周〉宇文泰　64
505-556
太宗〈唐〉　68, 129
位626-649
太宗〈元〉──→オゴデイ
太宗(清)──→ホンタイジ
大檀(牟汗紇升蓋可汗)　56
位414-429
ダイチンアユキ・ハーン　262-264, 272
da'i ching a yo shi khan　位1697-1721
太武帝〈北魏〉　54, 56
位423-452
大邏便(阿波可汗)　66
6世紀後半
ダーウード・ドゥグラト　214
Dāwūd Dughlat　14世紀末-15世紀初頭
タガチャル　188, 189
Taghachar　13世紀
ダキーキー　158
Daqīqī　?-977
タタトゥンガ(塔塔統阿)　140
12-13世紀
妥得璘　313
佗鉢可汗　66, 82, 83
位572-581
タバリー　158
Ṭabarī　837-923
タブガチ・ボグラ・ハン　166
Tabghach Bughra Khān
ダムバドルジ　356, 357
Dambadorǰi　1899-1934
タヤン・ハン　140
Tayan Khan　?-1204
ダヤン(大元)ハーン　210, 253, 254
Dayan Khān　位1487-1524
ダライラマ3世(ソナムギャムツォ)　253-257
bSod mams rgya mtsho　1543-88
ダライラマ4世　257, 258
Yon tan rgya mtsho　1589-1616
ダライラマ5世　259, 260, 263-267, 272, 304
Ngag dbang blo bzang rgya mtsho　1617-82
ダライラマ6世　266
Tshang dbyangs rgya mtsho　1683-1706
ダライラマ7世　266-268
bsKal bzang rgya mtsho　1708-57
ダライラマ13世　292, 296, 348, 349, 364, 426
Thab bstan rgya mtsho　1853-1933
ダライラマ14世　365, 366, 426-429
bsTan 'dzin rgya mtsho　1935-
タラガイ　211
Taraghai　14世紀
タラート・パシャ　372
Talât Paşa　1874-1921
ターラナータ　258
Tāranātha　1575-1634
タリク　200
Taliqu (Naliqu)　位1308-09
ダリール・ハーン　378, 380
Dalil Khan　?-1949
タルドゥ(達頭)可汗　66
Tardu　位576-603
タルハーン(タルフーン)　147
Ṭarkhān (Tarkhūn)
タルマシリン　201, 202
Tarmashirin　位1326-34
ダレイオス1世　96, 97, 110
Dareios I　位前522-前486
ダレイオス3世　98
Dareios III　位前336-前330
ダワチ・ハーン　308
Dawaci
ダンザン　353
Dangǰan　1895-1932
檀石槐　52-54
2世紀中頃
チェルネンコ　414

Konstantin Ustinovich Chernenko 1911-85
チャガタイ　177, 181, 182, 185
Chaghatai　位1227-42
チャパル　192, 199, 200
Chapar　位1301-06
チャンキャ2世　269, 270
lCang skya rol pa'i rdo rje　1717-86
中行説　45, 46
前2世紀前半
チョイバルサン　358
Čoyibalsang　1895-1952
張議潮　124, 131
?-872
張騫　43, 102, 103, 114, 115
?-前114
張治中　379
1891-?
趙爾豊　297
1845-1911
長春真人　206
1148-1227
張承奉　124
9-10世紀
張孟明　126
5世紀
チョギャムトゥルンパ　426
Chögyam drung pa　1939-87
チラウン　177
Chila'un　13世紀初頃
チンカイ　183
Chinqai　?-1251頃
チンギス・ハン(テムジン)　139, 140, 175, 177-182, 186, 194, 195, 197, 201, 211, 213, 235, 251-253, 256, 257, 259, 278, 280, 281, 332, 343, 420
Chinggis Khan　1167?-1227(位1206-27)
ツェリンドンドゥップ　272
Tshe ring don grub　?-1743?
ツェレンチメド　295, 344
Čeringčimed　1869-1914
ツェレンドルジ　358
Čeringdorǰi　1868-1928
ツェワンラブタン　266
Tshe dbang rab brtan　1664?-1727
ツォンカパ　254, 255
Tsong kha pa　1357-1419
ディオドトス1世　100
Diodotos I　前250-前245
鄭吉　115
ティソンデツェン　130, 249, 270, 271
Khri srong lde btsan　位754-815
ティツゥン妃　129, 250
Khri btsun　7世紀
ティツクデツェン　131
Khri gtug lde btsan　位815-841
ティデツクツェン　130
Khri lde gtsug btsan　704-754
ティムール　174, 198, 209, 211-224, 227, 238, 240, 241, 441
Tīmūr　1336-1405(位1370-1405)
ティルミズィー　159
al-Tirmidhī　824頃-892
ティンレードルジェ　428
Phrin las rdo rje　1985-
テオドシウス2世　59
Theodosius　位408-450
テオドリック　59
Theodorich　?-451
テキシュ　180
Tekish　位1193-1200
デムゲ・オッチギン　177, 182
Temüge Otchigin　1173?-1236?
デムチュグドンロブ(徳王)　360, 361
Demčuγdongrub　1902-66
テムル　191, 192, 208
Temür Qa'an　位1294-1307
デメトリオス1世　100
Demetrios I　?-前160(位前200-前160)
寺内正毅　351
1852-1919
テンジンダヤン・ハーン(ダライ・ハーン)　262, 263
bsTan 'dzin rdo rje rgyal po　位1658-68
テンジンダライ・ハーン　262, 263
bsTan 'dzin da la'ī khan　位1668-1701
テンジンチューキ・ゲルポ(グシ・ハーン)　259, 260, 262, 263, 266, 267

bsTan 'dzin chos kyi rgyal po
1582-1655
ドゥア　141, 191, 192, 199, 200
Du'a　位1283-1306
トゥグシャーダ　148
Ṭughshāda
ドゥクチ・イシャーン　337
Dukchi Eshan　?-1898
トゥグルク・ティムール・ハーン　202-204, 211, 212, 298, 299, 308, 312
Tughluq Timūr Khān　位1346-63
竇固　125
?-88
道光帝　311
位1820-50
陶峙岳　381
鄧小平　432
1902-1997
トゥニュクク(暾欲谷)　68-70
Tunyuquq　?-725頃
道武帝〈北魏〉　55
371-409(位386-409)
トゥプテンイェーシェー　426
Thub bstan ye shes　1935-84
ドゥホフスコイ　338
Sergei Mikhailovich Dukhovskoi
ドゥラトフ　396
Mir-Jaqup Dulatov　1885-1935
鄧力群　380
豆崙　56, 57
位485-492
トカ・テムル　235
Toqa Temür　13世紀
トグス・テムル　209
Tögüs Temür　位1378-88
トクタ　197
Toqta　位1291-1312
トクタミシュ・ハーン　198, 214, 215, 217, 218
Toqtamish Khan　位1378-95
トゴン　209
Toghon　?-1439
トゴンテムル・ハーン(順帝)　209, 253
Toghon Temür Khan　1320-70(位1332-70)
トシェート・ハン　258, 259, 262, 266
Tüsiyetü qan　17世紀
土門(伊利可汗)　64, 65
位552-553
トルイ　177, 181, 182, 183
Tolui　1192-1232
ドルジエフ　291
Agvan Dorjiev (Ngag dbang rdo rje)
1853-1938
ドレゲネ　185
Döregene　?-1246
頓莫賀達干(トン・バガ・タルカン)──→武義成功可汗
統葉護(トン・ヤブグ)可汗　109, 110, 127
?-628(位617頃-628)

●ナーノ

ナウルーズ　202
Amīr Nawrūz　13世紀末
ナウルーズ・アフマド・ハーン──→バラク・ハーン
ナサーイー　159
al-Nasā'ī　830-915
ナザルバエフ　435
Nursultan Nazarbaev　1940-
ナジュムッディーン・クブラー　202
Najm al-Dīn Kubrā
ナスィールッディーン・トゥースィー　207
Naṣīr al-Dīn Ṭūsī　1197?-1274
ナスル(サーマーン朝)　155
Naṣr　位875-892
ナスル(カラハン朝)　165
Naṣr　位996-1013
ナスル・ビン・マンスール　164
Naṣr bin Manṣūr
ナセル　383
Jamāl 'Abd al-Nāṣir　1918-70
ナーディル・シャー　329
Nāder Shāh　1688-1747
ナムカイノルブ　426
Nam mka'i nor bu　1938-
ナムリソンツェン　250
gNam ri srong btsan
ナヤン　191
Nayan　?-1287
ナルシャヒー　150, 158
Narshakhī　899-959
ナールブータ・ビー　310, 331

Nārbūta Bī　位1770-98/9
ニギュリン　141
Nigulin　位1308-18
ニコライ2世　338, 390
Nikolai II　1868-1918
ニザームルムルク　157
Niẓām al-Mulk　1018-92
日逐王　44, 115
前1世紀
ヌルハチ　210, 277
Nurhaci　1559-1626(位1616-26)
ネーザク　147
Nēzak
ネルー　383
Jawaharlal Nehru　1889-1964
ノガイ　197
Noghay　13世紀末-14世紀初
ノムガン　191
Nomughan　?-1282

●ハ―ホ

バアトル　189
Ba'atur　13世紀後半
ハイサン　295
Qayisan　1862-1916
ハイドゥ──→カイドゥ
バイトゥルスノフ　396
Akhmet Baytûrsïnov　1873-1937
ハカム・イブン・アムル・アル・ギファーリー　144
Ḥakam ibn 'Amr al-Ghifarī
バーキー・ムハンマド　235
Bāqī Muḥammad　位1599-1605
パクパ　252, 253, 254, 255, 270
'Phags pa　1235-80
ハサネ・サッバーフ　185
Ḥasan-i Ṣabbāḥ　位1090-1124
ハサン　164, 165
Ḥasan　位?-992
ハサン・イブン・スライマーン　166
Ḥasan ibn Sulaymān　位?-1074/5
馬儒　126
5世紀
馬仲英　374, 375
1910頃-37頃
ハック・クリ・ベグ　316
Ḥaqq Quli Beg
ハッジャージュ・イブン・ユースフ　146, 148
Hajjāj ibn Yūsuf　661頃-714
バトゥ　184, 185, 197
Batu　1207-55(位1227-55)
ハトゥーン　145, 148
Khātūn
バハーウッディーン・ナクシュバンド　238
Bahā'al-Dīn Naqshband　1317-89
ババ・テュクレス　203
Baba Tükles
ハビーブ・アッラー　313
Ḥabīb Allāh　?-1867
バーブル　232, 241
Ẓahīr al-Dīn Bābur　1482-1530
ハーフンガ　363, 422
Qafungγ-a　1908-70
バヤズィト　220
Sulṭān Bāyazīd　位1389-1402
バヤン・ハン　77
Bayan Khan　?-601頃
バラク　190, 191
Baraq　位1266-71
バラク・ハーン　233
Baraq Khan　位1552-56
バランベル　58, 59
Balamber　4世紀末
ハリール・スルタン　220, 223
Khalīl Sulṭān　位1405-09
バルアミー　158
Bal'amī　?-974
バルクーク　217
Barqūq　位1390-99
バルスボラド　254
Barsu bolud　1484-1531
バルタトゥア　31
Partatua　前7世紀
バルチュク・アルト・ティギン　139
Balchuk Alt Tigin　12-13世紀
バルヒー　158
Balkhī　?-936/7
パンチェンラマ　253, 273, 274
paN chen bla ma dpal ma dpal ldan ye shes　1738-80
パンチェンラマ10世　428

Blo bzang phrin las lhun grub chos kyi rgyal mtshan　1938-89
パンチェンラマ11世(ゲンドゥンチュキニマ，ゲルツェンノルブ)　429, 430
dGe'dun chos kyi nyi ma (rGyal mtshan nor bu)　1990-
班超　125
32-102
ハンドダルジ　294
Qangdudorǰi　1871-1915
范文虎　193
13世紀後半
ヒシャーム　149
Hishām　位724-743
ヒズル・ホージャ　218
Khiḍr Khwāja　位1383-99
ビフザード　240
Bihzād　1450頃-1534
馮玉祥　357
1880-1948
ビルゲ懐建可汗　134
Bilge　9世紀
ビルゲ(毘伽)可汗　69, 70
Bilge　位716-734
ピール・ムハンマド(ティムール朝)　219, 223
Pīr Muḥammad　?-1407
ピール・ムハンマド(シャイバーン朝)　234
Pīr Muḥammad　位1556-61
ピール・ムハンマド2世　235
Pīr Muḥammand II　位1598-99
ファイズッラ・ホジャエフ　397
Fäyzullä Khojäev　1896-1937
ファーラービー　161
al-Fārābī　870-950頃
ファルガーニー　160
al-Farghānī　?-861
フィトラト　397, 400
Äbdräuf Fiträt　1886-1938
フィルダウスィー　158, 166
Firdawsī　934-1025
プガチョフ　320, 326
Emel'yan Ivanovich Pugachyov　1724頃-75
武義成功可汗(長寿天親可汗)　74
位779-789
牟羽(ブグ)可汗　72-74, 83
位759-779
ブケイハノフ　396
Älikhan Bökeykhanov　1866?-1937
フサイン　212, 213
Amīr Ḥusayn　?-1370
フサイン　226, 227, 230, 232
Sulṭān Ḥusayn Mīrzā Bāyqarā　位1470-1506
フジャンディー　160
al-Khujandī　?-1000
ブーズジャーニー　160
al-Būzjānī　?-998
ブズルグ・ハーン　313
Buzurg Khān　1824-69
武帝〈漢〉　43, 115
位前141-前87
武帝〈北周〉　82
位560-578
プトレマイオス　105
Ptolemaios Klaudios　2世紀
ブハーリー　159
al-Bukhārī　810-870
ブルニ　278
Burni　1651?-75
ブルハーヌッディーン　305, 310
Burhān al-Dīn　?-1759
ブルハーヌッディーン・アル・マルギーナーニー　160
Burhān al-Dīn al-Marghīnānī　?-1197
ブルハン　373, 381
Burhān　1894-1989
フレグ　185-187, 190, 198, 199
Hülegü　1218-65(位1256-65)
ブレジネフ　414
Leonid Il'ich Brezhnev　1906-82
ブレダ　59
Bleda　5世紀初
プロトテュエス　29, 31
Protothyes　前7世紀
文成公主　130, 250
文帝〈漢〉　46
位前180-前157
プンヤシュリー(本雅失里)　209, 221
Punyashri　位1408-12

ベグ・クリ・ベグ　316
Beg Quli Beg
ベッスス　98
Bessus　前4世紀
ヘラクレイオス1世　77
Herakleios I　位610-641
ベルケ　190, 197, 202, 204, 238
Berke　位1257-66
ベルディ・ベグ　198
Berdi Beg　位1357-59
ペーローズ　145
Pērōz
ヘロドトス　27-29, 31, 38
Herodotos　前485頃-前425頃
龐テギン　132
9世紀
ホエルン　175, 177
Ho'elun
ボオルチュ　177
Bo'orchu　?-1226頃
保義可汗　73
位808-821
僕固俊　133
9世紀
ボグド・セチェン・ハーン──→ホンタイジ
冒頓単于　41, 42, 46
位前209-前174
ホージャ・アーファーク(ヒダーヤット・アッラー)　303-305, 316
Khwāja Āfāq (Hidāyat Allāh)　?-1694
ホージャ・アフラール　225, 226, 237, 239
Khwāja Aḥrār　1404-90
ホージャ・イスハーク　303
Khwāja Isḥāq　?-1599
ホージャ・イスラーム　239
Khwāja Islām　?-1563
ホージャシ・ベク　308
Khwājasī Beg
ホージャ・ジャハーン　305, 310
Khwāja Jahān　?-1759
ホージャ・タージュッディーン　299, 300, 302
Khwāja Tāj al-Dīn　?-1524
ホージャ・ダーニヤール　304
Khwāja Dāniyāl
ホージャ・ニヤーズ　375-377
Khwāja Niyāz　?-1937
ホージャ・ムハンマド・シャリーフ　302, 303
Khwāja Muḥammad Sharīf　1473/4-1565
ホージャ・ムハンマド・ヤフヤー(ホージャ・シャーディー)　303
Khwāja Muḥammad Yaḥyā (Khwāja Shādī)　?-1645/6
蒲寿庚　194
12-13世紀
ホラズミー　160
al-Khwārazmī　?-850頃
ボリス　79
Boris　位852-889
ボロクル　177
Boroqul　?-1217
ホンタイジ(ボグト・セチェン・ハーン)　210, 277, 278, 305
Hongtaiji (Boγda sečen qaγan)　1592-1643(位1626-43)

●マ－モ

マウラーナザーダ　213
Mawlānā-zāda　14世紀
マクディースィー　154
Maqdīsī　?-985頃
マスウーディー　81
Mas'ūdī　?-956
マスウード・ベク　195
Mas'ūd Beg
マスード・サブリ　373, 379, 381
Mas'ūd Ṣabrī　1886-1952
マデュエス　29
Madyes　前7世紀末-前6世紀初
マニ　83, 112
Mani　216頃-276
マフドゥーミ・アーザム(アフマド・カーサーニー)　239, 303, 304
Makhdūm-i A'ẓam　?-1549
マフムード　226
Maḥmūd　位1494-95
マフムード・アル・カーシュガリー　134
Maḥmūd al-Kāshgharī　11世紀
マフムード・ヤラワチ　183, 195
Maḥmūd Yalawachi　?-1255頃

マルコ・ポーロ　206, 251
Marco Polo　1254頃-1324頃
マルワズィー　160
al-Marwazī　?-870頃
マンスール　186
Manṣūr　位754-775
マンスール・ハーン　299, 300, 302
Manṣūr Khān　位1502/3-
ミトラダテス2世　101
Mithradates II　位前123-前87
ミーラン・シャー　219
Mīrān Shāh　1366/7-1408
ミールザー・アバー・バクル　300
Mīrzā Abā Bakr
ムアーウィヤ　144
Mu'āwiya　位661-680
ムカリ　177
Muqali　1170-1223
ムクタディー　167
al-Muqtadī　位1075-94
ムスリム　159
Muslim　817/21-875
ムータスィム　156
Mu'taṣim　位833-842
ムータミド　155
al-Mu'tamid　位870-892
ムナッヴァル・カリ　339, 395
Munävvär Qari Äbduräshidkhan oghli　1878-1931
ムバーラク・シャー　190
Mubārak Shāh　位1266
ムハンマド　180, 181
Muḥammad　位1200-20
ムハンマド・アミーン・ブグラ　375
Muḥammad Amīn Bughra　1901-65
ムハンマド・アリー・ハーン　310, 311
Muḥammad 'Alī Khān　位1822-42
ムハンマド・サーディク・ムハンマド・ユースフ　442
Muhämmäd Sadiq Muhämmäd Yusuf
ムハンマド・ジューキー　225
Muḥammad Jūkī　15世紀
ムハンマド・ハーン　303
Muḥammad Khān　位1591-
ムハンマド・ユースフ　303
Muḥammad Yūsuf　?-1653
ムハンマド・ラヒーム　330
Muḥammad Raḥīm Khān　位1756-58
ムハンマド・ワリー・スーフィー　303
Muḥammad Walī Ṣūfī
メリク・テムル　191
Melig Temür　?-1307
メルジャニー　323
Shihāb al-Dīn Merjānī　1818-99
メルセ　357
Mếrsế　1894-?
毛沢東　366, 378, 381, 431
1893-1976
毛沢民　378
木杆可汗　65, 66
位553-572
モユン・チョル(磨延啜)(葛勒可汗)　71-73
Moyun-Chor　位747-759
モンケ　184, 185, 187-189
Möngke　1208-59(位1251-59)
モンケセル　185
Mönkeser　13世紀
モンケ・テムル　190, 197
Möngke Temür　位1267-80
モンテ・コルヴィノ　206
Monte Corvino　1247-1328

●ヤ―ヨ

ヤークーブ・ビン・ライス　156
Ya'qūb bin Layth　位861-?
ヤークーブ・ベグ　288, 313-316
Ya'qūb Beg　1820-77
ヤサウル　200
Yasa'ur　1289-1320
ヤズィード　146
Yazīd　位680-683
ヤフヤー　239
Yaḥyā　?-1500
耶律阿海　178, 179
12-13世紀
也立安敦　140
12-13世紀
耶律楚材　183
1190-1244
耶律大石　133

?-1143(位1132-43)
耶律禿花　179
12-13世紀
ヤール・ムハンマド　235
Yār Muḥammad　16世紀
ヤングハズバンド　292
Francis E. Younghusband　1863-1942
ユスティニアヌス1世　77
Justinianus I　位527-565
ユスティヌス2世　77
Justinus II　位565-578
ユースフ・ハース・ハージブ　166
Yūsuf Khāṣṣ Ḥājib
ユーヌス　225
Yūnus　位1462-87
雍正帝　278
1638-1735（位1723-35)
楊増新　371, 373
煬帝　66
位604-618
ヨブクル　191
Yobuqur　13-14世紀
ヨルバルス　381
Yolbars Khan　1880-?

●ラ－ロ・ワ

ラサン・ハーン　262, 266, 268
lHa bzang han　位1703-17
ラーシディーン・ホージャ　312
Rāshidīn Khwāja　?-1867
ラシードゥッディーン　199
Rashīd al-Dīn　1247-1318
ラシドフ　411
Shäraf Räshidov　1917-83
ラージン　320
Stepan Timofeevich Razin　1630-71
ラッバーン・ソウマ　206
Rabban Sauma　1225-94
ラティモア　367
Owen Lattimore　1900-89
ラビア・スルタン・ベギム　230
Rābiʿa Sulṭān Begim　15世紀
ラフマーノフ　450
Imāmalī Rahmānov　1952-
ラミーエフ兄弟　386
Mukhammadshakir Ramiev　1857-1914, Mukhammadzakir Ramiev　1858-1921
李元昊　124
1003-48(位1038-48)
李鴻章　315
1823-1901
李広利　115, 122
前2世紀末
李自成　278
1606-45
李聖天　121
劉少奇　380
1898-1969
呂光　126
位389-399
呂文煥　194
13世紀
リンダン・ハーン　210, 277
Lingdan (Ligdan) qaγan　位1604-34
リンチノ　353, 355
Elbek-Dorji Rinchino　1888-1938
ルィコシン　336
Nil Sergeevich Lykoshin　1860-1922
ルクヌッディーン・フルシャー　186
Rukn al-Dīn Khur Shāh　位1255-56
ルスクロフ　402
Turar Ryskulov　1894-1943
ルーダキー　158
Rūdakī　?-940/1
ルブルク　206
Rubruquis　1215-20(生年)
レオ1世　59
Leo　位440-461
レーニン　355, 397, 401, 411, 442
Vladimir Il'ich Lenin　1870-1924
老上単于　46, 102
位前174-前160
ロブサンダンジン　267, 268
Blo bzang bstan 'dzin
ワリード　148
al-Walīd　位705-715
ワリハノフ　328
Chokan Valikhanov　1835-65

事項索引

●ア—オ

●カ―コ

●サーソ

●タート

●ナーノ

●ハーホ

●ヤ—ヨ

●ラ—ロ

●ワ

■年　表

［略号］ **Tu**：トルキスタン(東西トルキスタンを含む)　**Ti**：チベット　**M**：モンゴル
Ne：ネパール　**RT**：ロシア領トルキスタン　**R**：ロシア　**CA**：中央アジア
Si：シベリア　**Xin**：新疆

年　代	事　　項
前7600～前6600頃	西アジアでヒツジとヤギの家畜化始まる
前5000～前4000	牧畜とムギ栽培をともなう複合経済，黒海北岸からウラル山脈あたりまで広まる
前4000～前3500	ウクライナ中部のデレイフカ遺跡(馬の家畜化と騎乗の開始説の根拠を提供)
前3500頃	西アジアで車輪，発明される
前4千年紀	インド・イラン人，カフカスからカスピ海，アラル海方面に出る(この人々をコーカソイドという)
前3000頃	北カザフスタンのボタイ集落址(大量の馬の骨が出土)
前2500～前1800	カスピ海・黒海北方でヤームナヤ(竪穴墓)文化広まる(栽培と牧畜の複合経済)
～前3千年末頃	プロト・インド人，マルギアナ，バクトリアに南下し，ガンダーラにまで到達
前3千年紀末	プロト・インド人，ミタンニ王国を建て，パレスチナ，シリアに展開(～前2千年紀前半)
前2000～前1500	ヴォルガ川下流域・黒海北岸にカタコンブナヤ(地下横穴墓)文化。ウラルより東側のシベリアにも栽培牧畜文化広がる
前1700頃	ヴォルガ川下流域にスルブナヤ(木槨墓)文化現れる。南シベリア・中央アジアにアンドロノヴォ文化広まる
前16世紀頃	ウラル地方・カザフスタンで馬の引く軽車両，使用される
前16～前15世紀	草原地帯東端に夏家店下層文化，出現する
前2千年紀	中央アジア西部，青銅器時代にはいる
前13～前12世紀	南シベリア・モンゴル高原でカラスク文化現れる
前2千年紀末頃	コペトダウ北麓マルギアナの農耕文化，灌漑施設や城塞をもった都市型の集落を形成し，復興
前10～前9世紀	草原の乾燥化進む
前9～前8世紀	先スキタイ時代。黒海北岸を中心とするチェルノゴロフカ型文化と北カフカスを中心とするノヴォチェルカッスク型文化
前8～前4世紀	モンゴル高原から中国北部にかけて，スキタイに似た武器・馬具・動物文様をもつ文化が栄える
前714	アッシリアのサルゴン2世，キンメリオイに襲われたウラルトゥに攻め込み，大勝利
前8世紀半ば	ウラルトゥのサルドゥリ2世の治世(前764～735)末期，キンメリオイ，イラン西北部にあらわれる

前8末～前7世紀	キンメリオイとスキタイ，西アジアへ侵入
前7～後1世紀	南シベリアにタガール文化
前670年代	スキタイのパルタトゥア王，アッシリアのアサルハッドンの娘との結婚を申し出る
前7世紀中頃	キンメリオイ，アナトリア中西部にはいり，フリュギアやリュディアを襲撃
前7世紀末	メディアのニネヴェ包囲の際，スキタイ王プロトテュエスの子マデュエスの率いる大軍，メディア軍を撃破
前7世紀末頃	メディア王国，北方スキタイの支配を脱してアッシリアを征服
前6世紀半ば	メディア王国から自立したアケメネス朝ペルシアのキュロス２世，バビロニアを征服し，バクトリアと北方のサカ人を従える
前1千年紀半ば頃	都市型の集落をもった地方統一体，ホラズムとソグディアナに出現
前5世紀前半	アケメネス朝ペルシア，ギリシア遠征失敗ののち，次第に衰える
前4世紀頃	カスピ海北方草原でサルマタイの勢力，勃興
前331	ダレイオス３世，アルベラでアレクサンドロス軍に敗れる
前329	アレクサンドロス，中央アジア西部に遠征(～前327)
前323	アレクサンドロス，バビロンで病死
前312	セレウコス朝の中央アジア支配，始まる(～前250頃)
前4～前2世紀	前期サルマタイ文化(またはプロホロフカ文化)
前3世紀初め	セレウコス朝のアンティオコス１世，マルギアナ，ソグディアナ，バクトリアなどの中央アジア西部を統治
前3世紀	ガンダーラ語(ガンダーリー)・カロシュティー文字文化圏，次第にタリム盆地南縁一帯に広がり始める(～後３世紀)
前3世紀	アショーカ王碑文建立
前250頃	バクトリアのサトラップ，ギリシア人のディオドトス１世が独立し，グレコ・バクトリア王国成立
前3世紀半ば頃	イラン系パルニ族のアルサケス兄弟，セレウコス朝の農耕パルティア地方のサトラップを襲って自立。パルティアの成立
前246	セレウコス朝のアンティオコス２世，死去
前221	秦の始皇帝，中国を統一
前214	始皇帝，将軍蒙恬を遣わし，オルドス地方の匈奴を討つ
前3世紀末	匈奴の冒頓単于，東胡・月氏を撃破
前200	冒頓単于，漢の高祖の軍を破る
前2世紀	サルマタイ，ドニェプル川流域からスキタイを駆逐
前2世紀～	北方遊牧民サカの系統の人々，西北インドを支配
前181	匈奴，蘭州南方に侵入し，２千余人を略奪
前145頃	グレコ・バクトリア王国の危機。ギリシア人植民都市アイ・ハヌム，焼討ちにあって廃棄される
前141	漢の武帝，即位
前139	張騫，大月氏のもとへ派遣される
前136頃	大月氏，ソグディアナからバクトリア地方を制する(～前129頃)
前133	匈奴の大軍をおびき寄せる漢の計略，事前に発覚し，失敗
前129	武帝に派遣された４人の将軍による匈奴遠征，敗北に終わる

前128	衛青の率いる3万騎，匈奴数千人を斬首・捕虜にする
前121	漢軍，河西地方を奪取。小月氏，漢軍の霍去病による討伐後も敦煌周辺に広く居住(～後3世紀)
前119	霍去病，河西の地を匈奴から奪取する
前104	漢，西域のオアシス地域に遠征。李広利の大宛遠征(～前101)
前99	匈奴，李陵を捕らえる
前90	匈奴，李広利を捕らえる
前60	匈奴西部辺境王の日逐王，漢に服属
前1世紀	アルサケス朝パルティア，西方でローマ帝国と対峙
前59	漢，鄭吉を初の西域都護に任命
前57	匈奴に五単于，争立
前51	呼韓邪単于の率いる東匈奴，漢に臣属
前1世紀半ば	セレウコス朝の滅亡
前36	西匈奴，漢軍に敗れる
前33	呼韓邪単于，漢の皇室から王昭君を迎える
紀元前後	インド仏教，中央アジア西部に広がりながら，とくに東方，中国にも伝わる
紀元前後～1世紀頃	貴霜(クシャーン)，バクトリアから領土を拡大
1～5世紀	南シベリアにタシュティク文化
48	匈奴，再分裂
1世紀後半	カスピ海北方の草原にアラン騎馬遊牧民の登場
1世紀末	鮮卑，西進して北匈奴の余衆を吸収し，モンゴル高原に覇を唱える
～94	班超，タリム盆地・トゥルファン盆地のほぼ全域を制圧し，パミールの西へも後漢の威令が達する
97	班超，部下の甘英を大秦国に派遣
166	大秦王安敦の使者，後漢に来訪
2世紀中頃	鮮卑に檀石槐，あらわれる
2末～3世紀初	鮮卑の軻比能，頭角をあらわす
3世紀	マニ教，バビロニアに誕生
3世紀頃	草原の匈奴が衰え，オアシス地方の政治的統合が起こる
226	サーサーン朝ペルシア，アルサケス朝パルティアを滅ぼす
235	軻比能，魏の刺客により暗殺される
3世紀末	中国で硬式鞍，あらわれる
4世紀	敦煌莫高窟の造営始まる
4世紀～	トユクやベゼクリクに仏教石窟寺院が造営されて繁栄
304	五胡十六国時代の始まり(～439)
4世紀前半	バクトリアとソグディアナで，サーサーン朝王子を中心とする副王がクシャーン王として支配(クシャノ・サーサーン朝)
350頃	フン，アランを襲う
375頃	バランベルが率いるフン軍，東ゴート王国に侵入
376	フン，西ゴートに迫る
395	フン，西アジアへ遠征

399	法顕，インドに向け出発(～412)
4末～5世紀	中国北部に後輪傾斜鞍，登場
402	柔然の社崙，丘豆伐可汗と称す(～22)
	北魏，柔然を討つ
414	大檀，柔然の可汗として即位(～429)
424	大檀，北魏の旧都盛楽を陥れ，世祖太武帝を包囲する
434	フン，東ローマのテオドシウス2世にたいし，貢納の倍増を約束させる
447～	フン，西ローマ領内に侵入
448	沮渠安周，トゥルファン盆地の交州を征服
5世紀半ば	エフタル，ヒオンやキダーラを吸収して広大な領域を占める(～6世紀半ば)
451	フン，西ローマ・西ゴート連合軍と衝突
452	フンの首長アッティラ，北イタリアへ侵入し，ローマ教皇レオ1世の調停で休戦
453	アッティラ，死去
460	高昌の安周，柔然によって殺される
485	豆崙，柔然の可汗として即位(～492)
490	高車の阿伏至羅，北魏にソグド人商人を使者として派遣
491	氏政権，高車とエフタルの介入を受けて崩壊
500頃	高車，高昌王を継いだ馬儒が北魏に通じようとするとこれを殺し，麴嘉を高昌王とする。麴氏高昌国，成立(～640)
523	柔然，中国北辺に侵入し，略奪をおこなう
544頃	突厥の阿史那氏，長城にいたる
545	西魏の宇文泰，突厥に使者を派遣
546	突厥の首長の土門，西魏に朝貢使節団を派遣
6世紀半ば	突厥西部の勢力，北方草原から中央アジア西部一帯を支配下におく(583年以後この勢力は一般に西突厥と呼ばれる)
6世紀中頃	ビザンツ皇帝ユスティニアヌス1世の治世(518～565)末年，アヴァル遊牧民が北カフカスに出現
551	土門，西魏より公主を迎える
552	土門，柔然を攻め，伊利可汗と号す(～552)。突厥，柔然を破る
553	突厥の木杆可汗，即位(～572)
558	突厥，サーサーン朝ペルシアと共同して，エフタルを挟撃し滅ぼす
568	突厥のイステミ(室点蜜)，ビザンツにソグド人使節を派遣
572	木杆の弟，佗鉢可汗の即位(～581)
574	ビザンツのユスティヌス2世，バヤン・ハン率いるアヴァルに貢納を再開する
580年代	突厥，東西に分離
581	沙鉢略大可汗，即位(～587)
6世紀末頃	突厥のブグト碑文，モンゴル高原中央部に建てられる
583	突厥の大邏便，西面可汗のタルドゥ(達頭)のもとに逃れる
6世紀末	ハザル，黒海北岸に進出
600	タルドゥ，モンゴル高原に進出して大可汗となる(～603)
7世紀前半	ソンツェンガムポ，チベット高原全域を統一

609	突厥の始畢可汗，即位(～619)
620	突厥のイルリグ(頡利)可汗，即位
7世紀前半	西突厥，草原を越えてタリム一帯も影響下におく
623/4	アヴァル，コンスタンティノープルを包囲。ヘラクレイオス1世により撃退される
627頃	玄奘，インドに向けて出発
630	頡利可汗が唐に降伏し，東突厥は滅亡。唐の進出を恐れた最後の高昌王麴文泰，西突厥と結ぶ
634	唐，吐谷渾を征伐
	吐蕃，はじめて唐に遣使
640	唐，トゥルファン盆地の高昌に西州をおき安西都護府を設置。東部天山北麓に庭州(702年に北庭都護府)をおいて西突厥に対抗
641	ソンツェンガムポ，唐の文成公主を迎えて唐と20年間にわたる良好な外交関係を固める
642	大ブルガリアの指導者クヴラト死去。アラブ軍，ニハーヴァンドの戦いでサーサーン朝の正規軍を粉砕
644	唐，西突厥からアグニ(焉耆)をとる
646	唐，薛延陀を滅ぼす。亀茲王スヴァルナデーヴァを西突厥から帰順させる
648	安西都護府，亀茲に移される
649	安西四鎮の治所，コータン(于闐)・カシュガル(疏勒)・クチャ(亀茲)・アグニ＝カラシャフル(焉耆)におかれる(～670)
7世紀中頃	ハザル，西突厥より独立
7世紀後半	吐蕃，唐に対抗しはじめる
651	アラブの第1次内乱，始まる。唐の安西都護府，西州に戻される
657	シャシュ(石国＝タシュケント)にいた西突厥の阿史那賀魯，唐に捕えられる
658	唐の安西都護府が西州からふたたびクチャに戻され，西突厥の支配終わる。唐，西突厥を滅ぼす
663	吐蕃，吐谷渾を滅ぼす
665	ムアーウィア，寵臣のズィヤード・イブン・アビーヒをバスラ総督に任命してホラーサーンの統治を委ねる
667	ズィヤードの部将ハカム・イブン・アムル・アル・ギファーリー，バルフ方面へ作戦をおこなう
670	吐蕃のクチャ進出で唐の安西都護府，ふたたび高昌に戻される。安西四鎮も廃止される
671	ズィヤード，バスラとクーファから5万のアラブ戦士をその家族とともにホラーサーンへ移住させる
674	ウバイドゥッラー，アム川を渡河しブハラのオアシスに侵入
679	唐の安西四鎮の治所，コータン，カシュガル，クチャ，スィアブ(砕葉)に再設置される(～719)
680	クヴラトの第三子アスパルフ，ドナウ川を越えてビザンツ軍を破る
682	突厥のクトゥルグ(骨咄禄)，唐から独立し，イルテリシュ可汗と名のる(～691)
686/7	イルテリシュ可汗，モンゴル高原の聖地ウテュケン山を奪還

691	クトゥルグの弟の黙啜，カプガン可汗を号す(～716)	
692	吐蕃，テュルギシュ(突騎施)と連合した唐軍にクチャを奪回され，唐の安西都護府が復活	
696	突厥のカプガン可汗，唐の則天武后に単于都護府の地の返還を迫る	
705		アラブのクタイバ・イブン・ムスリム，ホラーサーン総督に起用される
706	Tu	クタイバ，アム川を越え，バイカンドのまちを占領して多大の戦勝品を手に入れる
709	Tu	クタイバ，激しい戦闘ののちにようやくブハラの町を征服
710	Ti	金城公主，ティデツクツェンに嫁する
	Tu	サマルカンドの住民，蜂起して支配者タルハーンを退位させる
712	Tu	テュルク部隊，アラブの攻撃を受けるサマルカンドに来援したが現地民の支持を得られず退去
716		ビルゲ(毘伽)可汗，即位
717		アラブ軍，ホラズムを征服
719		突騎施，西突厥の主権を握る。唐，砕葉城を放棄
720		ビルゲ可汗，唐に侵入
725頃		トゥニュクク(暾欲谷)死去
727		ビルゲ，玄宗に吐蕃からの書状を献じて，誠意を示す
731		キョル・テギン(闕特勤)死去
734		ビルゲ可汗死去
737		アラブ軍，ヴォルガ川下流域まで攻め込み，ハザルのハンはイスラームに改宗
740半ば	Tu	アム，シル両川のあいだの地域(マー・ワラー・アンナフル)とフェルガナ地方，アラブの支配に服する
741～		ウイグル，カルルク・バスミルなどとともに突厥を攻撃
744		ウイグルの首長クトゥルグ・ボイラ(骨力裴羅)，キョル・ビルゲ可汗となる(～747)
745		突厥最後の可汗，殺される
747		クトゥルグ・ボイラの子モユン・チョル(磨延啜)，葛勒可汗となる(～759)。アブー・ムスリム，マルヴを掌握して東方でのウマイヤ朝支配を終息させる
751	Tu	ズィヤード・イブン・サーリフが率いるアラブ軍，タラス河畔で高仙芝麾下の唐軍を撃破
755	Ti	安史の乱，起こる(～763)。吐蕃のスムパ政権，退けられる
757		ウイグルの葛勒可汗，セレンゲ河畔にバイ・バリクを建設(～758頃)。葛勒可汗，唐に援軍を送る
759		ウイグルのブグ(牟羽)可汗，即位(～779)
8世紀後半	Tu	マー・ワラー・アンナフルにおけるアッバース朝の支配確立
762		牟羽可汗，史朝義に誘われ唐に来る
763		牟羽可汗，引き揚げの際にマニ教僧侶を連れ帰る。吐蕃，長安を占領
779		トン・バガ・タルカン(頓莫賀達干)，クーデタを起こし，可汗

		となる(~789)
	Ti	吐蕃王ティソンデツェン，仏教を国教として宣言。サムエ大僧院の本堂，落成
780		ウイグルの頓莫賀達干，クーデタを起こし可汗となる
780年代~	Ti	吐蕃，敦煌を直接支配下におく(~848)
8末~9世紀初		アヴァル，フランク王国のカール大帝の遠征軍によって壊滅
790頃	Ti	吐蕃軍，クチャの安西都護府を陥れ，天山北麓のビシュバリクまで進出。唐朝の西域経営断絶
803		ウイグル，高昌をおさえる
819頃	Tu	サーマーン・フダーの一族，アッバース朝からマー・ワラー・アンナフル方面の支配権を得る
822	Ti	唐蕃会盟，ラサでおこなわれる
824	Ti	デンカルマ目録，成立
840		ウイグル国内に内紛起こり，キルギスの攻撃により滅亡
840すぎ		ウイグル，エチナ川沿いに次第に南下し，約50年後には甘州を確保
846		北庭のウイグル，吐蕃をトゥルファンから追い，高昌城に拠る
848		敦煌の土着漢人豪族張議潮，吐蕃勢力を駆逐
850頃		天山ウイグル王国(西ウイグル王国)の基礎が成立(~1280頃)
851		張議潮，唐から帰義軍節度使に任ぜられつつ自立し，張氏の敦煌支配始まる(~907)
864		ドナウ・ブルガリアのハン，ボリス，キリスト教を国教とする
	Tu	サーマーン家のナスル，サマルカンドの支配者となる
875	Tu	サーマーン家のナスル，カリフのアル・ムータミドからマー・ワラー・アンナフル全体の支配権を与えられる
9世紀前半頃		ハザルのハーカーンの権威，名目的なものになる。ハザルの上層部，ユダヤ教を受容
9世紀末	Tu	カラハン朝，カシュガルを占領し，イスラームを受容
916		契丹の耶律阿保機，大契丹国皇帝と称し，神冊と建元
10世紀半ば	Tu	セルジューク集団，オグズから別れてシル川左岸に移りジャンドを根拠地とする
~960年代		李聖天の名で知られる王サムバヴァ，50年間にわたってコータン王国を統治
10世紀後半	M	契丹(遼)，モンゴル高原に進出
960年代		アルプテギン，ガズナ朝の基礎を築く
965		ハザルの首都イティル，キエフ・ルーシのスヴャトスラフ大公の遠征で攻略される
982		天山ウイグル王国のスュンギュリュグ・カガン，宋の使者，王延徳とビシュバリクで会見
990	Ti	李継遷，夏国王を称する
992	Tu	カラハン朝のハサン，一時的にサマルカンドとブハラを占領
999	Tu	カラハン朝のアリーの息子ナスル，最終的にブハラを攻略し，サーマーン朝を滅亡させる

11世紀			甘州にタングート勢力およぶ
1004			契丹，宋と澶淵の盟を結ぶ。契丹，可敦城に鎮州建安をおく
1006			コータン王国，カラハン朝イスラーム勢力に滅ぼされる
1014			敦煌の曹氏，沙州ウイグルを称する
1020年代	Tu		セルジューク集団，ガズナ朝下のホラーサーン北部に侵入開始
1036頃			タングートの李元昊，河西の「瓜沙粛三州」を取る
1038			セルジューク家のトゥグリル・ベク，ニーシャープールに入城。セルジューク朝成立。タングート，大夏国(西夏国)を建てる(～1227)
1040	Tu		セルジューク朝軍，ダンダナカンの合戦でガズナ軍を撃破
11世紀半ば	Tu		カラハン朝，完全に東西に分裂
1054	Ti		ドムトゥン，カダム派を創始
1055			セルジューク朝軍，バグダードに入城
1069/70	Tu		ユースフ・ハース・ハージブ，『クタドゥグ・ビリグ』をカシュガルの支配者タブガチ・ボグラ・ハンに献呈
1073	Ti		クンチョク・ゲルポ，サキャ派を創始。サムプ僧院，建立される
1077/83			マフムード・アル・カーシュガリー，テュルク・アラビア語辞典『ディーワーン・ルガート・アッテュルク』をカリフ，アル・ムクタディーに献呈
1077頃			アヌシュ・テギン，ホラズム総督に任命される。ホラズム・シャー朝の起源
1115			女直の阿骨打，帝位に就き，国号を金と称する
1120			金，遼の首都上京を攻略
1122			金，宋と同盟して遼の中京・西京・燕京を攻略
1123			金，燕雲十六州のうち6州を宋に与える
1124すぎ	M		契丹(遼)の耶律大石，西走
1125			金，遼の天祚帝を捕らえる。遼の滅亡
1132	Tu		カラキタイ建国
1142	Tu		カラキタイ，マー・ワラー・アンナフルを征服
1158	Ti		パクモドゥ派，テルを創建
1159	Ti		カルマ・ドゥスム・キェンパ，カルマ寺を建てる。ツルプ，建立される
1203	M		テムジン，ケレイト部のオン・ハンを奇襲
1205			西夏治下の瓜州・沙州，モンゴルの攻撃を受ける
	M	春	テムジン，モンゴル高原のほぼ全域を統合
1206	M		テムジン，チンギス・ハンとして即位。大モンゴル国，誕生
1207	M		チンギス・ハンの長子ジョチ，「森林の民」を討伐
1208	M		チンギス・ハン，ナイマンの王子クチュルクを掃討
1209	M		西夏と天山ウイグル王国，モンゴルに服属
1211	Tu		フェルガナのカラハン朝，カラキタイを簒奪したナイマンのクチュルクに占領される
	M	春	チンギス・ハン，金遠征に出発
1212	Tu		ホラズム・シャー朝，マー・ワラー・アンナフルのカラハン朝を滅す
	M		クチュルク，カラキタイの王位を奪う

1214	M	*3*-	モンゴルと金との和議，成立
	M	*5*-	金の宣宗，開封に遷都
1215	Tu		チンギス・ハン，中都を征服。ホラズム・シャー朝，ガズナ朝にかわったゴール朝を破り，アフガニスタンまで領土を拡大
1217/8	Tu		ホラズム・シャー朝のムハンマド，バグダードに遠征
1218	M		チンギス・ハンがホラズム・シャー朝に派遣した通商団，オトラルで殺害される(オトラル事件)
1219	M		チンギス・ハン，ホラズム遠征
1220	Tu		ホラズム・シャー朝，崩壊
1223	M		モンゴル軍，カルカ河畔にルーシ諸侯の連合軍を破る
1225	M	春	モンゴル軍，帰還
1226	M		チンギス・ハン，西夏に遠征
1227			西夏降伏
	M	*8-15*	チンギス・ハン，六盤山の南麓清水河で死去
1229	M		オゴデイ，皇帝位に就く(～41)
1231			ホラズム・シャー朝，名実ともに滅亡
1232	M	*1*-	モンゴル軍，金の主力軍を撃破。トルイ死去
1233			金の首都開封，陥落
1234			金朝，滅亡
1235	M		モンゴル高原の中心部にカラコルムが建設される
1236			ヴォルガ・ブルガール，モンゴル軍により征服される
	M	*2*-	オゴデイの第三子クチュ，南宋遠征中に死去。遠征失敗に終わる
1237	M		モンゴル軍，ルーシ(ロシア)諸公国に進攻
1240	M		キエフ，陥落
1241	M	*4*-	モンゴル軍，モヒー草原でハンガリー国王軍を撃破。レグニツァでポーランド・ドイツ騎士団連合軍を破る
1246	M	夏	オゴデイの子グユク，即位(～48)
1251	M	*7*-	トルイの長男モンケ，皇帝位に就く(～59)
1253	M	秋	フレグ，ニザール派撲滅のため西アジア遠征に出発(～60)
1256	M	*11*-	ニザール派教団のルクヌッディーン・フルシャー，モンゴルに降伏
1258	M	*2*-	モンゴル軍の攻撃によりバグダード陥落。アッバース朝滅亡
1260	M,Ti		フレグ軍，アレッポ，ダマスクスを攻め落とす。クビライ，大カアンに即位(～94)。即位と同時にチベットの高僧パクパを国師に任命。アリク・ブケもカラコルムで即位。マムルーク朝，アイン・ジャールートでモンゴル軍を破る
1261	M		アルグ，チャガタイ・ハーンに即位
1264	M	*7*-	アリク・ブケ，クビライに敗退
1266すぎ	Tu		ウイグル王のコチガル，モンゴルの内乱に巻き込まれて一時ビシュバリクを失う
1266	M		バラク，チャガタイ・ハーンに即位
1268	M		クビライ，南宋攻撃開始
1269	M	夏	バラク，カイドゥ，モンケ・テムル，タラスで会盟。マー・ワラー・アンナフルの分割を決定。カイドゥ，即位

1270			ウイグル王国の首都ビシュバリク，陥落
1271	M		クビライ，国号を大元と称する。マルコ・ポーロ，中央アジアを旅して元朝に赴く。*6-*　元軍，南宋の援軍を粉砕
1273	M	*2-*	南宋の襄陽守備軍，降伏
1275			元朝のネストリウス教司祭ラッバーン・ソウマ，中央アジア横断の旅にでる
1276	M	*1-*	臨安，開城。モンケの子シリギ，アリク・ブケの子ヨブルクとメリク・テムルらの反乱
1279	M		南宋，崖山の戦いで滅びる
1283	Tu		西ウイグル国の王家，甘粛の永昌に移住
1287	M		オッチギン家の当主ナヤン，挙兵。クビライ，これを撃破
1289	M		クビライ，カラコルムへ出兵。カイドゥ撤退
1291			ジョチ・ウルスでトクタ，ハン位に就く
1294	M		成宗テムル，即位
1295	M		ガザン，アミール・ナウルーズの助言でイスラームに改宗。イル・ハーンに即位
1298	M		ラシードゥッディーン，ガザンの宰相となる
1300	M		カイドゥと元軍，衝突。カイドゥ，死去(01)
1301	M		カイドゥの子チャパル，即位
1303	M		チャガタイ家のドゥア,カイドゥの子チャパル,成宗テムルに臣従を誓う
1305	M		中央アジアをめぐるモンゴル帝国の紛争終結
1306	Tu		ドゥア・ハーンを戴くチャガタイ家の主権確立
1310	Tu		エセン・ブカ，チャガタイ・ハーン位に就く
1316	Tu		チャガタイ家のヤサウル，諸王やアミールらを引き連れてフレグ・ウルスに亡命
1320	Tu		チャガタイ・ハーンのケベク，ホラーサーンに派兵し，ヤサウルを倒す
1326	Tu		タルマシリン，チャガタイ・ハーンに即位
1335			フレグ・ウルスのアブー・サイード・ハーン死去
1336	Tu		ティムール誕生
1340年代	Tu		チャガタイ・ウルス，東西に分裂
1346	Tu		トゥグルク・ティムール，即位
1360	Tu		ティムール，トゥグルク・ティムールに帰順し，ケシュ地方を安堵される
1361	Tu		トゥグルク・ティムール，チャガタイ・ウルスを統一
1365	Tu		ティムール，アミール・フサインとともにモグール軍に大敗
1368			トゴン・テムル(順帝)，大都を去る。大都は明軍により破壊
1370	Tu		ティムール，西トルキスタンを統一し，ティムール帝国を建てる
1371	Tu		ティムール，モグーリスタンへ遠征(～90)
1377	Tu		ティムール，トクタミシュをジョチ・ウルス左翼のハーンとして即位させる
1378	Tu	春	トクタミシュル，サライを攻略し，ジョチ・ウルスの支配権を奪取

1379	**Tu**		ティムール，スーフィー朝の首都ウルゲンチを攻略し，ホラズム全域を支配下にいれる
1380	**Tu**		ティムール，イランのカルト朝に行軍，西方遠征を開始する
1382	**Tu**		ティムール，カルト朝とサルバダール朝を支配下にいれ，ホラーサーン地方を確保
1385			ティムール，ジャライル朝の首都スルターニヤを制圧
1386			ティムール，三年戦役に出発。アルメニア，グルジア，アナトリア東部へ進軍。シーラーズに入城し，ムザッファル朝を服属(～88)
1388	**M**		北元のトグス・テムル，明軍に急襲され死亡。クビライの王統，絶える
1391			明，ハミを征服
1392			ティムール，五年戦役(～96)に出発。ムザッファル朝を滅ぼし，バグダードへ無血入城(93)
1394			ティムール，グルジアを再征服
1395	**Tu**		ティムール，ジョチ・ウルスの首都サライを略奪
1397	**Tu**		ティムール，アフマド・ヤサヴィー廟を修復
1398			ティムール，デリー・スルタン朝支配下のデリーを占領
1400			ティムール，アレッポを占領
1401			ティムール，ダマスクスに入城
1402			ティムール，アンカラの戦いに勝利してオスマン朝のスルタン，バヤズィトを捕える
1403	**Tu**		ティムール，帝国の諸地域を一族に分封
1404	**Tu**		クラヴィホ，サマルカンドでティムールに謁見。***11***- ティムール，明遠征に出発
1405	**Tu**	***2***-	ティムール，オトラルで死去。ハリール・スルタン，サマルカンドに入城
1408			モンゴリアで，アス族(阿蘇特)のアルクタイ・タイシに擁立され，プンヤシュリー(本雅失里)，即位
1409	**Tu**		シャー・ルフ，サマルカンドを占領。ティムール朝の君主に即位(～47)
1420			シャー・ルフ，明の永楽帝に使節団を遣わす
1428	**Tu**		ウズベクのアブル・ハイル・ハーン，即位(～68)
1430/1	**Tu**		アブル・ハイル・ハーン，ティムール朝領ホラズムに遠征
1446	**Tu**		アブル・ハイル・ハーン，キプチャク草原東部を統一し，スグナク，サウラン，ウズゲンドを占領
1447	**Tu**		ウルグ・ベク，ティムール朝の王位を継承
1449	**Tu,M**		ウルグ・ベク，息子のアブドゥッラティーフに殺害される。オイラトのエセン，明に進攻(土木の変)
1451	**Tu**		ティムール朝のアブー・サイード，アブル・ハイル・ハーンの援助をえてマー・ワラー・アンナフルを掌握
1452	**M**		エセン，ハーン位に就く(～54)
1456	**Tu,M**		アブル・ハイル・ハーン，カルマク(オイラト)軍に敗れる
1457	**Tu**		アブー・サイード，ホラーサーンに出兵するが，ヘラート占領に失

			敗
1458	Tu		黒羊朝のジャハーン・シャー，ヘラートへ入城
1462	Tu		アブー・サイード，ユーヌスをモグーリスタンのハーン位に就ける
1469	Tu		アブー・サイード，白羊朝のウズン・ハサンに敗れ，殺害される
1470	Tu		ティムール朝のスルタン・フサイン，ヘラートを奪還し，ヘラート政権を樹立
1485	Tu		モグーリスタン・ハーン国でスルタン・アフマド・ハーン，即位
1487	M		チンギス家のダヤン・ハーン，即位(～1524)
1500	Tu		シャイバーニー・ハーン，サマルカンドを征服し，マー・ワラー・アンナフルを奪取。シャイバーン朝の成立
1502/03	Tu		モグーリスタン・ハーン国でマンスール・ハーン，即位
1503	Tu		シャイバーニー・ハーン，クンドゥズ，フェルガナ盆地，タシュケントを占領
1506	Tu		ティムール朝ヘラート政権のスルタン・フサイン死去
1507	Tu		シャイバーニー・ハーン，ティムール帝国を滅ぼす
1508/09	Tu		シャイバーニー・ハーン，対カザフ遠征に失敗
1510	Tu		シャイバーニー・ハーン，サファヴィー朝のシャー・イスマーイールにより敗死
1511	Tu		バーブル，サマルカンドを奪回
	Tu		キプチャク草原でカザフのカーシム・ハーン，即位(～18)
1512	Tu		ウズベク軍，バーブルを破る。ジョチ裔のイルバルス，ヒヴァ・ハーン国を興す
1513	Tu		仏教徒勢力，コムルから最終的に駆逐される
1514	Tu		スルタン・サイード，即位。カシュガル・ハーン国，成立
1524/5			ナクシュバンディー教団のシハーブッディーン・マフムード，カシュガルに到来
1524	Tu		モグーリスタン・ハーン国のマンスール・ハーン，粛州を包囲
1526			バーブル，パーニーパットでローディー朝を破り，ムガル朝を建国
1529	Tu		明朝，マンスールの通貢を認める
1537/8			カシュガル・ハーン国でアブドゥッラシード・スルターン，即位
1542	M		アルタン・ハーン，即位(～83)
1552	R	***10-2***	モスクワ大公イワン4世，ヴォルガ中流域の要地カザンを攻略し，カザン・ハーン国を滅ぼす
	Tu		シャイバーン朝のバラク・ハーン(～56)，サマルカンドを占領し，王朝を再統一
1556	R		アストラハン・ハーン国，ロシアの軍門に下る
1558	Tu		イギリス人アンソニー・ジェンキンソン，ロシアを経由してブハラに旅行する
1559/60			カシュガル・ハーン国でアブドゥルカリーム・ハーン，即位
1561	Tu		シャイバーン朝のイスカンダル・ハーン即位(～83)。アブドゥッラー2世，実権を掌握
1578	M,Ti		アルタン・ハーン，ゲルク派の化身僧ソナムギャムツォと青海において会合

1582	**Si**	コサックのイェルマーク，シビル・ハーン国の首都シビルを占領
1583	**Tu**	シャイバーン朝のアブドゥッラー2世，即位(～98)
1584	**Tu**	アブドゥッラー2世，バダフシャーンを占領
1588		建州女直，マンジュ国を形成
	Tu	アブドゥッラー2世，ヘラートを占領
1591		カシュガル・ハーン国でムハンマド，即位
1593/4	**Tu**	アブドゥッラー2世，ヒヴァ・ハーン国支配下のホラズムを征服
1599	**Tu**	シャイバーン朝が滅亡し，マー・ワラー・アンナフルの政権はジャーン朝の手に移行
1604	**M**	リンダン・ハーン，即位(～34)
1616		ヌルハチ，女直族を統一し，後金国と称す
1628頃	**R**	トルグート部，ロシアの支配下にはいる
1634	**M**	チョロス部のバートル・フンタイジ，即位(～55)。ジュンガル部を復興
1635	**M**	チャハル部，後金に降伏し，元朝，名実ともに滅亡
1636	**M**	後金のホンタイジ，満洲人，モンゴル人，漢人から推戴され，大清皇帝の位に就く
1637	**M,Ti**	清朝，内モンゴルのチャハル王家を滅ぼす。ホショト部のグシ・ハーン，ダライラマ5世からハーン号を授かる
1638/9	**Tu**	モグーリスタン・ハーン国でアブドゥッラー・ハーン，即位
1642	**Ti**	ダライラマ5世，ホショト部のグシ・ハーンの後援により，政敵カルマ・カギュ派を制圧
1643	**M**	清朝，内モンゴルに「蒙古律書」を公布
1644		清軍，北京入城
	Tu	ヒヴァ・ハーン国のアブル・ガーズィー・ハーン，即位(～63)
1645	**Ti**	ポタラ宮の建造始まる(～96)
17世紀中葉		ロシア，黒龍江流域にいたる
1670	**R**	ステパン・ラージンの率いる農民・コサックの反乱(～71)
1671	**M**	ジュンガルのバートル・ホンタイジの子ガルダン，ジュンガルの部長となる(～97)
	M,Ti	ダライ・ハーン，ダライラマ5世からハーン号を授かる
1671/2	**M**	アクタグルク(白山党)のアーファーク，東トルキスタンから追放され，西寧へ赴く
1674	**M,Ti**	ハルハのトシェート・ハン，ダライラマ5世からハーン号を授かる
1678	**M,Ti**	ガルダン，ダライラマ5世からハーン号を授かる
	M	ガルダン，ハミ・トゥルファンを占領
1679	**M,Ti**	ガルダン，グシ・ハーンとともに，西チベットのラダックを制圧
1680頃	**M,Ti**	ガルダン，タシュケント・サイラムを占領
1682	**Ti**	ダライラマ5世，死去
1686	**M**	ガルダン，ハルハに侵入，ハルハは清朝に避難
1689		清朝，ロシアとのあいだにネルチンスク条約を締結する
1696	**M**	康熙帝，親征してジュンガル部のガルダンを敗走させる
1697	**M**	トルグートのアユキ・ハーン，ダライラマ5世からハーン号を授かる

	Tu		ハミのウバイドゥッラー，清朝に服属
	M		ガルダン，死去し，ツェワンラプタンがジュンガルを率いる(～1727)
1703	**M,Ti**		ラサン・ハーン，ダライラマ5世からハーン号を授かる
1713	**M**		ツェワンラプタン，回部に侵攻
1715	**Tu**		ロシアの将軍ベコーヴィチ，ヒヴァに遠征して失敗に終わる(～17)
1716	**R**		ロシア，カザフ草原の北縁にオムスク要塞を建設
1717	**Ti**		ジュンガルのツェワンラプタン，ラサを占領
1720	**Ti**		清朝と青海ホショトの連合軍，ダライラマ7世を擁してチベットへ侵攻
1723～	**Tu**		ジュンガル，カザフ草原・シル河畔に大規模な侵攻(アクタバン・シュブルンドゥ)
1724	**Ti**		清朝，ロプサンダンジンの蜂起を制圧して，青海ホショトを併合
1725	**M**		清の雍正帝，ジュンガル部と和睦
1727	**M**		ジュンガルのガルダンツェリン，即位(～45)
1728			ロシア・清朝間でキャフタ条約，批准される
1730	**Tu**		カザフの小ジュズのアブルハイル・ハーン，使者を送ってロシア帝国への服属を願い出る
1733	**Tu**		トゥルファンの豪族エミン・ホージャ，清朝に内属
1740	**Tu**		ナーディル・シャー，トルキスタンに侵攻
1743	**Tu**		ロシア，カザフ草原の西にオレンブルグ要塞を建設
18世紀半ば	**R**		ロシアにおける反イスラーム政策が強化され，カザン県にあった536のモスクのうち418が破壊される
1755	**M**		乾隆帝，ジュンガルを征服
1756	**Tu**		ムハンマド・ラヒーム，ジャーン朝のハーンを廃してブハラにマンギト朝を開く
1757	**Tu**		カザフのアブライ，清朝に朝貢
1759	**Tu**		コーカンド・ハーン国のエルデニ・ベク，清朝に朝貢
	Xin		清朝，東トルキスタンを征服し，新しい征服地を新疆と命名
1762	**R**		エカテリナ2世，ロシア皇帝に即位(～96)
1768	**Ne**		ネパールにグルカ王朝，成立
1770年代～	**Tu**		ロシア・中央アジア間の貿易，激増(～90年代)
1771	**M,Tu**		トルグト4集団，ヴォルガ沿岸からイリ地方に帰還して，清朝に服属。カザフのアブライ・スルターン，ハーンに即位し，清朝とロシアに二重朝貢
1773	**R**		プガチョフの反乱(～75)
1780	**Ti**		乾隆帝，パンチェンラマを熱河に招請
1783	**R**	*4*-	ロシア，クリミア・ハーン国を併合
1789	**R**		オレンブルグ・ムスリム宗務協議会，ウラル山麓のウファーに開設される
1791/92	**Ne**		清朝，ネパールへ軍事介入
1792	**Ti**		グルカ戦役
1804	**Tu**		コングラト部族のエルテュゼル，ハーンを宣言して，ヒヴァ・ハー

			ン国に新しい王朝を開く
1809	**Tu**		コーカンド・ハーン国，タシュケントを占領
1814	**Ne**		イギリス・ネパール間でグルカ戦争起こる
	Tu		コーカンド・ハーン国，トルキスタン市を占領
1816			理藩院則例，発布される
1817	**Ne**		シッキム，イギリスの保護下にはいる
1820年代	**RT**		ロシア，カザフの小ジュズと中ジュズに直接統治を導入
1826	**Xin**		ジャハーンギール，コーカンドの援助を受けてカシュガルを占領し，ホージャ政権を再興
1828	**Xin**		ジャハーンギール，北京で処刑される
1830	**Xin**		コーカンド・ハーン国，カシュガルを一時的に占領。カシュガル・ホージャ家の故土復旧の聖戦開始
1835	**Tu**		清朝とコーカンド・ハーン国間で通商条約締結
1837	**RT**		カザフのケネサル・サドゥク父子，40年におよぶ反ロシア闘争を展開(～77)
1839	**Tu**	***11***-	ペロフスキー率いるロシア軍，ヒヴァ・ハーン国にたいする遠征をおこなって失敗(～40.***1***)
1840		***5***-	アヘン戦争(～42)
1842	**Tu**		ブハラのアミール・ナスルッラー，コーカンド・ハーン国に侵攻し，ムハンマド・アリー・ハーンを殺害
1845	**Xin/Tu**		7ホージャのカシュガル侵入が続く(～60)
1847	**RT**		カザフの大ジュズ，ロシアに併合される
	Si		ムラヴィヨフ，東部シベリア総督に任命される
1853	**R**		クリミア戦争(～56)
	Tu		ロシア軍，シル川下流に位置するコーカンド領のアク・メスジド要塞を占領
1854	**RT**		ロシア軍，カザフ草原の南端にヴェルノエ要塞を築く
	Si		ムラヴィヨフ，ロシア軍を率いてシルカ川より黒龍江を下航
1857		***5***-	インド大反乱起こる(～59・***10***)
	Si		アムール州と沿海州，おかれる。黒龍江流域，事実上ロシアの版図となる
1858		***5***-*28*	ロシア・清朝間で愛琿条約締結。***6***-*13* ロシア・清朝間で天津条約締結
1860		***11***-	ロシア・清朝間で北京条約締結
1861	**Ne**		シッキム条約締結
1862	**Xin**	***4***-	渭水盆地で回民反乱発生
1864	**Xin**	***6***-	クチャでムスリムの反乱が起こり，ラーシディーン・ホージャ，即位
	RT		ロシア軍，アウリエ・アタ，トルキスタン，チムケントなどを占領。ロシア・清朝間でタルバガタイ国境条約締結
1865	**RT**	***6***-*17*	ロシア軍，タシュケントを占領
	Xin		コーカンドのヤークーブ・ベグ，新疆にイスラーム政権を樹立
1867	**RT**	***7***-*11*	ロシア，植民地統治のためにタシュケントにトルキスタン総督府をおく

1868	**RT**	*5-2*	ロシア軍，ブハラ・アミール国領のサマルカンドを占領
	RT	*6-*	ブハラ・アミール国，ロシアの保護国となる
1870	**Xin**		ヤークーブ・ベグ，天山以南のほぼ全域を制圧
1871	**Xin**		ロシア軍，イリを占領
1873	**RT**	*5-29*	ロシア軍，ヒヴァを占領
1875	**Xin**		左宗棠，新疆遠征の総司令官に任命される
1876	**RT**	*2-19*	ロシア，コーカンド・ハーン国を廃して，フェルガナ州を設置
1877	**Xin**	*4-*	清軍，ヤークーブ・ベグに壊滅的打撃を与え，ヤークーブ・ベグ自殺(〜*5*)
1878末	**Xin**		清朝，イリ河谷を除く全新疆をロシアから回復
1881	**RT**	*1-12*	ロシア軍，ギョクデペの戦いで遊牧トルクメンの抵抗を粉砕 中央アジア鉄道の建設(〜1906)。ガスプリンスキーの『ロシアのイスラーム』，バフチサライで刊行
	RT	*5-*	ロシア領トルキスタンにザカスピ州，創設される。ロシア軍，メルヴ・オアシスを占領
	Xin	*2-24*	ロシア・清朝間でイリ条約
1884	**Xin**	*11-*	新疆省成立
	R		ガスプリンスキー，クリミアのバフチサライに「新方式学校」を創立
1886	**RT**	*1-1*	ロシア帝国政治代表部，新ブハラに開設される
1890年代〜	**RT**		ロシア・ウクライナ人農民のカザフ草原への入植の本格化
1891	**Si**		シベリア横断鉄道の建設開始
	RT		カザフ草原の東半，オムスク所在のステップ総督府の管理下におかれる
1892	**Xin**		ロシアのカシュガル総領事ペトロフスキーら，現存最古(2世紀頃)の仏典写本ダムマパーダを購入
1893	**Ti**		シッキム条約，通商条項補足締結される
1894			日清戦争(〜95)
1895	**Ti**		ダライラマ13世，実権を掌握
1896			ロシア，清朝と密約を結び中東(東清)鉄道の敷設権を獲得
1898	**RT**	*5-18*	ドゥクチ・イシャーンの指揮するムスリム集団，アンディジャンのロシア軍兵営に夜襲を敢行(アンディジャン蜂起)
	Ti		バラノフ使節団，ラサにいたる
20世紀初頭	**RT/Xin**		「新方式学校」，トルキスタンの諸都市，さらには東トルキスタンの諸都市にも普及
1901			東三省制，施行される
1903	**Ti**		ヤングハズバンド，カンバゾンに向かう
1904	**Ti**	*7-*	ダライラマ13世，外モンゴルへ逃れる。***9-*** ヤングハズバンドの指揮するイギリス代表団，ラサにいたり，ラサ条約を締結 日露戦争(〜05)
1905		*4-*	パタン事件起こり，鳳全殺される
	Ti	*12-*	パンチェンラマ6世，インド政庁を訪問
	RT,R		タシュケントの改革主義者ムナッヴァル・カリ，トルキスタン人子弟のための最初の「新方式学校」を開設。***9-5*** ポーツマス条約

			締結。ロシア，旅順，大連地域の租借権および長春・旅順間の鉄道を日本へ移譲。***10**-17* ロシアで立憲制の導入と政治的な自由の付与をうたった十月詔書，発布される
			タシュケント-オレンブルグ間に鉄道開通。カザフの知識人や部族の長老たち，カザフ草原への植民の制限や司法・行政におけるカザフ語使用の許可を請願
1906	**Ti**	***4**-*	英清西蔵条約締結
			清朝で官制改革始まる
	R		ロシア・ムスリムの政治組織「ムスリム連盟」，結成される
	RT		中央アジア鉄道とタシュケント・オレンブルグ鉄道，接続される
1907	**R**	***6**-*	帝政の反動が始まり，ムスリム民族運動の展開に強い制約を加える
1908	**Ti**	***4**-*	英清通商協定締結。ダライラマ13世，北京へいたる
	R		第1次日露協商成立
	M		庫倫辦事大臣サンド(三多)，モンゴルで新政策を強行開始
	RT		ヴャトキン，サマルカンドでウルグベクの天文台跡を発見
1909	**Ti**	***12**-*	ダライラマ13世，北京よりラサに帰る
1910	**RT**	***1**-9*	ブハラでスンナ派とシーア派の衝突起こる(〜***1**-12*)
	Ti	***2**-*	四川軍，ラサへ進軍し，ダライラマ13世，インドに亡命
1911		***10**-10*	武昌蜂起から辛亥革命始まる
	M	***12**-1*	ハルハ地方のモンゴル王侯が独立を宣言，ボグド・ハーン政権を樹立。活仏ジェブツンダムバ・ホトクトを皇帝に推戴
1912	**Xin**	***1**-1*	中華民国成立。イリで革命派の蜂起。モンゴル旗人の広福を臨時都督とする政府を樹立。楊増新，新疆都督(省主席)となる(〜*28*)
	M	***11**-*	ロシア，ボグド・ハーン政権とのあいだに露蒙協定締結
1913	**Ti**	***1**-*	ダライラマ13世，ラサに帰る。***1**-* チベット・モンゴル条約締結。***3**-* ダライラマ13世，「五カ条宣言」を発布。***10**-* シムラ会議始まる(〜14.***4***)
	M	***11**-5*	ロシア，露中宣言により外モンゴルが中国の宗主権下にあることを承認。中国，外モンゴルの自治を承認
	RT		新聞『カザク』，オレンブルグにおいて創刊される(〜18)
1914		***8**-*	第一次世界大戦始まる
1915	**M**	***6**-*	キャフタ(中露蒙)協定調印
1916	**RT**		帝政の戦時動員令(***6**-25*)にたいしてトルキスタンとカザフ草原で民衆反乱(1916年蜂起)
1917	**R**	***2**-27*	ロシア二月革命(新暦***3**-12*)。全ロシア・ムスリム大会，モスクワで開催される(***5**-14*〜*24*)
	RT	***3**-*	シューラーイ・イスラーミーヤ(イスラーム評議会)，タシュケントに組織される。***4**-* カザフ人の政治集会，新聞『カザク』に結集していた知識人たちのイニシアティヴで各地に開催される。***7**-* カザフ人の自治をめざすアラシュ党，全カザフ大会の決議によって結成される。***8**-* トルキスタンで「テュルク連邦主義者党」結成され，ムスリム自治運動の組織化に貢献
	CA	***10**-25*	ロシア十月革命(新暦***11**-7*)。***11**-1* タシュケントにソヴィエト

			政権成立。以後，中央アジア各地にソヴィエト政権確立。***11***-*20* レーニンとスターリンの連名によるムスリム宛アピール。***11***-*27* コーカンドで開かれた第4回トルキスタン・ムスリム大会，トルキスタンの自治を宣言
		冬	アラシュ党，ロシア憲法制定会議の選挙でカザフ人の圧倒的な支持のみならず，在住ロシア人からもかなりの支持を取り付ける
	Ti		チベット軍，チャムドを四川軍から奪回
1918		***1***-	ソヴィエト政権，招集されたばかりの憲法制定会議を解散させて，社会主義ソヴィエト共和国を宣言
	RT	***2***-	タシュケントのソヴィエト政権，コーカンドのトルキスタン自治政府を打倒。バスマチ運動開始。***3***- 青年ブラハ人組織，ソヴィエト政権と協同してアミール政権にたいする武装クーデタを企てるが失敗。***5***- トルキスタン自治ソヴィエト社会主義共和国成立
1919初め	RT		フィトラト，タシュケントに文芸サークル「チャガタイ談話会」を設立
1919	RT	***3***-	ムスリム・コムニストの公的組織トルキスタン地方ムスリム・ビューロー，トルキスタン共産党内に創設
	M	***11***-	外モンゴルの自治撤廃を宣言する中国大総統令，発布される
1920	RT	***1***-	トルキスタンのムスリム・コムニスト，党名と国名の「テュルク諸民族共産党」「テュルク・ソヴィエト共和国」への改称を決議。***2***- ヒヴァ・ハーン国に革命起こり，ホラズム人民ソヴィエト共和国，成立(***4***-*20*)。***8***-*31* コミンテルン，バクーで東方諸民族大会を開催(〜***9***-*7*)。***9***-*1* 赤軍部隊ブハラに入城(ブハラ革命)。***10***-*8* ブハラ人民ソヴィエト共和国成立
	Si	***5***-	極東共和国政府，ヴェルフネウディンスクに樹立される(23．ソヴィエト・ロシアに合併)
	M	***6***-	モンゴル人民党結成
	M	***10***-	ロシア共産党政治局，モンゴルを支援することを決定。白軍のウンゲルン，外モンゴルに侵入
1921	R	***1***-	イルクーツクにコミンテルン極東書記局設立
	M	***2***-	ウンゲルン，フレーに入城し，ボグド・ハーン政権を復興させる。***3***- モンゴル人民党第1回大会，キャフタ市郊外デード・ジベーで開かれ，モンゴル解放を決議。***7***-*11* モンゴル人民政府，設立される。***11***- モンゴル人民政府，ソヴィエトとのあいだに友好条約を締結
1922	RT	***4***-	バスマチ運動に連なる諸勢力の代表，サマルカンドに非合法のムスリム大会を開催し，「トルキスタン・テュルク独立イスラーム共和国」の樹立を決議。***8***-*4* バスマチに身を投じたエンヴェル・パシャ，東ブハラ地方で戦死。***12***- ソヴィエト社会主義共和国連邦成立
1923	Ti		パンチェンラマ6世，チベットを脱出
1924	CA	***5***-	中ソ間で暫定通商条約。外交関係回復。中ソ大綱協定締結。外モンゴルにたいする中華民国の主権，承認される。***10***-*26* ロシア共産党中央委員会総会，中-党中央委員会総会，中央アジアの民族・共

			和国境界画定を承認。現代中央アジア諸国の原型が成立
	M	*11*-	モンゴル人民共和国成立
1925	Ti		パンチェンラマ6世，北京にいたる
	M		張家口で内モンゴル人民革命党結成
1926	CA		中央アジア南部の農業地域で土地・水利改革がおこなわれ，ワクフを含む地主・富農層の土地や水利権，生産手段が国有化され，貧農に与えられる
1927	CA		ソヴィエト政権，中央アジアでムスリム女性の解放運動(フジュム)を開始
1928	Xin	*2*-*7*	スウェン・ヘディンの西北科学考査団，新疆に到着。*7*-*7* 楊増新暗殺される
	M		ダムバドルジら右派，モンゴル人民革命党第7回大会で追放される
1930代初	CA		性急で強制的な遊牧民の定住化や牧畜の集団化政策，カザフスタンに極度の飢饉をもたらす
1930	Ti		チベット軍，四川・西寧軍と開戦(～33)
1931	Xin	*1*-	甘粛・新疆に回民軍閥馬仲英の反乱起こる(～34)。ハミで回土帰流問題発生
1932	Xin	*2*	ホタンでムハンマド・アミーン・ブグラ，革命グループを動員して蜂起。新政府を樹立
	Xin	暮	トゥルファンでムスリムの反乱開始
			モンゴル，牧民の集団化を中止し，緩和政策に転換
1933	Xin	*4*-	ウルムチでクーデタ発生。盛世才，新疆省の臨時辺防督辦となる。*11*- 東トルキスタン・イスラーム共和国成立
	Ti	*12*-	ダライラマ13世死去
1934	M	*4*-	徳王ら，百霊廟に蒙古地方自治政務委員会を組織
	Xin	*2*-	東トルキスタン・イスラーム共和国，ドゥンガン軍の攻撃を受けて壊滅
	Ti		中国側，弔祭使節連絡官のチベット駐在を認めさせる
1935	Xin		「ウイグル(維吾爾)」の民族名称，盛世才政府に採用される
1936	M	*11*-	徳王らの内モンゴル軍，綏遠省主席傅作義の軍隊を攻撃(綏遠事件)
	CA		ソ連，ソ連・モンゴル相互援助議定書に基づき，ふたたびモンゴルに駐留
1937	M	*10*-	蒙古連盟自治政府，樹立される(主席雲王，副主席徳王)
	Ti	*12*-	パンチェンラマ6世，ジェクンド(玉樹)に没する
	Xin		盛世才，コミンテルン要員を逮捕，追放
1938	Ti		ダライラマ14世，青海のタクツェに見出される
	CA		スターリン政権下の大粛清，中央アジアにおいても猛威をふるう
1939	M	*5*-	満洲国とモンゴル人民共和国の境界ノモンハンで武力衝突
	Xin	*6*-	新疆省とソ連邦のあいだに航空路，開設される
	M	*9*-	モスクワでノモンハン停戦協定。徳王を主席とする蒙古連合自治政府，張家口で樹立される
1941		*6*-	独ソ戦(ソ連の大祖国戦争)開始
1943	CA	*10*-*20*	タシュケントで第1回ムスリム大会が開催され，「中央アジア・カ

			ザフスタン・ムスリム宗務局」が創設される
1944	Xin	9-	盛世才，国民党政府から解任され，重慶へ去る
	Si	10-	トゥヴァ共和国，自治州としてソ連に併合される(46.8 公表)
	Xin	10-	アルタイ地区のカザフ族のオスマン，「アルタイ民族革命臨時政府」樹立。11-12 東トルキスタン共和国成立
1945	M	8-	ソ連とモンゴル人民共和国，日本に宣戦布告
	Xin	9-	東トルキスタン共和国軍，ウルムチ西方のマナス川で省政府の軍隊と対峙
	M	11-	西モンゴル人民代表会議，内モンゴル自治運動連合会を組織し，オラーンフーを主席とする
1946	M	1-	中国国民党政府，モンゴル人民共和国の独立を正式に承認。4- 東西内モンゴルの統一会議，承徳で開催
	Xin	6-	ソ連，東トルキスタン共和国主席のアリー・ハーン・トラを拉致。7- ウルムチとイリの新疆省連合政府発足
1947	M	5-	内モンゴル自治区人民政府，オラーンフーを主席として成立
	Ti		インド独立。チベット，通商使節団を諸国に派遣(〜1948)
1949	Xin	8-27	東トルキスタン共和国のアフマドジャンらの搭乗機，北京へ向かう途中バイカル湖付近で墜落。9-26 新疆省政府，人民政府に従うことを表明
		10-1	中華人民共和国成立
			毛沢東とスターリンのあいだでイリの処遇について合意
1950	Ti	10-	中国軍，チベットに進撃を開始。ダライラマ14世，インド国境まで避難
1951	Xin	4-	オスマン，捕縛・処刑される
	Ti	5-	ガプパらのチベット代表，北京にいたり，17条の平和解放協定に調印。8- ダライラマ14世，ラサに戻る。9- 解放軍，ラサにはいる
1952	Xin	秋	新疆で土地制度改革開始，ワクフの没収
1953		11-	綏遠省人民政府，内モンゴル自治区人民政府と合併
1954	Ti		ダライ・パンチェン両ラマ，第1回全国人民代表大会に出席。チベットにかんする中国・インド協定
1955	Xin	9-30	新疆ウイグル自治区成立
			ジュンガル盆地で石油発見
	Ti		ダライラマ14世，「西蔵自治区準備委員会」設立を承認
			インドネシアのバンドンで「アジア・アフリカ会議」開催
1956	Ti		西蔵自治区準備委員会発足。二大ラマ，仏誕2500年祭に出席
1959	Ti	3-12	チベット動乱。中国軍ラサを占領し(23)，ダライラマ14世はインドに亡命(31)
	Xin		新疆のカザフ族，ソ連に越境を開始
1960	M	7-	モンゴル人民共和国新憲法発布，モンゴルの社会主義化の達成
	Ti		ダライラマ14世，インドのヒマーチャルプラデーシュ州ダラムサラに亡命政権を建立
1961	Si	10-	トゥヴァ自治州，トゥヴァ社会主義自治共和国となる
1962	M		モンゴル，コメコンへ加盟

1963	**Xin**		中ソ国境紛争，この頃より新疆で起こる
1965	**Ti**	***9***-*9*	チベット自治区成立
1966	**M**	***1***-	ソ連のコスイギン首相，モンゴルを訪問し，友好協力相互援助条約締結。***6***- モンゴル人民革命党第15回大会で新綱領，採択される
	Xin	***8***-	新疆で「文化大革命」開始
1970	**Ti**		カギュ派のチョギャムトゥルンパ，ヴァジラダート・インターナショナルを設立
1974	**Ti**		ゲルク派のトゥプテンイェーシェー，大乗仏教伝統維持財団を設立
1976			周恩来，朱徳，毛沢東が相次いで死去
1979		***12***-	ソ連，アフガニスタンへ軍事侵攻
	Ti		中国政府，3回にわたってチベット本土にダライラマの視察団を受け入れる(～80)
1982	**Xin**	***4***-	国家民族委員会拡大会議で，新疆の宗教問題と民族主義問題が議論される
		9-	中国共産党第十二期全国代表大会で「開放政策」採択
1983	**CA**		ウズベク綿花汚職の摘発始まる
1985		***3***-*12*	ゴルバチョフ，ソ連共産党書記長に就任
	Ti		チベットの独立支援組織チベットハウス，アメリカで設立される
1986	**CA**	***11***-	ゴルバチョフ，タシュケントでイスラームにたいする「非妥協的な戦い」を指令。***12***-*17* カザフ共産党第一書記クナエフの解任を契機にアルマ・アタで抗議のデモ始まる(アルマ・アタ事件) ゴルバチョフ政権，ペレストロイカ政策に着手
1987	**Ti**		中国政府，チベットを外国人観光客に開放
	M		「シネチレル」政策，実施される
1988	**CA**	***5***-	ソ連軍，アフガニスタンからの撤退を開始。***11***- ウズベク共和国に人民戦線ビルリク，誕生
1988以降	**Xin**		タリム盆地の油田，発見される
1989	**Ti**	***1***-	シガツェのタシルンポ寺に帰還していたパンチェンラマ10世，「心臓病」によって急逝。***3***- 大昭寺の門前で僧侶による大規模なデモ発生
	CA	***2***-	ムハンマド・サーディク・ムハンマド・ユースフ，初めてムスリムによって中央アジア・カザフスタン・ムスリム宗務局長(ムフティー)に選出される。***3***- タジクの知識人グループ，ゴルバチョフにウズベク領のブハラ州とサマルカンド州をタジキスタンに編入するよう求める。第4回中央アジア・カザフスタン・ムスリム大会でソ連政府代表がソ連国家とイスラームとの新しい協調関係を約束。***5***- アシュハバードでアルメニア人の商店・工場への襲撃。***6***- ウズベキスタンのフェルガナ州で，ウズベク人とメスヘティア・トルコ人との衝突。カザフスタンのノーヴィ・ウゼニで，カザフ人と北カフカース出身者との衝突
1989		***6***-*4*	天安門事件起こる
	Ti	***10***-	ダライラマ14世，ノーベル平和賞を授与される
	Xin		ウイグル族と回族のデモ隊，ウルムチの政府公署と党機関を襲撃

	M	*12*	モンゴルで民主化運動始まる
1990	CA	*2-*	タジキスタンのドゥシャンベで都市騒乱。*6-* クルグズスタンのオシュでクルグズ人とウズベク人の衝突。*6-22* 中央アジア5カ国首脳アルマ・アタに会談して，地域協力構想を議論。中央アジア諸国，相次いで主権宣言。*10-* イスラーム復興党，タジキスタンで結成
1991	CA	*8-19*	ソ連に「八月クーデタ」起こる。これを契機に中央アジア諸国，次々と独立を宣言。ウズベキスタンのイスラーム組織アダーレト，フェルガナ地方で活動を開始
		12-	ソ連邦の崩壊。CIS(独立国家共同体)成立 北京でチベット「平和解放」40周年を記念して，蔵学研究中心，蔵医院など設立される
1992	M	*2-*	モンゴル人民共和国，国号をモンゴル国へと変更
	CA	*2-17*	中央アジア諸国，経済協力機構(ECO)に加盟。*6-* タジキスタン，内戦状態に陥る。ウズベキスタンのフェルガナ地方でアダーレトにたいする弾圧
	Ti		ティンレードルジェ，カルマパ17世としてツゥルプ寺で即位
1993	CA	*1-3*～	中央アジア5カ国首脳タシュケントで会談し，「中央アジア(ツェントラーリナヤ・アージヤ)」の地域名称の使用を提案。*3-* タジキスタンの内戦，共産党勢力が反対派を制圧してほぼ終息。イスラーム復興党勢力はアフガニスタン北部に移動
	Ti		中国政府，パンチェンラマの遺体を収める仏塔殿を国庫支出で建立。 カニシカ王最初期の事跡を記したバクトリア語の碑文，バクトリアのスルフコタルに近いラバータクから発見
1994	Xin		日中共同のニヤ遺跡発掘調査，開始される
	CA		カザフスタン・ウズベキスタン・クルグズスタンの経済同盟発足
1995	Ti	*5-*	ダライラマ14世，パンチェンラマ11世の転生者としてゲンドゥンチュキニマという6歳の童子の名を発表。*11-* 中国政府，ゲンドゥンチュキニマを除く候補者をラサに集めて金瓶儀礼をおこない，ゲルツェンノブルという童子をパンチェンラマ11世に決定
1996		*9-*	ターリバーン，アフガニスタンの内戦を勝ちぬき，カーブルを占領
1997	CA	*6-*	タジキスタン国民和解協定締結。カザフスタン，首都をアルマトゥからアスタナ(旧アクモリンスク)へ移す
1997末	CA		ウズベキスタンのナマンガンで，暗殺や銃撃事件続発
1998	Xin		イリで衝突事件。江沢民，カザフスタン大統領ナザルバエフと会談。分離主義者を保護しないことを約束させる
1999	CA	*1-*	タジキスタンで大統領選挙，イスラーム復興党は敗北。 *2-16* ウズベキスタンの首都タシュケントで大規模な爆弾テロ事件。*8-*「イスラーム武装勢力」，タジキスタン領内からウズベキスタンへの浸透をはかり，日本人鉱山技師らを人質とする
	Ti	*12-*	14歳のゲルワカルマパ17世，ヒマラヤを越えてインドに亡命
2000	CA	*8-*	「イスラーム武装勢力」ふたたびウズベキスタン，クルグズスタン領内に侵入し，銃撃戦を展開

■ 参考文献

I　中央ユーラシア史全体に関するもの

A　通史・概説

(1)　江上波夫編『中央アジア史』(世界各国史16) 山川出版社　1986
(2)　杉山正明『遊牧民から見た世界史』日本経済新聞社　1997
(3)　杉山正明編『中央ユーラシアの統合』(岩波講座世界歴史11) 岩波書店　1997
(4)　間野英二『中央アジアの歴史』(講談社現代新書) 講談社　1977
(5)　間野英二他『内陸アジア』(地域からの世界史６) 朝日新聞社　1992
(6)　若松寛編『北アジア史』(アジアの歴史と文化７) 同朋舎　1999
(7)　間野英二編『中央アジア史』(アジアの歴史と文化８) 同朋舎　1999
(8)　護雅夫・神田信夫『北アジア史』(世界各国史12) 山川出版社　1981
(9)　護雅夫・岡田英弘編『中央ユーラシアの世界』(民族の世界史４) 山川出版社　1990
(10)　護雅夫『草原とオアシスの人々』(人間の世界歴史７) 三省堂　1984
(11)　山田信夫『草原とオアシス』(ビジュアル版世界の歴史10) 講談社　1985
(12)　梅村坦『内陸アジア史の展開』(世界史リブレット11) 山川出版社　1997
(13)　V. V. Bartol'd, Istoriya kul'turnoi zhizni Turkestana, *Sochineniya*, tom 2, chast' 1, Moskva, 1963. (V. V. バルトリド〈小松久男監訳〉『トルキスタン文化史』 全２巻〈東洋文庫〉平凡社　2011)
(14)　Svat Soucek, *A History of Inner Asia*, Cambridge University Press, 2000.
(15)　P. B. Golden, *An Introduction to the History of Central Asia*, Wiesbaden, Otto Harrassowitz, 1992.

(1)は本シリーズの旧版に属するが，その記述は詳細であり，今もなお参照の価値がある。(2)は中央ユーラシアの遊牧民のダイナミックな歴史を中心として世界史の見直しを試みた挑戦的な著作。(3)は岩波講座世界歴史(新版)のなかの１巻で，モンゴル帝国を挟む９～16世紀の中央ユーラシア

史に関する最新の研究成果を集約した良質の論文集。現在の日本における研究の水準を知るうえでも有益。(4)は中央アジア史をシルクロード史観から離れて，遊牧民と定住民との南北の関係を軸に構成しなおした，単独の著者による最初の通史。クライマックスはティムール朝におかれている。中央アジア史への入門には必読。(5)は中央ユーラシアのコンパクトな通史。(6)(7)は北アジア史および中央アジア史の専門家が分担執筆した最新の概説書。図版とコラムが多用され，近・現代史にもスペースがさかれている。(8)も本シリーズの旧版に属するが，北アジア史という枠組みで書かれた通史としては唯一のものであり，現在も価値を失ってはいない。(9)は中央ユーラシアの諸民族を中心にすえてその歴史と文化を解説したユニークな概説。(10)は古代テュルク民族の歴史と文化を中心としながら，中央アジア史論も展開。(11)はスキタイ・匈奴時代から清・ロシアの進出時期までの中央ユーラシアについて，多くの図版を用いて概観する。(12)は現代の視点に立って中央ユーラシア史を整理したあらたな試み。(13)はロシアの碩学による中央アジア通史。ウズベク支配期以降が詳しく，現在でも参照に値する。(14)は英語による最新の中央ユーラシア通史。新疆とモンゴルを含むが，中央アジアがもっとも詳しい。(15)は中央ユーラシアのテュルク系諸民族の歴史に関する最新の概説。ティムール朝滅亡後に現代の諸民族の原型ができるまでを扱う。

B　研究史・研究案内・歴史地図

(1)　『内陸アジア・西アジア』（アジア歴史研究入門 4 ）同朋舎　1984

(2)　小松久男「中央アジア」羽田正・三浦徹編『イスラム都市研究』東京大学出版会　1991

(3)　三浦徹・東長靖・黒木英充編『イスラーム研究ハンドブック』栄光教育文化研究所／悠思社　1995

(4)　森安孝夫「日本における内陸アジア史並びに東西交渉史研究の歩み――イスラム化以前を中心に」『内陸アジア史研究』10　1995

(5)　江上波夫編『東洋学の系譜』 2 冊　大修館書店　1992，94

(6)　高田時雄編著『東洋学の系譜　欧米編』大修館書店　1996

(7)　ウェ・バルトリド，外務省調査部訳『欧州殊に露西亜に於ける東洋研究史』生活社　1939（復刻 新時代社　1971）

(8)　Denis Sinor, *Introduction à l'étude de l'Eurasie Centrale*, Wiesbaden, Otto Harrassowitz, 1963.

(9) Denis Sinor, *Inner Asia, History-Civilization-Languages, A Syllabus*, 2nd, revised edition, Bloomington, Indiana University, 1971.

(10) Yuri Bregel ed., *Historical Maps of Central Asia : 9th-19th centuries A. D.,* Bloomington, Indiana University, 2000.

(1)は中央ユーラシア史研究には必携の信頼できる研究入門書。(2)はイスラーム期中央アジアの都市研究の動向をテーマ別に整理。(3)は中央アジア史を含むイスラーム研究のための優れた研究案内書。(4)は簡便にして要をえた研究史の整理であり，研究入門には必読。(5)(6)は，中央ユーラシアの歴史・言語・文化研究に優れた業績を残した東洋学者たちの紹介・評伝を含む。(7)はロシアにおける中央ユーラシアの研究史を知るには現在でも有益な名著。(8)(9)は，「中央ユーラシア」の命名者による優れた研究案内・入門書。(10)はイスラーム期中央アジアに関する数少ない歴史地図。

C　文献目録

(1) ユネスコ東アジア文化研究センター編『日本における中央アジア関係研究文献目録1879年-1987年 3 月』 1988，89

(2) ユネスコ東アジア文化研究センター編『日本における中東・イスラーム研究文献目録　1868年-1988年』 1992

(3) Yuri Bregel, *Bibliography of Islamic Central Asia*, 3 vols, Bloomington, Indiana University, 1995.

(4) *Abstracta Iranica*, Institut Français de Recherche en Iran, 1978-.

(5) *Index Islamicus*, London, Bowker Saur, 1994-.

(1)(2)はもっとも完備した研究文献目録として有用。1988年以降のデータもインターネットを使って検索が可能。(3)はイスラーム期中央アジア史にかんする最新の研究文献目録。分野・テーマ別に整理されている。(4)は本来イラン学の「回顧と展望」だが，近年は中央アジア史関係も充実し，批評つきの最新文献目録として有用。(5)は定評ある毎年ごとのイスラーム研究文献目録で，中央アジア関係も独立した項目のもとに整理されている。

D　事典

(1) 梅棹忠夫監修『世界民族問題事典』平凡社　1995

(2) 綾部恒雄監修『世界民族事典』弘文堂　2000

(3) 『ロシア・ソ連を知る事典』平凡社　1989（増補版　1994)

(4) *Encyclopaedia of Islam : New Edition*, Leiden, E. J. Brill, 1960-.

⑸　*Encyclopaedia Iranica*, Costa Mesa-California, Mazda Publisher, 1985-.

⑴は近・現代の中央ユーラシアにおける民族問題を幅広く取り上げて解説する。⑵は現代中央ユーラシアの諸民族をほぼ網羅した最新の民族誌として有用。⑶はロシア・ソ連のなかの中央ユーラシアについて参照するのに有用。⑷はイスラーム研究の定評ある百科事典であり，中央アジア関係でも参照すべき項目は多い。現在も刊行中。⑸はイラン学の百科事典であるが，中央アジア関係も充実しており，参照に値する。

E　学術雑誌(国内)

⑴　『内陸アジア言語の研究』中央ユーラシア学研究会
⑵　『内陸アジア史研究』内陸アジア史学会
⑶　『東洋史研究』東洋史研究会
⑷　『西南アジア研究』西南アジア研究会
⑸　『東洋学報』財団法人東洋文庫
⑹　『日本中央アジア学会報』日本中央アジア学会
⑺　『スラヴ研究』北海道大学スラブ・ユーラシア研究センター

これらは，中央ユーラシアの歴史・文化にかんする最新の研究成果が発表される代表的な雑誌。とくに，⑵の20号（2011年）では研究動向を整理した特集「内陸アジア史研究の課題と展望」，⑹には毎号「中央アジア関連研究文献リスト」が掲載されており，いずれも有益。また，『史学雑誌』(史学会）も関係論文とともに文献目録および毎年第５号の「回顧と展望」が最新の研究動向を知るうえで役に立つ。

II　各章に関するもの

第１章　草原世界の展開

⑴　草原考古研究会編『ユーラシアの大草原を掘る――草原考古学への道標』(アジア遊学 238）勉誠出版　2019
⑵　護雅夫編『漢とローマ』(東西文明の交流１）平凡社　1970
⑶　東京国立博物館編『大草原の騎馬民族』東京国立博物館　1997
⑷　田辺勝美・前田耕作編『中央アジア』(世界美術大全集東洋編15）小学館　1999
⑸　草原考古研究会編『鍑の研究――ユーラシア草原の祭器・什器』雄山閣　2011

(6)　高濱秀先生退職記念論文集編集委員会編『ユーラシアの考古学』六一書房　2014
(7)　林俊雄『スキタイと匈奴　遊牧の文明』(興亡の世界史) 講談社学術文庫　2017
(8)　雪嶋宏一『スキタイ――騎馬遊牧国家の歴史と考古』(ユーラシア考古学選書) 雄山閣　2008
(9)　ルデンコ，江上波夫・加藤九祚訳『スキタイの芸術』新時代社　1971
(10)　内田吟風他訳注『騎馬民族史』1・2 (東洋文庫) 平凡社　1971～72
(11)　内田吟風『北アジア史研究』(匈奴篇・鮮卑柔然突厥篇) 同朋舎　1975
(12)　松田寿男『遊牧民の歴史』(松田寿男著作集 2) 六興出版　1986
(13)　護雅夫『古代トルコ民族史研究』Ⅰ・Ⅱ・Ⅲ　山川出版社　1967, 92, 98
(14)　山田信夫『北アジア遊牧民族史研究』東京大学出版会　1989
(15)　沢田勲『匈奴』東方書店　1996
(16)　加藤謙一『匈奴「帝国」』第一書房　1998
(17)　江上波夫『匈奴の社会と文化』(江上波夫文化史論集 3) 山川出版社　1999
(18)　梅原末治『蒙古ノイン・ウラ発見の遺物』(東洋文庫) 平凡社　1960
(19)　小野川秀美「突厥碑文訳註」『満蒙史論叢』4　1943
(20)　森安孝夫・オチル『モンゴル国現存遺蹟・碑文調査研究報告』中央ユーラシア学研究会　1999
(21)　岩佐精一郎『岩佐精一郎遺稿』東京　1936
(22)　森安孝夫『シルクロードと唐帝国』(興亡の世界史) 講談社学術文庫　2016
(23)　羽田亨『羽田博士史学論文集』上巻 歴史篇　京都大学東洋史研究会　1957
(24)　プリェートニェヴァ，城田俊訳『ハザール　謎の帝国』新潮社　1996

まず，時代・地域を広く扱ったものをあげる。(1)は草原地帯全域の新石器時代からモンゴル帝国期までを考古学資料から概観したもので，資料の新しさと記述の詳しさの点で群をぬく。(2)は青銅器時代の文化交流，パジリクの紹介，フン族史概説を含む。(3)は中国北方草原の青銅器を編年し，通観した画期的な展覧会のカタログ。(4)はスキタイからフンまでの美術史を含む。(5)は先スキタイ時代から後 5 世紀ころまでの草原地帯を特徴づける鍑についてまとめた世界でも最初の研究書。(6)は主としてユーラシア草原地帯の様々な問題に関する論文を含んでいる。

日本にはスキタイの概説書が少ないが，(7)はスキタイに関する最新の調査研究状況を反映している。匈奴史の概説と匈奴・フン同族論に関する章もある。(8)はスキタイ研究を様々な側面からまとめた好著。(9)はパジリクの出土品とアケメネス朝美術とを比較。

(10)〜(14)は，匈奴から突厥・ウイグルまでの時代を扱ったもの。(10)は中国正史の北狄伝(匈奴から回鶻まで)の翻訳と詳しい注釈。(11)は匈奴の中国北辺侵入の原因を探った論考などを含む論文集。(12)は絹馬交易，遊牧国家における農耕の問題に関する論考を含む。(13)のⅠとⅡは中国史料だけでなく，突厥碑文を駆使した重要な論考を多く含み，Ⅲは匈奴からウイグルまでの研究論文と概説を含む。(14)も論文集だが，匈奴からモンゴル帝国までの北アジア史を連続的にとらえようとした意図が看取される。ウイグル国家の発展的特徴に関する論文はとくに重要。

(15)〜(18)は，匈奴を中心にしたもの。(15)(16)はともに唯物史観を含む既存の歴史観を検討しつつ，匈奴遊牧国家を歴史的に位置づけようと努力している。前者のほうが一般向けで読みやすい。(17)は匈奴の経済・社会・習俗・宗教などに関する論考と，匈奴・フン同族論を含む名著の改訂版。(18)はノヨン・オール遺跡と出土品の総合的研究だが，それを補足するドルジスレン論文(『古代学研究』117-121)も参照したい。

突厥史研究の中心史料となるキョル・テギンとトニュクク碑文の日本語訳は，かなり古いが(19)しかない。その他の突厥碑文とウイグル時代の碑文の訳注は(20)に含まれている。(21)は25歳で夭逝した岩佐の突厥史に関する珠玉の論考を載せるが，部数が少なく入手しにくい。(22)には突厥とウイグルの興亡に関する章がある。(23)は回鶻史研究の古典を含む。(24)はロシアの考古学者によって書かれたハザルの概説書。

第２章　オアシス世界の展開

(1)　護雅夫編『漢とローマ』(東西文明の交流１) 平凡社　1970
(2)　山田信夫編『ペルシアと唐』(東西文明の交流２) 平凡社　1971
(3)　井ノ口泰淳・水谷幸正編『シルクロードの宗教』(アジア仏教史　中国編Ⅴ) 佼成出版社　1975
(4)　『榎一雄著作集』1-6 (全11巻＋英文著作１巻のうち) 中央アジア史Ⅰ-Ⅲ，東西交渉史Ⅰ-Ⅲ　汲古書院　1992，93
(5)　田辺勝美・前田耕作編『中央アジア』(世界美術大全集東洋編15) 小学館　1999

(6) 『内陸アジア言語の研究』神戸市外国語大学外国学研究所　1984～
(7) 香山陽坪『砂漠と草原の遺宝――中央アジアの文化と歴史』角川書店　1963
(8) 羽田明『中央アジア史研究』臨川書店　1979
(9) 加藤九祚『中央アジア北部の仏教遺跡の研究』シルクロード学研究センター　1997
(10) ニコラス・シムズ＝ウイリアムズ，熊本裕訳「古代アフガニスタンにおける新知見――ヒンドゥークシュ北部出土のバクトリア語文書を中心に」『Oriente』16（古代オリエント博物館）1997
(11) 小谷仲男『大月氏　中央アジアに謎の民族を尋ねて』東方書店　1999
(12) 伊瀬仙太郎『中国西域経営史研究』巌南堂書店　1955
(13) 『羽田博士史学論文集』上・下　京都大学東洋史研究会　1957
(14) 安部健夫『西ウィグル国史の研究』彙文堂　1958
(15) 池田温「８世紀中葉における敦煌のソグド人聚落」『ユーラシア文化研究』1　1965
(16) 松田寿男『古代天山の歴史地理学的研究』増補版 早稲田大学出版部　1970
(17) 嶋崎昌『隋唐時代の東トゥルキスタン研究』東京大学出版会　1977
(18) 長澤和俊『シルクロード史研究』国書刊行会　1979
(19) 『講座　敦煌』全９巻　大東出版社　1980～92
(20) 山口瑞鳳『チベット』上・下　東京大学出版会　1987
(21) 内藤みどり『西突厥史の研究』早稲田大学出版部　1988
(22) 森安孝夫『ウイグル＝マニ教史の研究』大阪大学文学部紀要31・32　1991
(23) 羽田亨『西域文明史概論・西域文化史』（東洋文庫）平凡社　1992(初版1931・1948)
(24) 山田信夫（小田壽典・P. Zieme・梅村坦・森安孝夫編）『ウイグル文契約文書集成』全３巻　大阪大学出版会　1993
(25) 新疆吐魯番地区文物局編『吐魯番新出摩尼教文献研究』文物出版社　2000
(26) D. Sinor ed., *The Cambridge History of Early Inner Asia*, Cambridge University Press, 1990.
(27) *History of Civilizations of Central Asia*. Vol. I -Vol. V, Paris, UNESCO, 1992, 1994, 1996, 1998, 2003.

(28) N. Sims-Williams, J. Cribb, “A New Bactrian Inscription of Kanishka the Great”, *Silk Road Art and Archaeology, 4, Journal of the Institute of Silk Road Studies*, Kamakura, 1995/1996.
(29) *Arkheologiya. Srednyaya Aziya i Dal'nii Vostok v epokhu Srednevekov'ya. Srednyaya Aziya v rannem srednevekov'e*. Moskva, 1999.
(30) G. Frumkin, *Archaeology in Soviet Central Asia*, in *Handbuch der Orientalistik*, 7-III-1, Leiden/Köln, 1970.
(31) M. Yaldiz, *Archäologie und Kunstgeschichte Chinesisch-Zentralasiens (Xinjiang)*, in *Handbuch der Orientalistik*, 7-III-2, Leiden etc. 1987.

まず中央アジア全域にかかわるもの。(1)(2)はいずれも概説書だが，巻末の文献解題は内外の基本資料を知るうえで便利。(3)は中央アジアの仏教の流れを，出土文物との関連を含めて説く。(26)は西はカラハン朝・セルジューク朝，東はモンゴル帝国時代のチベット・契丹と女真までを扱った基本的な概論。(4)は戦後わが国の中央アジア史・東西交渉史をリードした榎一雄の必読論文集成。(27)は詳細な通史として19世紀半ばまでが刊行済み。中央アジア当事国に欧米・日本の執筆者もまじる国際的・学際的な仕事。(5)は現時点の日本において最新の中央アジア美術史の基本書。美術関係では宮治昭・モタメディ遥子編『シルクロード博物館』講談社　1979もある。(6)は専門学術雑誌だが，最新の言語・文化の研究成果が載るので紹介しておく。

つぎに中央アジア西部を中心とするもので，(7)は中央アジア考古学の成果を中心に紹介・解説する。(8)にはイランやソグド人に関連する先駆的論考が含まれる。(9)は現地現況を踏まえた仏教遺跡研究のひとつ。(28)はカニシカ王の新発見バクトリア語碑文の解読と解釈。(10)は新発見のバクトリア文書群についての簡潔な紹介であり，刺激に富む。熊本はコータン語の専門家。(11)は『ガンダーラ美術とクシャン王朝』同朋舎　1996を基礎とする啓蒙書だが，現地情報を含めて意欲作。(29)は中央アジア西部の諸遺跡情報の総合紹介として有益。この分野はどうしてもロシア語文献が多いが，(30)は英語で概要を知るのによい。

中央アジア東部を中心とするものとして，(12)は多少古いが，漢文史料に基づく漢から唐の西域支配の通史研究。(13)は中央アジア史の新分野を開拓した羽田亨の主要論文集。基本文献として，今なお輝きを失わない。(23)は羽田亨による概論的な名著。(14)は羽田亨のあと，わが国のウイグル史研究

を推進したもので，モンゴル時代までを広く扱う。⒂は出土漢文文献から敦煌におけるソグド人の足跡を実証した。池田は敦煌・吐魯番文書研究のリーダー。この分野では，白須浄眞・荒川正晴・関尾史郎らがつづく。⒃は独自の中央アジア史観を展開する必読文献。『松田寿男著作集』全6巻六興出版社　1986～87もある。⒄は車師，高昌国研究やカーレーズ灌漑の起源などに関する研究や通史を掲載。⒅は主として中央アジア東部の古代史に関する論考。敦煌については，中国史関係にも書籍・論文は数多いが，ここでは⒆のみをあげておく。これは出版時期までの敦煌学の集大成ともいえるシリーズ。とくに1，2，3，6巻に所載の諸論文は本章に関連が深い。チベットについては第5章を参照されたい。ここでは総合的な概説書として⒇だけをあげる。(21)は突厥西部の歴史，ビザンツとの関連を含む研究。(22)はマニ教を軸にウイグル史にあらたな光を投げかけた研究。森安には「吐蕃の中央アジア進出」『金沢大学法文学部論集史学科篇』4　1984など必読の論文が多数ある。ふたたびウイグル関係で，(24)は中央アジア出土古文書研究の一端とはいえ，わが国が生んだ基礎研究書のひとつ。(25)は吉田豊・森安孝夫によるソグド文・ウイグル文の資料研究に，栄新江らの研究もよせられている。吉田はソグド語の専門家。中央アジア東部の考古学・美術史の研究成果をとりまとめたものに(31)がある。

第3章　中央ユーラシアの「イスラーム化」と「テュルク化」

⑴　竺沙雅章監修，間野英二責任編集『中央アジア史』（アジアの歴史と文化8）同朋舎　1999

⑵　イブン・ファドラーン，家島彦一訳注『ヴォルガ・ブルガール旅行記』（東洋文庫）平凡社　2009

⑶　H. A. R. Gibb, *The Arab Conquests in Central Asia*, New York, Ams Press, 1970.

⑷　W. Barthold, *Turkestan down to the Mongol Invasion*, E. J. W. Gibb Memorial Trust, 4th ed., 1977.

⑸　R. N. Frye, *The Heritage of Central Asia, from Antiquity to the Turkish Expansion*, Princeton, Markus Wiener Publisher, 1996.

⑹　R. N. Frye, *The Golden Age of Persia, The Arabs in the East*, London, Weidenfeld and Nicolson, 1975.

⑺　R. N. Frye, *The History of Bukhara, Translated from a Persian Abridgment of the Arabic Original by Narshakhi*, The Mediaeval

Academy of America, Massachusetts, Cambridge, 1954.
(8) M. S. Asimov and C. E. Bosworth (ed.), *History of Civilizations of Central Asia*, vol. 4, part 1, Paris, UNESCO, 1998.
(9) R. L. Canfield (ed.), *Turko-Persia in Historical Perspective*, Cambridge University Press, 1991.

(1)はコンパクトな概説書であるが，間野英二によるイスラーム化とテュルク化の記述はきわめて重要。(2)は921年にバグダードからブルガール国へ派遣されたアラブ人による，中央アジアの興味深い地理・旅行書。(3)はアラブによる中央アジアの征服に関する先駆的業績。(4)はアラブの征服からモンゴル時代までを扱った，中央アジア史学史上の最高傑作。(5)はイスラーム化・テュルク化以前の時代に関する概説書。(6)は同じ著者によるアラブの征服からカラハン朝の全盛期までの概説書。(7)はナルシャヒーの『ブハラ史』の英訳で，詳細な注を付す。(8)はユネスコの企画出版による中央アジア文明史。複数の著者がアラブの征服から15世紀末までを分担執筆。(9)は中央アジアにおけるテュルク・ペルシア的イスラーム文化に関する論文集。

第４章　モンゴル帝国とティムール帝国

(1) 佐口透『モンゴル帝国と西洋』（東西文明の交流４）平凡社　1970
(2) 本田實信『モンゴル時代史研究』東京大学出版会　1991
(3) 杉山正明編『中央ユーラシアの統合』（岩波講座世界歴史11）岩波書店　1997
(4) 杉山正明『大モンゴルの世界——陸と海の巨大帝国』（角川選書）角川書店　1992
(5) 杉山正明『モンゴル帝国の興亡』上･下（講談社現代新書）講談社　1996
(6) C. ドーソン，佐口透訳注『モンゴル帝国史』全６巻（東洋文庫）平凡社　1968～79
(7) デイヴィド・モーガン，杉山正明・大島淳子訳『モンゴル帝国の歴史』（角川選書）角川書店　1993
(8) 村上正二『モンゴル帝国史研究』風間書房　1993
(9) 志茂碩敏『モンゴル帝国史研究序説——イル汗国の中核部隊』東京大学出版会　1995
(10) 杉山正明・北川誠一『大モンゴルの時代』（世界の歴史９）中央公論社　1997

⑾　本田實信「イスラムとモンゴル」(岩波講座世界歴史 8『西アジア世界』) 岩波書店　1969
⑿　中村淳・松川節「新発現の蒙漢合璧少林寺聖旨碑」『内陸アジア言語の研究』8　1993
⒀　宇野伸浩・村岡倫・松田孝一「元朝後期カラコルム城市ハーンカー建設祈念ペルシア語碑文研究」『内陸アジア言語の研究』14　1999
⒁　原山煌「タルバガン，野に満ちし頃——文献資料より見たタルバガン」『国立民族学博物館研究報告別冊』20　1999
⒂　村上正二訳注『モンゴル秘史——チンギス・カン物語』全 3 巻（東洋文庫）平凡社　1970～76
⒃　カルピニ・ルブルク，護雅夫訳『中央アジア・蒙古旅行記』桃源社　1965
⒄　マルコ・ポーロ，愛宕松男訳注『東方見聞録』全 2 巻（東洋文庫）平凡社　1970～71
⒅　イブン・バットゥータ，家島彦一訳注『大旅行記』全 8 巻（東洋文庫）平凡社　1996-2002
⒆　間野英二『中央アジアの歴史』(講談社現代新書) 講談社　1977
⒇　久保一之「ティムール帝国」『中央アジア史』(アジアの歴史と文化 8) 同朋舎　1999
(21)　加藤和秀『ティームール朝成立史の研究』北海道大学図書刊行会　1999
(22)　間野英二「ティムール帝国とヘラートの発展」『西アジア史』(アジアの歴史と文化 9) 同朋舎　2000
(23)　間野英二「ティムール朝の社会」(岩波講座世界歴史 8『西アジア世界』) 岩波書店　1969
(24)　久保一之「ティムール朝とその後——ティムール朝の政府・宮廷と15世紀中央アジアの輝き」(岩波講座世界歴史11『中央ユーラシアの統合』) 岩波書店　1997
(25)　磯貝健一「イブン・ルーズビハーンとカザク遠征」『西南アジア研究』43　1995
(26)　B. M.　ババジャーノフ，磯貝健一訳「16世紀ナクシュバンディーヤの指導者マフドゥーメ・アゥザムの著作における政治理論」『西南アジア研究』50　1999
(27)　間野英二訳注『バーブル・ナーマの研究』III 松香堂　1998
(28)　クラヴィホ，山田信夫訳『ティムール帝国紀行』桃源社　1967

(29)　W. Barthold, *Turkestan down to the Mongol Invasion*, London, 1928.
(30)　B. F. Manz, *The Rise and Rule of Tamerlane*, Cambridge, 1989.
(31)　R. D. McChesney, *Central Asia : Foundations of Change*, Princeton, 1996.

(1)は東西交流を前面にだしているものの，中央ユーラシアの枠組みで，世界史的観点から書かれた全体史。巻末の文献解題も有益。本章で扱う時代をカヴァーするが，著者のティムール帝国にたいする評価は低い。(2)は帝国成立期からポスト・モンゴル期まで，東西の史料を駆使した研究の集成。(3)は9～16世紀の中央ユーラシア史に関する論文集。本章にかかわるわが国の研究の一到達点を示す。

1～3節に関して，(4)はモンゴル帝国全体史の構築をめざす著者の基本姿勢が示されており，依拠すべきところが多い。モンゴル時代以降のパースペクティヴをも提示する。(5)はモンゴル帝国時代の通史。(6)は一次史料に基づく古典的研究。文明地帯(彼らの考える)の歴史叙述をめざしたため，ジョチ，チャガタイ両ウルスについてはほとんど触れられていない。(29)はモンゴル征服期の中央アジア史。現在なお信頼性は高い。(7)は欧米における研究の現状を反映している。(8)はモンゴル帝国成立期から元代のモンゴル支配体制を主たる研究対象とした著者の研究集成。(9)はフレグ・ウルスを中心に，帝国を支えた部族集団の詳細な分析。(10)の前半は東西文化交流を材料に帝国の史的意義を論じ，後半はイスラーム受容のなかに支配権正当化の変遷をみる。(11)はモンゴルの西アジア支配を，ガザン・ハーンの改革を中心に説明する。(12)(13)は碑文のもつ歴史資料としての可能性を，また，ペストをテーマとした(14)はアプローチの多様性をわれわれに教えてくれる。日本語訳のある主要な史料として，(15)は帝国初期の研究にはとくに欠かせないモンゴル語史料。(16)はモンゴル帝国前半期にモンゴルに赴いた修道士たちの旅行報告書。(17)はヨーロッパに大きな影響を与えた，イタリア商人の見聞記。(18)はモロッコから3大陸を旅したイスラーム教徒の旅行記。

4，5節に関して，(19)は古代から現代までの中央アジア史であるが，ティムール帝国史研究の方向性を示した基本文献。(20)はティムール帝国通史。(21)はチャガタイ・ウルスの自立期からティムール帝国成立期にいたる政治史・社会経済史関係論文の集成。(30)はティムールの台頭と政権の性格を明解に描いた政治史。(22)はティムール帝国時代における都市文化発展の様相を，ヘラートを例として描き出す。(23)はティムール帝国の行政機構に関す

る研究で，(24)はその新研究。(31)は16世紀以降の中央アジア史研究の視角を提示する。(25)は遊牧政権とイスラームとの関係を考察。(26)は中央アジアにおけるスーフィー教団の政治への関与を論じる。現地の高い研究レヴェルを示す好例。邦訳のある史料として，(27)はムガル朝の創設者であるバーブルの自伝。世界最良のテキストである『同書』Ⅰに基づく日本語訳で，15～16世紀の研究史料としてとくに重要。(28)はティムールのもとに到来したスペイン使節の旅行記。

第5章　チベット仏教世界の形成と展開

(1)　スネルグローブ，奥山直司訳『チベット文化史』春秋社　1998
(2)　石濱裕美子『図説チベット歴史紀行』(ふくろうの本) 河出書房新社　1999
(3)　シャカッパ，三浦順子訳『チベット政治史』亜細亜大学アジア研究所出版会　1992
(4)　スタン，山口瑞鳳訳『チベットの文化』岩波書店　1993
(5)　中野美代子『砂漠に埋もれた文字――パスパ文字のはなし』塙新書　1971
(6)　佐藤長『中世チベット史研究』同朋舎　1986
(7)　福田洋一・石濱裕美子『西蔵仏教宗義研究第四巻』(東洋文庫) 平凡社　1986
(8)　石濱裕美子『チベット仏教世界の歴史的研究』東方書店　2001
(9)　色川大吉編『チベット曼荼羅の世界』学研　1989
(10)　鈴木中正『チベットをめぐる中印関係史』一橋書房　1962
(11)　外務省調査局『蒙古喇嘛教史』生活社　1940
(12)　吉田順一他『アルタン・ハーン伝訳注』風間書房　1998
(13)　岡田英弘『康熙帝の手紙』中央公論社　1979
(14)　I. デジデリ，薬丸義美訳『チベットの報告』(東洋文庫) 平凡社　1991
(15)　中国民族撮影芸術出版社編，田中公明訳『ポタラ宮の秘宝』アジア文化交流協会　1996
(16)　ダライラマ14世『チベットわが祖国』中央公論社　1989
(17)　長尾雅人『蒙古学問寺』中央公論社　1992
(18)　クンチョク・シター他『実践チベット仏教入門』春秋社　1995
(19)　若松寛訳『ゲセル・ハーン物語――モンゴル英雄叙事詩』(東洋文庫) 平凡社　1993

チベット史の研究家は世界的にみれば数多いが，日本においては非常に数が少ないため，以下に紹介する著作は戦前に出版された古いものも含まれている。まず，チベットの通史を知るためには，(1)がもっとも詳しく，かつ優れた入門書である。(2)は(1)に比べると多少簡略な通史であるが，とくにチベット人の歴史認識について詳しく，また17世紀から現代にいたるダライラマ政権の歴史については最新の研究成果を反映している。(3)はチベットの元貴族シャカッパがダライラマ政権の内部史料を多数使用してチベット史を記したもので，たいへん興味深い書物である。現在チベットを自国の一部としてかかえる中国の研究者が，この本にたいして数多くの批判をよせていることでも知られている。(4)はボン教や民間伝承といった，仏教以外のチベット文化に重点をおいた啓蒙書である。(5)はパクパ文字のモデルとなった中央ユーラシアの文字などについて言及した研究書であり，漢文史料にかたよりながらもパクパの伝記を概説してくれる。(6)は12世紀の諸宗派の分裂時代から18世紀のグルカ戦争にいたるまでの期間における，チベット史の主要なテーマを網羅した著名な研究書である。(7)はモンゴル語・チベット語の史料を縦横に用いて，モンゴルにおけるチベット文化の影響力をさまざまな視点から論じたものである。(8)はチベット仏教によって統合された，チベット，モンゴル，満洲地域の歴史を，満・蒙の一次史料を用いて明らかにしたもの。本章の所説はこの研究書の要約である。(9)は東北大学西蔵学術登山隊人文班の報告書であり，とくに奥山直司のポタラ宮，パンコル・チョルテンについての考察は優れている。(10)は中央ユーラシアの政治力学において，チベットのダライラマ体制がいかに大きな影響力を有していたかを諸側面から論じたものである。

(11)〜(15)は原史料の和訳である。まず，(11)は18世紀に記され，広く読まれたチベット文『モンゴル仏教史』の訳である。(12)はアルタン・ハーンについての一次史料である，モンゴル文『アルタン・ハーン伝』の和訳である。(13)は康熙帝がガルダンとの戦いのおりに，戦場から皇太子に送った書簡の和訳である。17世紀後半のモンゴル，チベット，中国関係についての解説も詳しい。(14)は18世紀初頭のジュンガル支配下のチベットを訪れた宣教師の報告書である。(15)はポタラ宮の写真集であるが，各部屋の名称，各階の詳細な平面図も収録されており，有用である。

(16)〜(19)までは，チベットの社会を理解するために有用な参考書をあげた。まず，(16)は現ダライラマ14世の自伝であり，本書によって典型的な化身僧の生活・地位について知ることができる。(17)は戦前におこなわれたモンゴ

ルにおけるチベット寺の調査報告であり，僧侶の生活・学問過程などに詳しい。⒅はチベット人が毎日読誦する経典を中心にチベット仏教の基本的な知識を解説した書である。⒆はチベットでもっとも有名な英雄叙事詩ケサル王伝を，モンゴル語からではあるが和訳したものである。チベットの王者像の理解に有効である。

第６章　中央ユーラシアの周縁化

⑴　神田信夫編『中国史』4（世界歴史大系）山川出版社　1999
⑵　山口瑞鳳『チベット』下　東京大学出版会　1988
⑶　矢野仁一『近代蒙古史研究』弘文堂　1925
⑷　鈴木中正『チベットをめぐる中印関係史』一橋書房　1962
⑸　島田正郎『清朝蒙古例の研究』創文社　1982
⑹　島田正郎『清朝蒙古例の実効性の研究』創文社　1992
⑺　吉田金一『近代露清関係史』近藤出版社　1974
⑻　羽田明『中央アジア史研究』臨川書店　1982
⑼　宮脇淳子『最後の遊牧帝国　ジューンガル部の興亡』講談社　1995
⑽　片岡一忠『清朝新疆統治研究』雄山閣　1991
⑾　佐口透『18-19世紀東トルキスタン社会史研究』吉川弘文館　1963
⑿　佐口透『新疆民族史研究』吉川弘文館　1986
⒀　佐口透『新疆ムスリム研究』吉川弘文館　1995
⒁　佐口透『ロシアとアジア草原』吉川弘文館　1966
⒂　Denis Twichett & John K. Fairbank ed., *The Cambridge History of China*, Vol. 10, Late Ch'ing 1800-1911, Cambridge University Press, 1978.
⒃　Sh. Natsagdorj, *Khalkhyn tüükh*, Ulaanbaatar, 1963.
⒄　Alastair Lamb, *Britsh India and Tibet, 1766-1910*, London, Routledge & Kegan Paul, 1930.
⒅　John K. Fairbank ed., *The Chinese World Order*, Cambridge University Press, 1968.
⒆　S. C. M. Paine, *Imperial Rivals*, Armonk, M. E. Sharp, 1996.
⒇　Nakami Tatsuo, “New Trends in the Study of Mdern Mongolian History”, *Acta Asiatica*, No. 76, 1999.
(21)　V. V. Barthold, History of Semirechye, in *Four Studies of Central Asia*, vol. 1, Leiden, translated by V. and T. Minorsky, 1956.

(22) J. Fletcher, *Studies on Chinese and Islamic Inner Asia*, Variorum, 1995.
(23) Edward Allworth ed., *Central Asia : 120 Years of Russian Rule*, Duke University Press, 1989.
(24) G. J. Demko, *The Russian Colonization of Kazakhstan 1896-1916*, Indiana University, 1969.
(25) Richard D. McChesney, *Central Asia : Foundations of Change*, Princeton, 1996.
(26) Azade-Ayşe Rorlich, *The Volga Tatars : A Profile in National Resilience*, Stanford, Hoover Institution Press, 1986.

清朝統治下のモンゴル，チベットについては，日本語による体系的な研究書は乏しい。概説としては(1)(15)および(2)の該当部分がいずれも信頼に値する。とりわけ(15)に含まれる J. Fletcher, Ch'ing Inner Asia c. 1800 ; The Heyday of the Ch'ing order in Mongolia, Sinkiang and Tibet. は，あらゆる言語の文献を駆使したみごとな論文。出版年代は古いが(3)は清代モンゴル史に関して，日本語による古典的研究であり，いまだに参照すべき記述を含んでいる。(16)は清朝時代の外モンゴル・ハルハ地方についての，モンゴル語による研究。チベットと清朝の関係，チベットをめぐる国際関係については，日本語では(4)が出色の内容であり，英語では(17)をはじめ多くの著作が刊行されている。(5)(6)は清代モンゴル法制についての手堅い実証研究。さらに，清朝の国際秩序認識についての(18)，そして露清関係についての日本語によるもっとも良好な概説書である(7)，および近年の研究成果である(19)も，清代モンゴル，チベットを理解するためには是非参照されたい。なお，次章で扱う時期も含めて，近年のモンゴル史に関する史料・研究動向に関しては(20)で詳しくふれている。

(21)はロシアの碩学によるイリ川下流域の歴史の概説。モグーリスタンに関するややまとまった記述がある。(8)はわが国におけるイスラーム化以後の中央アジア史研究の開拓者の論文集。半世紀以上前に書かれた論考も含まれるが，いぜんとして必読の文献。(11)は清朝の東トルキスタン征服とそれに続く時代に関する大著。漢文の関係史料はほとんど網羅されている。(9)は本稿では言及できなかったジュンガル史の概説。この分野では日本語で読める唯一の文献。(10)は清朝による新疆征服から王朝滅亡までの新疆統治政策の展開を克明にたどった研究書。(12)は前著(11)の補編にあたり，新疆のテュルク系ムスリム諸民族と遊牧カザフに関する研究論文集。(13)は清朝

期の新疆におけるイスラームに関する歴史，民族誌学的考察をおこなった論文集。(22)は著者の死後にまとめられた論文集。東トルキスタンと中国西北部のイスラームに関する最重要論文。

(14)は16～19世紀の東西トルキスタンを舞台とした通商の歴史を描き出した名著。(23)はロシア・ソ連時代の中央アジア史をテーマ別に概観した基本文献。産業，文芸，音楽，建築などの分野もカヴァーする。(24)は帝政ロシア時代におけるカザフ草原への植民を統計資料を駆使しながら総合的に解明した研究。(25)は前近代中央アジアの政治権力と社会経済システムを論じた最新の研究。最近の研究動向を知るうえでも有益。(26)はカザン・ハーン国期からソ連時代までのタタール人の通史で，近・現代史に詳しい。

第7章　革命と民族

(1)　坂本是忠『辺疆をめぐる中ソ関係史』アジア経済研究所　1974
(2)　坂本是忠『中国辺境と少数民族問題』アジア経済研究所　1970
(3)　毛里和子『周縁からの中国――民族問題と国家』東京大学出版会　1998
(4)　松本ますみ『中国民族政策の研究――清末から1945年までの「民族論」を中心に』多賀出版　1999
(5)　郝維民『内蒙古自治区史』呼和浩特：内蒙古大学出版社　1991
(6)　郝維民『内蒙古革命史』呼和浩特：内蒙古大学出版社　1998
(7)　江口圭一『資料日中戦争期阿片政策――蒙疆政権資料を中心に』岩波書店　1985
(8)　ドムチョクドンロプ，森久男訳『徳王自伝』岩波書店　1994
(9)　A. T. グルンフェルド，八巻佳子訳『現代チベットの歩み』東方書店　1994
(10)　W. D. シャカッパ，三浦順子訳『チベット政治史』亜細亜大学　1992
(11)　包爾漢『新疆五十年史』文史資料出版社　1981
(12)　オーウェン・ラティモア，中国研究所訳『アジアの焦点』弘文堂　1951
(13)　王柯『東トルキスタン共和国研究　中国のイスラムと民族問題』東京大学出版会　1995
(14)　木村英亮・山本敏『中央アジア・シベリア』（ソ連現代史２）山川出版社　1979
(15)　カルパナ・サーヘニー，袴田茂樹監修・松井秀和訳『ロシアのオリエ

ンタリズム　民族迫害の思想と歴史』柏書房　2000
(16)　小松久男『革命の中央アジア——あるジャディードの肖像』東京大学出版会　1996
(17)　原暉之・山内昌之編『スラブの民族』（講座スラブの世界２）弘文堂　1995
(18)　山内昌之『スルタンガリエフの夢——イスラム世界とロシア革命』東京大学出版会　1986
(19)　山内昌之『ラディカル・ヒストリー』（中公新書）中央公論社　1991
(20)　山内昌之編訳『史料　スルタンガリエフの夢と現実』東京大学出版会　1998
(21)　Stephen Kotkin & Bruce A. Elleman ed., *Mongolia in the Twentieth Century, Landlocked Cosmopolitan*, Armonk, M. E. Sharpe, 1999.
(22)　Owen Lattimore, *Nationalism and Revolution in Mongolia*, Leiden, E. J. Brill, 1955.
(23)　Show-theng Leong, *Sino-Soviet Diplomatic Relations, 1917-1926*, Canberra Australion National University Press, 1976.
(24)　Bruce A. Elleman, *Diplomacy and Deception : The Secret History of Sino-Soviet Diplomatic Relations, 1917-1920*, Armonk, M. E. Sharpe, 1997.
(25)　Melvyn C. Goldstein, *A History of Modern Tibet, 1913-1951*, Berkley, University of California Press, 1989.
(26)　Nakane Chie, “New Trends in Tibetan Studies”, *Acta Asiatica*, No. 76, 1999.
(27)　A. D. W. Forbes, *Warlords and Muslims in Chinese Central Asia: A Political History of Republican Sinkiang 1911-1949*, Cambridge University Press, 1986.
(28)　Alexandre Bennigsen, Chantal Lemercier-Quelquejay, *La presse et le mouvement national chez les Musulmans de Russie avant 1920*, Paris-La Haye, Mouton & Co, 1964.
(29)　Adeeb Khalid, *The Politics of Muslim Cultural Reform : Jadidism in Central Asia*, University of California Press, 1998.
(30)　Hélène Carrère d’Encausse, trans. by Quintin Hoare, *Islam and the Russian Empire : Reform and Revolution in Central Asia*, London, I. B. Tauris, 1988.

(31) William Fierman, W. ed., *Soviet Central Asia : The Failed Transformation*, Westview Press, 1991.
(32) R. Vaidyanath, *The Formation of the Soviet Central Asian Republics : A Study in Soviet Nationalities Policy 1917-1936*, New Delhi, People's Publishing House, 1967.
(33) A. Zeki Velidi Togan, *Bugünkü Türkili (Türkistan) ve Yakın Tarihi*, Istanbul, 1981 (reprint).（『現代のトルキスタンとその近代史』）

20世紀のモンゴル史に関しては，1980年代末の国際情勢の変化，とくにモンゴルの民主化にともない史料公開が進み，歴史評価の大変動が発生した。(21)は20世紀モンゴルに関するさまざまな問題を検討した論文集。(22)は著名なモンゴル研究者によるモンゴル近代史の分析で，出版年は古いものであるが，含蓄に富む。モンゴル問題を考察した中ソ関係史に関しては，(1)(23)(24)が参考になる。

一方，中国における民族問題については，(2)〜(4)をまず読まれるのがよい。20世紀の内モンゴル史については，中国から出版されたものとしては，(5)(6)が代表的な研究であろう。なお，日本とも関連のある蒙疆政権については，(7)およびデムチュクドンロブの伝記である(8)がある。チベットについては，近年欧米，そしてそれに対抗するように中国からも各種の文献・資料が出版されており，「チベット問題」にたいする国際的な関心の高まりを示している。そのなかでは，(9)(25)が代表的なもので，(10)はチベット人によるものとしては，定評がある。最近のチベット研究の状況については，(26)を参照されたい。

(11)は解放当時の新疆省主席の手になる回憶録。著者の政治的立場ゆえのかたよりもみられる。(12)はアメリカの著名な中国研究者による，新疆の紹介。いぜんとして有用である。(13)は東トルキスタン共和国に関する日本語では唯一の研究書。多くの未公開資料の引用がみられる。(27)は辛亥革命から共産党による新疆解放までを一貫して扱う唯一の文献。

(14)は日本語では唯一のソ連中央アジア通史。(15)はロシア・ソ連における中央アジアやカフカースのムスリム諸民族にたいする蔑視と差別の問題を論じた刺激的な著作。(16)は代表的なジャディード知識人フィトラトの生涯を軸に，中央アジアの革命と民族の問題を分析。(17)はソ連中央アジアの革命と民族にかかわる論考を含み，他地域との比較の点でも有益。(18)は指導的なムスリム・コムニストの行動と構想を軸に，ロシア革命をイスラーム世界の側から照射した画期的な著作。(19)はソ連のなかのイスラーム世界に

おける民族問題のルーツを歴史に求める試み。⒇は中央アジアの革命と民族に関する重要な史料集。ロシア語からの訳で，ペレストロイカ以降に公開された新史料を多く含む。

(28)は帝政末期からロシア革命期にかけてロシア領内で刊行された，ムスリムの新聞・雑誌に関するはじめての包括的な研究。(29)はトルキスタンにおけるジャディード運動の展開を，オリジナル史料に基づいて考察した最新の研究。(30)はブハラ・アミール国におけるジャディードの改革運動からソヴィエト革命にいたる展開を分析したはじめての研究。フランス語の初版は1966年。(31)はソ連中央アジアの政治，民族，イスラーム，社会と経済の諸問題を批判的に検討した良質の論文集。(32)は1924年の民族・共和国境界画定を中心に，中央アジアのソヴィエト共和国の形成過程を詳細に検証。(33)はムスリム民族運動の指導者でもあった歴史家による，詳細な中央アジア近・現代史(トルコ語)。

なお，本章で扱った諸問題については，ペレストロイカ以後，中央アジア諸国やロシアで多数の新しい研究が公刊されているが，これらは中央アジア諸語やロシア語で書かれているので，ここには掲げなかった。

第8章　現代の選択

⑴　加々美光行『知られざる祈り』新評論　1992
⑵　宇山智彦『中央アジアの歴史と現在』東洋書店　2000
⑶　木村英亮『ロシア現代史と中央アジア』有信堂　1999
⑷　山内昌之『瀕死のリヴァイアサン――ペレストロイカと民族問題』TBSブリタニカ　1990（再版 講談社学術文庫　1995）
⑸　Beatrice F. Manz ed., *Central Asia in Historical Perspective*, Boulder, Westview Press, 1994.
⑹　Mohammad-Reza Djalili, Frédéric Grare and Shirin Akiner eds., *Tajikistan : The Trials of Independence*, London, Curzon Press, 1998.

モンゴルにおける民主化および市場経済への移行過程などについて，日本語あるいは英語で読める適切な文献は非常に少ない。

⑴は文化大革命期の新疆に関して，とくに漢語の資料から多くの情報を提供。ただし，少数民族の人名の表記や宗教社会習俗に関する理解には問題もある。

⑵は現代中央アジアはどのようにとらえるべきかを歴史の視点から論じた意欲作。⑶は中央アジア現代史に関する論文集。⑷はペレストロイカ期

に中央アジアで噴出した民族問題を総合的に考察。(5)はペレストロイカ期の中央アジアの変動を含む，良質の研究論文集。(6)はタジキスタン内戦の背景と要因，展開，和平と人権問題を扱う論文集。

補　遺

『新版ロシアを知る事典』平凡社　2004
『中央ユーラシアを知る事典』平凡社　2005
「内陸アジア史研究の課題と展望」『内陸アジア史研究』20号　2011
青木雅浩『モンゴル近現代史研究　1921～1924年――外モンゴルとソヴィエト，コミンテルン』早稲田大学出版部　2011
荒川正晴『ユーラシアの交通・交易と唐帝国』名古屋大学出版会　2010
石濱裕美子『清朝とチベット仏教――菩薩王となった乾隆帝』早稲田大学出版部　2011
井上治『ホトクタイ＝セチェン＝ホンタイジの研究』風間書房　2002
岩﨑一郎・宇山智彦・小松久男編『現代中央アジア論――変貌する政治・社会の深層』日本評論社　2004
内田知行・柴田善雅編『日本の蒙疆占領――1937-1945』研文出版　2007
宇山智彦編『中央アジアを知るための60章』明石書店　2003
宇山智彦編『地域認識論――多民族空間の構造と表象』（講座スラブ・ユーラシア学２）講談社　2008
宇山智彦・藤本透子『カザフスタンを知るための60章』明石書店　2015
岡洋樹『清代モンゴル盟旗制度の研究』東方書店　2007
小沼孝博『清とアジア草原――遊牧民の世界から帝国の辺境へ』東京大学出版会　2014
帯谷知可ほか編『中央アジア』（朝倉世界地理講座――大地と人間の物語５）朝倉書店　2012
加藤九祚『シルクロードの古代都市――アムダリヤ遺跡の旅』岩波新書　2013
川口琢司『ティムール帝国支配層の研究』北海道大学出版会　2007
川口琢司『ティムール帝国』講談社選書メチエ　2014
川本正知『モンゴル帝国の軍隊と戦争』山川出版社　2013
久保一之『ティムール――草原とオアシスの覇者』（世界史リブレット人36）山川出版社　2014
窪田順平監修・奈良間千之編『中央ユーラシア環境史１――環境変動と人間』臨川書店　2012

窪田順平監修・承志編『中央ユーラシア環境史2――国境の出現』臨川書店　2012
窪田順平監修・渡邊三津子編『中央ユーラシア環境史3――激動の近現代』臨川書店　2012
窪田順平監修・応地利明編『中央ユーラシア環境史4――生態・生業・民族の交響』臨川書店　2012
『季刊文化遺産』第12号(特集：騎馬遊牧民の黄金文化)島根県並河萬里写真財団　2001
小長谷有紀編『北アジアにおける人と動物のあいだ』東方書店　2002
小長谷有紀『モンゴルの二十世紀――社会主義を生きた人びとの証言』中央公論新社　2004
小松久男『イブラヒム，日本への旅』刀水書房　2008
小松久男『激動の中のイスラーム――中央アジア近現代史』(イスラームを知る18)山川出版社　2014
坂井弘紀訳『アルパムス・バトゥル――テュルク諸民族英雄叙事詩』平凡社東洋文庫　2015
塩谷哲史『中央アジア灌漑史序説――ラウザーン運河とヒヴァ・ハン国の興亡』風響社　2014
白須浄真『大谷探検隊とその時代』勉誠出版　2002
志茂碩敏『モンゴル帝国史研究正篇――中央ユーラシア遊牧諸政権の国家構造』東京大学出版会　2013
杉山清彦『大清帝国の形成と八旗制』名古屋大学出版会　2015
杉山正明『モンゴル帝国と大元ウルス』京都大学学術出版会　2004
杉山正明『モンゴル帝国と長いその後』(興亡の世界史9)講談社　2008
角田文衞・上田正昭監修『古代王権の誕生』III(中央ユーラシア・西アジア・北アフリカ編)角川書店　2003
曽布川寛・吉田豊『ソグド人の美術と言語』臨川書店　2011
橘誠『ボグド・ハーン政権の研究――モンゴル建国史序説1911-1921』風間書房　2011
谷井陽子『八旗制度の研究』京都大学学術出版会　2015
チョクト『チンギス・カンの法』山川出版社　2010
ティムール・ダダバエフ『記憶の中のソ連――中央アジアの人々の生きた社会主義時代』東京大学出版会　2010
中見立夫『「満蒙」問題の歴史的構図』東京大学出版会　2013

西山克典『ロシア革命と東方辺境地域――「帝国」秩序からの自立を求めて』北海道大学図書刊行会　2002
野田仁『露清帝国とカザフ＝ハン国』東京大学出版会　2011
萩原守『清代モンゴルの裁判と裁判文書』創文社　2006
濱田正美『中央アジアのイスラーム』(世界史リブレット70)山川出版社　2008
濱本真実『「聖なるロシア」のイスラーム――17～18世紀タタール人の正教改宗』東京大学出版会　2009
濱本真実『共生のイスラーム――ロシアの正教徒とムスリム』(イスラームを知る5)山川出版社　2014
林俊雄『遊牧国家の誕生』(世界史リブレット98)山川出版社　2009
平野聡『清帝国とチベット問題』名古屋大学出版会　2004
広川佐保『蒙地奉上――「満州国」の土地政策』汲古書院　2005
堀川徹・大江泰一郎・磯貝健一編『シャリーアとロシア帝国――近代ユーラシアの法と社会』臨川書店　2014
ボルジギン・ブレンサイン『近現代におけるモンゴル人農耕村落社会の形成』風間書房　2003
ボルジギン・ブレンサイン編著・赤坂恒明（編集協力）『内モンゴルを知るための60章』明石書店　2015
松原正毅・小長谷有紀・楊海英『ユーラシア草原からのメッセージ――遊牧研究の最前線』平凡社　2005
間野英二『バーブルとその時代』(バーブル・ナーマの研究4〈研究編〉)松香堂　2001
間野英二・堀川徹編『中央アジアの歴史・社会・文化』放送大学教育振興会　2004
間野英二『バーブル・ナーマ――ムガル帝国創設者の回想録』全3巻　平凡社東洋文庫　2014-15
間野英二『バーブル――ムガル帝国の創設者』(世界史リブレット人46)山川出版社　2014
森川哲雄『モンゴル年代記』白帝社　2007
森川哲雄『『蒙古源流』五種』中国書店　2008
森久男編『徳王の研究』創土社　2000
森部豊『ソグド人の東方活動と東ユーラシア世界の歴史的展開』関西大学出版部　2010
森部豊『安禄山――「安史の乱」を起こしたソグド人』(世界史リブレッ

ト人18) 山川出版社　2013
森部豊編『ソグド人と東ユーラシアの文化交渉』(アジア遊学175) 勉誠出版　2014
森安孝夫編『中央アジア出土文物論叢』朋友書店　2004
森安孝夫編『ソグドからウイグルへ——シルクロード東部の民族と文化の交流』汲古書院　2011
森安孝夫『東西ウイグルと中央ユーラシア』名古屋大学出版会　2015
吉田順一監修，早稲田大学モンゴル研究所編『モンゴル史研究——現状と展望』明石書店　2011
Christopher P. Atwood, *Young Mongols and Vigilantes in Inner Mongolia's Interregnum Decades, 1911-1931*, Leiden, Brill, 2002.
Yuri Bregel ed. *An Historical Atlas of Central Asia*, Leiden-Boston, E. J. Brill, 2003.
Daniel D. Brower, *Turkestan and the Fate of the Russian Empire*, London-New York, Routledge Curzon, 2003.
Devin DeWeese ed., *Studies on Central Asian History in Honor of Yuri Bregel*, Bloomington, Indiana University Research Institute for Inner Asian Studies, 2001.
History of Civilizations of Central Asia, 6 vols, Paris, UNESCO Publishing, 1992-2005.
Kubo Kazuyuki, "Central Asian History: Japanese Historiography of Islamic Central Asia", *Orient*, Vol. 38, 2003.
Adeeb Khalid, *Islam after Communism: Religion and Politics in Central Asia,* Berkley, University of California Press, 2007.
Terry Martin, *The Affirmative Action Empire: Nations and Nationalism in the Soviet Union, 1923-1939*, Ithaca-London, Cornell University Press, 2001. (テリー・マーチン〈半谷史郎監修〉『アファーマティヴ・アクションの帝国——ソ連の民族とナショナリズム，1923年～1939年』明石書店　2011)
Olivier Roy, *The New Central Asia: The Creation of Nations*, New York, New York University Press. 2000.
Uyama Tomohiko ed., *Empire, Islam, and Politics in Central Eurasia,* Sapporo, Slavic Research Center, Hokkaido University, 2007.
Mongol ulsyn tüükh, 5 vols, Ulaanbaatar, ADMON, 2003.

Istoriya Buryatii, 3 vols, Ulan-Ude, Izdatel'stvo BNTs SO RAN, 2011.
郝維民・斉木德道爾吉『内蒙古通史』全 8 巻 20 册, 北京, 人民出版社　2012
秋山徹『遊牧英雄とロシア帝国――あるクルグズ首領の軌跡』東京大学出版会　2016
宇山智彦・樋渡雅人編著『現代中央アジア――政治・社会・経済』日本評論社　2018
宇山智彦・藤本透子編著『カザフスタンを知るための 60 章』(エリア・スタディーズ 134) 明石書店　2015
帯谷知可編著『ウズベキスタンを知るための 60 章』(エリア・スタディーズ 164) 明石書店　2018
小松久男『近代中央アジアの群像――革命の世代の軌跡』(世界史リブレット人 80) 山川出版社　2018
小松久男編著『テュルクを知るための 61 章』(エリア・スタディーズ 148) 明石書店　2016
小松久男・荒川正晴・岡洋樹編『中央ユーラシア史研究入門』山川出版社　2018
白石典之『チンギス・カン――"蒼き狼"の実像』中央公論新社　2006
白石典之『モンゴル帝国の誕生――チンギス・カンの都を掘る』(講談社選書メチエ) 講談社　2017
長縄宣博『イスラームのロシア――帝国・宗教・公共圏 1905 - 1917』名古屋大学出版会　2017
野田仁・小松久男編著『近代中央ユーラシアの眺望』山川出版社　2019
カーター・V・フィンドリー(小松久男監訳・佐々木紳訳)『テュルクの歴史――古代から近現代まで』(世界歴史叢書) 明石書店　2017
クリストファー・ベックウィズ(斎藤純男訳)『ユーラシア帝国の興亡――世界史四〇〇〇年の震源地』筑摩書房　2017

コメントつき文献目録

Stéphane A. Dudoignon and Komatsu Hisao eds., *Research Trends in Modern Central Eurasian Studies: Works Published between 1985 and 2000, A Selective and Critical Bibliography*, Part 1-2, Tokyo, The Toyo Bunko, 2003-2006.
Central Eurasian Reader: A Biennial Journal of Critical Bibliography and Epistemology of Central Eurasian Studies, Vol.1-2, Berlin, Klaus Schwarz Verlag, 2008-2010.

■ 王朝系図

モンゴル帝国

大元ウルス

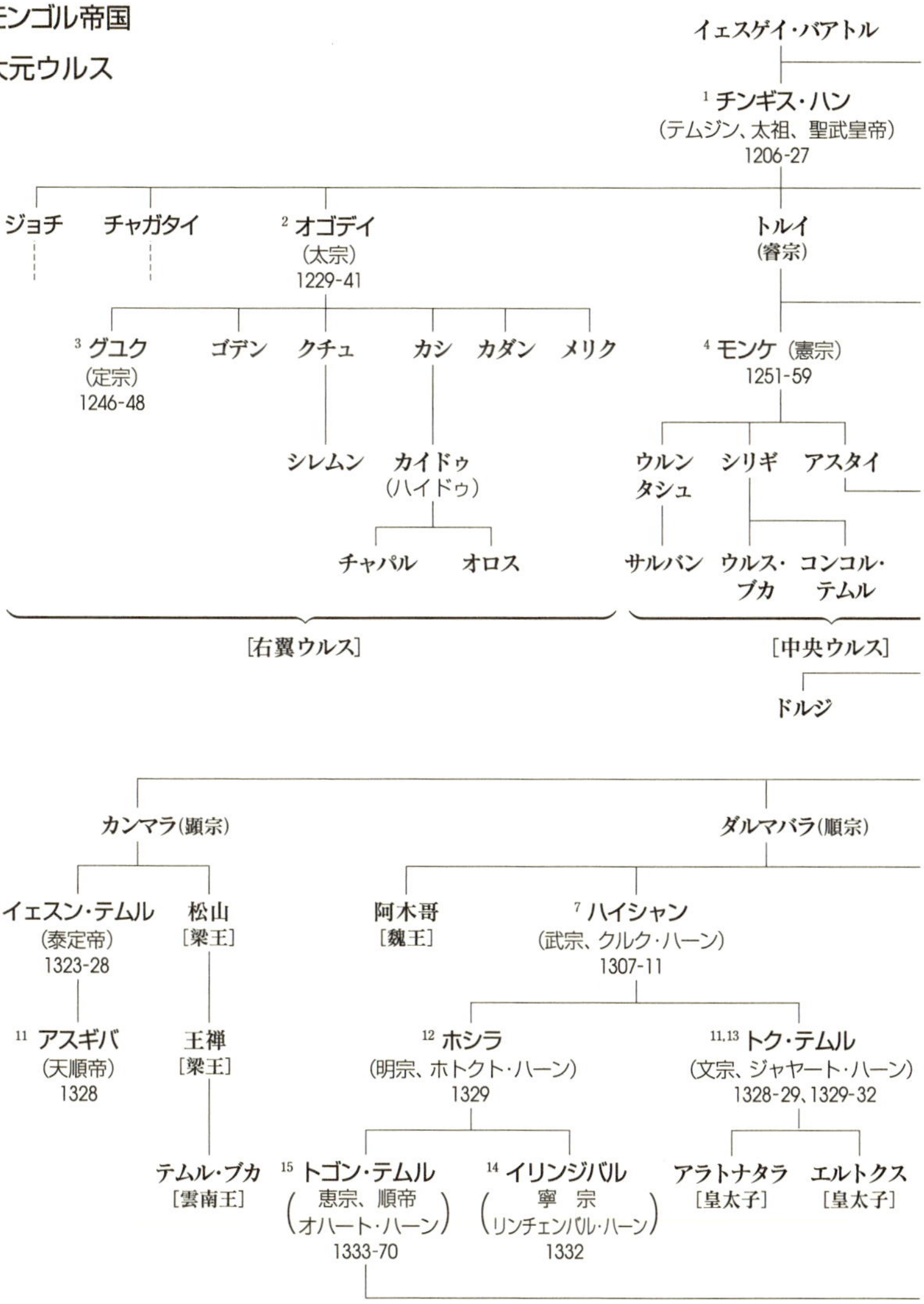

イェスゲイ・バアトル
1 チンギス・ハン
（テムジン、太祖、聖武皇帝）
1206-27
ジョチ
チャガタイ
2 オゴデイ
（太宗）
1229-41
トルイ
（睿宗）
3 グユク
（定宗）
1246-48
ゴデン
クチュ
カシ
カダン
メリク
4 モンケ（憲宗）
1251-59
シレムン
カイドゥ
（ハイドゥ）
ウルン
タシュ
シリギ
アスタイ
チャパル
オロス
サルバン
ウルス・
ブカ
コンコル・
テムル
［右翼ウルス］
［中央ウルス］
ドルジ
カンマラ（顕宗）
ダルマバラ（順宗）
10 イェスン・テムル
（泰定帝）
1323-28
松山
［梁王］
阿木哥
［魏王］
7 ハイシャン
（武宗、クルク・ハーン）
1307-11
11 アスギバ
（天順帝）
1328
王禅
［梁王］
12 ホシラ
（明宗、ホトクト・ハーン）
1329
11,13 トク・テムル
（文宗、ジャヤート・ハーン）
1328-29、1329-32
テムル・ブカ
［雲南王］
15 トゴン・テムル
（恵宗、順帝
オハート・ハーン）
1333-70
14 イリンジバル
（寧　宗
リンチェンバル・ハーン）
1332
アラトナタラ
［皇太子］
エルトクス
［皇太子］

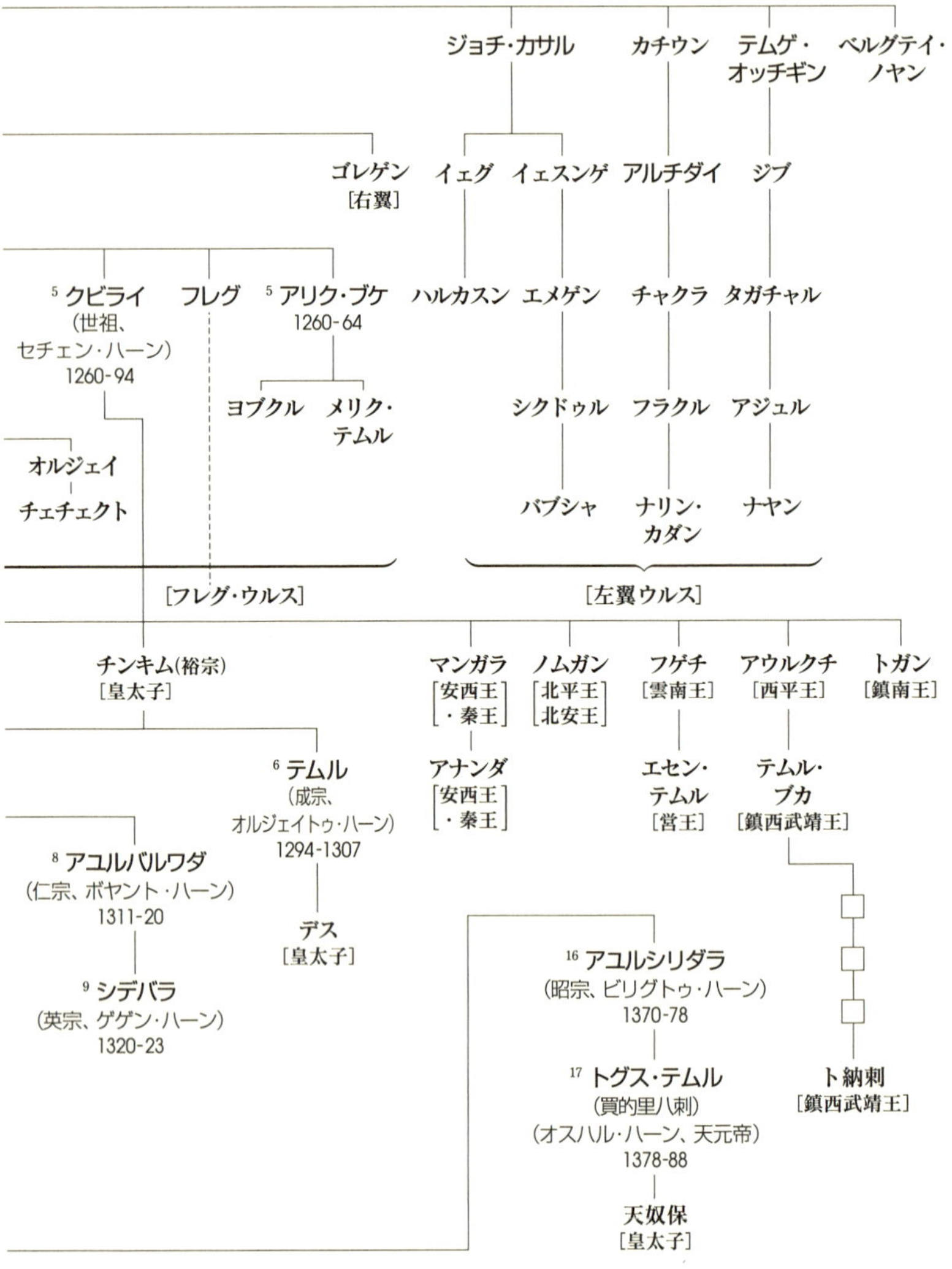
ジョチ・カサル
カチウン
テムゲ・オッチギン
ベルグテイ・ノヤン
ゴレゲン
[右翼]
イェグ
イェスンゲ
アルチダイ
ジブ
5 クビライ
(世祖、セチェン・ハーン)
1260-94
フレグ
5 アリク・ブケ
1260-64
ハルカスン
エメゲン
チャクラ
タガチャル
ヨブクル
メリク・テムル
シクドゥル
フラクル
アジュル
オルジェイ
チェチェクト
バブシャ
ナリン・カダン
ナヤン
[フレグ・ウルス]
[左翼ウルス]
チンキム(裕宗)
[皇太子]
マンガラ
[安西王・秦王]
ノムガン
[北平王 北安王]
フゲチ
[雲南王]
アウルクチ
[西平王]
トガン
[鎮南王]
6 テムル
(成宗、オルジェイトゥ・ハーン)
1294-1307
アナンダ
[安西王・秦王]
エセン・テムル
[營王]
テムル・ブカ
[鎮西武靖王]
8 アユルバルワダ
(仁宗、ボヤント・ハーン)
1311-20
デス
[皇太子]
16 アユルシリダラ
(昭宗、ビリグトゥ・ハーン)
1370-78
9 シデバラ
(英宗、ゲゲン・ハーン)
1320-23
17 トグス・テムル
(買的里八剌)
(オスハル・ハーン、天元帝)
1378-88
卜納剌
[鎮西武靖王]
天奴保
[皇太子]

北　元

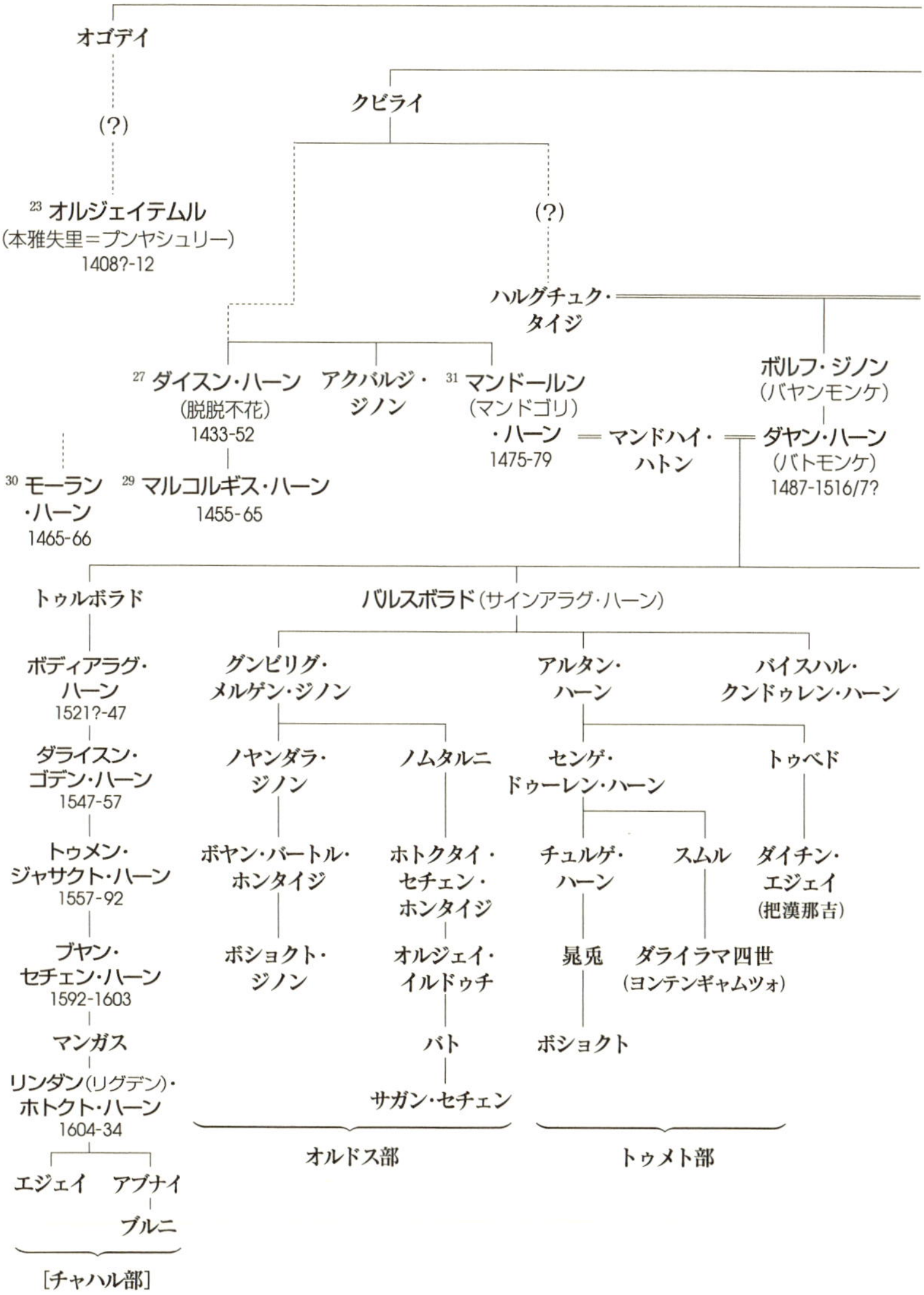

オゴデイ
(?)
23 オルジェイテムル
(本雅失里＝ブンヤシュリー)
1408?-12
クビライ
(?)
ハルグチュク・タイジ
27 ダイスン・ハーン
(脱脱不花)
1433-52
アクバルジ・ジノン
31 マンドールン
(マンドゴリ)
・ハーン
1475-79
マンドハイ・ハトン
ボルフ・ジノン
(バヤンモンケ)
ダヤン・ハーン
(バトモンケ)
1487-1516/7?
30 モーラン・ハーン
1465-66
29 マルコルギス・ハーン
1455-65
トゥルボラド
バルスボラド(サインアラグ・ハーン)
ボディアラグ・ハーン
1521?-47
ダライスン・ゴデン・ハーン
1547-57
トゥメン・ジャサクト・ハーン
1557-92
ブヤン・セチェン・ハーン
1592-1603
マンガス
リンダン(リグデン)・ホトクト・ハーン
1604-34
エジェイ
アブナイ
ブルニ
[チャハル部]
グンビリグ・メルゲン・ジノン
ノヤンダラ・ジノン
ボヤン・バートル・ホンタイジ
ボショクト・ジノン
ノムタルニ
ホトクタイ・セチェン・ホンタイジ
オルジェイ・イルドゥチ
バト
サガン・セチェン
オルドス部
アルタン・ハーン
センゲ・ドゥーレン・ハーン
チュルゲ・ハーン
晁兎
ボショクト
スムル
ダライラマ四世
(ヨンテンギャムツォ)
トゥメト部
バイスハル・クンドゥレン・ハーン
トゥベド
ダイチン・エジェイ
(把漢那吉)

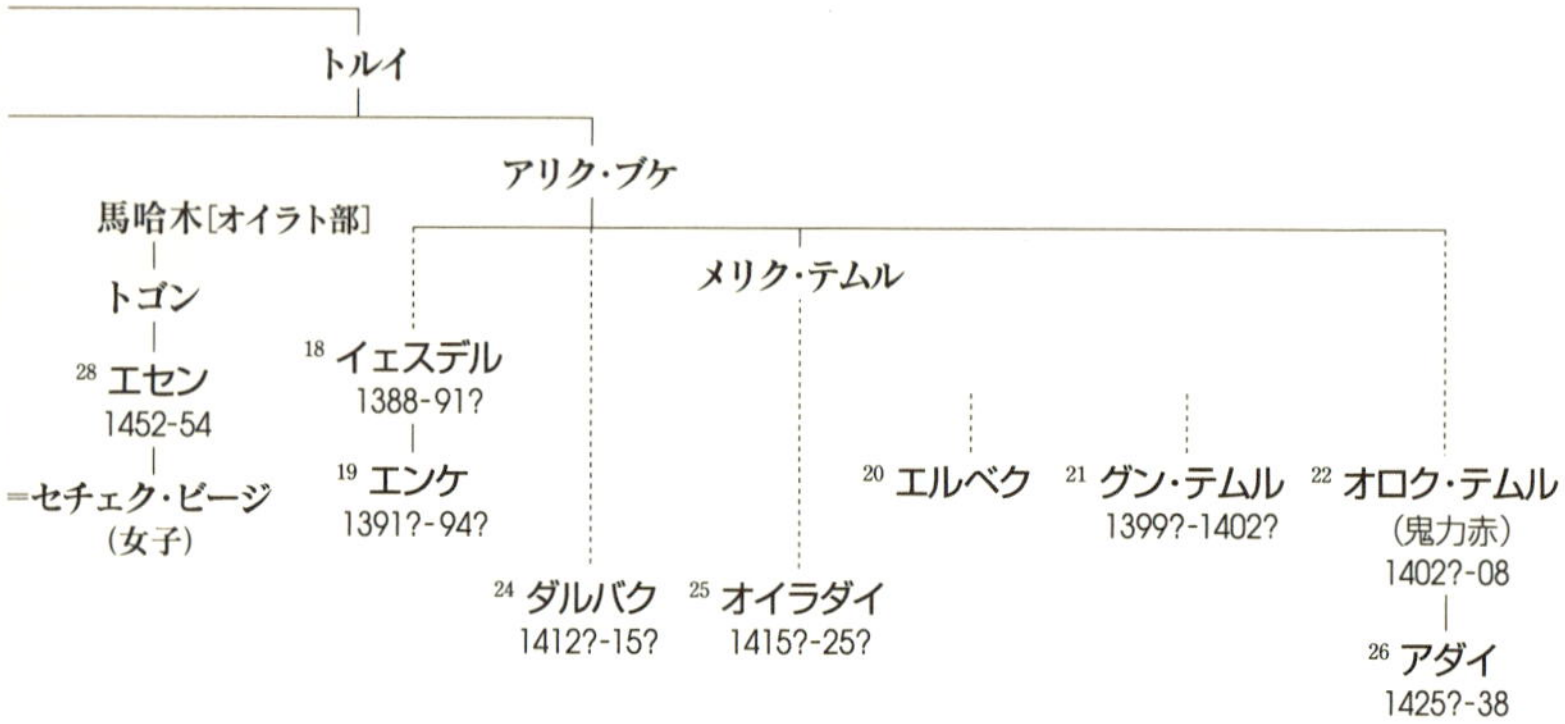
トルイ
アリク・ブケ
馬哈木[オイラト部]
トゴン
28 エセン
1452-54
=セチェク・ビージ
(女子)
メリク・テムル
18 イェスデル
1388-91?
19 エンケ
1391?-94?
20 エルベク
21 グン・テムル
1399?-1402?
22 オロク・テムル
(鬼力赤)
1402?-08
24 ダルバク
1412?-15?
25 オイラダイ
1415?-25?
26 アダイ
1425?-38

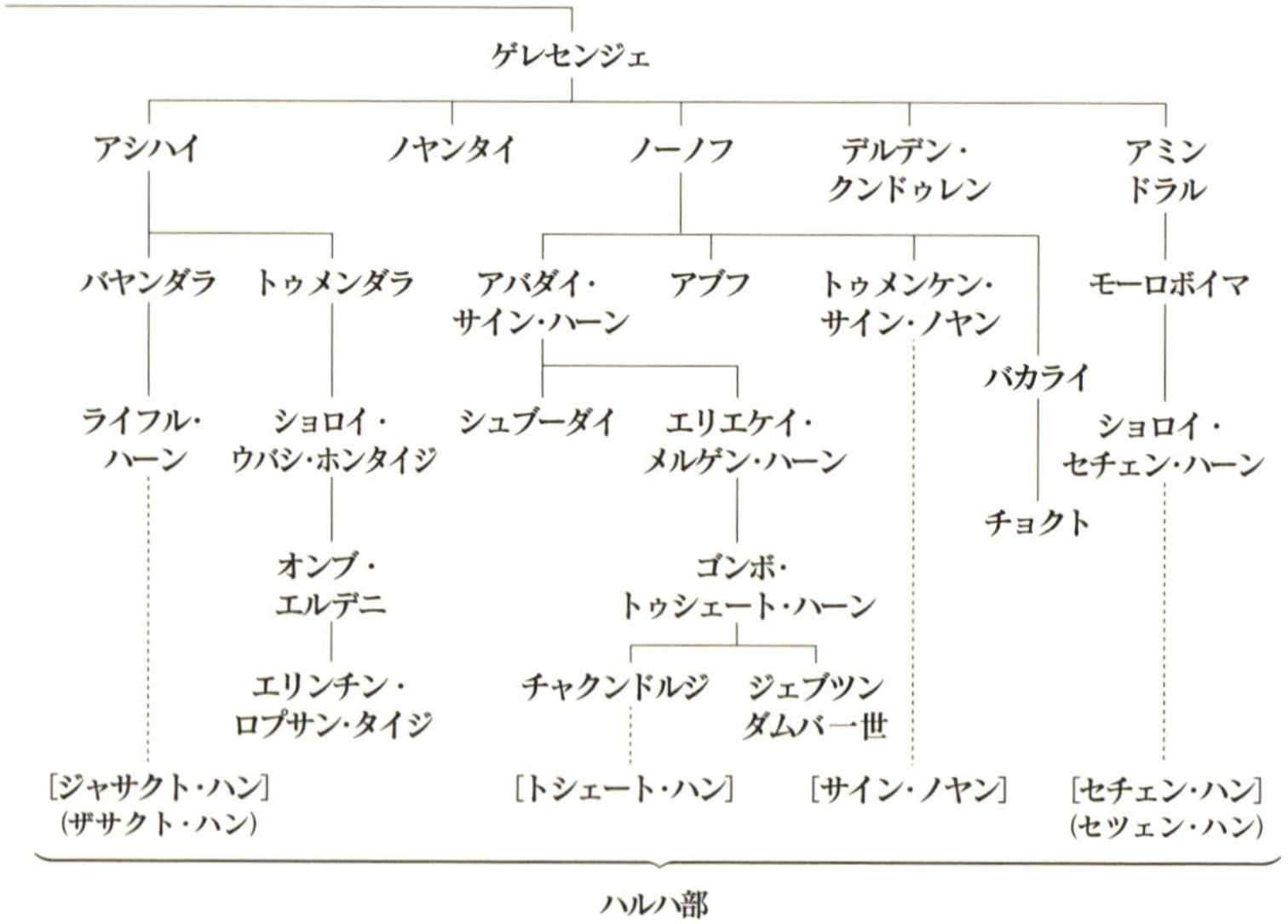
ゲレセンジェ
アシハイ
ノヤンタイ
ノーノフ
デルデン・
クンドゥレン
アミン
ドラル
バヤンダラ
トゥメンダラ
アバダイ・
サイン・ハーン
アブフ
トゥメンケン・
サイン・ノヤン
モーロボイマ
バカライ
ライフル・
ハーン
ショロイ・
ウバシ・ホンタイジ
シュブーダイ
エリエケイ・
メルゲン・ハーン
ショロイ・
セチェン・ハーン
チョクト
オンブ・
エルデニ
ゴンボ・
トゥシェート・ハーン
エリンチン・
ロプサン・タイジ
チャクンドルジ
ジェブツン
ダムバ一世
[ジャサクト・ハン]
(ザサクト・ハン)
[トシェート・ハン]
[サイン・ノヤン]
[セチェン・ハン]
(セツェン・ハン)
ハルハ部

チャガタイ・ウルス／チャガタイ・ハーン国 1〜
モグーリスタン・ハーン国 ①〜
カシュガル（ヤルカンド）・ハーン国 (1)〜

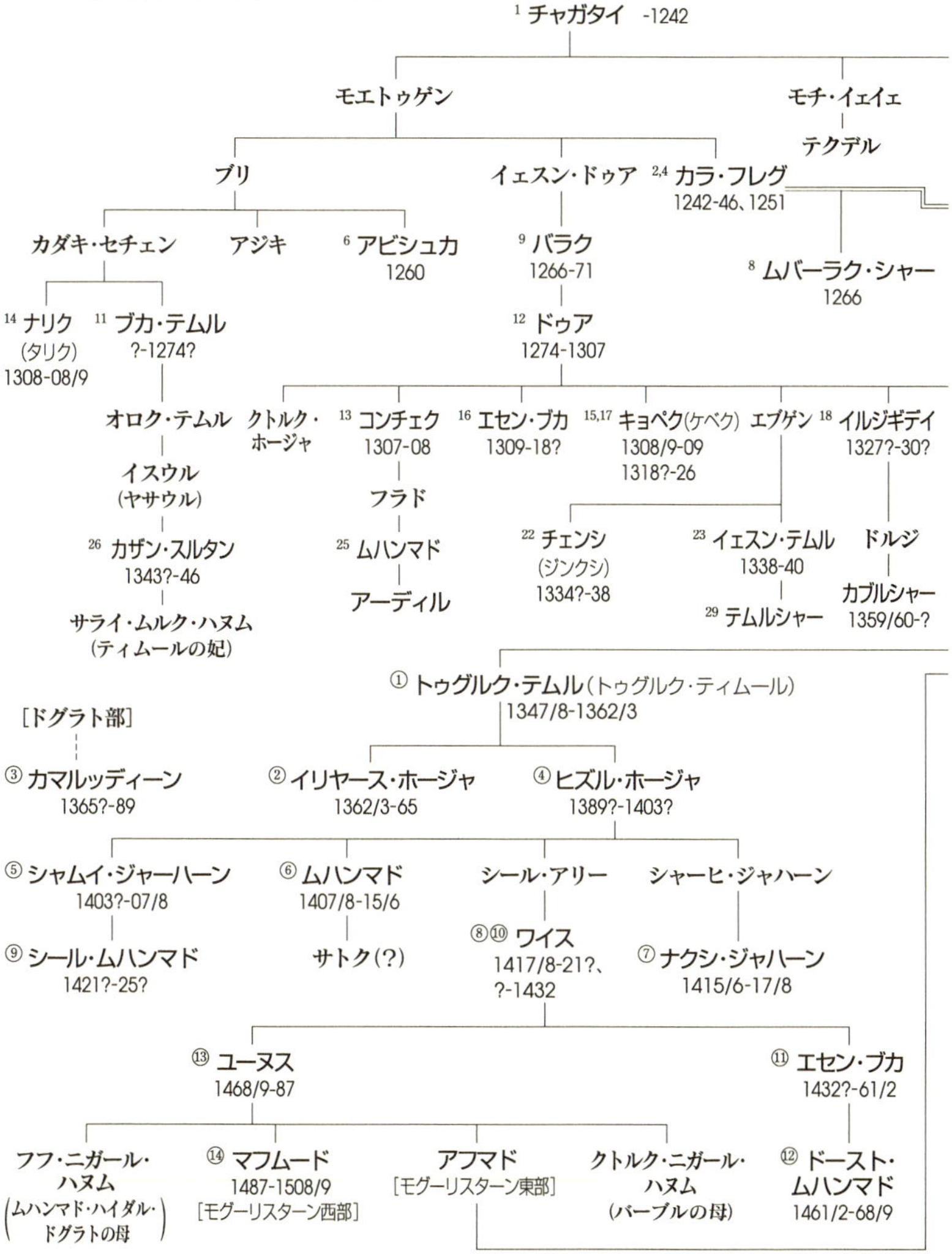

1 チャガタイ -1242
モエトゥゲン
モチ・イェイェ
テクデル
ブリ
イェスン・ドゥア
2,4 カラ・フレグ 1242-46、1251
8 ムバーラク・シャー 1266
カダキ・セチェン
アジキ
6 アビシュカ 1260
9 バラク 1266-71
14 ナリク (タリク) 1308-08/9
11 ブカ・テムル ?-1274?
12 ドゥア 1274-1307
オロク・テムル
イスウル (ヤサウル)
26 カザン・スルタン 1343?-46
サライ・ムルク・ハヌム (ティムールの妃)
クトルク・ホージャ
13 コンチェク 1307-08
フラド
25 ムハンマド
アーディル
16 エセン・ブカ 1309-18?
15,17 キョペク(ケベク) 1308/9-09 1318?-26
エブゲン
18 イルジギデイ 1327?-30?
22 チェンシ (ジンクシ) 1334?-38
23 イェスン・テムル 1338-40
29 テムルシャー
ドルジ
カブルシャー 1359/60-?
① トゥグルク・テムル(トゥグルク・ティムール) 1347/8-1362/3
[ドグラト部]
③ カマルッディーン 1365?-89
② イリヤース・ホージャ 1362/3-65
④ ヒズル・ホージャ 1389?-1403?
⑤ シャムイ・ジャーハーン 1403?-07/8
⑨ シール・ムハンマド 1421?-25?
⑥ ムハンマド 1407/8-15/6
サトク(?)
シール・アリー
⑧⑩ ワイス 1417/8-21?、?-1432
シャーヒ・ジャハーン
⑦ ナクシ・ジャハーン 1415/6-17/8
⑬ ユーヌス 1468/9-87
⑪ エセン・ブカ 1432?-61/2
フフ・ニガール・ハヌム (ムハンマド・ハイダル・ドグラトの母)
⑭ マフムード 1487-1508/9 [モグーリスターン西部]
アフマド [モグーリスターン東部]
クトルク・ニガール・ハヌム (バーブルの母)
⑫ ドースト・ムハンマド 1461/2-68/9

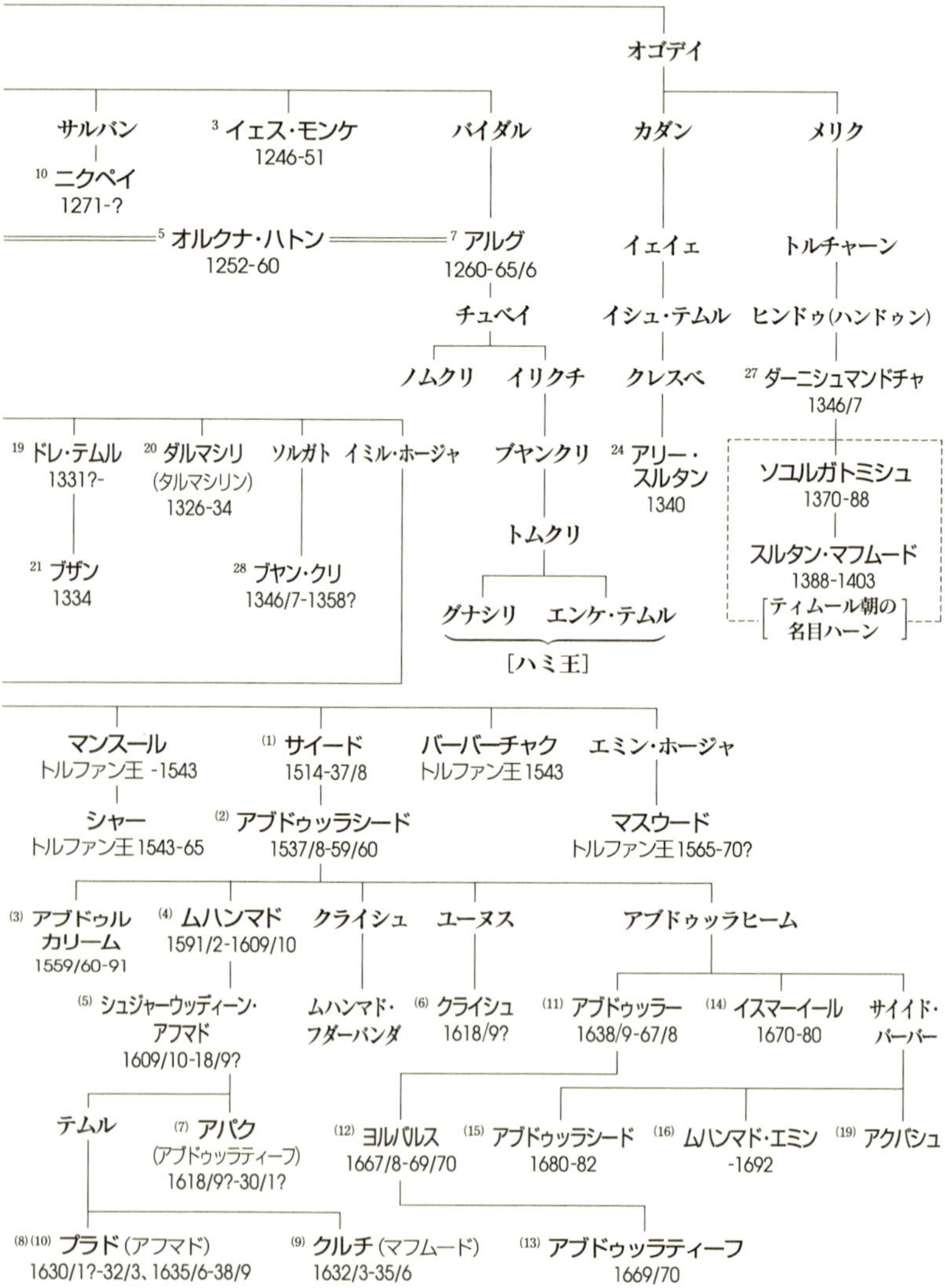
オゴデイ
サルバン
3 イェス・モンケ
1246-51
バイダル
カダン
メリク
10 ニクペイ
1271-?
5 オルクナ・ハトン
1252-60
7 アルグ
1260-65/6
イェイェ
トルチャーン
チュベイ
イシュ・テムル
ヒンドゥ(ハンドゥン)
ノムクリ
イリクチ
クレスベ
27 ダーニシュマンドチャ
1346/7
19 ドレ・テムル
1331?-
20 ダルマシリ
(タルマシリン)
1326-34
ソルガト
イミル・ホージャ
ブヤンクリ
24 アリー・スルタン
1340
ソユルガトミシュ
1370-88
トムクリ
21 ブザン
1334
28 ブヤン・クリ
1346/7-1358?
スルタン・マフムード
1388-1403
グナシリ
エンケ・テムル
[ティムール朝の名目ハーン]
[ハミ王]
マンスール
トルファン王 -1543
(1) サイード
1514-37/8
バーバーチャク
トルファン王 1543
エミン・ホージャ
シャー
トルファン王 1543-65
(2) アブドゥッラシード
1537/8-59/60
マスウード
トルファン王 1565-70?
(3) アブドゥル
カリーム
1559/60-91
(4) ムハンマド
1591/2-1609/10
クライシュ
ユーヌス
アブドゥッラヒーム
(5) シュジャーウッディーン・
アフマド
1609/10-18/9?
ムハンマド・
フダーバンダ
(6) クライシュ
1618/9?
(11) アブドゥッラー
1638/9-67/8
(14) イスマーイール
1670-80
サイイド・
バーバー
テムル
(7) アパク
(アブドゥッラティーフ)
1618/9?-30/1?
(12) ヨルバルス
1667/8-69/70
(15) アブドゥッラシード
1680-82
(16) ムハンマド・エミン
-1692
(19) アクバシュ
(8)(10) プラド(アフマド)
1630/1?-32/3、1635/6-38/9
(9) クルチ(マフムード)
1632/3-35/6
(13) アブドゥッラティーフ
1669/70

ティムール朝

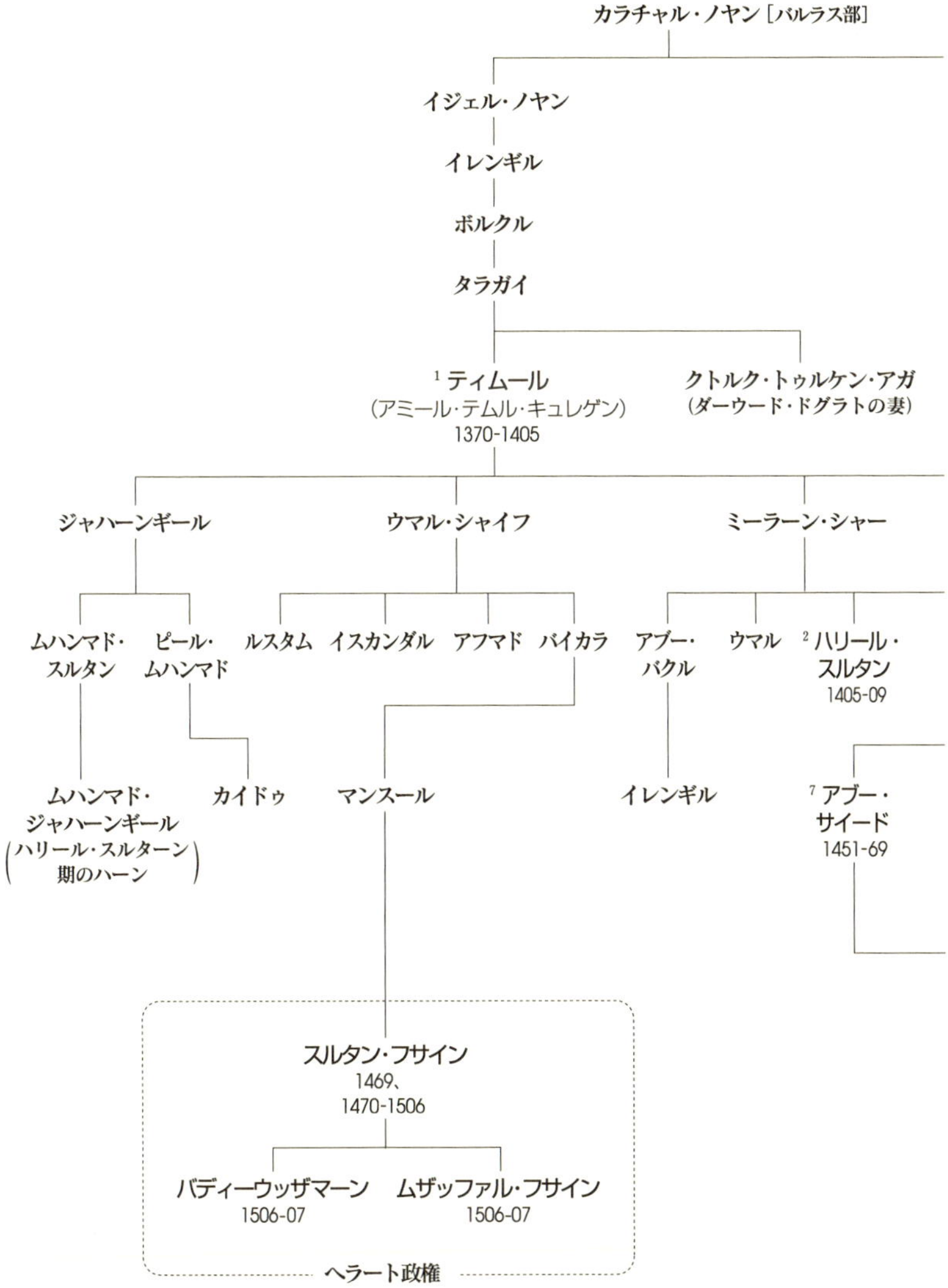
カラチャル・ノヤン［バルラス部］
イジェル・ノヤン
イレンギル
ボルクル
タラガイ
1 ティムール
（アミール・テムル・キュレゲン）
1370-1405
クトルク・トゥルケン・アガ
（ダーウード・ドグラトの妻）
ジャハーンギール
ウマル・シャイフ
ミーラーン・シャー
ムハンマド・スルタン
ピール・ムハンマド
ルスタム
イスカンダル
アフマド
バイカラ
アブー・バクル
ウマル
2 ハリール・スルタン
1405-09
ムハンマド・ジャハーンギール
（ハリール・スルターン期のハーン）
カイドゥ
マンスール
イレンギル
7 アブー・サイード
1451-69
スルタン・フサイン
1469、
1470-1506
バディーウッザマーン
1506-07
ムザッファル・フサイン
1506-07
ヘラート政権

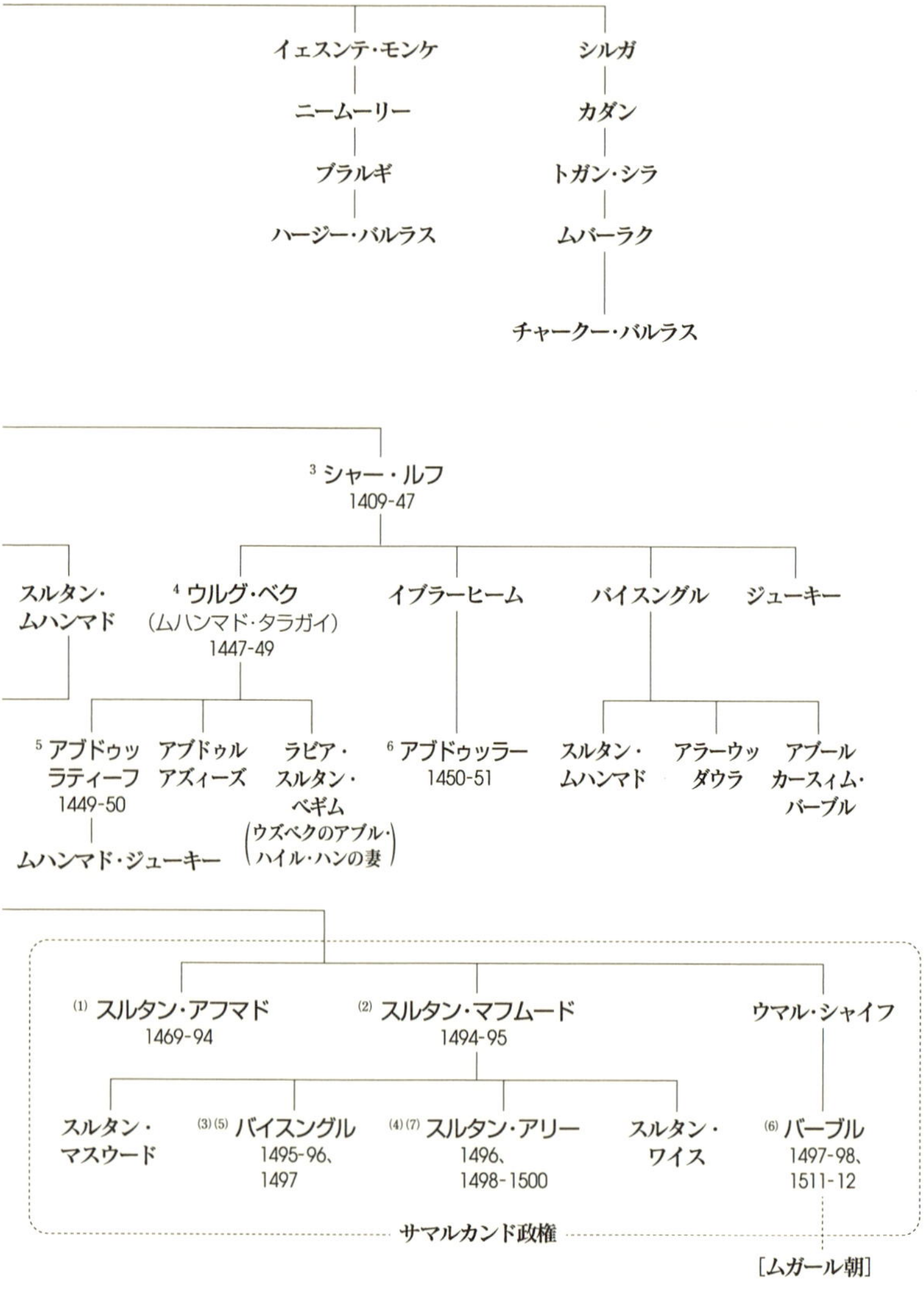
イェスンテ・モンケ
ニームーリー
ブラルギ
ハージー・バルラス
シルガ
カダン
トガン・シラ
ムバーラク
チャークー・バルラス
3 シャー・ルフ 1409-47
スルタン・ムハンマド
4 ウルグ・ベク (ムハンマド・タラガイ) 1447-49
イブラーヒーム
バイスングル
ジューキー
5 アブドゥッラティーフ 1449-50
ムハンマド・ジューキー
アブドゥルアズィーズ
ラビア・スルタン・ベギム
(ウズベクのアブル・ハイル・ハンの妻)
6 アブドゥッラー 1450-51
スルタン・ムハンマド
アラーウッダウラ
アブール カースィム・バーブル
(1) スルタン・アフマド 1469-94
(2) スルタン・マフムード 1494-95
ウマル・シャイフ
スルタン・マスウード
(3)(5) バイスングル 1495-96、1497
(4)(7) スルタン・アリー 1496、1498-1500
スルタン・ワイス
(6) バーブル 1497-98、1511-12
サマルカンド政権
[ムガール朝]

ジョチ・ウルス（金帳汗国、キプチャク・ハーン国）

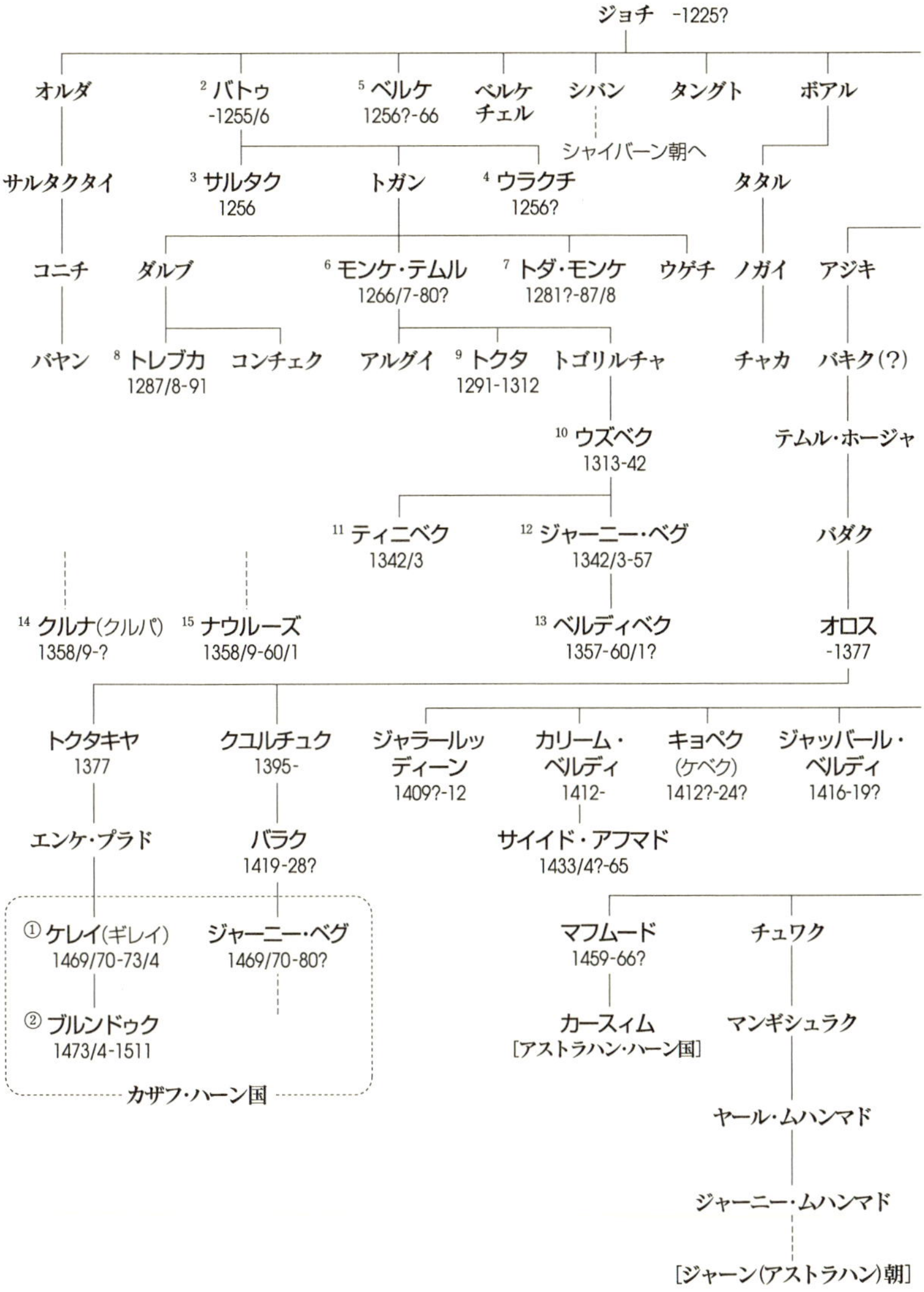
ジョチ -1225?
オルダ
2 バトゥ -1255/6
5 ベルケ 1256?-66
ベルケチェル
シバン
タングト
ボアル
シャイバーン朝へ
サルタクタイ
3 サルタク 1256
トガン
4 ウラクチ 1256?
タタル
コニチ
ダルブ
6 モンケ・テムル 1266/7-80?
7 トダ・モンケ 1281?-87/8
ウゲチ
ノガイ
アジキ
バヤン
8 トレブカ 1287/8-91
コンチェク
アルグイ
9 トクタ 1291-1312
トゴリルチャ
チャカ
バキク（?）
10 ウズベク 1313-42
テムル・ホージャ
11 ティニベク 1342/3
12 ジャーニー・ベグ 1342/3-57
バダク
14 クルナ（クルパ） 1358/9-?
15 ナウルーズ 1358/9-60/1
13 ベルディベク 1357-60/1?
オロス -1377
トクタキヤ 1377
クユルチュク 1395-
ジャラールッディーン 1409?-12
カリーム・ベルディ 1412-
キョペク（ケペク） 1412?-24?
ジャッバール・ベルディ 1416-19?
エンケ・プラド
バラク 1419-28?
サイイド・アフマド 1433/4?-65
① ケレイ（ギレイ） 1469/70-73/4
ジャーニー・ベグ 1469/70-80?
② ブルンドゥク 1473/4-1511
カザフ・ハーン国
マフムード 1459-66?
チュワク
カースィム
［アストラハン・ハーン国］
マンギシュラク
ヤール・ムハンマド
ジャーニー・ムハンマド
［ジャーン（アストラハン）朝］

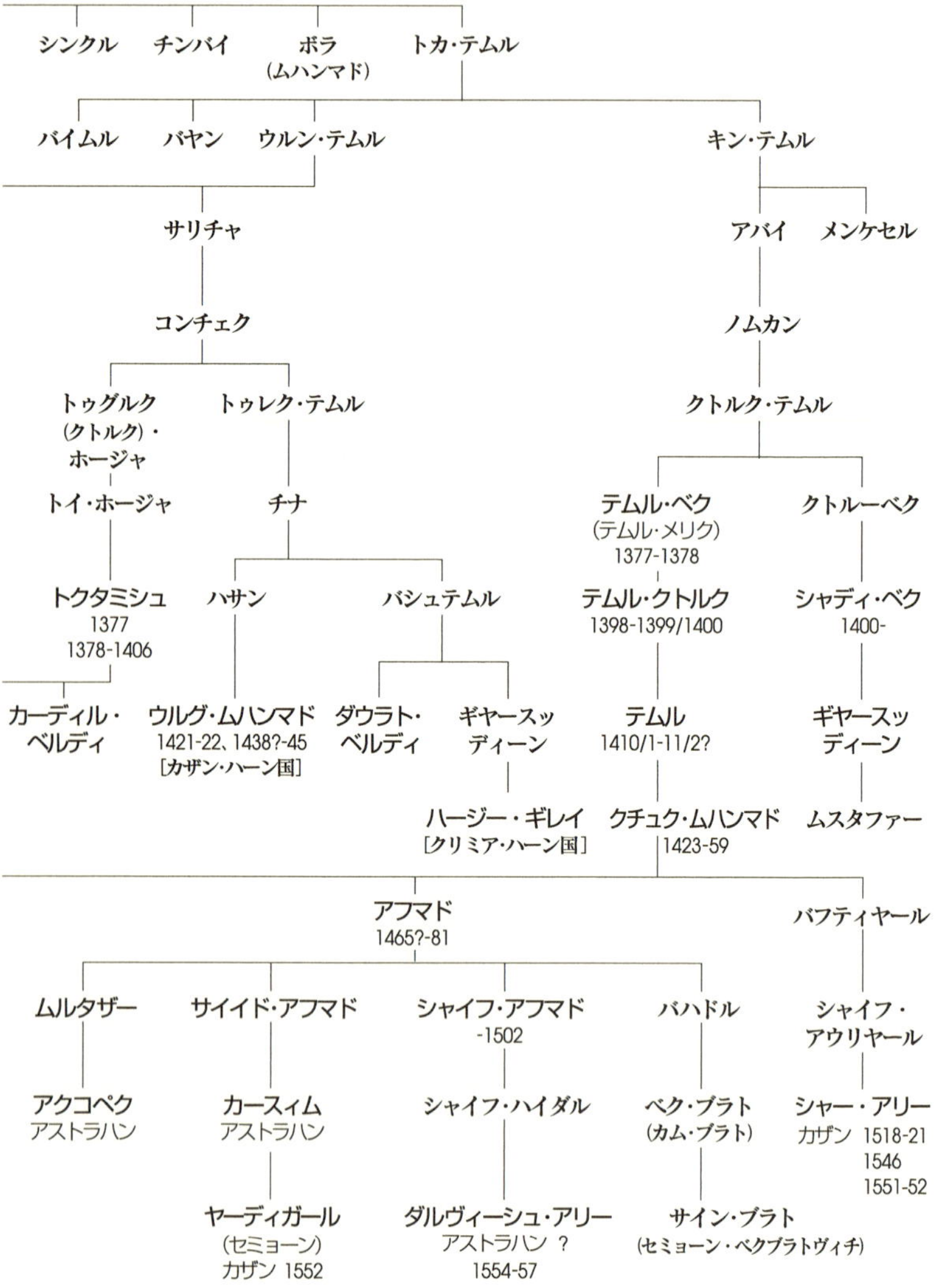
シンクル
チンバイ
ボラ
(ムハンマド)
トカ・テムル
バイムル
バヤン
ウルン・テムル
キン・テムル
サリチャ
アバイ
メンケセル
コンチェク
ノムカン
トゥグルク
(クトルク)・
ホージャ
トゥレク・テムル
クトルク・テムル
トイ・ホージャ
チナ
テムル・ベク
(テムル・メリク)
1377-1378
クトルーベク
トクタミシュ
1377
1378-1406
ハサン
バシュテムル
テムル・クトルク
1398-1399/1400
シャディ・ベク
1400-
カーディル・
ベルディ
ウルグ・ムハンマド
1421-22、1438?-45
[カザン・ハーン国]
ダウラト・
ベルディ
ギヤースッ
ディーン
テムル
1410/1-11/2?
ギヤースッ
ディーン
ハージー・ギレイ
[クリミア・ハーン国]
クチュク・ムハンマド
1423-59
ムスタファー
アフマド
1465?-81
バフティヤール
ムルタザー
サイイド・アフマド
シャイフ・アフマド
-1502
バハドル
シャイフ・
アウリヤール
アクコベク
アストラハン
カースィム
アストラハン
シャイフ・ハイダル
ベク・ブラト
(カム・ブラト)
シャー・アリー
カザン 1518-21
1546
1551-52
ヤーディガール
(セミョーン)
カザン 1552
ダルヴィーシュ・アリー
アストラハン ?
1554-57
サイン・ブラト
(セミョーン・ベクブラトヴィチ)

シャイバーン朝
ジャーン(アストラハン)朝

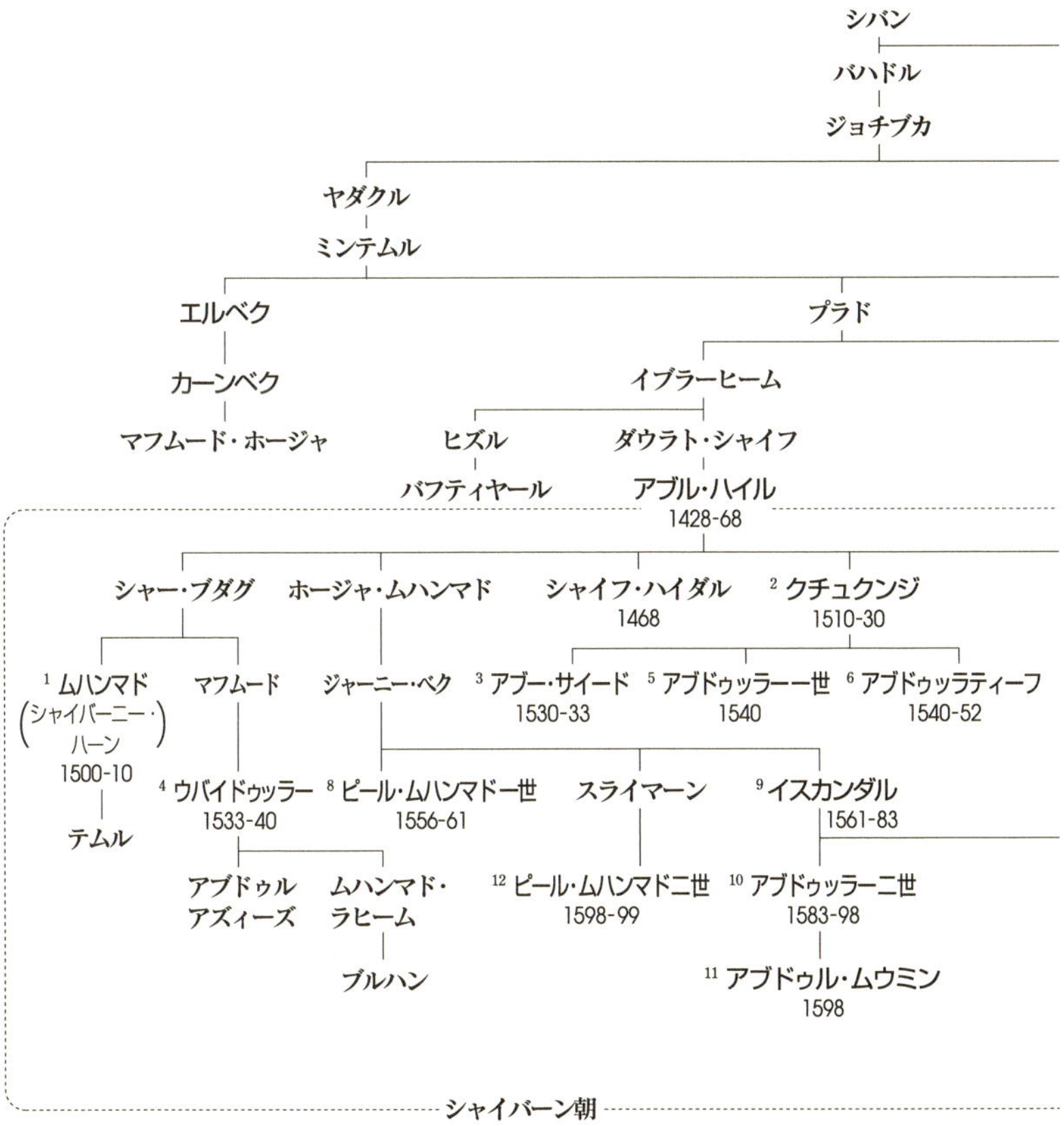
シバン
バハドル
ジョチブカ
ヤダクル
ミンテムル
エルベク
カーンベク
マフムード・ホージャ
プラド
イブラーヒーム
ヒズル
バフティヤール
ダウラト・シャイフ
アブル・ハイル
1428-68
シャー・ブダグ
ホージャ・ムハンマド
シャイフ・ハイダル
1468
2 クチュクンジ
1510-30
1 ムハンマド
(シャイバーニー・ハーン)
1500-10
テムル
マフムード
4 ウバイドゥッラー
1533-40
アブドゥル
アズィーズ
ムハンマド・
ラヒーム
ブルハン
ジャーニー・ベク
8 ピール・ムハンマド一世
1556-61
スライマーン
12 ピール・ムハンマド二世
1598-99
9 イスカンダル
1561-83
10 アブドゥッラー二世
1583-98
11 アブドゥル・ムウミン
1598
3 アブー・サイード
1530-33
5 アブドゥッラー一世
1540
6 アブドゥッラティーフ
1540-52
シャイバーン朝

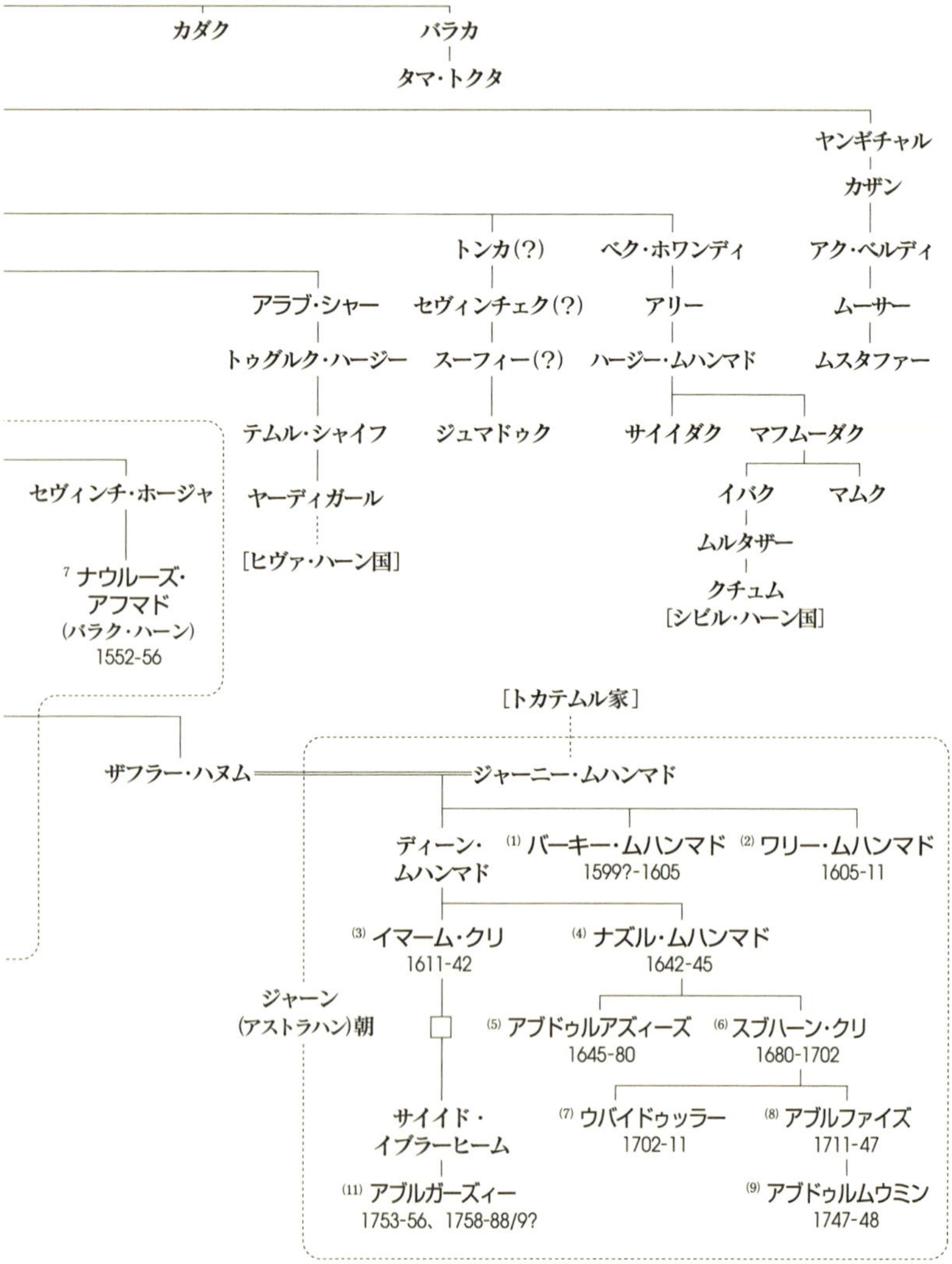
カダク
バラカ
タマ・トクタ
ヤンギチャル
カザン
アク・ベルディ
ムーサー
ムスタファー
トンカ(?)
セヴィンチェク(?)
スーフィー(?)
ジュマドゥク
ベク・ホワンディ
アリー
ハージー・ムハンマド
サイイダク
マフムーダク
イバク
マムク
ムルタザー
クチュム
[シビル・ハーン国]
アラブ・シャー
トゥグルク・ハージー
テムル・シャイフ
ヤーディガール
[ヒヴァ・ハーン国]
セヴィンチ・ホージャ
7 ナウルーズ・アフマド
(バラク・ハーン)
1552-56
[トカテムル家]
ザフラー・ハヌム
ジャーニー・ムハンマド
ディーン・ムハンマド
(1) バーキー・ムハンマド
1599?-1605
(2) ワリー・ムハンマド
1605-11
(3) イマーム・クリ
1611-42
(4) ナズル・ムハンマド
1642-45
ジャーン
(アストラハン)朝
(5) アブドゥルアズィーズ
1645-80
(6) スブハーン・クリ
1680-1702
サイイド・イブラーヒーム
(7) ウバイドゥッラー
1702-11
(8) アブルファイズ
1711-47
(11) アブルガーズィー
1753-56、1758-88/9?
(9) アブドゥルムウミン
1747-48

カザフ・ハーン国

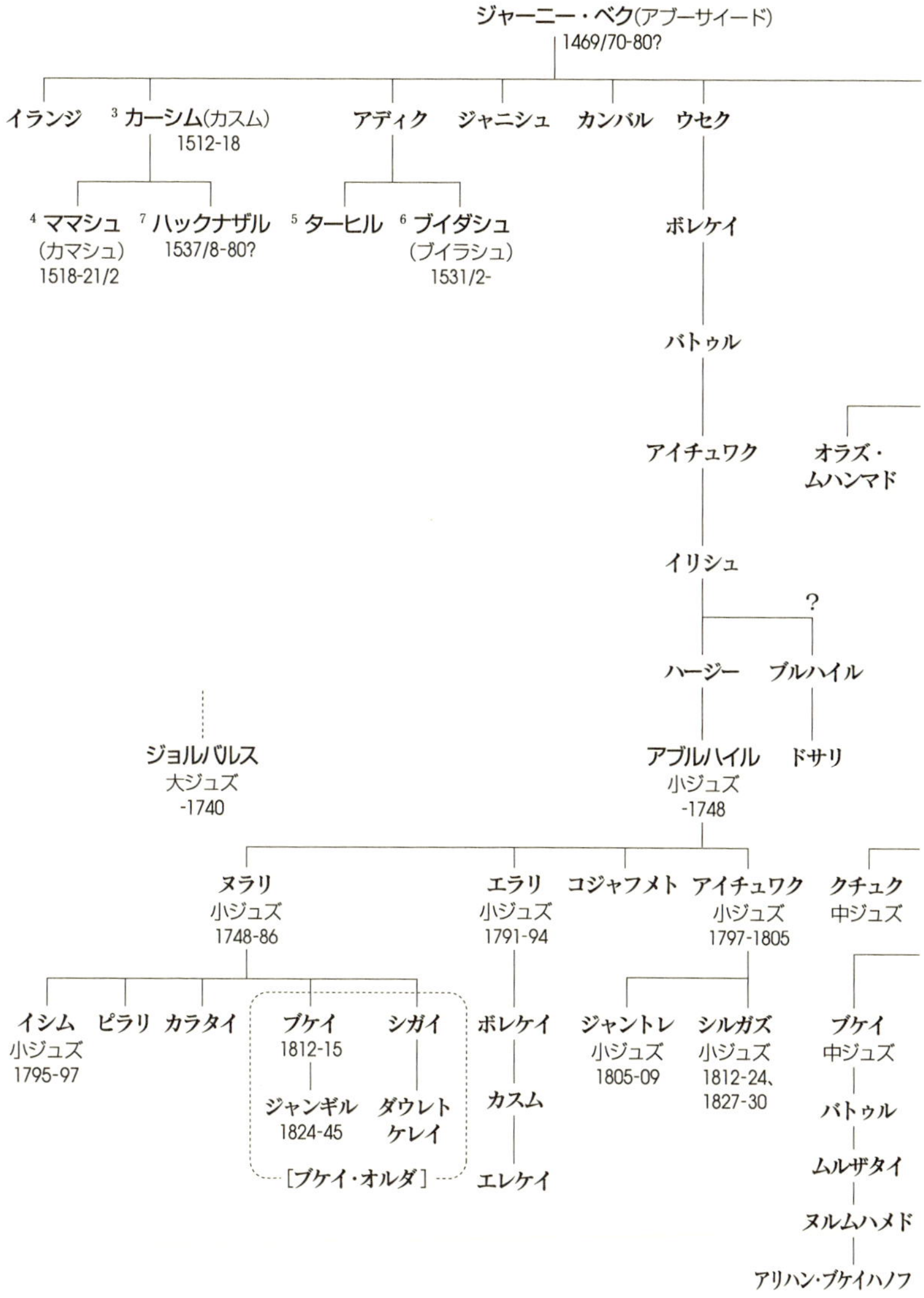
ジャーニー・ベク(アブーサイード)
1469/70-80?
イランジ
3 カーシム(カスム)
1512-18
アディク
ジャニシュ
カンバル
ウセク
4 ママシュ
(カマシュ)
1518-21/2
7 ハックナザル
1537/8-80?
5 ターヒル
6 ブイダシュ
(ブイラシュ)
1531/2-
ボレケイ
バトゥル
アイチュワク
オラズ・ムハンマド
イリシュ
?
ハージー
ブルハイル
アブルハイル
小ジュズ
-1748
ドサリ
ジョルバルス
大ジュズ
-1740
ヌラリ
小ジュズ
1748-86
エラリ
小ジュズ
1791-94
コジャフメト
アイチュワク
小ジュズ
1797-1805
クチュク
中ジュズ
イシム
小ジュズ
1795-97
ピラリ
カラタイ
ブケイ
1812-15
シガイ
ボレケイ
ジャントレ
小ジュズ
1805-09
シルガズ
小ジュズ
1812-24、
1827-30
ブケイ
中ジュズ
ジャンギル
1824-45
ダウレト
ケレイ
[ブケイ・オルダ]
カスム
エレケイ
バトゥル
ムルザタイ
ヌルムハメド
アリハン・ブケイハノフ

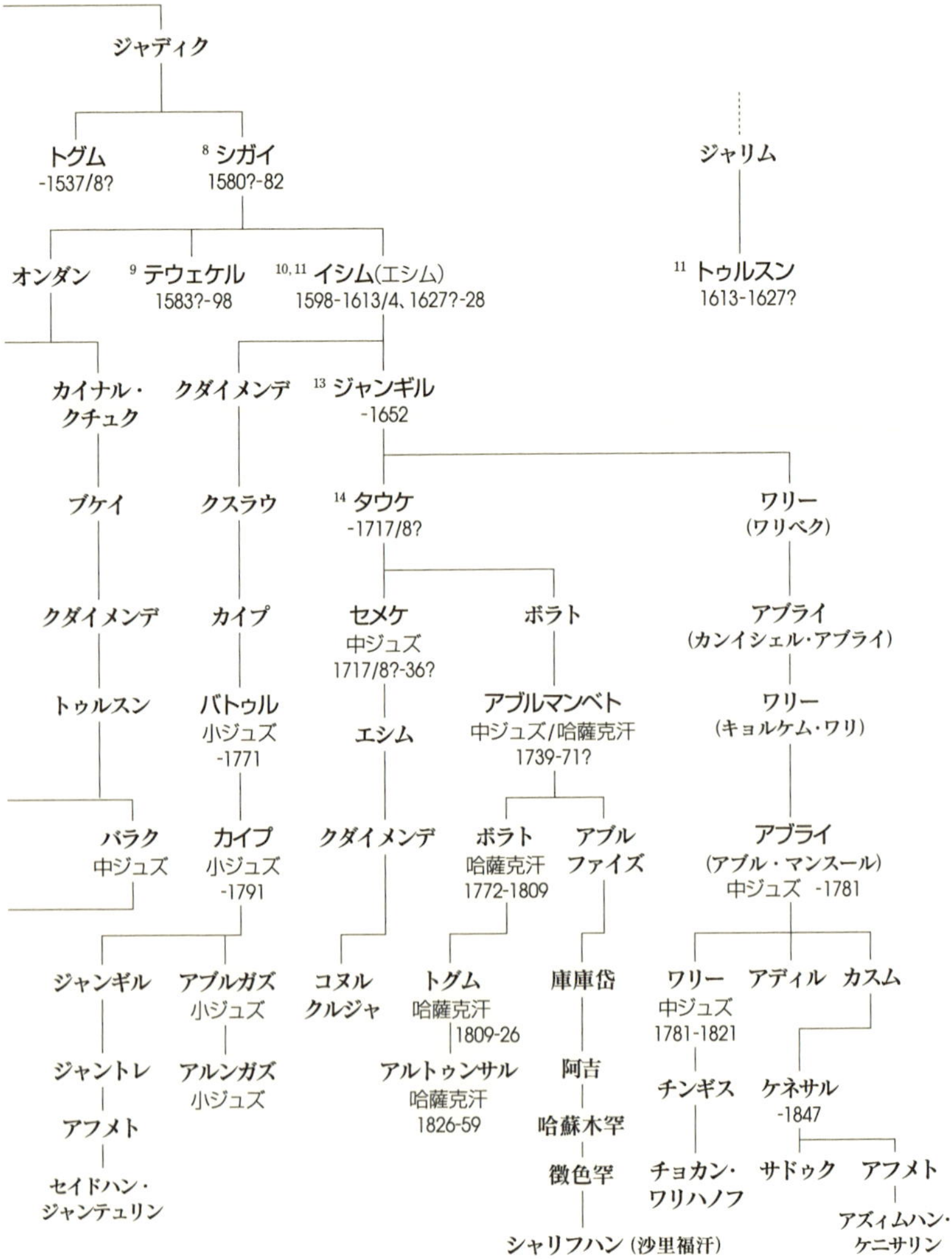
ジャディク
トグム
-1537/8?
8 シガイ
1580?-82
ジャリム
オンダン
9 テウェケル
1583?-98
10, 11 イシム(エシム)
1598-1613/4、1627?-28
11 トゥルスン
1613-1627?
カイナル・クチュク
クダイメンデ
13 ジャンギル
-1652
ブケイ
クスラウ
14 タウケ
-1717/8?
ワリー
(ワリベク)
クダイメンデ
カイプ
セメケ
中ジュズ
1717/8?-36?
ボラト
アブライ
(カンイシェル・アブライ)
トゥルスン
バトゥル
小ジュズ
-1771
エシム
アブルマンベト
中ジュズ/哈薩克汗
1739-71?
ワリー
(キョルケム・ワリ)
バラク
中ジュズ
カイプ
小ジュズ
-1791
クダイメンデ
ボラト
哈薩克汗
1772-1809
アブル
ファイズ
アブライ
(アブル・マンスール)
中ジュズ -1781
ジャンギル
アブルガズ
小ジュズ
コヌル
クルジャ
トグム
哈薩克汗
1809-26
庫庫岱
ワリー
中ジュズ
1781-1821
アディル
カスム
ジャントレ
アルンガズ
小ジュズ
アルトゥンサル
哈薩克汗
1826-59
阿吉
チンギス
ケネサル
-1847
アフメト
哈蘇木罕
セイドハン・ジャンテュリン
徴色罕
チョカン・ワリハノフ
サドゥク
アフメト
シャリフハン(沙里福汗)
アズィムハン・ケニサリン

■ 写真引用一覧

1 ……『五體清文鑑譯解』（上巻）京都大学文学部内陸アジア研究所　1966

2 ……P. M. Kozhin, "O psaliyakh iz afanas'evskikh mogil", *Sovetskaya arkheologiya*, 1970-4.

3 ……*Encyclopedia of Indo-European Culture*, Chicago, 1997.

4 ……K. Jettmar, "Sintasta : Ein gemeinsames Heiligtum der Indo-Iraner ?", *Eurasia Antiqua*, 2, 1996.

5 ……E. E. Kuz'mina, "Eshche raz o diskovidnykh psaliyakh evraziiskikh stepei", *Kratkie soobshcheniya Instituta arkheologii*, 161, 1980.

6 ……N. A. Avanesova, "Ser'gi visochnye podveski andronovskoi kul'tury", *Pervobytnaya Arkheologiya Sibiri*, Leningrad, 1975.

7 ……安志敏「唐山石棺墓及其相関的遺物」『考古学報』7　1954

8 ……S. V. Kiselev, *Drevnyaya istoriya Yuzhnoi Sibiri*, Moskva, 1951.

9 ……北京市文物管理処「北京地区的又一重要考古収穫」『考古』4　1976

10……N. N. Dikov, *Bronzovyi vek Zabaikal'ya*, Ulan-Ude, 1958.

11……寧城県文化館，中国社会科学院研究生院考古系東北考古専業「寧城県新発現的夏家店上層文化墓葬及其相関遺物的研究」『文物資料叢刊』9　1985

12……B. I. Klochko, "Nekotorye voprosy proiskhozhdeniya bronzovykh nakonechnikov strel Severnogo Prichernomor'ya Ⅷ-Ⅶ vv. do. n. e.", *Pamyatniki drevnikh kul'tur Severnogo Prichernomor'ya*, Kiev, 1979.

13……A. I. Terenozhkin, *Kimmeriitsy*, Kiev, 1976.

14……藤川繁彦編『中央ユーラシアの考古学』同成社　1999

15……N. L. Chlenova, *Olennye kamni kak istoricheskii istochnik*, Novosibirsk, 1984.

16……A. A. Iessen, "Nekotorye pamyatniki Ⅷ-Ⅶ vv. do. n. e. na Severnom Kavkaze", *Voprosy skifo-sarmatskoi arkheologii*, Moskva, 1954.

17……M. P. Gryaznov, *Der Grosskurgan von Aržan in Tuva, Südsibirien*, München, 1984.

18……K. F. Smirnov, *Vooruzhenie savromatov*, Moskva, 1961.

19……河北省文化局文物工作隊「河北懐来北辛堡戦国墓」『考古』5　1966

20……*Scythian Art*, Leningrad, 1986.

21……*Stepnaya polosa Aziatskoi chasti SSSR v skifsko-sarmatskoe vremya*, Moskva, 1992.

22……B. M. Mozolevskii, *Tovsta Mogila*, Kiev, 1979.

23……『民族の世界史 4　中央ユーラシアの世界』山川出版社　1990

24……S. I. Rudenko, *Frozen Tombs of Siberia*, London, 1970.

25……M. Yu. Treister, "New Discoveries of Sarmatian Complexes", *Ancient Civilizations from Scythia to Siberia*, 4 : 1, 1997.

26……A. V. Davydova, *The Ivolga Fortress*, St. Petersburg, 1995.

27……梅原末次『蒙古ノイン・ウラ発見の遺物』東洋文庫　1960

28……林俊雄『中世初期ユーラシア草原における馬具の発達』馬事文化財団　1988

29……I. Bona, *Das Hunnen-Reich*, Budapest, 1991.

30……A. Kiss, *Avar Cemeteries in County Baranya*, Budapest, 1977.

31……田辺勝美『平山郁夫コレクション　シルクロード・コイン美術展カタログ』古代オリエント博物館　1992
32……中日・日中共同尼雅遺跡学術考察隊『中日・日中共同尼雅遺跡学術調査報告書』第二巻図版編　1999
33……大谷探検隊蒐集『中央アジア出土仏典資料選』龍谷大学図書館　1987
34……『旅する仏たち——敦煌・シルクロード』(毎日グラフ別冊) 毎日新聞社　1977
35……*Along the Ancient Silk Routes : Central Asian Art From the West Berlin State Museums*, New York, The Metropolitan Museum of Art, 1982.
36……『北庭高昌回鶻佛寺壁画』遼寧美術出版社　1990
37……山田信夫著，小田壽典・P. ツィーメ・梅村坦・森安孝夫編『ウイグル文契約文書集成 3 』図版編　大阪大学出版会　1993
38……E. A. Davidovich, *Klady drevnikh i srendnevekovykh monet Tadzhikistana*, Moskva, Nauka, 1979
39……Yusuf Khass Hajib, *Qutadughu Bilig*, ウルムチ，新疆人民出版社　1986
40……Kâşgarlı Mahmud, *Dîvânü Lûgati't-Türk*, Ankara, Kültür Bakanlığı, 1990.
41……Ebadollah Bahari, *Bihzad, Master of Persian Painting*, London/New York, I. B. Tauris Publishers, 1996.
42……西蔵工業建築勘測設計院『大昭寺』中国建築工業出版社　1985
43……中央民族学院少数民族・文学芸術研究所編『八思巴画伝』西蔵人民出版社　1987
44……故宮博物院編『清宮蔵伝仏教美術』紫禁城出版社・両木出版社　1992
45……朱暁明・索文清主編『珍宝——歴代中央政府册府達頼班禅史料文物，歴世達頼班禅敬献中央政府礼品精粋』朝華出版社　1999
46……Veronika Veit, "Die in Deutschland befindlichen Porträts der Ch'ienlung 1754-55 unterworfenen Ölötenfürsten", *Zentralasiatische Studien,* 4, 1970.
47……John Snelling, *Buddhism in Russia, The Story of Agvan Dorzhiev,* Massachusetts, Element, 1993.
48……Harry Halén, *Memoria Saecularis Sakari Pälsi*, Helsinki, Société Finno-Ougrienne, 1982.
49……『新疆銭幣』新疆美術撮影出版社・香港文化教育出版社　1991 (Petersburg, 1889)
50……新疆三区革命史編纂委員会『三区革命大事記』ウルムチ，新疆人民出版社　1986
51……G. A. Pugachenkova, *Srednyaya Aziya : spravochnik-putevoditel' (Pamyatniki iskusstva Sovetskogo Soyuza)*, Moskva, 1983.
52……V. I. Masal'skii, *Turkestanskii krai* (*Rossiya, polnoe geograficheskoe opisanie nashego otechestva*, tom 19), S.-Peterburg, 1913
53……中見立夫「ボグド・ハーン政権の対外交渉努力と帝国主義列強」『アジア・アフリカ言語文化研究』17　1979
54……*Tibet, A Hidden World, 1905-1935*, San Francisco, Pomegranate Artbooks, 1996.
55……*D. Sükhbaatar*, Ulaanbaatar, 1981.
56……陳籙『止室筆記』上海商務印書館　1917
57……Walter Bosshard, *Mongoliet*, Stockholm, Tidens Förlag, 1952.
58……民族文化宮編『中国西藏社会歴史資料』中国民族撮影芸術出版社　1991
59……M. Ali Taşçı, *Esir Doğu Türkistan için*, İstanbul, Doğu Türkistan Neşriyat

Merkezi, 1985.
60……A. Battal (Taymas), *Kazan Türkleri*, İstanbul, 1925.
61……Abdullah Receb Baysun, *Türkistan Millî Hareketleri*, İstanbul, 1943.
62……Säidäkbär Ä'zämkhojäev, "〈Shurai Islamiyä〉- äsli qändäi edi," *Fän vä Turmush*, No. 5/6, 1992.
63……Ella K. Maillart, *Turkestan Solo, One Woman's Expedition from the Tien Shan to the Kizil Kum*, London, 1934.
64……N. Ibrahimov 画, *Mushtum,* Tashkent, 1990, No.16.

口絵 p.1 右——林俊雄提供
p.1 左——新疆ウイグル自治区博物館蔵
p.2 上——C. P. C.提供
p.2 下——Kâşgarlı Mahmud, *Dîvânü Lûgati't-Türk, Tıpkıbasım*, Ankara, Kültür Bakanlığı, 1990.
p.3 上——Ebadollah Bahari, *Bihzad, Master of Persian Painting*, London/New York, I. B. Tauris Publishers, 1996.
p.3 下——石濱裕美子提供
p.4 上——杉山晃造氏撮影
p.4 下——堀川徹提供

p.7——著者(小松)提供
p.10——**1**, 口絵
p.18——**2**, p.190
p.19——**3**, p.93
p.20 右——**4**, p.218
p.20 左——**5**, p.10
p.21 右——**6**, p.68
p.21 左——**7**, pl.3-1
p.22 右——**8**, p.117
p.22 中——**9**, p.253
p.22 中上——**10**, pl.ix
p.21 中下——**11**, p.28
p.22 左——著者(林)提供
p.25 上右——**12**, p.42
p.25 上左——**13**, p.57
p.25 中右——**13**, p.67
p.25 中左——**13**, p.56
p.25 下——**14**, p.115
p.26 右——**15**, p.12
p.26 左——**16**, p.124
p.28——**17, p.18**
p.32——著者(林)提供
p.33 上——**18**, p.104
p.33 下——**19**, p.235
p.34——**20**, fig.58
p.35 右——**21**, p.412
p.35 左——**20**, fig.47
p.36 上——著者(林)提供
p.36 下——**22**, p.19
p.37 上——**23**, p.52
p.37 右上——**24**, p.298
p.37 右下——**24**, p.236
p.37 左——**24**, p.177
p.39——著者(林)提供
p.40——**25**, p.95
p.49 上——**26**, pl.86
p.49 中右——**26**, pl.68
p.49 中左——**26**, pl.15
p.49 下——著者(林)提供
p.51 右——**27**, p.11
p.51 左——**21**, p.460
p.61 上——著者(林)提供
p.61 下——**28**, p.122
p.62 右——**29**, p.51
p.62 左——著者(林)提供
p.70——著者(林)提供
p.73——著者(林)提供
p.74——著者(林)提供
p.75——著者(林)提供
p.79 右——**30**, pl.38
p.79 左——**30**, pl.23
p.83——著者(林)提供
p.84——著者(林)提供
p.85——著者(林)提供
p.86——著者(林)提供
p.87——著者(林)提供
p.92——著者(梅村)提供
p.96——著者(梅村)提供
p.100——**31**, p.3
p.107 右——**31**, p.21
p.107左——著者(梅村)提供
p.112——著者(梅村)提供
p.120 上——**32**, 図版 97
p.120 中——**33**, p.37
p.120 下——**33**, p.38
p.123——**34**, p.41
p.128——**35**, p.138
p.135——**36**, p.43
p.138——**37**, Tafel113
p.157——**38**, p.439
p.165——**39**, p.30
p.168——**40**, p.1

p.180 右——**23**, p.291
p.180左——著者(堀川)提供
p.183 右——**23**, p.307 下
p.183左——PANA通信社提供
p.187 上——**23**, p.304 上
p.187 下——**23**, p.304 下
p.189——**23**, p.314
p.195——著者(堀川)提供
p.203——著者(堀川)提供
p.207——絵はがき
p.217——著者(堀川)提供
p.220右——著者(堀川)提供
p.220左——著者(堀川)提供
p.228——**41**, p.173
p.234——著者(堀川)提供
p.241——著者(堀川)提供
p.247——**42**
p.250——**42**
p.253——**43**
p.256——**44**
p.261——**44**
p.271——**44**
p.283——**45**, No.11
p.285——**46**, p.227
p.291——**47**, pp.176-177
p.295——**48**, p.175
p.299——著者(濱田)撮影
p.306——著者(濱田)撮影
p.309——**49**, p.47
p.315——**50**, p.86
p.330——**51**, p.281
p.337——**52**, p.688
p.340——著者(小松)提供
p.346——**53**, p.53
p.349——**54**
p.352——**55**, p.12
p.358——**56**, 口絵
p.361——**57**, pp.72-73
p.365——**58**, p.35
p.372——著者(濱田)提供
p.380——**59**, 口絵
p.387——**60**, p.211
p.391——**61**, p.22
p.396——**62**, p.19
p.402——**63**, pp.220-221
p.416——PANA通信社提供
p.429——著者(石濱)提供
p.441——著者(小松)提供
p.444——著者(小松)提供
p.452——**64**

［図表出典一覧］

p.321——*Istoriya Uzbekskoi SSR*, tom 1, Tashkent, 1967, pp.630-631 の数値による。

p.327——G. J. Demko, *The Russian Colonization of Kazakhstan 1896-1916*, Bloomington, Indiana University, p.134.

p.394——Alexandre Bennigsen et Chantal Lemercier-Quelquejay, *La presse et le mouvement national chez les Musulmans de Russie avant 1920,* Paris-La Haye, Mouton & Co, 1964, pp.216-217.

p.401——Alexandre Bennigsen et Chantal Lemercier-Quelquejay, *La presse et le mouvement national chez les Musulmans de Russie avant 1920,* Paris-La Haye, Mouton & Co, 1964, pp.232-233.

p.440——『中央アジア乾燥地における大規模灌漑農業の生態環境と社会経済に与える影響——1997年調査報告書』日本カザフ研究会　1998年　p.2.

p.447 下——Y. Kulchik, A. Fadin and V. Sergeev, *Central Asia after the Empire,* London-Chicago, Pluto Press, 1996.

p.449——Mohammad-Reza Djalili, Frédéric Grare and Shirin Akiner ed., *Tajikistan: The Trials of Independence,* Richmond, Curzon Press, 1998, pp.247-248.

p.454——Center for Preventive Action, *Calming the Ferghana Valley: Development and Dialogue in the Heart of Central Asia,* New York, The Century Foundation Press, 1999, p.2.